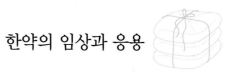

한약의 임상과 응용

한약의 임상과 응용

성영제 지음

군자출판사

머리말

부끄럽고 두려운 마음이다. 누더기라도 걸치고 폼을 잡던 것을 모두 벗어버리고 광장에 홀로 선 것처럼 이제 숨기고 감출 수 있는 것이 하나도 없음을 느낀다.

그동안 남이 준 옷을 내 몸에 맞추어 매일 입다보니 처음부터 내 옷인 줄 알았는데 모두 벗겨내어 하나하나 따져보니 내 것은 하나도 없다. 심지어 그 한 벌도 여러 사람이 준 천을 내 맘대로 재단해 입었던 것이다.

약업에 몸을 담고 사람을 대하고 영업이라는 것을 시작했을 때 기쁨보다 무서움이 앞섰는데 세월이 가고 이것 저것 주워듣고 보고 한 것들이 차츰 내 지금의 모습을 가꾸어 온 것 같다. 30년 가까이 터득한 지식이 겨우 이 정도뿐이라는 것을 알았을 때는 후학들에게 너무 부끄럽고, 이런 실력으로 여태 이 업에 종사했느냐는 선학들의 질책에는 두려웠다.

하지만 이런 사람도 있구나, 이렇게도 생각하는구나, 이건 써보니 효과가 좋구나, 누구라도 이 책을 보고 한 사람이라도 고쳐 줄 수 있다면 보람이 되겠구나 하고 세상에 내 놓아본다. 오래 전부터 자료를 하나하나 모아 정리한 것이 제법 양이 많아 책을 내도 되겠구나 생각하여 인터넷에 좋은 정보가 있으면 발췌하고, 건강에 관한 동영상이 있으면 요점만 추려 정리하여 필요한 곳에 삽입하고, 그동안 공부한 것의 내용을 정리하다보니 2년이라는 세월이 지났다.

몇 년 전에 번역을 해 본 경험이 있어 겁 없이 시작했고 내용정리가 끝나고 덮어 둔 것을 군자출판사와 인연이 닿아 출판에 이르게 되었다. 아무쪼록 처음 공부를 하려는 사람이나 공부 중인 사람에게 이정표가 되든, 지팡이가 되든 조금의 도움이라도 줄 수 있다면 더 바랄 것이 없겠다. 한마디 전하고 싶은 말은 포기하지 말고 끝까지 가라는 것이며, 언제나 마음을 사람에게로 향하고 어떻게 하면 편안하고 행복하게 해 줄까 하는 생각을 버리지 말라는 것이다.

iv

　　본문 중에, 살아 있음으로 하여 빛이 나며, 빛이 나는 것은 살아있다는 것이다 하는 내용이 항상 머리에 맴돌며 잊을 수가 없다. 어떻게 사는 것이 빛나게 사는 것일까? 어떻게 하는 것이 살아있는 행위일까? 이 의문에 답을 찾을 수 있을까?

　　힘들어 포기하려 할 때 옆에서 격려해주고 힘을 돋워 준 사람들에게 감사하며, 물적 심적으로 많은 자료를 제공해 주시고, 지식을 배양하게 하여 지금의 내가 있게 해 주신 윤영배 선생님께 항상 감사하는 마음이며, 자주 찾아뵙지 못하는 송구한 마음을 항상 지니고 있다.

　　매주 정기적으로 방문하여 진척되는 상황을 물어보고 격려를 아끼지 않던 박재호님께 감사의 말씀을 전하고, 한방회사의 상황이나 한약을 다루는 사람들의 실태를 알려주고 서로 마음 아파한 허석무님께도 감사를 전한다. 누구보다 묵묵히 뒤를 따라오며 온갖 투정과 잔소리를 견디고 끝까지 하나하나 돌봐준 사람에게 큰 절을 올린다. 출판에 관한 모든 것을 꼼꼼히 챙겨주고 먼 길을 왕래하는 수고도 마다하지 않은 군자출판사 관계자분들께도 감사를 드린다.

　　본문내용 중 방제와 이론의 출처는 인용한 서적에 따라 「韓方秘錄」「古今名醫方論」「方劑에서 사람으로」「傷寒論」으로 표시하였다. 그리고 인용한 일부의 내용은 그때그때 출처 표시를 하였다.

　　본문 중 다소 부족한 내용은 너그럽게 용서해 주시고 아울러 아낌없는 지도편달을 바랄 뿐이다.

2015년 성영제 씀

목차 目次

한약의 임상과 응용

제5장 간장(肝臟)

제7장 부인병(婦人病)

01

제 1 장

한 약 의 임 상 과 응 용

힐링
Healing

제 1 장
힐링(Healing)

생명을 가진 모든 것들은 삶을 유지하기 위해 영양의 흡수와 적당한 온도와 압을 필요로 하는데 스스로 체내에서 생성하지 못하거나 부족된 것은 외부로부터 공급을 받아야 한다.

특히 동물들은 자기가 만드는 영양은 거의 없으므로 끊임없이 외부에서 공급을 해야 한다. 이차원적 동물의 삶은 먹고 성장하고 생식본능만 충족하면 되는 것이지만, 삼차원적 인간의 생활은 동물적 생활방식에 사고가 추가되어 모든 것이 복잡다단해 진다. 이 생각하고 궁리하는 기능으로 인간은 먹이사슬의 제일 위 단계에 존재하게 된다. 인간은 동물적 힘의 단계에는 아주 나약하지만 이 정신적인 힘으로 오늘날과 같은 문명을 만들게 된 것이다.

그래서 인간은 육체적인 질병과 정신적인 병이 나타난다. 신체의 나약함과 많은 생각들로 현대의 인간들은 각종 질병에 걸리게 되고 이를 극복하기 위해 많은 연구와 실험이 행해지고 개인적으로는 경제적이나 육체적으로 적지 않은 손실을 가져 온다. 여기서 인간이 질병에 노출되는 원인을 한의서에 나온 것을 인용하면, 첫째로 내인칠정(內因七情), 그리고 외인육음(外因六淫)이며 나머지는 불내외인(不內外因)으로 구분한다.

내인칠정이란 정신적인 문제를 말하는 것으로 내 몸 안에서 어떤 감정에 지나치게 얽매이면 나타나는 병으로 크게 분류하면 아픔(슬픔)과 기쁨이겠지만 희(喜-기쁨)가 지나치면 심장이 상하고, 노(怒-성냄)가 지나치면 간이 상하고, 우(憂-근심)가 극심하면 폐가 상하며, 사(思-생각)가 많으면 비(脾)가 상하며, 비(悲-슬픔)가 도에 지나치면 심포(心包)를 상하게 하며, 공(恐-두려움)에 노출되면 신장을 상하게 하고, 경(驚-놀람)이 지나치면 담이 상하는

3

데 이 일곱 가지 감정을 칠정이라 하며, 외부에서 체내로 침범하여 발생하는 것을 육음이라 하는데, 풍(風)은 간을 상하게 하고, 한(寒)은 신을, 서(暑)는 심장을, 습(濕)은 비(脾)를 상하게 하며, 조(燥)는 폐를, 열(熱)은 심포(心包)를 상하게 한다.

칠정과 육음이 아닌 불내외인은 음식의 부절제와 과도한 운동이나 육체적 정신적인 노동, 외상이나 타박으로 발생하는 것이다. 상한론에는 만병(萬病)은 상한에서 시작한다고 기술하였지만 신체의 신진대사가 원활하고 저항력이 강하면 육음으로 오는 병에는 노출이 되지 않으며 신경계의 교란으로 오는 정신적인 병에도 걸리지 않게 된다. 현대인의 병은 칠정의 손상으로 오는 병이 많다. 삶을 유지하기 위해서 인간은 하루 3번 음식을 섭취하고 영양을 공급해야 한다. 자양분을 적당히 공급하지 못해도 병이 발생하고 감정이 상해도 병에 걸리게 되며 어느 누구라도 이 칠정과 육음, 불내외인의 상황에서 벗어날 수 없을 것이다.

동일한 환경에서 생활하는데 나는 병이 생기지만 다른 사람은 병이 생기지 않는 이유는 왜일까? 인체는 앞에서 말한 대로 저항력(항상성=면역력)이 있는데 칠정(內情)이든 육음(外因)이든 불내외인이든 이 중 어느 하나라도 인체를 질병으로 이끄는 원인이 되어 침범한다. 이것을 사(邪)라 하는데 여기에 대응하는 인체의 반응이 저항력이며 이 힘이 약하면 발병을 한다. 사기에 대응하는 몸의 반응이 증상이며, 공격과 저항의 강함과 약함이 병의 경중을 나타낸다. 일단 병으로 나타난 증상을 치료하는 방법은, 허하면 그의 모(母)를 보(補)하고, 실(實)하면 그의 자(子)를 사(瀉)하는 방법이 있고, 실제 한방을 사용하는 법은, 심(心)과 담(膽)은 서로 통하므로 심장의 이상에는 온담(溫膽)을 위주로 약을 쓰며, 담(膽)의 병에는 심장을 보하는 약제를 쓰며, 간(肝)은 대장(大腸)과 통하므로 간의 병에는 대장을 통하게 하며, 대장을 통하게 하려면 간을 조리해야 하고, 비(脾)는 소장(小腸)과 통하므로 비병(脾病)에는 소장의 열을 내리고, 소장(小腸)병에는 비를 윤택하게 해야 한다. 폐(肺)와 방광(膀胱)은 서로 이어져 있으므로 폐의 병에는 방광의 기를 조리하여 소변을 순조롭게 하며, 방광의 병에는 폐를 조리한다. 신장(腎臟)은 삼초(三焦)와 명문(命門)으로 서로 통하므로, 신장의 병에는 삼초를 고르게 하며 명문인 우신(右腎)을 보하고, 삼초의 병에는 좌신(左腎)을 보하는 방법을 택한다.

질병을 조리하고 평온한 마음을 유지하게 해주는 것이 약을 다루는 우리의 몫이며 각자 자기의 실력을 배양하여 만인을 질병의 고통에서 벗어나게 하는 것이 사명이 아닐까 한다. 약국의 힐링 부분에서는 간략하게 오장육부의 기능과, 내인과 외인의 영향으로 신경의 교란이 일어나 발생하는 자율신경의 실조와 그로 인해 나타나는 병의 유형을 살펴보고, 현대의학의 맹점을 파악하고, 현대의학에서 처치할 수 없는 부분을 한약으로 치료방법을 알아보며, 면역력 증강의 방법을 잘 숙지하여 무병장수를 향한 방향을 제시해 본다.

삶을 영위하면서 필수적으로 음식을 섭취하여 영양을 흡수하여 신진대사를 통해 오장육부가 건전하게 유지하게 된다. 이 과정에서 신체의 어느 장부 하나가 기능에 이상이 있으면 인체는 질병으로 이환된다. 자율신경계의 이상으로 신경전달물질의 분비가 원활하지 못하면 심리적 육체적인 영향으로 장부의 기능이상을 초래하게 된다.

음식섭취에서 배설까지의 과정을 간략하게 살펴보면

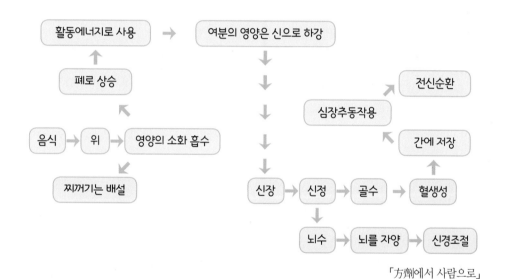

「方劑에서 사람으로」

이 과정에서 신정(腎精)이 뇌를 자양하여 건전한 사고와 활동을 주관하며, 갑상선의 작용을 조절하여 신진대사의 강약을 조절한다. 골수에서 혈을 생성하면서 면역물질도 만들어져 혈은 간에 저장되며 면역물질은 흉선에서 생성되어 저장되었다가 필요 시 분비된다. 신과 간의 상호동조가 깨지거나 과도한 스트레스, 과로, 음주, 흡연, 무절제한 생활 등으로 자율신경의 이상이 오면 아드레날린이 과다 분비되거나 엔돌핀의 분비가 저하된다. 아드레날린은 사람을 공격적이나 파괴적으로 만들고 불안한 마음을 일으키게 만들며, 내장 분비계의 이상을 초래하여 신체를 불균형 상태로 변화시킨다. 한 번 깨진 신경의 이상은 여간해서 정상으로 돌아오기 힘들다. 엔돌핀은 중독성이 있는 호르몬으로, 운동이나 쾌감이나 환희 등을 느낄 때 분비되지만 강한 진통작용이 있어 중독성을 일으킨다. 신장이 허하면 더욱 중독에 빠져들기 쉽다. 일중독, 운동중독, 게임중독 기타 약물이나 어느 것에 중독이 되는 것은 이 호르몬의 작용이다. 아드레날린이든 엔돌핀이든 질병을 치유하고 마음을 안정시키는 작용은 없다. 여기에서 약국의 Healing이 필요한 부분인데, 흥분되어 있는 몸의 기능이 안정을 찾고 치유가 되게 하는 방법으로 행복감과 만족감, 편안함을 가지게 하는 호르몬의 분비를 왕성하게 하는 것이다. 행복감을 느끼게 하는 호르몬은 세로토닌으로 아드레날린과 엔돌핀의 분비를 조절한다. 세로토닌은 음식에서 흡수한 필수 아미노산에서 변환이 되며 신정이 뇌를 충분히 자양할 때 원활히 생성될 수 있다. 이 물질은 생기와 의욕이 생기게 하고 주의력과 기억력을 좋게한다. 세로토닌이 부족하면 아드레날린의 과잉을 초래하여 충동조절이 어렵게 되며 화를 잘 내며 성격이 급해지고 우울증이나 집중력이 떨어지게 되며 대사이상과 신경증을 초래하여 당뇨, 고혈압, 동맥경화, 비만, 불안, 초조, 화병 등의 자율신경실조 현상을 나타낼 수 있다. Healing의 방법으로는 모든 것을 서두르지 말고 천천히 하는 것이다. 즉 천천히 오래 씹어 먹을 것, 천천히 걷기, 심호흡, 명상, 음악 감상, 스킨 쉽, 또는 소프트 터치, Sex, 부부간의 애정, 여러 사람과 어울리는 것, 자연 친화적 생활 등 무엇인가를 보거나 듣거나 만지거나 냄새를 맡거나 먹을 때 편안함을 느끼거나 좋은 감정이 나타날 때 세로토닌은 분비가 잘 된다. 이런 생활의 방법을 알려 주고 도와주는 것이 우리들이 할 수있는 Healer의 역할이다. [출처 : 이시형/ '세로토닌하라'/중앙북스 2010. 7. 15]

아래 글은 Healing의 중요성을 알 수 있는 내용으로써 환자는 진정으로 우리에게 무엇을 필요로 하고, 자신이 어떤 것을 원하는지 우리에게 일깨워 주는 내용이므로 잘 읽어 보시기 바란다. 오래된 만성병자들에겐 먼저 우리가 해야 할 것은 심적인 안정을 갖게 해주는 것이다. 그리고 환자가 호소하는 내용을 잘 듣고 그 사람의 입장에서 생각하고 내재된 환자의 갑갑함이 무엇인지를 파악을 하는 것이 좋다. 무조건 약을 팔려고 하는 욕심을 내면 환자는 우리보다 더 먼저 알아챈다는 사실이다. 욕심을 내는 순간 나는 장사치로 전락이 되며 자신의 이미지만 실추시키는 결과만 초래한다.

약을 팔지 마라, 단지 지식을 팔아라. 이러한 행위는 환자와 나는 깊은 신뢰감이 형성되며, 그는 나를 믿고 내 말을 따르게 되는 것이다. 그러면 경제적 가치는 스스로 창출된다. 환자가 우리에게 오는 이유를 잘 생각해 보면 위에서 기술한 것처럼 아픔을 치유하기 위한 것이니, 우리들은 왜 아프게 되었는지 어떻게 하면 좋아질 수 있다는 희망을 주기 바란다. 환자 하나하나는 모두 우리가 실력을 배양하고 지식을 쌓으라고 오는 것임을 명심하고 어떠한 내용이든 환자에게 Healing을 해 줘야 하는 것이다. 말은 부적과 같다. 부정적이고 악의적인 말은 그대로 나에게 돌아온다는 것을 명심하고 함부로 누구를 욕하거나원망하지 말 것이다. 항상 긍정적이고 희망적인 태도로 말하고 잘 모르면 솔직히 밝히고 잘 모르겠습니다 해야 할 것이다. 우리 한 사람 한 사람이 현대의 의학적 모순을 잘 파악하고, 현대의학의 모순과 혼돈 속에서 하나씩 바로 잡아 나가는 것이 진정한 의료인들의 표상이라 생각한다. 그러나 누구를 비방하면 절대 안 되며 남을 탓하거나 잘 난 체 우쭐거리지 말아야 한다. 항상 겸손한 마음으로 내 주위의 모든 이들을 인정하고 감사한 마음으로 나를 닦아야 한다. 얕은 지식으로 거짓말을 해서는 내 스스로 가시밭길 속으로 들어감과 같게 된다. 나의 부족함이 무엇이며 이러한 일들이 왜 나에게 왔는가를 깊이 생각하여 그 어긋난 마음 구석을 하나씩 버려나가면서 바른 마음가짐으로 바르게 살아야 할 것이다.

1. 현대의학의 맹점
의학박사 로버트 S. 멘델존의 "나는 현대의학을 믿지 않는다."

[출처 : 문예출판사/ 남점순 역 /2000년]

이곳에 기술한 내용들은 실로 경악에 가까운 사실들이 밝혀지고 진정으로 환자를 위하는 것이 무엇이며, 질병을 치료하는 방법을 제시하여 건강을 유지하는 개념을 알려준다. 이 책에 있는 내용은 미국의 의료현실과 문제점을 기술하였고, 미국의 상황이라는 것을 이해하고 우리나라는 좀 다를 것이다라는 생각으로 일부 발췌를 하였다. 여기의 얘기들이 전부 진실이라고 말할 수는 없을지 모른다. 그러나 이러한 논란을 보면서 스스로 참다운 의료란 무엇인지 느끼고, 어떻게 하는 것이 아픈 사람의 몸과 마음을 잘 다스려 건강한 몸으로 회생시킬 것인가 깨닫기 바란다. 자신의 몸과 생명에 관계된 일이기에 가볍게 넘어가기가 쉽지 않다.

나는 현대의학을 믿지 않는다.

등산가가 높은 산을 보면 자꾸 오르고 싶어지듯이 의사는 부은 편도선을 보면 자꾸 자르고 싶어지는가 보다. 이럴 때 의사의 신념은 '거기에 편도선이 있기 때문이다'라는 것이다. 건강을 자부하던 사람도 병이 날 수 있으며, 서서히 진행되는 노화라는 숙명적인 흐름을 생각해 보면 우리는 모두 잠재적인 환자이다. 자연치유력이나 가족의 소중함을 경시하게 만드는, 건강한 사람조차 병자가 되고 마는 위험한 의료행위, 과 투약, 불필요한 수술의 남발, 방사선의 과다한 사용 등은 건강이나 행복에 아무런 도움도 되지 않는다. 태초에 인간들이 어떤 의학 기술의 도움 없이도 스스로 살아가던 시대의 지혜들을 버리지 말아야 한다. 이는 역사 속에서 면면히 이어져 내려오며 저절로 검증된 수많은 민간요법과 식물(약초)들을 과학이라는 미명하에 무차별적으로 경시하고 배척하며, 대신 현대의학을 거의 맹목적으로 받아들여 신앙 시 해온 어리석음을 범하지 말아야 한다.

나는 고백한다.

처음부터 현대의학을 믿지 않았던 것은 아니었다. 믿지 않기는커녕 열렬한 신자였다. 의과 대학생시절, DES(디에틸스틸베스트롤)라는 여성 합성 호르몬제 연구가 활발했는데, 20년 후 임신 중에 이약을 투여 받은 여성이 낳은 아이들에게서 자궁경부암이나 생식기 이상이 지나치게 많이 발견되었다. 연구생 시절, 미숙아에 대한 산소요법이 최신의료설비를 자랑하는 큰 병원에서 시행되었다. 그러나 이 치료를 받은 약 90퍼센트의 미숙아에게서 약시나 실명 등 중증의 시력장애 (미숙아 망막증)가 발생했다. 한편, 의료수준이 열악한 근처 병원에서는 미숙아 망막증 발생률이 10% 미만이었다. 미숙아 망막증이 고농도 산소의 투여로 인해 발생했다는 사실을 안 것은 그로부터 1, 2년 후의 일이었다. 경제적으로 여유가 있는 병원은 최신식의 고가 플라스틱제 보육기를 설치했기 때문에 산소가 새지 않고 보육기 안에 가득하여 미숙아를 실명시켰지만, 수준 미달의 병원에서는 구식의, 틈이 많은 덮개가 달린 욕조 같은 보육기를 사용해 산소가 많이 샜고 이로 미숙아를 실명에서 구해준 것이다. 편도선, 흉선, 림프절에 방사선 치료가 효과가 있다고 믿었다. 이 치료법에 대해 교수들은 방사선을 쬐는 것은 위험하지만 치료에 사용되는 정도의 방사선은 전혀 해가 없다고 단언했기 때문에 나는 그 말을 믿었다. 그러나 전혀 해가 없는 방사선이라도 10~20년 후에도 갑상선종을 일으킬 수 있다는 사실이 그 후의 연구에서 판명되었다. 마침내 현대의학이 몰고 온 무수한 불행의 씨앗을 잘라낼 시기가 도래한 것이다. 이렇게 깨닫자마자 내가 방사선으로 치료했던 환자들의 얼굴이 떠올랐다. 대부분의 사람들은 첨단의료란 멋진 것이고, 그 기술을 가진 명의에게 치료받으면 건강해질 것이라고 믿는다. 그러나 그것은 대단한 착각이다. 현대의학에서 행하는 치료는 효과가 없는 경우가 많다. 효과는커녕 치료받은 뒤에 오히려 위험해지는 경우가 종종 있다. 현대의학은 언제나 과잉진료에 몰두하고 있으며, 그것을 자랑으로 여긴다. 중증의 환자에게만 하도록 되어있는 특수한 치료를 가벼운 증상의 환자에게도 당연한 듯이 행하고 있다.

임산부는 병원에 가지 않는 것이 좋다.

왜냐하면 환자로 취급받을 뿐이기 때문이다. 의사에게 있어 임신과 출산은 9~10개월에 걸친 병이고, 임산부는 환자일 뿐이다. 정맥주사와 태아감시장치, 각종약물, 거기다가 필요도 없는 회음절개 같은 치료를 받고 나면, 마지막에는 의료 공장의 단골상품인 제왕절개가 기다리고 있다. 감기에 걸린 사람도 병원에 안 가는 것이 좋다. 의사는 대부분 항생제를 투여하지만, 항생제는 감기나 인플루엔자에 거의 효과가 없으며 오히려 그것이 원인이 되어 감기를 악화시킬 뿐이다. 산만한 아이가 당신을 귀찮게 한다고 해서 병원에 데려가면 큰일 난다. 지나친 약물투여가 반복되어 결국에는 아이들을 약물 중독자로 만든다. 신생아가 꼬박 하루 동안 모유를 안 먹었다고, 혹은 육아 책에 쓰인 대로 체중이 증가하지 않았다고 해서 의사의 말대로 할 필요는 없다. 의사는 모유의 자연적인 분비를 억제하는 약을 줄지도 모른다. 모유가 잘 안 나오게 된 엄마는 아기를 분유로 키우라는 지시를 받게 되고, 결국 위험한 결과를 초래한다. 접수 때부터 함부로 취급받다가 정작 의사에게 진찰받을 때는 긴장하여 혈압이 평소보다 올라가게 되고, 결국 혈압을 내리기 위해 대량의 강압제를 맞고 돌아오는데, 이렇게 해서 성생활에 종지부를 찍게 되는 사람들이 늘고 있다. 임포텐스는 심리적인 원인보다 이러한 강압제 등의 약물 부작용에 의한 것이 많다.

의사를 이해하는 것이 필요하다.

현대의학이 종교라는 사실을 알면 보다 효과적으로 자신을 지킬 수 있다. 물론 현대의학은 절대 스스로 종교라고 말하지 않는다. 병원도 종교가 아니라 사람을 고치는 의술 또는 과학을 위한 건물인 것처럼 가장하고 있다. 현대의학은 환자의 신앙이 아니면 존재할 수 없다. 모든 종교가 그렇겠지만, 현대 의학교의 경우는 신자들의 신앙심에 의존하는 정도가 크기 때문에 사람들이 단 하루라도 믿음에 회의를 느낀다면 의료제도 자체가 붕괴해 버릴 정도이다. 이런 사정은 다음의 세 가지 의문에 대해 생각해보면 바로 이해할 수 있다. 다른 곳에서라면 당연히 의심받을 만한 행위가 의료행위라는 이유만으로 공공연하게 자행되고 있다. 환자들은 대부분 수술에 대해 이해하지 못하면서 선뜻 수술에 동의하고 있다. 사람들은 약 성분인 화학물질이 어떤 작용을 하는지 제대로 알지 못하면서 연간 몇 천 톤에 달하는 약을 소비하고 있다. 의사가 환자를 진찰할 때 건강검진은 일종의 의식이다. 병에 대한 자각 증상이 없다면 굳이 건강 검진을 받을 필요가 없다. 검사를 받으면 받을수록, 그 검사가 철저하면 철저할수록 몸은 좋아진다고 믿는 것은 잘못된 생각이다. 진찰에는 늘 위험이 동반되고, 별 것 아닌 것처럼 보여도 몸에 해를 끼치는 것들이 있기 때문이다. 청진기는 의사가 성직자 흉내를 내기에 좋은 소도구에 지나지 않는다. 피부에 직접 닿는 그 청진기에 의해 감염되는 경우도 있다. 정말 심각한 병이라면 청진기를 사용하지 않고 육안으로도 충분히 판단할 수 있다.

마네킹도 살리는 기술

심장 발작을 일으킨 환자가 관상동맥질환집중치료실에 누워있다. 이 환자는 매우 안정되어 있고 차분한 상태이다. 그에게 주사기를 든 간호사가 다가온다. 그것을 본 환자는 매우 놀라 당황한다. 간호사는 심전도에 이상이 나타나 응급처치를 시행하겠습니다. 이 간호사는 심전도에 종종 오차가 생기는 것과 심전계의 누전에 의해 심전도가 이상을 나타내는 경우를 지적하는 연구 보고가 여러 차례 발표되었다는 사실을 알지 못한다. 환자는 필사적으로 호소한다. '간호사님, 부탁합니다 나는 정상입니다. 맥을 짚어 보면 알겁니다.' 그러나 간호사는 아무런 동요도 없이 이렇게 대답한다. '맥을 짚어 봐도 소용없습니다. 심전도가 가장 정확합니다.' 그리고 마침내 간호사는 환자의 팔에 주사를 놓는다. 마네킹의 머리에 젤리를 넣어 뇌파계를 접속시켜보았더니 '살아 있다' 라는 결과가 나왔다고 한다.

의사가 다루는 의료기구 중에서 가장 많이 보급되어 있으면서, 위험도에 있어서 다른 것에 비할 수 없는 것으로 엑스레이 장치를 들 수 있다. 소아 백혈병이 태아 때의 치료 피폭, 즉 엑스레이와 깊은 관련이 있다는 것이 증명되었지만, 의사들은 그러한 걱정은 전혀 하지 않는다. 20~30년 전에 머리, 목, 가슴의 상부에 방사선을 맞은 사람들 중 수 천 명에 달하는 사람들에게서 갑상선 질환이 발생하였다. 갑상선암은 치과의사에게 엑스레이 검사를 10회 정도 받는 방사선 양보다도 적은 양의 피폭으로도 발생할 수 있다. 아무리 적은 양의 방사선이라도 인체에 비추게 되면 유전자를 손상시키고, 현 세대뿐만 아니라 그 이후의 세대에 걸쳐 큰 영향을 미칠 우려가 있다. 엑스레이는 당뇨병, 심장병, 뇌졸중, 고혈압, 백내장 같은 나이가 들수록 걸리기 쉬운 병의 원인이 된다. 암이나 혈액의 이상, 중추신경계 종양의 원인이 방사선에 있다고 지적하는 연구 보고는 이외에도 얼마든지 있다. 환자에게 이익보다 불이익이 되는 경우가 많은 것이 임상검사다. 일찍이 미국 질병대책센터(CDC)는 전국의 검사실에서 발생한 실수에 관한 조사 결과를 발표했다. 검사 실수가 발생한 오진율이 평균 25%가 넘는데 충격을 받기에는 아직 이르다. 질병대책센터는 미국 내 전체 검사실의 채 10%도 조사하지 않았다. 여기에 나타낸 숫자는 최고수준 검사실의, 최고 수준의 연구 실태이다. 의사는 오직 수치에만 신경을 쓴다. 모유를 먹고 크는 아기의 경우 체중이 의사가 이상치라고믿고 있는 정도에 미치지 못하는 경우가 종종 있다. 그럴 때 의사는 엄마에게 우유를 먹이라고 지시하지만, 이것은 아이에게도 엄마에게도 해만 될 뿐이다. 임신부도 체중계를 의식할 필요가 없다. 임신부에 정상 체중의 증가라는 것은 없기 때문이다. 임신부가 영양이 풍부한 음식을 섭취하고 있다면 그것으로 된 것이지, 적절한 분량 등은 그다지 신경 쓰지 않아도 된다. 눈금이 붙어 있는 우유병도 문제이다. 의사가 정해진 양만큼 우유를 먹이도록 일러주기 때문에 아기엄마는 일정량의 우유를 아기에게 무리하게 먹이려고 한다. 대부분의 우유병에는 몇 가지 문제가 있어서 엄마가 어르고 달래서 강제로 먹여도 아기들은 대부분 토해 버린다. 아기가 아파서 병원에 전화를 하면 의사는 틀림없이 체온을 묻지만, 이 질문에는 별 의미가 없다. 예를 들면 장미진(피부에 발생하는 붉은색 발진, 우리나라는 열꽃이라 함)이 그것이다. 갓 난 아기에게 종종 나타나는 병으로 40도 가까운 고열이 나는 경우가 자주 있지만, 사실 열은 걱정하지 않아도 된다. 고열은 자연 치유의 과정이고, 하룻밤 자고 나면 대체로 나아지기 때문이다. 반대로 고열이 동반되지 않는 위험한 병도 있다. 결핵성 수막염은 생명을 위협할 수도 있는 병이지만 발열을 느낄 수 없을 뿐만 아니라 대부분의 경우, 정상 체온인 상태가 많다.

모든 건강검진에는 환자가 의사에게 이용당할 위험이 항시 도사리고 있다. 그리고 네 살이 되도록 배변훈련을 받지 않은 남자 아이들에게 방광경검사까지 겸한 비뇨기 관련검사를 하고 있었다. 방광경검사는 중장년의 방광암, 전립선암, 자궁암 등의 검진에 자주 이용되는 검사로 방광경이라는 일종의 내시경을 요도에서 방광 내에 삽입해 방광 내부의 이상 여부를 조사하는 것이다. 이 가혹한 검사를 이제 겨우 네 살 밖에 안 된 아이에게 행하고 있었던 것이다. 나는 즉시 이러한 것을 못하게 하였다.

건강과 병은, 의사의 생각과 사정에 따라 어떻게든 해석될 수 있다. 약의 조절은 의사의 처방여하에 달려있다. 이 방법을 사용하면, 환자의 주치의가 의도하는 대로 얼마든지 조작이 가능하다. 의사는 이상이 발견되지 않더라도 병을 만들어 낼 수 있다. 100명의 어린아이를 검사해서 신장, 체중, 소변, 심전도를 측정하면, 통계상 '이상'이라고 여겨지는 아이가 반드시 나온다. 검사로 얻어진 평균으로부터 초과된 수치에 틀림없이 몇 명은 속하기 때문이다. 게다가 몇 가지 검사를 거듭하면, 전원이 어떤 검사에서 이상이라고 판명된다. 그 결과 위험에 노출될 수 있는 갖가지 검사를 풀코스로 받는 함정에 빠지게 된다.

건강 검진을 받으면, 의사는 경미한 것이라도 바로 이상한 점을 발견해낸다. 혈당치에 조금이라도 변동이 있으면 당뇨병의 예비증상이라고 겁을 줘 당뇨병 예비군으로 진단된 환자는 결국 당뇨병 치료제를 받아 귀가하는 처지가 된다. 근처에서 제트기가 날아 심전도가 흔들려도 심장병의 예비증상이라 하며 협심증 예비군으로 진단한다. 귀가해서 협심증 치료제를 먹고 있으면 약의 부작용에 의해 몸과 마음에 현저한 이상이 나타나기 시작하는데 침침해지는 눈, 착란, 동요, 환각, 마비, 결국에는 간질 발작과 심각한 정신 장애를 일으킬 수 있다. 콜레스테롤 수치가 높다고 진단되면 약물이 처방되는 경우도 있다. 이 약에는 콜레스테롤을 저하시키는 작용이 있어 복용하면 확실히 콜레스테롤 수치는 낮아지지만, 동시에 여러 가지 부작용도 나타난다. 피로, 허약, 현기증, 근육통, 탈모, 침침해지는 눈, 떨림, 발한, 임포텐스, 성욕감퇴, 빈혈, 소화성 궤양, 류마티스 관절염, 홍반성 낭창(결핵성 피부염의 일종) 등등 혈압이 다소 높을 때 의사는 강압제를 무조건 처방한다. 그 강압제는 어떤 효능이 있는가? 거의 아무런 효능이 없다. 그 대신 부작용은 두통, 졸음, 권태감, 구토, 임포텐스 등 실로 다양하다. 관상동맥질환 약물 조사반은 강압제에 대해 다음과 같이 경고하고 있다. "생명에 별 지장이 없을 정도의 심근경색, 폐색전증과 같은 부작용을 수 없이 일으키며, 복용했을 시 사망률을 저하시키기 보다는 심한 부작용을 초래한다."

의사가 건강검진의 중요성을 선전하기 시작한 것은 세계 대공황에 즈음해서이다. 이유는 말할 것도 없이 불황 타계 대책이었다. 환자를 속이기에 가장 좋은 방법은 환자에게 죄를 뒤집어씌우는 것이다. "왜 좀 더 일찍 오시지 않으셨습니까? 좀 더 일찍 오셨더라면, 이렇게 되지는 않았을 텐데…" 대부분의 사람들은 조기발견, 조기치료의 중요성을 믿고 의심하지 않는다. 하지만 다음과 같은 사실을 분명히 인식해야한다. 환자에게 있어 가장 불행한 일은, 의사가 수많은 치료 메뉴 중에서 보다 극단적인 치료방법을 택하는 경향이 있다는 것이다. 그 경향이 지나쳐, 환자의 상태는 안중에도 없고 불필요한 치료를 무리하게 행하려 드는 의사도 있을 정도다. 그냥 놔두면 자연히 낫는 병이지만 환자가 감기를 빨리 고쳐 달라고 항생제를 요구 한다거나, 관절이 아프다고 극약인 소염 진통제를 원한다거나, 혹은 10대 젊은이가 여드름이나 뾰루지를 고쳐 달라고 호르몬제를 원한다고 말할 경우 의사들은 순순히 책임을 인정할리 없다. 환자가 원하는 것은 배려와 정성이 담긴 치료와 자연치유를 중요하게 여기는 치료이고, 약에 의존하지 않는 치료에 관한 정보제공이다.

편도선비대, 유아 배꼽 탈장, 특히 아무런 문제가 없는 심장잡음 등은 대부분이 여섯 살 이전에 없어지는 증상이다. 의사의 위험한 진찰로부터 자신의 몸을 보호하기 위해서 배워둬야 할 마음가짐과 대책은 이외에도 많이 있다. 물론 사고에 의한 부상, 급성 맹장염과 같은 긴급사태라면 얘기는 달라진다. 이런 응급치료를 요하는 사태는 의료행위 전체의 불과 5% 정도에 지나지 않는다. 병의 자각증세가 전혀 없다면 의사를 찾을 필요가 없다. 만약 자각증세가 있거나 실제로 병인 경우, 그 병에 대해서 의사보다 더 많이 알아둘 필요가 있다. 병에 대해 공부하는 것은 그렇게 어려운 일이 아니다. 먼저 의사가 사용하는 책을 입수한다. 아마도 의사는 책의 내용을 거의 잊고 있을 것이다. 그리고 자신의 병에 대해 씌워진 일반인을 위한 책을 읽어본다. 정보 면에서 의사와 대등하거나 혹은 그 이상의 입장에서 대화할 수 있도록 자신의 병에 대해서 될 수 있는 대로 많이 알고 있는 것이 중요하다. 검사를 받으라면 검사로 무엇을 알 수 있는지에 대해 알아둘 필요가 있다. 조사해보면, 특별한

의의는 거의 없다는 것을 알 수 있다. 50세 미만의 여성, 흉부에 특별한 증상이 보이지 않는 여성, 유방암으로 고생한 적이 없는 여성의 유방은 엑스레이에 민감하게 반응한다. 의사로부터 내 몸을 보호하기 위해서 치료법을 결정할 때는 거기에 대해 잘 아는 사람을 찾아 이야기를 나눠보는 것이 좋다. 또 그 친구나 주변사람, 가족의 말에도 더욱 귀를 기울여야 한다. 의사는 "잘 알지도 못하는 사람들의 말은 믿지 말라."고 말한다. 병이라고 여겨지면, 바로 친구나 친척, 주변의 신뢰할 수 있는 사람들과 신중히 대화를 나누는 것이 중요하다. 그렇게 하면 의사가 없어도 건강하게 지낼 수 있다는 것을 알 게 될 것이다.

많은 의사들이 감기와 비슷한 증상을 가지고 있는 환자에게도 고역가의 항생제를 투여하고 있다. 그러나 항생제가 효과를 나타낼 수 있는 것은 세균성 감염증에 한해서이며, 감기나 인플루엔자와 같은 바이러스성 감염증에는 투여를 해도 별 효과가 없다. 항생제는 감기에는 효과가 없다. 감기나 인플루엔자에 대한 항생제의 작용은 피부 발진, 구토, 설사, 발열, 과민성 쇼크 등으로 고통만 받을 뿐이다. 과민성 쇼크란 심혈관 이상, 발한, 의식불명, 혈압저하, 부정맥 등의 심한 부작용이 일시에 일어나는 것이다. "어린아이의 감기는 마이코프라즈마 폐렴으로 전이될 가능성이 있기 때문에, 테트라사이클린을 투여할 필요가 있다."고 의사는 말한다. 그러나 그것은 근거 없는 말이다. 마이코프라즈마라고 하는 것은 세균과 바이러스의 중간에 위치하는 자기 증식 기능을 가진 최소의 미생물인데, 어린아이 감기의 대부분이 그것에 감염일 리가 없기 때문이다.

항생제의 과잉투여에 의한 부작용보다 더욱 무서운 것은 항생제가 체내에서 특정 세균과의 싸움을 반복해가는 동안에 그 항생제에 대해 내성을 갖는 새로운 세균이 변종으로 만들어져, 그것이 더욱 심한 감염증을 일으킨다. 세균은 적응력이 강한 미생물로서, 약제에 접하면 접할수록 그 이후 세대의 세균은 그 약에 대해 내성을 갖추게 된다. 일찍이 임질의 치료는 소량의 페니실린으로 충분했으나, 지금은 다량의 항생제 주사를 두 번이나 맞지 않으면 낫지 않게 되었다. 문제는 의사의 대부분이 지금도 항생제 같은 강한 약을 환자에게 투여하고 있다는데 있다.

의사가 집행하여 행한 '약 남용의 의식'은 사람을 죽음에 이르게도 하는 위험성을 갖고 있다. 실제로 의사가 투여한 약은 불법인 마약이나 각성제보다도 더 많은 사람들에게 위해를 안겨주고 있다. 미국의 의료조사에서, 약물 남용으로 인한 사망률은 마약이나 각성제에 의한 것이 26%이며, 바륨과 바르비탈계의 수면 진정제 등에 의한 것이 23% 라고 보고되고 있다. 그러나 그 조사에는 연간 2~3만 명에 이르는, 처방약의 부작용으로 인한 사망자 수가 계산되어 있지 않은 점과 사망자수가 1만 명이나 차이가 난다는 점이다. 이는 사인이 약물에 의한 것일지라도 의사가 적당히 둘러대어 속이고 있는지도 모른다는 사실을 나타낸다. 가령 말기 환자가 그 치료를 받지 않았다면 생존해 있었을 것이나 약물요법 도중에 죽은 경우, 의사는 부작용사가 아닌 병사로 진단한다. 중요한 사실은 입원환자의 대부분이 통원 단계에서 의사로부터 처방받은 약을 복용하고, 그 부작용이 원인이 되어 입원하게 된다는 것이다.

스테로이드제는 항생제와 마찬가지로, 본래는 중증환자에게만 한하여 사용되는 것이었으나 근래에는 증세가 가벼운 환자의 치료에까지 투여되고 있는 극약이다. 부신은 대사를 조절하는 인체 최대의 장기이다. 스테로이드제의 투여는 극도의 부신기능 저하, 뇌하수체의 기능 저하, 홍반성 낭창, 궤양성 대장염, 한센씨병, 호지킨병(악성림프종)과 같은 중증의 위독한 병에 한정되어 있다. 그러나 현재는 단핵증, 여드름, 발진과 같은 아주 흔한 증상뿐만 아니라 볕에 탄 피부에까지 사용되고 있다.

경구피임약을 복용하고 있는 여성은 심장병뿐만 아니라 간종양, 두통, 우울증, 암 등을 일으킬 수도 있다. 경구피임약 복용 자는 비복용자와 비교하면 심근경색으로 사망할 확률이 40세 이상에서는 5배, 30대 에서는 3배이다. 그 밖의 병의 발병률을 연령을 불문하고 비교해 보아도 뇌졸중 4배, 혈전 색전증 5배 이상, 고혈압이 6배이다. 대부분의 병원에서 이 약은 폐경기의 불쾌한 증상을 예방한다는 이유로 일상적로 사용되고 있기 때문이다.

의사는 '강압제의 복용은 고혈압에 반드시 필요한 치료법'이라고 역설하여 환자에게 그렇게 믿도록 할뿐, 부작용에 관한 경고는 충분히 하지 않는다. 물론 부작용이 있다는 것을 의사들은 잘 알고 있다. 강압제의 부작용을 열거하면 다음과 같다. 발진, 광선 과민증, 어지러움, 허약, 근육경련, 혈관염증, 찌르는 것 같은 피부통증, 관절염, 정신장애, 의식장애, 집중력 저하, 경련, 메스꺼움, 성욕감퇴, 성적부능(남성의 경우는 임포텐스) 등이다. 이 세상의 어떤 치료법으로도 약이 원인이 되어 생긴 성욕감퇴와 성적불능은 치료할 수 없다. 반면 동양의학에서는 음식이 인체에 미치는 영향을 생각하여, 일찍부터 그 지혜를 건강을 위해 활용해왔다. 약의 피해로부터 아이들을 지키려면 식사법은 합성 착색료 등의 합성 첨가물과 일부 가공식품을 일체 먹지 않는 것으로, 그들 식품이 포함하고 있는 어떤 물질이 특히 과민체질의 어린아이에게 자극을 준다는 판단에 기초하고 있다. 이는 이치에 맞는 생각이지만, 약물요법의 신봉자들로부터 심한 공격을 받고 있다. 주의 결함, 다동성 장애로 판정받은 어린아이를 약물남용으로부터 지키는 방법은 의사와 떨어뜨려놓는 것 밖에 없다. 의사라고 하는 사람들이란 처음에는 부모의 이야기를 들어주면서 "학교 선생님과 상담하여 환경을 바꾸어보는 것도 좋은 방법입니다."라고 말하지만 종국에는 반드시 약물요법을 권해오기 때문이다.

약물요법을 싫어하는 고혈압 환자에게는 우선 운동요법으로 체중을 줄이라고 할지 모르나, 그것이 의사의 본심은 아니다. 두 가지 이유 때문이다. 우선 의사들이 운동요법 등의 효과를 절반은 믿고 있지 않고 있다는 사실, 또 하나는 영양이라든가 생활습관의 개선에 관해서 환자에게 조언을 할 수 있을 정도의 지식을 갖추고 있지 않다는 사실 때문이다. 정확한 지식을 지니고 있는 의사도 없지는 않으나, 50명에 1명 정도에 불과하다. 환자의 입장에서 보면 약을 사용하지 않고 치료하기를 원하는 것은 당연한 일이다. 그러나 의사의 입장에서 보면 그것은 당치 않은 요구인 것이다. 미국 의회 소위원회가 제출한 자료에는, 미국 내에서 행해진 수술실태가 다음과 같이 보고되고 있다. "매년 240만 회 이상이나 필요도 없는 수술이 시행되고 있으며, 그 때문에 40억 달러 이상이 낭비되고 있다. 수술 중 수술 후에 사망한 연간 25만 명에 다다르는 환자 중, 5%에 해당하는 1만2000명 이상의 사망자는 불필요한 수술의 희생자이다." 독립기관인 건강조사 그룹의 조사에 의하면, 필요하지 않은 수술이 연간 300만회 이상이나 시행되고 있으며, 그 수는 전체 수술의 11~30%를 차지하고 있다고 한다. 수술을 권장 받은 환자를 대상으로 조사한 연구에 의하면, 그 대부분에게서 수술의 필요성이 인정되지 않았을뿐더러 조사대상이 된 환자 중 반수가 원래 의료처치 그 자체가 불필요했던 것으로 판명되었다. 수술로 절제된 조직을 조사하는 위원회가 결성되자, 그 결과 놀랄 만한 통계가 발표되었다. 어떤 병원에서 위원회가 결성되기 전 해에 262차례의 맹장수술이 행해졌으나 그 다음해에는 78회로 감소했고 불과 몇 년 만에 62회까지 격감했다. 게다가 빈번하게 행해지고 있는 암 수술이나 관상동맥 바이패스 수술, 자궁 적출 수술 등은 조사 대상에 넣지 않았다. 필요도 없는 수술피해를 제일 많이 받고 있는 것은 어린아이들의 편도선적출 수술이다. 그러나 그 유효성은 한 번도 증명된 예가 없다.

회음절개를 의사들은 수술로 회음부를 절개 해두면, 자연히 발생할 수 있는 회음열상보다 상처자국이 똑바르기 때문에 빨리 낫는다고 말한다. 그러나 분만에 대한 지식과 경험이 있는 사람으로부터 지도를 받으며, 정신적, 육체적으로 분만 준비를 완벽하게 갖춘다면, 회음에 열상이 생기는 경우는 그리 많지 않다는 사실이다. 오전 9시부터 오후 5시까지의 출산 신생아가 산도를 통과할 준비가 되어 있는지 어떤지는 상관없이 산부인과 의사 본인의 사정이 우선되어 진통 촉진제가 투여되는 것이다. 태아는 아직 나갈 준비가 되어있지 않기 때문에, 모니터에 이상이 나타나는 것은 당연한데도, 결국 그것을 이유로 질을 통한 자연분만을 포기하고 제왕절개로 바꾸는 것이다. 유도분만은 미숙아 출산에 동반하는 폐결핵, 발육불량, 육체적 장애, 지적장애등의 발병률을 높인다. 집중치료실에 수용되어 있는 신생아의 4%는 유도분만에 의해 출생한 아기들이다. 미숙아가 아님에도 불구하고 제왕절개로 태어난 아이들은 초자막증이라고 하는 호흡 긴박을 동반한 중증의 폐 장애가 일어날 위험이 항시 붙어 다닌다. 이것이 때로 신생아의 생명을 빼앗을 수도 있는 병으로, 그 적절한 치료법은 아직 마련되지 않았다. 자연출산에서는 태아가 산도를 지나는 동안 자궁의 수축작용에 의해 흉부와 폐를 조여 주게 되고, 그리하여 폐에 고여 있던 체액과 분비물은 기관지를 통해 입으로 나가게 된다. 그러나 제왕절개로 태어난 아기의 경우, 이러한 일련의 경과가 생략되어 버리고 만다.

수술로부터 내 몸을 지키려면 이렇게 해야 한다. 요즈음엔 수술이 지나치게 많이 행해지고 있기 때문이다. 주치의에게 권유받은 수술이라도 실은 불필요한 수술일 가능성은 충분히 있다. "수술밖에 치료법이 없다."고 의사가 말했을 때는 특히 위험하다. 그 판단이 틀렸을 경우가 많으며, 수술이 치료법이라고 하는 것 자체가 틀렸을지도 모르기때문이다. 또한 어쩌면 자신의 몸에는 아무런 문제가 없었을지도 모른다. 자신이 수집한 정보, 그리고 의견이나 감정을 의사에게 확실하게 말하라. 의사의 반응으로부터 무언가를 느끼고 알 게 될 것이다. 또한 친구, 이웃, 가족들 중에서 지혜를 빌려 줄 사람을 찾아내고, 그 사람들에게서도 들어보는 것이 좋다. 이러한 의견을 들은 후에 수술은 필요 없다 받지 않겠다는 판단이 서면, 곧 의사와 인연을 끊는 것이 좋다.

왜 아이들은 병원을 싫어할까?

어린아이도 노골적으로 병원을 싫어하고 그 기분을 숨기지 않는다. "병원은 무서워서 가고 싶지 않아." 어린아이의 날카로운 직감력은 병원의 본질을 꿰뚫고 있는 것이다. 의사를 두려워하는 어린아이들의 심리에서 무엇인가 배울 것이 있다는 생각이 들어서 왜 그런지 물어 보아도, 어린아이들은 그것을 정확하게 설명하지 못한다. 그러나 이것은 어른도 마찬가지다. 어른도 병원에 대하여 뭔지 모를 공포를 느끼고 있으나, 그것을 납득할 수 있도록 설명하지 못한다. 게다가 어른은 자신이 두려워하고 있다는 사실조차 인정하려 들지 않는다.

병원에서 상상도 할 수 없는 세균이 무수하게 웅성대고 있다. 병원의 먼지나 티끌은 보통의 것이 아니다. 항생제를 수프처럼 마시게 하고 있는 현대의 병원처럼 내성균의 번식에 이상적인 환경은 아마 없을 것이다. 세균 중에는 항생제를 먹이로 삼을 정도의 순응성을 갖춘 것도 있는 실정이다. 병원의 직원은 '걸어 다니는 세균배양그릇'이라고 불러 마땅한 존재들이다. 의사들이 손을 씻는 것은 수술 전 뿐으로, 그것도 의례적인 행위에 불과하며 그 외에는 거의 씻으려고 하지 않는다. 의사는 설압자나 주사기를 아무렇게나 취급하여, 환자의 몸에 병균이 옮겨가게 한다. 마스크는 10분만 사용하면 오염되어 세균을 제거 하기는 커녕 세균을 끌어 모으는 역할을 한다. 수술로 입원한 경우는 메스로 갈라 벌려진 것에 더하여 병원 내 감염의 위험이 있다. 수술 후에는 세균에 대한 저항력이 떨어지기 때문이다. 이런 경우, 소아과 병동과 신생아실이 가장 큰 피해를 받게 된다. 보스턴의 어떤 공립병원에서 병원 영양실태에 관한 본격적인 조사를 벌인 적이 있다. 대상은 이 병원에서 수술을 받은 전체 입원환자들이었다. 조사결과, 전체의 반수에 해당하는 환자에게서 단백질과 칼로리 섭취가 부족한 것으로 나타났으며, 그 반수의 환자가 극도의 영양실조에 빠져 있다는 사실이 판명되었다. 이것은 영양실조가 원인이 되어 환자의 회복이 늦어지고, 그 결과 입원이 필요이상으로 길어지고 있다는 사실을 의미하기도 한다. 이후에 행해졌던 다른 많은 조사에서도, 영국이나 미국의 병원에 입원하고 있는 환자의 25~50% 가까이가 영양실조인 것으로 판명되었던 것이다. 병원에서 사망한 고령자의 주된 사망원인의 하나로 영양실조를 들 수 있다고 밝히고 있다.

환자는 병원에 발을 들여놓는 순간부터 나오는 순간까지, 살아 있는 시체가 된 듯한 기분에 빠져든다. 고통에 신음하며 병상에 누워있는 환자들의 비참한 얼굴과 그것을 보고 있는 환자들의 음울한 얼굴을 눈앞에서 보지 않으면 안 된다. 여러 가지 정신적인 중압을 받으면, 환자는 자신의 건강관리를 자신이 행하겠다는 용기를 잃어버리고 만다. 병원은 환자에게 고립감, 소외감, 상실감, 우울감을 맛보게 하여, 결국 자신들의 온갖 요구에 따르게 한다.

가장 좋은 병원은 대학병원이라는 인식이 널리 퍼져있다.

의과 대학생들이 공부하고 의료진도 많다. 게다가 연구는 앞서가고 있다는 생각을 갖던 시대는 지나갔다. 지금은 사정이 다르다. 생물수업에 사용되는 개구리나 가재, 돼지의 태아 같은 신세가 되고 싶지 않으면 대학병원이 최고라는 믿음은 버리는 편이 좋다. 수술의 적합 여부를 실증하기 위해 소위 치료라고 칭하는 실험에 까지 사용된다. 연구대상이 되는 것이 환자의 뻔한 종말인 것이다.

임산부를 밀실로 데리고 들어가면, 그곳은 산부인과 의사의 진지로 모든 것을 마음대로 할 수 있다. 임신부는 우선 질주위의 음모를 제거 당한다. 1930년대 이후 출산에 앞서 행해지는 이런 행위가 박테리아균의 발생을 감소시키기는커녕 오히려 증가시킨다. 마취로 임산부는 감각과 기억을 잃어버리고, 아기를 낳는다는 실감마저 잃는다. 산부인과 의사가 임신부에게 마취를 시키는 것은 도마 위의 잉어에게 칼을 대기 위한 것이다. 자연분만이 아닌 아기와 엄마 사이에는 애정이 싹트기 어려우며, 그 때문에 엄마에 의한 학대가 나타나기 쉽다. 엄마에게는 모유라고 하는 은혜가 충분히 주어져 있으나 소아과의사는 그것이 잘못된 것이라고 말한다. 따뜻한 물로 섞어 흔들어야만 하는 우유는 칼로리만 지나치게 높고 영양가는 열악한 인스턴트식품의 원조이다. 우유는 어디까지나 송아지를 위한 모유이다. 사람의 아기는 사람의 모유로 기르는 것이 생물학적인 법칙이다. 소와 사람의 모유는 조직의 성질과 성분이 서로 다르다. 같은 포유류라고 해도 예를 들어 송아지에게 돼지의 젖을 먹였더니, 송아지가 병에 걸려 죽고 말았던 예에서도 알 수 있듯이 모유의 성질은 다른 것이다. 우유로 길러진 아기가 걸릴 가능성이 높은 병명을 열거하자면, 설사, 배앓이(발작성의 격심한 고통), 위장의 감염증, 호흡기계의 감염증, 뇌막염(뇌와 척수를 싸고 있는 막의 염증)으로 고열, 두통, 구토, 경련, 의식장애 등의 증상을 나타내며 사망률이 높다. (가령 나았다 하더라도 장애가 남을 위험이 있다.)천식, 발진, 알레르기, 폐렴, 기관지염, 비만, 고혈압, 동맥경화, 피부염, 발육장애, 긴장성 근육경련, 갑상선기능 저하증, 조직의 국부적인 죽음을 일으키는 전 장기의 염증, 젖먹이 유아의 돌연사(SIDS) 등이다.

소아과에서는 모유를 권하면서도 엄마들에게 가루분유의 무료샘플을 건넨다. 모유만으로는 영양이 부족하다며, 우유의 혼합영양을 권하면서 수유용품 일체를 내미는 것이다. 그러면서도 소아과 의사는 모유를 먹임으로써, 갓난아기가 모체로부터 면역능력을 전해 받아 여러 가지 감염증으로부터 안전할 수 있다는 사실은 가르쳐 주지 않는다. 갓난아기가 유두를 빨 때 엄마와 아기의 상호작용이 이루어지고, 젖을 빨림으로써 엄마의 체내에서는 프로락틴이나 옥시토신이 분비된다. 이들 호르몬에는 산후의 출혈과 불쾌감을 완화시켜 주고, 자궁을 빨리 수축시켜서 본래의 상태로 되돌릴 뿐만 아니라, 엄마가 된 기쁨을 실감케 하는 작용이 있다.

갓난아기를 안고 퇴원 시 소아과 의사와 보육실 직원들은 이런 육아지도를 해준다. "이것만은 잊지 않도록 하세요. 혹시 아기가 울기 시작하면, 울고 싶은 만큼 울 게 내버려두세요. 아기는 울어야 폐가 튼튼해집니다. 그리고 엄마는 무언가 요구하는 몸짓을 해도, 울면 들어주지 않는다는 것을 가르쳐야 합니다." 이런 지도는 아기의 본능뿐만 아니라 모성본능까지 무시한 폭언이다. 아기가 우는 것은 무언가 원하기 때문이다.

의사를 포함한 죽음의 상인들은 왜 암환자와 상담을 가능한 가족이 없는 곳에서 행한다는 것일까? 나는 그 이유를 확실히 알고 있다. 가족의 목적은 환자의 생명을 연장시키는 것이므로, 그 가족의 영향으로 환자가 죽음으로부터 멀어지게 되기 때문이다. 미국 의사에게는 이러한 가족의 존재가 사악한 마귀처럼 여겨지는 것이다. 그들은 이렇게 주장한다. "혹시 말기환자가 자신의 죽음에 대해 깨닫지 못한 채 죽음과 직면하게 되면, 생에 대해 체념한 상태에도 죽음을 받아들이려고 하지 않기 때문에 병이 길어져 고통도 길어지게 된다." 이제 희망이 없고 죽음을 수용하라고 이야기 하는 의사는 환자에게 있어 아무런 도움도 되지 않는다. 의사가 '이 병에는 아직까지 효과적인 치료법이 없다'고 환자에게 솔직히 인정하고 '현대의학이외의 대체요법으로 자연치유력을 살린다면, 결과가 어떻게 될지는 알 수 없다'라고 정직하게 고백해 버리면, 환자는 더 이상 의사를 신뢰하지 않게 된다. 그렇기 때문에 의사는 무슨 일이 있어도 그런 이야기는 하지 않는다.

의사는 병에 걸린 노인들을 방해가 되지 않는 장소에 집어넣어 죽어가도록 격려하고 있다. 그것은 길고 완만한 죽음의 판결을 내리는 것과 다르지 않다. "나이를 먹었기 때문에 생기는 병에 대해서는 다른 방법이 없어요."라는 의사의 말은 나이가 들어 생기는 병에 대해서는 숙명이라고 말하는 것과 같다. 노인들도 그것을 당연한 일로 받아들이고, 그들의 주문에 의해 결국 그대로 되어간다. 그러나 나이가 들면서 몸에 나타나는 문제는 사전에 얼마든지 대비할 수 있고 또 개선할 수도 있는 것이다 의사는 그것을 인정하지 않고, 완화처치라는 명목하에 치명적인 부작용이 있는 진통제를 다량으로 투여한다.

어처구니없는 성직자들로 미국 의사협회나 그 외의 단체에 소속된 의사들은 "우리들은 환자에 대하여 특별한 힘을 갖고 있지 않다."고 말한다. 이런 말을 들을 때면 나는 언제나 웃으며 이렇게 묻는다. 의사가 옷을 벗으라고 하면, 상대는 순순히 벗는다. 이러한 힘을 가진 인간이 의사 외에 누가 있겠는가? 사람들은 의사를 성직자로 우러러 받들고 생명까지 맡겨 버린다.

약물이 원인이 되어 생기는 암과 기형아 연구의 세계적 권위자인, 케이스웨스턴리저브 대학의 새뮤얼 엡스타인 박사는, 1972년 미 상원 영양문제특별위원회에서 다음과 같이 증언했다. "미국 과학아카데미는 이해관계가 복잡하게 얽힌 조직이다. 식품첨가물과 같은 중요한 문제를 결정할 토론회에 규제대상에 해당하는 업계대표자나 그 입김이 작용하는 사람들이 참여하는 경우가 실제로 많다. 미국에서는 돈만 있으면 자기들에게 유리한 데이터를 얼마든지 입수할 수 있는 것이다." 미국 식품의약청이 세부적으로 검사를 했을 때, 사용량 데이터의 조작, 날조 등이 반복되어 행해지고 있다는 사실이 명확하게 밝혀졌다.

태아 감시장치가 이상을 나타내면, 의사는 생사가 걸린 상황이라며, 제왕절개를 행한다. 그러나 정말로 위험한 것은 의사가 제왕절개를 시작하려고 하는 바로 그 순간이다. 산모와 태아가 모두 살면 자신은 영웅, 둘 중 한쪽 혹은 양쪽이 생명을 잃으면 그것은 '생사가 걸린 상황'이기 때문이다. 실패는 성공의 어머니 이것은 의사가 책임회피를 위해 사용하는 당치 않은 억지이론이다. 보육기의 미숙아가 실명하는 경우가 빈번해져도 "치료하지 않으면 죽기 때문에, 그것에 비하면 실명정도는 운이 좋은 것이다."고 발뺌하며 "체중이 1000g이 되지 않는 미숙아는 전원이 실명하였지만 그래도 치료를 하지 않으면 죽게 됩니다."라고 대답한다. 이 기묘한 이론은 당뇨로 인한 실명에도 악용된다. 실명하는 환자가 많은 것은 "당뇨병 환자의 생명을 구하고, 생명을 연장하는데 성공했기 때문입니다." 라고 의사는 말하는 것이다. "때를 놓쳤습니다." 환자에게 죄를 전가하기 위한 방법으로 의사는 이런 말을 곧 잘한다. "당신의 병은 생활습관에 원인이 있는 것이 아닙니다. 진짜 원인은 조기발견, 조기치료를 철저히 하지 않은데 있습니다. 병원에 너무 늦게 왔습니다."

생물학이야말로 새로운 의학의 윤리와 가치관의 핵이 되는 것이다. 새로운 의학은 무릇 살아있는 모든 것을 축복한다. 사람의 몸에 담겨 있는 생명은 적절한 생명구조를 가질 수 있는 조건만 갖추면 자연치유력이라는 훌륭한 복원능력을 발휘한다. 따라서 새로운 의학이 사람들로 하여금 앞에서 서술한 것들을 '죄'라고 인식하게 하는 것은 자연치유력을 발휘하는 조건을 갖추게 하기 위해서이다.

현대의학이 의료기기에 의존하여 인간을 죽음에 이르게 하는 형식만의 의학이라면, 새로운 의학은 인간에게 희망을 주는 의학이다. 새로운 의사가 목표하는 것은, 최후에는 자신의 일을 없애 버리는 것이다. 그래서 사람들에게 의사에게 의존하는 것을 하루하루 줄여나가도록 지도한다. 마음과 몸의 관리는 개인들에게 주어진 책임이다. 그 중에서도 식생활은 무엇보다 중요하다. 탄수화물이나 단백질, 식물성 섬유, 비타민 등 영양의 문제만을 따질 게 아니라 순수한 자연의 음식을 먹고, 순수한 자연의 물을 마시는 것을 명심하지 않으면 안 된다. 인간도 자연의 일부이며, 자연과 조화하지 않으면 안 되는 존재이다. 그러기 위해서는 어떠한 식생활이 자기에게 가장 좋은지를 충분히 알아둘 필요가 있다. 식생활과 같이 '영양의 균형'을 염두에 두어야 한다. 올바른 영양보급을 할 수 있는지 여부는 살아가는 이상 건강의 실현에 있어 절실한 문제이다.

대부분의 사람들은 첨단의료란 멋진 것이고, 그 기술을 가진 명의에게 치료받으면 건강해질 것이라고 믿는다. 그러나 대단한 착각이다. 현대의학에서 행하는 치료는 효과가 없는 경우가 많다. 효과는커녕 치료받은 뒤에 오히려 위험해지는 경우가 종종 있다. 게다가 병이 없었던 환자라도, 충분히 검토하지도 않은 채 치료부터 하려 들기 때문에 그 위험성은 점점 커진다. 사람은 무서운 일이 있으면 피하고, 무시하고, 도망가고, 애써 대단한 것이 아닐 거라고 치부하는 경향이 있기 때문에 누군가 적당한 사람을 찾아 위로받으려 한다. 환자의 이러한 성향이 결국 의사로 하여금 주도권을 쥐게 만드는 것이다. 건강검진에 동반되는 위험성을 고려하면, 의사를 멀리한 쪽이 건강할 것으로 여겨진다.

의사가 지키고 있는 것은 환자본인이 아니고 환자와의 신뢰관계이며, 게다가 그 관계란 환자에게 사실을 곧이곧대로 알려 준다면 성립할 수 없는 것이다. 결국 의사와 환자의 신뢰관계라고 하는 것은, 환자의 맹신에 의존하는 것이다.

신체의 대사를 생각하면, 먹는 음식은 입으로부터 나오는 언어와 같은 정도로 중요한 것이다. 사실, 음식이 그 사람의 성격을 좌우하는 일조차 있다. 그러나 이런 주장을 하는 의사는 의학계에서 이단자라든가 이상한 사람이라고 눈총을 받게 된다. 현대의학에서, 성스러운 힘을 가진 '음식'은 혈액에 실려 전신으로 순환하는 화학물질 밖에는 없는 것이다. 세상 사람들은, 의학은 항상 진보하는 것이라고만 생각하고 있다. 새로운 수술이 개발되어 그 효과가 입증되면, 일일이 의료에 응용되어 기적을 낳으며, 기적이 의학을 더욱 진보시킨다고 생각한다. 그러나 그것은 당치도 않은 오해이다.

병원에는 상상도 할 수 없는 세균이 무수하게 웅성대고 있다. 이것은 병원이 극히 비위생적인 장소라는 것을 말할 뿐만 아니라, 현대의학의 병적일 정도의 '청결의식'이 얼마나 근거 없는 것인가를 단적으로 드러내주는 결과이기도 하다. 역설적으로 들릴지 모르겠지만 사실이다.

약의 피해에 의해 장애자가 되거나 사망하는 사고가 종종 일어나고 있다. 거기까지는 가지 않더라도, 환자의 건강을 해치는 화학약품의 사용에 있어서 의사는 어떤 규제도 받지 않는다. 약을 사용하지 않는 의사도 드물게는 있으나, 거의 대부분의 의사는 약을 지나치게 좋아한다. 병원에서는 가능한 방법을 총동원하여 갖가지 진단과 치료를 행하고 있으며, 입원환자는 결국 점점 식욕을 잃어간다. 병원에서 입은 정신적 타격은 육체적인 타격과 마찬가지로 환자를 죽음에 이르도록 하는 원인 중의 하나인 것이다.

의과 대학생들이 현대의학으로 성공하고 싶으면 죽음을 장려하거나 사람의 죽음에 관해 연구하는 분야를 찾아본다면, 그것은 틀림없이 빛나는 장래를 약속할 것이다.

현대의학의 영향을 받지 않는 문화권에서는, 사람들은 나이를 먹어도 생활능력을 유지하고 당당히 생명을 구가하고 있다. 현대의학은 누운 채로 꼼짝 못하는 노인들을 만들어내고, 연명치료라기보다, 오히려 연병치료라고 불러야 마땅할 처치에 의해 사람의 죽음을 연장하고, 이익을 추구한다.

[발췌 : blog. daum. net/dfgivo/6096417 우림과 둠밈]

2. 장부의 한의학적 고찰

우리 몸에서 장부라 함은 오장과 육부를 총칭하는 것이다. 오장은 심, 간, 폐, 비, 신이며 육부는 위, 소장, 대장, 방광, 담, 삼초를 말한다. 오장은 모두 각기의 신(神-감정)을 가지고 있고 정기가 흐르고 있으며 육부는 오장의 창고 역할을 하며 음식물이나 대사 후 생성된 산물을 저장했다가 비워내어 신진대사를 돕는 기관이다. 그래서 장과 부는 상호 밀접한 관계를 유지하여 신체를 건전하게 유지한다. 장과 부는 모양만 다를 뿐이다. 오장은 저장이 주이며, 부는 출납을 주관한다. 생명체의 생명유지는 정교하게 만들어진 수많은 톱니바퀴의 회전이며, 이 회전의 힘으로 혈액의 순환과 움직임이 만들어 진다. 회전은 주위에 기를 만들어내고 몸의 외부를 방어하는 저항력으로 나타나는 것과 같다.

인체는 소우주라 하는 것은 우주의 회전이 인체의 회전과 동일한 상태이며 회전을 통해서 그 형상을 유지하며 조화를 나타내는 것이다. 일례로 지구의 중앙에는 내핵이 끊임없이 회전하고 그 회전으로 인해 자기장이 형성되어 지구 외부에서 오는 위해성 상황을 방어해 준다. 우리 몸도 같은 원리로 내부의 회전은 영기라 하며 외부의 방어력은 위기라 한다. 그 틈새 중 어느 한곳이나 그 이상에 톱니바퀴가 잘 돌지 못하거나 정지한 상태가 되면 모든 것이 기능저하가 오거나, 완전 정지가 오면 죽음에 이르는 것이다. 톱니바퀴의 회전력은 선천의 본인 신에서 시작하고 회전의 유지는 후천의 본인 비위의 끊임없는 영양의 공급으로 유지한다. 내부 오장육부에 과부하가 걸려 어느 한 곳의 기능이 약해지면 영기의 부족으로 병이 발생할 것이며, 내부의 힘이 약하면 위기가 약해져 외인으로 인한 질병에 노출이 될 것이다. 그리고 뜻하지 않게 발생한 사고나 외부의 손상은 사망이나 불구, 질병을 오게 한다.

3. 음양오행의 이해

대부분의 사람이 음양(陰陽)과 오행(五行)을 이야기하면 길거리에서 사주팔자나 점을 좀 볼 줄 아는 사람쯤으로 생각하기 십상이다. 음양오행은 유식하게 말하면 옛날 춘추전국시대쯤 사람들의 패러다임이라고나 할까. 아니면 한의학의 이론적 체계를 잡아준 방법론이라고 할 수 있겠다. 눈으로 보이는 것만이 이 세상의 전부는 아닐 것이다. 그렇다고 눈에 보이지 않는 영역까지 어떻게 다 이해할 수 있을까? 이러한 궁금증은 예나 지금이나 인간의 의식 근저에 자리하고 있을 것이다. 특히 만져보고 맛보고 두드려보고 하는 오감만으로 모든 물질세계를 다 이해할 수도 없다. 더구나 시공간을 초월한 무형의 존재들은 그 실체 파악이 더욱 어렵다. 이러한 어려움을 극복하고자 고민하여 정리한 것이 음양오행이라 이해하면 될 것이다. 문득 세상을 들여다보니 여자와 남자가 있고, 낮과 밤이 있으며, 남극과 북극이 있고, 차고 더운 것이 상대성을 지니고 있었다. 현미경으로 더 살펴보니 인체에는 교감신경과 부교감신경이 상대적인 역할을 하고 Na과 K이 그렇고 산과 알카리가 팽팽한 균형을 이루며 생명을 유지시킨다. 이젠 0과 1이라는 음양이원론적인 구조의 컴퓨터가 세상을 바꾸고 있다.

이처럼 음양은 인간과 세상을 이해하는 틀로 이용되어 왔고, 한의학의 이론적 기초가 되었다. 그러나 음양오행이 진리이거나 완전한 것은 아니다. 세상과 사물을 인식하려고 노력해왔던 선현들의 지혜의 산물로 아직까지 그럴듯하다는 것이다. 음(陰)에 들어 있는 운(云)자는 옛날의 '운(雲)'자이다. 따라서 음(陰)의 본의는 구름이 해를 가리는 것이며, 확대되어 일반적으로 가린다는 의미를 지니게 되었다. 다시 확대되어 어둡다는 뜻이 되었다. 다시 확대되어 해를 등지고 있는 곳 뒤쪽이나 이면 혹은 북쪽이라는 뜻이 되었다. 이것이 음(陰)자의 의미가 변화해 온 과정이다. 양(陽)은 '일(日)'자와 '일(一)'자를 합한다고 하였다. 이것은 땅 위에 해가 있는 모습이므로 일출의 의미를 지닌다. 의미가 확대되면서 해의 광채를 나타내어 해를 '태양(太陽)', 아침 해를 '조양(朝陽)', 저녁 해를 '석양(夕陽)'이라고 하였다. 의미가 확대되어 따뜻한 기운을 양기라고 하게 되었으며 다시 의미가 확대되어 앞쪽이나 표면 남쪽이라는 뜻으로 확대되었다. 음양오행설(陰陽五行說)이란 무엇일까? 그리고 그것은 동양의학 특히 한의학과는 어떤 관계가 있을까?

기원전 4세기 경(중국 전국시대) 추연(騶衍)에 의해 음양오행설이 완성되었다. 원래는 음양설(陰陽說)과 오행설(五行說)로 따로 성립하였다. 음양설은 음, 양의 두 가지 기(氣)를 우주의 기본 및 변화의 원리로 간주하는 것이며, 오행설은 목(木), 토(土), 수(水), 화(火), 금(金) 다섯 가지를 우주의 본질 혹은 변화의 원리로 간주하는 것이다. 음양은 단순히 대립하는 것이 아니라 화합하고 순환하는 것이며 '일양(一陽) 일음(一陰), 이것이 道'라고 설명되어 역(易)의 근본 원리가 된다.

오행은 그 상호관계에 의하여 생성 오행, 상생 오행, 상주 오행이 있다. 음양오행은 그리스의 자연철학에 대응하지만, 이러한 것들이 자연계뿐 아니라 인간의 정치, 윤리에도 적용된다. 이러한 특징은 이와 비슷한 개념을 가지고 있는 그리스의 자연철학과 차이가 나는 것이다.

음양오행(陰陽五行)이란 음양학설과 오행학설의 합칭(合稱)으로 자연을 인식하고 해석하는 옛사람들의 세계관이고 방법론이며 중국 고대 유물론이자 변증법인 것이다. 음양(陰陽)학설은 세계는 물질로 구성되어 있으며 물질세계는 음기(陰氣)와 양기(陽氣)의 상호작용을 통하여 번식, 발전, 변화한다고 보는 것이다. 동양의 음양오행철학을 가까이 하면 가장 먼저 부닥치는 것은 기(氣)라는 개념인데 이것은 매우 정의하기가 복잡한 것이다.

음(陰)과 양(陽)은 한 쌍을 이루어 중국 고대 철학의 범주에 속하는 것으로. 음양의 최초의 의미는 매우 소박한 것으로부터 시작되었다. 즉 햇빛을 향하는 것이 양(陽)이 되고 등지는 것이 음(陰)이 된다. 그 후 이와 같은 대립적 이원론이 확장되어 기후의 차고 더움 , 방위의 상하(上下), 좌우(左右), 운동 상태 즉 동적 상태와 정적상태를 동일한 음양의 대립개념으로 확장하게 된다.

고대 중국의 사상가들은 이 세상의 모든 현상들은 다 정(正)과 반(反)의 두 가지 측면을 갖고 있다고 보고 있는 것이다. 그리고 음양이란 개념이 서로 대립하고 서로 소장(消長)하는 자연계의 두 물질세력의 해석을 위한 근거로 인식하였다.

노자는 "만물은 음(陰)을 등지고 양(陽)을 향한다."고 한 것과 마찬가지로 음양의 대립과 소장은 사물자체에 고유한 것으로 인정하였다. 음양은 자연계의 상호관련 된 어떤 사물과 현상의 대립된 현상을 개괄한 것으로 그것은 대립과 통일의 개념을 내포하고 있는 것이다. 음(陰)과 양(陽)은 서로 대립하는 사물을 대표할 수도 있고 또한 한 사물 내부에 존재하는 두 측면으로 분석될 수도 있다. 음양(陰陽)학설에 의하면 세계는 물질적인 총체이며, 세계 자체는 음기(陰氣)와 양기(陽氣)의 대립통일에서 비롯된 것이라고 해석한다.

음양(陰陽)학설의 기본적인 개념은 다음과 같다.

첫째는 음양(陰陽)은 스스로 제 할 일을 하면서 견제와 조절을 하는 것이다.

둘째는 음양(陰陽)은 호근호용(互根互用)하는 것이다. 즉 음은 양이 없으면 존재하지 않고 양은 음이 없으면 존재하지 않는다. 음이 있음으로 해서 양이 존재하고 양이 있음으로 해서 음의 성질이 존재하는 것이다. 한 가정에서 아내의 존재가 없는 경우는 남편이 존재하지 않고, 남편이 없는 경우는 아내라는 존재가 있을 수 없는 것과 같다.

셋째는 음양(陰陽)은 소장균형(消長均衡)을 이룬다. 음과 양은 절대적인 것이 아니다. 음과 양은 정지된 것이 아니라 일정 시간에 음이 쇠하고 양이 성하며, 양이 성하면 음이 쇠한다는 가운데서 서로의 균형을 유지하고 있는 것이다.

네 번째는 음과 양은 서로 상호 전화(轉化)한다는 것이다. 음이 극에 달하면 양이 되기고 하고, 양이 극에 달하면 음이 되기도 한다. 이러한 음양학설을 근거로 인체의 생리 병리 기전을 설명하는 것이 한의학이다. 남자는 양적(陽的)이며, 여자는 음적(陰的)이며, 기운은 양에 속하고 혈액은 음에 속하는 것으로 규정하고 있다. 약에 있어서도 더운약이 양적이면 찬 약이 음적이다. 결국 몸이 더운 양적 체질은 찬 약이나 찬 성질의 음적 식품을 섭취해야 조화와 균형을 이룰 수가 있는 것이다.

병을 진단하고 치료원칙을 세울 때도 가장 중요시하는 것이 음과 양을 분별하는 것이다. 오행(五行)은 앞에서 말 한대로 목(木), 화(火), 토(土), 금(金), 수(水) 등 다섯 가지 물질의 운행 운동을 말한다. 중국 고대 사상가들은 장기간에 걸친 생활과 실천 가운데서 이 다섯 가지 요소를 가장 기본적인 물질로 인식하였다. 그래서 처음에는 오행을 오재(五材)라고 불렀다. 예를 들어 좌전(左傳)에서는, 하늘이 오재를 내려 백성들이 그것을 쓰고 있는데 그 중 하나가 없어도 안 된다고 적고 있고, 상서(尙書)에서는, 수(水), 화(火)는 백성들의 음식에 쓰이는 것이고, 금(金), 목(木)은 백성들이 건축하는데 쓰이는 것이고, 토(土)는 만물이 자라는 바탕인 바 이 모든 것은 인간에 이용되고 있다 라고 적고 있다.

오행학설은 오재설에 기초하여 세상의 온갖 사물에 확대시켜 모든 사물을 목(木), 화(火), 토(土), 금(金), 수(水) 등 다섯 가지 기본 물질간의 운동, 변화에 의해서 생성된다고 주장하는 학설이다. 그리고 오행간의 생(生), 극(克)관계로서 사물간의 상호연계를 해석한다. 즉 모든 사물은 고립적이고 정지적인 것이 아니며 끊임없이 상생(相生), 상극(相克)하는 운동 가운데서 조화와 균형을 유지한다고 보는 것이다. 동양의학은 그 형성과정에서 오행학설의 영향을 크게 받았다. 즉 오행학설은 음양학설과 함께 동양의학의 독특한 이론체계의 중심축이 된 것이다.

오행(五行)의 특성을 살펴보면, 목(木)의 특성은, 굽고 곧은 것이라고 했다. 굽고 곧은 것은 사실상 나무의 생장 형태를 의미하는데 줄기와 가지는 굽거나 곧게 자라면서 위로 발전, 질서있게 신장하는 작용과 성질을 갖는데 이와 같은 속성을 갖는 모든 사물은 목에 속한다(木日曲直).

화(火)의 특성은, 옛 사람들은 화(火)는 염상(炎上)하는 것이라 하였다. 염상(炎上)이란 화가 뜨겁고 상승하는 특성을 나타낸 것인데 따뜻하거나 뜨겁고 솟아오르는 속성을 지닌 모든 사물은 화에 속한다.

토(土)의 특성은, 옛사람들은 토(土)는 가색(稼穡)을 의미한다고 했다. 가색(稼穡)이란 가는 씨앗을 뿌리는 것이고 색은 곡물을 수확하는 것이다. 토(土)는 사람이 씨를 뿌리면 농작물을 거두어들이는 작용을 가지고 있음을 의미하는 것이다. 그리하여 생화(生化), 수납(受納) 등의 성질을 지닌 모든 사물은 토에 속한다. 그러므로 토는 사행(四行)을 싣고, 만물은 토에서 생겨나고 만물은 토에서 멸하며, 토는 만물의 어머니라고 하는 것이다.

금(金)의 특성은, 금왈종혁(金日從革), 종은 순종이고 혁은 변경과 개혁의 의미가 있다. 옛 사람들은 금(金)은 변혁을 뜻한다고 했다. 그리하여 변혁 청결 수렴 하강 등의 특징을 가진 모든 사물은 금에 속한다.

수(水)의 특성은 수왈윤하(水曰潤下)라 하여, 옛 사람들은 수(水)는 습하고 아래로 흐른다고 했다. 그리하여 차갑거나 서늘하고 습하고 아래로 움직이는 작용을 지닌 모든 것은 다 수에 속한다.

오행(五行)학설은 정지적이고 고립적으로 사물을 오행에 귀속시키는 것이 아니라 오행간의 상생(相生), 상극(相剋)의 연계에 의하여 사물간의 상호연계, 상호균형의 정합성(整合性)과 통일성을 탐구하고 설명하고 있다. 그리고 오행간의 상승(相乘) 및 상모(相侮)에 의하여 사물간의 조화, 균형이 일어난다고 생각하는 것이다. 그러면 기본적인 상승, 상극, 상모 등의 개념에 대해서 간단히 설명하면 아래와 같다. 상극과 제화(制化)는, 상생은 한 사물이 다른 사물에 대하여 촉진, 조장, 자생의 작용을 하는 것을 말하며, 상극은 한 사물이 다른 사물의 생장 및 기능에 대하여 억제, 제약, 조절의 기능을 하는 것을 말한다.

오행간의 상승, 상모는 황제내경에서 그 개념이 처음 나타난다. 상승이란 것의 승은 강한 것이 약한 것을 침범한다는 것을 의미한다. 예를 들어 목(木)이 지나치게 강성하면 토(土)에 대한 억제가 지나쳐 토의 부족을 초래한다. 즉 이것을 목승토라고 한다. 그리고 상모(相侮)의 모는 것은 역으로 억제한다는 의미이다. 상모(相侮)란 오행 중에 어느 행이 지나치게 강성하여 극아(克我)하는 행에 대하여 오히려 역으로 억제작용을 나타내는 경우를 말하는 것이다. 그러므로 그것을 반극(反克)이라고 하기도 한다. 예를 들어 목은 원래 금의 억제를 받는 것인데 목이 각별히 강성할 경우에 금의 억제를 받지 않을뿐더러 오히려 금에 대하여 역억제(逆抑制(反克))를 하게 된다. 이것을 목모금(木侮金)이라고 한다.

다른 한 측면은 금(金)자체가 대단히 허약하여 목을 억제할 수 없을 뿐 아니라 오히려 목의 역억제를 받게 되기도 하는데 이때 우리는 이것을 금허목모(金虛木侮)라고 하는 것이다. 상승 또는 상모는 다 비정상적인 상극현상이며 양자 간에는 구별도 있거니와 연계도 있다. 상승과 상모의 주요한 차이는 다음과 같은 것이다. 전자는 오행의 상극차례에 따라 지나치게 강한 억제가 발생하여 오행간의 상생, 상극에 이상이 나타난 것이고, 후자는 오행의 상극 차례와 반대방향으로 억제현상이 발생하여 오행간의 상생, 상극에 이상이 나타난 것이다.

양자 간의 연계에 대해서 말하자면, 상승현상이 발생할 때 상모현상이 동시에 발생할 수도 있으며, 상모작용이 발생할 때 상승현상이 동시에 발생할 수도 있다. 예를 들면 목이 지나치게 강할 경우에는 토를 억제할 뿐 아니라 또한 금을 역 억제할 수 있으며, 금이 허한 경우에는 목의 역 억제를 받게 될 뿐 아니라 화의 억제도 받을 수 있는 것이다. 따라서 상승과 상모는 밀접한 연계를 이루는 것이다.

이러한 음양과 오행의 개념을 인체의 생리 병리 진단 치료에 적용하여 다양한 치료방법을 구사하고 있는 것이 한의학의 기초 이론이다. 즉 오장육부를 음양오행에 귀속시켜서 상호관계를 유추하고 추론하여 장기의 기능적 특성을 설명하고 있다. 목(간,담), 화(심,소장), 토(비,위), 금(폐,대장), 수(신,방광)으로 배속을 하여 장기가 서로 영향을 주고받는 것을 상징적으로 설명하고 있다.

실제 임상을 하다보면 오행의 상생 상극 상승의 개념을 약간 수정하는 것이 좋다. 생명체의 모든 장기들은 상호 연관이 있어 어느 한 곳이라도 이상이 오면 다른 곳에 영향을 주게 된다. 미묘하게 서로 연결되어 회전하는 것이다. 오행은 순환이며 회전으로 생각하며 회전과 순환의 멈춤은 생명의 멈춤으로 보면 된다.

(다음 카페, 한국 시낭송 예술대학, 음양오행도표와 사물속성, 올린이; 서장군(상철) 2011. 7. 22)

4. 오행속성표

5행	목	화(상화)	토	금	수
五行	木	火	土	金	水
장(음)	간	심(심포)	비	폐	신
부(양)	담 소장(삼초)	위	대장	방광	
5체	근육	혈맥	살(肉)	피부	뼈
5관	눈	혀	입	코	귀
계절	봄(春)	여름(夏)	환절기	가을(秋)	겨울(冬)
월별	2, 3	5, 6	1,4,7,10	8, 9	11, 12
오색	靑	赤	黃	白	黑
미각	신맛	쓴맛	단맛	매운맛	짠맛
감정	화냄	기쁨	생각	슬픔	공포
냄새	누린내	불향내	향내	비린내	썩는내
액제	눈물	땀	침(흘림)	콧물	침(뱉음)
행동	웅크림	근심	재채기,구토	기침	떨림
성질	풍(風)	열(熱)	습(濕)	조(燥)	한(寒)
병증	힘줄	내장	혀의 감각	어깨	뼈마디
가축	닭	양	소	말	돼지
5영	손발톱	입술	피부	털	머리카락

5. 오행(五行)의 순행도

선천(先天)의 기운을 받고 태어난 생명은 비위(脾胃)의 작용으로 유지한다. 섭취한 음식에서 비위의 작용으로 영양을 흡수하고 청기는 상승하고 탁기(濁氣)는 하강하며, 청기는 에너지로 이용되고, 여분으로 정을 만들고 혈을 생성한다. 혈은 기의 순환과 심장의 추동작용에 의하여 전신에 영양을 공급하며 생명활동을 영위해 간다.

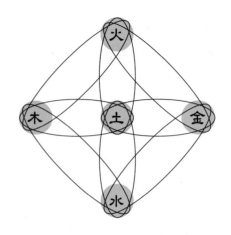

상생(相生)과 상극(相剋)의 관계에서 특정 장부에 직접적으로 관여하여 영향을 주는 것은 상생, 직간접적으로 기능의 억제와 조절을 하는 것은 상극이며, 극을 행하는 것의 작용을 높여주는 것은 상승이다. 이 뜻은 금과 목의 관계에서 기(금)는 혈(목)의 흐름을 주관하고, 혈은 기에 힘을 주는 것과 같은 것이다. (金剋木, 木昇金) 이 상관관계는 어느 경우이든 모두 적용된다. 어느 한 곳도 서로 연관되지 않는 경우는 없다. 생명유지에 있어 인체의 오행에서 글자의 뜻대로 극하여 기능을 저하시키는 것은 이해하기 어렵다. 한 장부의 이상으로 작용이 순조롭지 못한 것은 흐름의 막힘으로 생각한다. 막히면 쌓이거나 만들지 못하고, 쌓이면 압이 높아지고 만들지 못하면 채우지 못하고, 압이 높거나 비어있으면 열로 변하여 병을 발생하고 증상을 유발하는 것이다.

1) 대순행도

(1) 이 순환은 수화(水火)의 교류를 나타내며 토의 작용이 있어야 잘 순환한다. 수의 상승이 있어야 화를 돌려 줄 수 있는데 그 중간에 토의 작용이 필수적이다. 이 순환이 잘 일어나면 인체의 체온을 일정하게 유지할 수 있고, 인체의 항상성을 유지하여 외인이나 내인으로 인한 질병에 잘 저항할 수 있는 것이다. 이 작용이 순조롭지 못하면 상열하한으로 변하여 질병을 일으키는 원인이 된다.

(2) 기혈의 순환을 나타내는 것이다. 순조롭지 못하면 혈행이 나빠지고 기의 정체로 여러 가지 질병을 일으킨다. 여기서도 토의 작용은 중요하다. 대순환은 영위의 건강함과 정신적 육체적 안정을 유지한다.

28

(3) 인체 기질적(氣質的)인 상관관계를 나타낸다. 이곳의 병적인 현상은 감정이나 정서에 문제가 오기 쉽다. 흥분이나 분노, 정충, 불안현상이나 우울, 슬픔, 탄식, 한숨 등의 보이지 않는 감정적인 정서에 관여한다.

(4) 물질적(物質的)인 측면으로 영양의 생성과 소모와 저장의 관계를 표시한다. 인체의 진액의 변화와 체형을 유지하고 활동하게 하는 관련도이다. 여기의 흐름에 이상이 오면 주된 증상은 피로며 저장과 배설이 순조롭지 못하여 체형에 이상이 오기 쉽다.

(5) 음(陰)을 채워 화(火)를 조절하는 관계다. 채워짐이 부족하면 화가 극성하여 불안과 두려움 등의 정서적인 질환이나 상열하냉(上熱下冷)으로 발생하는 질환이 생기기 쉽다.

(6) 양(陽)의 생성과 소비를 나타내며 심폐의 관계를 나타낸다. 소모과다나 저장의 부족이 오면 극심한 피로가 오거나, 우울감, 의기소침 등의 증상이 생기기 쉽고, 이 변의 이상과 수분대사에 이상이 올 수 있다.

이처럼 대순환은 생을 영위하는 기본적인 개념을 나타낸다. 대순환에 이상이 온다는 것은 병이 위중하다고 생각하면 된다. 병이 오래되고 몸이 쇄약해지면 오행의 상관은 더 많아지고 종래에 순환의 멈춤은 사망으로 이어진다.

2) 소순행도

(1) 감정을 조절하는 그림이다. 이곳의 이상은 불안, 정충, 흥분, 분노 등의 조절이 어렵다.

(2) 심폐의 연관도이다. 심박동의 조절과 호흡의 조절을 나타낸다. 이곳에 이상이 오면 호흡이상, 심동계, 심장의 이상흥분 등이 올 수 있다.

(3) 活血(활혈)을 나타내는 도표다. 저장의 핵심이며 인체의 음허(陰虛)에 관계되며, 근골(筋骨)을 강하게 하고 혈액의 순환과 번식을 주관하고, 영(榮)의 기본이 된다. 이상이 생기면 초췌(憔悴)해지며 기운이 없고 피로하다.

(4) 기의 흐름과 활동을 나타내며, 위(衛)의 기본이 된다. 인체의 외부(外部)를 주관하고, 활동과 소비를 나타낸다. 이상이 왔을 때 기허(氣虛)로 인한 극심한 피로와 활동하기 싫은 현상이 생긴다.

(5) 위와 신의 관계도이며, 소화와 수분의 처리를 보여준다. 서로 화합하지 못하면 소화와 생화의 문제가 발생하여 담음이 발생하고 숙식이 생기며 설사가 잘 나거나 가래와 신중(身重)해 진다(수토불복).

(6) 감정의 안정을 주관한다. 불합(不合)이 되면 불안하고 두려움이 많고 심장이 덜컥 내려앉는다(火土不合).

(7) 위와 간의 관계이며 위장의 기능을 조절하는 것이다. 간의 이상은 위장을 조절하는 작용이 불안전하여 복통이나 창만이 생긴다. 변비도 간의 영향으로 발생한다.

(8) 청기를 흐름을 나타내며 부족하면 피로가 나타난다. 이처럼 모든 순환에는 비위의 작용인 화(化)의 기운을 받아야 돌아간다. 후천의 본이라는 것이 확연하게 보여주는 것이다. 물론 모든 질병이 이 상관도에 의해 발생한다는 것은 아니지만 병의 근본적인 것은 이 관계를 벗어나기 어렵다.

6. 경락 경혈도

1) 수태음폐경 -내장에서 엄지손가락으로

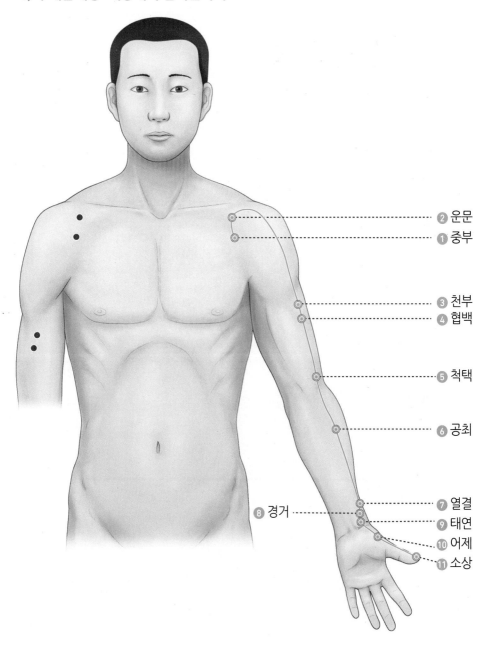

2 운문
1 중부

3 천부
4 협백

5 척택

6 공최

8 경거

7 열결
9 태연
10 어제
11 소상

2) 수양명대장경 - 집게손가락에서 안면으로

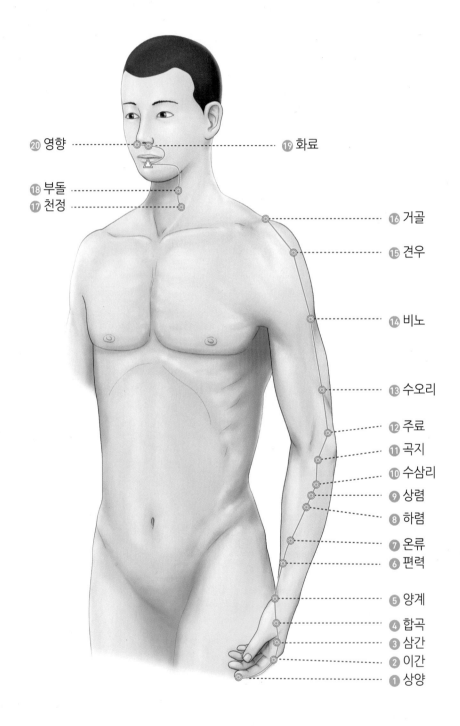

⑳ 영향

⑱ 부돌
⑰ 천정

⑲ 화료

⑯ 거골
⑮ 견우

⑭ 비노

⑬ 수오리

⑫ 주료
⑪ 곡지
⑩ 수삼리
⑨ 상렴
⑧ 하렴
⑦ 온류
⑥ 편력

⑤ 양계
④ 합곡
③ 삼간
② 이간
① 상양

3) 족양명위경 -안면에서 둘째발가락으로

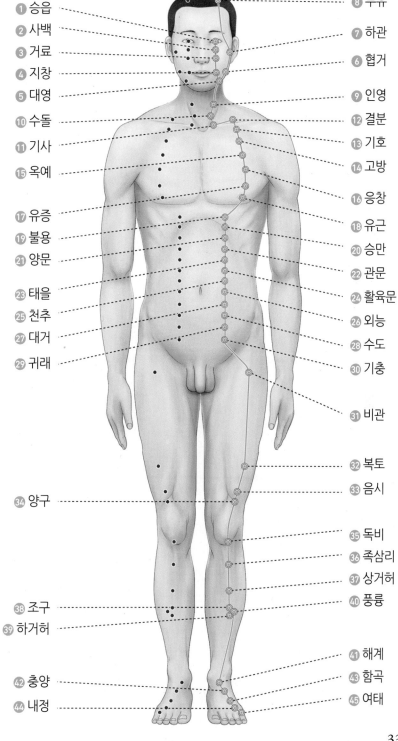

① 승읍
② 사백
③ 거료
④ 지창
⑤ 대영
⑩ 수돌
⑪ 기사
⑮ 옥예
⑰ 유중
⑲ 불용
㉑ 양문
㉓ 태을
㉕ 천추
㉗ 대거
㉙ 귀래
㉞ 양구
㊳ 조구
㊴ 하거허
㊷ 충양
㊹ 내정

⑧ 두유
⑦ 하관
⑥ 협거
⑨ 인영
⑫ 결분
⑬ 기호
⑭ 고방
⑯ 응창
⑱ 유근
⑳ 승만
㉒ 관문
㉔ 활육문
㉖ 외능
㉘ 수도
㉚ 기충
㉛ 비관
㉜ 복토
㉝ 음시
㉟ 독비
㊱ 족삼리
㊲ 상거허
㊵ 풍륭
㊶ 해계
㊸ 함곡
㊺ 여태

4) 족태음비경 -엄지발가락에서 내장으로

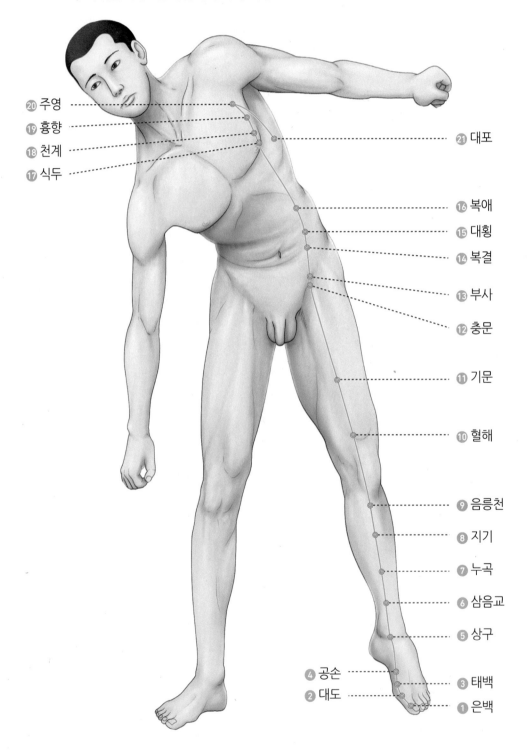

20 주영
19 흉향
18 천계
17 식두

21 대포

16 복애
15 대횡
14 복결

13 부사

12 충문

11 기문

10 혈해

9 음릉천
8 지기
7 누곡
6 삼음교
5 상구

4 공손
2 대도

3 태백
1 은백

5) 수소음심경 -내장에서 새끼손가락으로

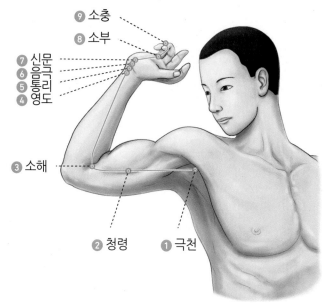

9 소충
8 소부
7 신문
6 음극
5 통리
4 영도
3 소해
2 청령
1 극천

6) 수태양소장경 -새끼손가락에서 안면으로

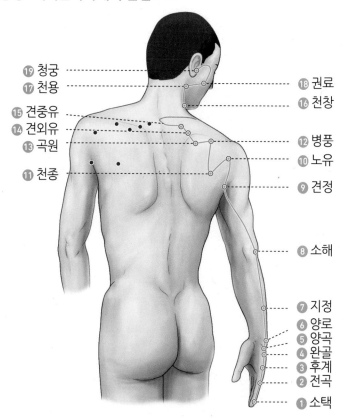

19 청궁
17 천용
15 견중유
14 견외유
13 곡원
11 천종

18 권료
16 천창
12 병풍
10 노유
9 견정
8 소해
7 지정
6 양로
5 양곡
4 완골
3 후계
2 전곡
1 소택

7) 족태양방광경 -안면에서 등을 거쳐 새끼발가락으로

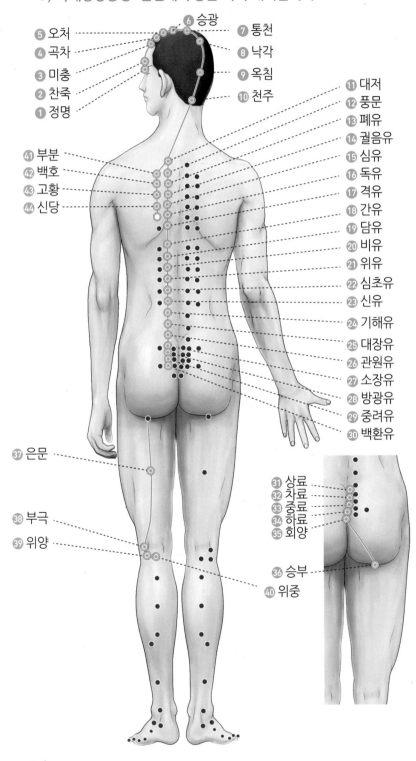

❺ 오처
❹ 곡차
❸ 미충
❷ 찬죽
❶ 정명

❻ 승광
❼ 통천
❽ 낙각
❾ 옥침
❿ 천주

⓫ 대저
⓬ 풍문
⓭ 폐유
⓮ 궐음유
⓯ 심유
⓰ 독유
⓱ 격유
⓲ 간유
⓳ 담유
⓴ 비유
㉑ 위유
㉒ 심초유
㉓ 신유
㉔ 기해유
㉕ 대장유
㉖ 관원유
㉗ 소장유
㉘ 방광유
㉙ 중려유
㉚ 백환유

㊶ 부분
㊷ 백호
㊸ 고황
㊹ 신당

㊲ 은문

㊳ 부극
㊴ 위양

㉛ 상료
㉜ 차료
㉝ 중료
㉞ 하료
㉟ 회양

㊱ 승부

㊵ 위중

8) 족소음신경 -새끼발가락에서 내장으로

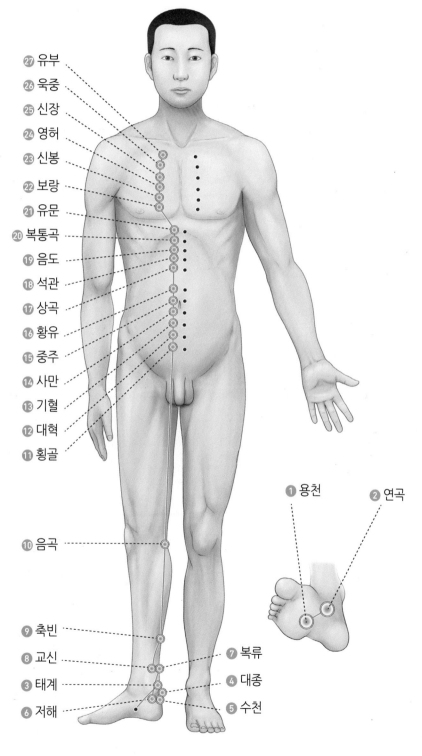

㉗ 유부
㉖ 욱중
㉕ 신장
㉔ 영허
㉓ 신봉
㉒ 보랑
㉑ 유문
⑳ 복통곡
⑲ 음도
⑱ 석관
⑰ 상곡
⑯ 황유
⑮ 중주
⑭ 사만
⑬ 기혈
⑫ 대혁
⑪ 횡골

⑩ 음곡

❾ 축빈
❽ 교신
❸ 태계
❻ 저해

❼ 복류
❹ 대종
❺ 수천

❶ 용천
❷ 연곡

9) 수궐음심포경 -내장에서 가운데손가락으로

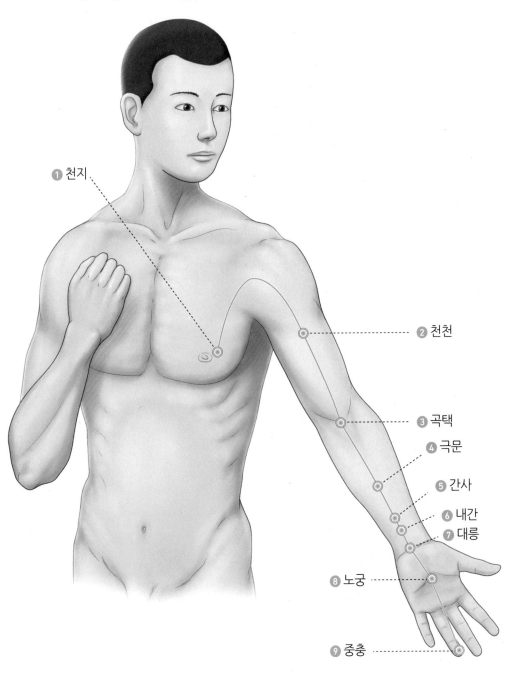

❶ 천지

❷ 천천

❸ 곡택

❹ 극문

❺ 간사

❻ 내간

❼ 대릉

❽ 노궁

❾ 중충

10) 수소양삼초경 -약지에서 안면으로

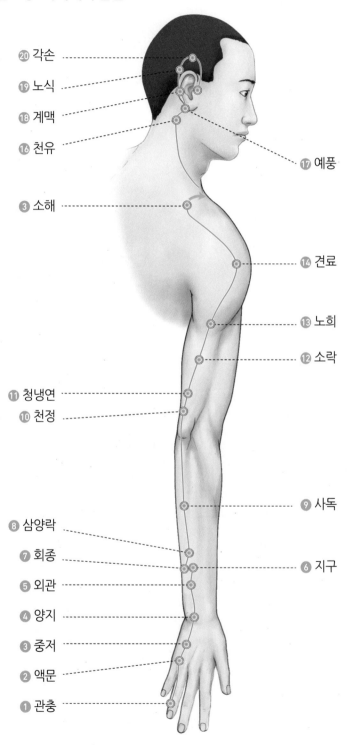

⑳ 각손
⑲ 노식
⑱ 계맥
⑯ 천유
⑰ 예풍
❸ 소해
⑭ 견료
⑬ 노희
⑫ 소락
⑪ 청냉연
⑩ 천정
❾ 사독
❽ 삼양락
❼ 회종
❻ 지구
❺ 외관
❹ 양지
❸ 중저
❷ 액문
❶ 관충

11) 족소양담경 -안면에서 넷째발가락으로

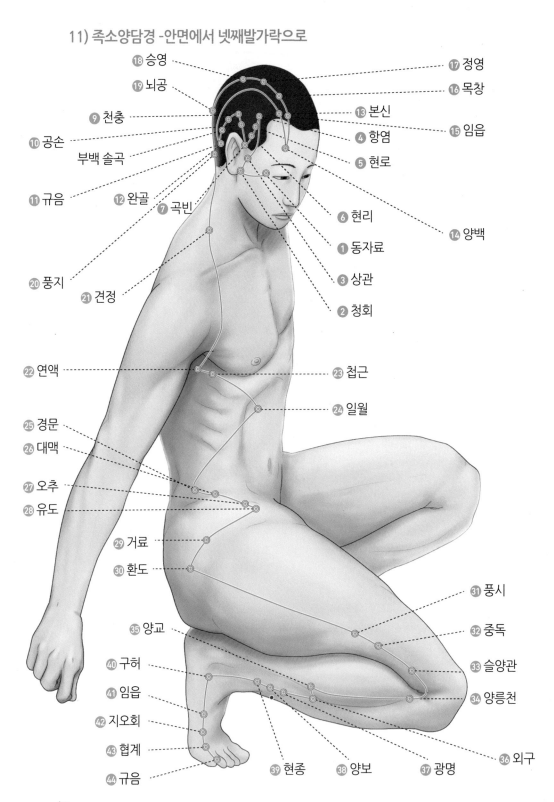

⑱ 승영
⑲ 뇌공
⑨ 천충
⑩ 공손
부백 솔곡
⑪ 규음
⑫ 완골
⑦ 곡빈
⑳ 풍지
㉑ 견정

⑰ 정영
⑯ 목창
⑬ 본신
④ 항염
⑮ 임읍
⑤ 현로
⑥ 현리
① 동자료
③ 상관
② 청회
⑭ 양백

㉒ 연액
㉓ 첩근
㉔ 일월

㉕ 경문
㉖ 대맥
㉗ 오추
㉘ 유도
㉙ 거료
㉚ 환도

㉛ 풍시
㉜ 중독
㉝ 슬양관
㉞ 양릉천

㉟ 양교
㊵ 구허
㊶ 임읍
㊷ 지오회
㊸ 협계
㊹ 규음

㊱ 외구
㊲ 광명
㊳ 양보
㊴ 현종

12) 족궐음간경 -갈비뼈 부근부터 엄지발가락까지

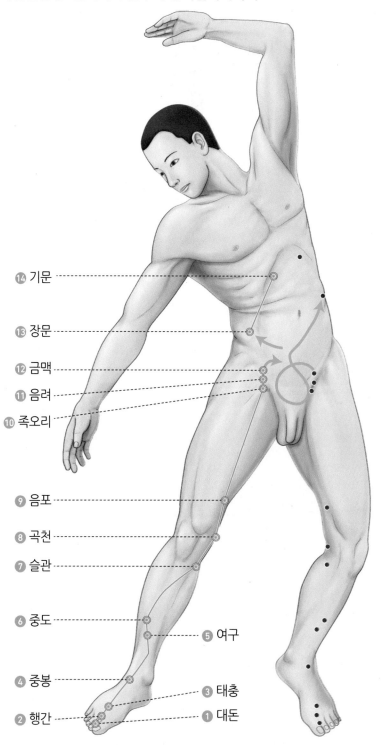

⑭ 기문

⑬ 장문

⑫ 금맥

⑪ 음려

⑩ 족오리

⑨ 음포

⑧ 곡천

⑦ 슬관

⑥ 중도

⑤ 여구

④ 중봉

③ 태충

② 행간

❶ 대돈

41

13) 독맥 -배부 정중선을 흐르는 경락

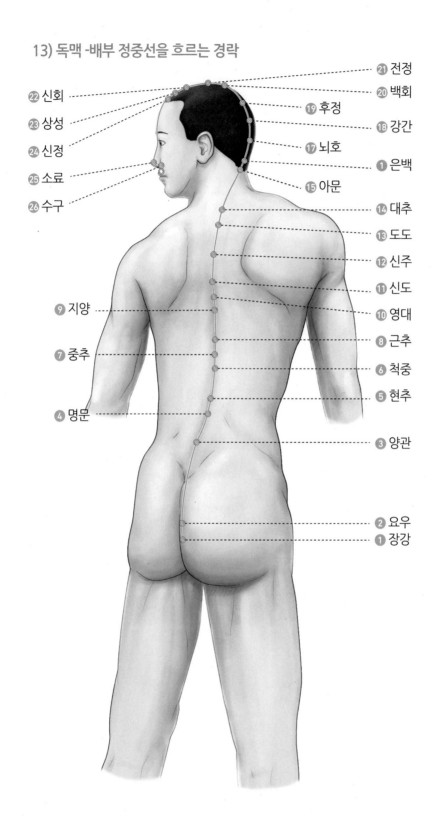

㉑ 전정

㉒ 신회

㉓ 상성

㉔ 신정

㉕ 소료

㉖ 수구

⑳ 백회

⑲ 후정

⑱ 강간

⑰ 뇌호

❶ 은백

⑮ 아문

⑭ 대추

⑬ 도도

⑫ 신주

⑪ 신도

⑩ 영대

❾ 지양

❼ 중추

❹ 명문

❽ 근추

❻ 척중

❺ 현추

❸ 양관

❷ 요우

❶ 장강

14) 임맥 -복부 정중선을 흐르는 경락

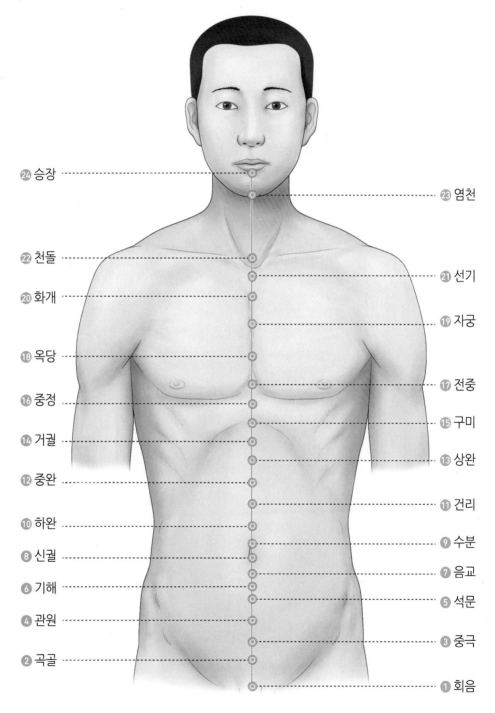

㉔ 승장

㉒ 천돌

⑳ 화개

⑱ 옥당

⑯ 중정

⑭ 거궐

⑫ 중완

⑩ 하완

⑧ 신궐

⑥ 기해

④ 관원

② 곡골

㉓ 염천

㉑ 선기

⑲ 자궁

⑰ 전중

⑮ 구미

⑬ 상완

⑪ 건리

⑨ 수분

⑦ 음교

⑤ 석문

③ 중극

① 회음

15) 충맥은 기충에서 시작되어 족양명과 같이 병행해서 배꼽 옆으로
올라가서 가슴까지 가서 사라진다(흩어진다).

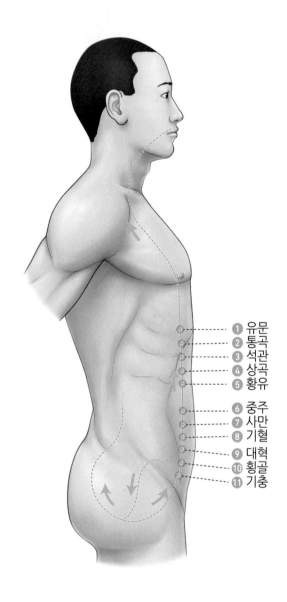

① 유문
② 통곡
③ 석관
④ 상곡
⑤ 황유

⑥ 중주
⑦ 사만
⑧ 기혈
⑨ 대혁
⑩ 횡골
⑪ 기충

16) 대맥

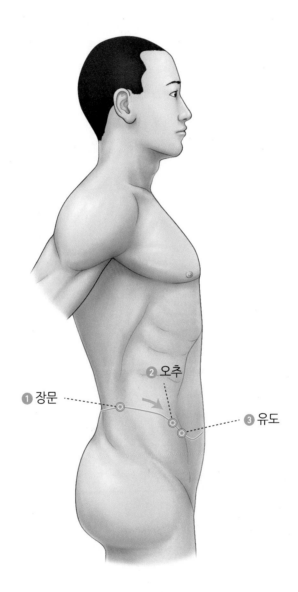

❶ 장문

❷ 오추

❸ 유도

7. 오장육부(五臟六腑) 「韓方秘錄」

1) 심장(心臟)

심장은 군주(君主)의 기관이며 신명(神明)이 있는 곳이다. 심장은 담과 상통하므로 심장의 이상은 담을 소통시키는 방법으로 치료를 한다. 탄식하는 것은 심장에서 나오며, 정기가 심에 잘 통하면 기쁨(喜)이 되고, 심장은 열(뜨거움)하면 제 기능을 발휘하지 못하며, 땀은 심장의 영양(알부민)이다. 심장은 맥을 주관하며 혈을 내뿜고, 심이 피로하면 혈이 상하게 되고, 놀라거나 정신을 잃은 후에 나오는 땀은 심장에서 나오는 것이다. 심장이 허하면 건망증과 잘 놀라며 즐거운 마음이 없다 양심탕을 쓴다. 그리고 심이 실하면 웃기를 잘하고 입이나 목이 잘 헐고, 갈증이 많이 나며, 땀은 없고 코피를 쏟게 된다.

2) 간장(肝臟)

간에는 혈을 저장하는 기능(藏血)이 있고 이는 혈액을 저장하고 조절하는 기능이 있다는 것이다. 사람이 휴식이나 수면을 취할 때는 인체의 혈액 수요량이 감소하며 간으로 돌아와 저장되어 영양을 공급받고 기능을 회복한다. 이를 활혈(活血)이라 한다. 정신적이나 육체적 노동을 할 때 혈액의 수요량이 많아지므로 저장된 혈을 바로 배출하여 활동에 필요한 양을 공급하여 장부조직의 각 활동에 기본이 되는 것이다. 간은 근육과 인대, 조갑(爪甲)의 영양상태를 유지하며 간혈을 받아야 눈은 비로소 보게 되며 혼을 저장하고 모려(謀慮-궁리나 계략)를 낸다. 혈을 저장하는 것은 혈액을 내보내려 하는 기능이 있다는 것으로 이를 소설(疏泄)이라 하는데, 장부의 기능을 조절하고, 정신과 마음과 감정 활동에 관여하고 담즙을 배설하는 것을 말한다.

소설이란 막힌 곳이 터이고 뭔가가 빠져나가 답답함을 풀어주는 것을 나타낸다. 즉, 소설이란 해독을 의미하고, 독이라는 것은 외인이든 내인이든 육체를 상하게 하는 어떤 기질적인 것을 말한다. 간의 소설작용이 정상적으로 작용하면 기혈의 유통이 원활하여지고 기가 잘 유통되어 정신이 건전하게 되는데 이 기능이 소실되면 기가 통하지 못하여 간기가 울체되고 고민과 탄식(한숨) 의심이 많아지고 근심이 많아진다(이를 화병으로 본다).

간기가 왕성해지면 화를 잘 내고 두통 현훈이 온다. 간의 울체로 어혈이 나타나 흉협이나 유방 인후부에 통증이 오거나 생리불순이 나타난다. 소화기에 대한 기능을 조절하는데 간의 소설에 이상이 오면 간과 비(脾)의 조화가 일어나지 않아 가스가 차고 명치가 아프고, 트림, 장명, 설사, 변비 등이 나타난다. 담즙을 배설하여 음식의 소화를 협조하는데 간기가 울체되면 담즙배설이 원활하지 못해 가슴이 답답하고 옆구리가 아프고 황달, 입이 쓰고,

소변이 적황색이 된다. 정신적인 측면은 더욱 미묘하여 노(怒)하면 간이 상하여 간기가 위로 치밀어 올라 기혈이 위로 넘쳐 얼굴이 붉어지고 피를 토하거나 돌연 혼절하게 되며, 걱정과 많은 생각과 슬픔이 지나쳐도 소설부족을 일으켜 간기의 부족이 일어나고 이는 강함을 잃게 만들어 쉽게 겁에 질리고 겁이 많게 된다. 담즙분비의 장애가 오게 되면 담기가 허약해지고. 정신의식과 사유 활동의 혼란이 오고 이는 결단능력이 감퇴하는 것으로 나타난다. 억울과 스트레스는 간의 소설부족을 말하는 것으로. 억울과 울화는 같은 것으로 한의학적으로 울증 또는 울화(鬱火)라 표현한다.

이러한 이유로 소설부족이 오면 기력도 의욕도 없고, 한숨을 잘 쉬고, 우울하며, 입맛도 없고, 헛배가 부르고, 변에 이상이 오고, 복통이 잦고, 수족의 떨림, 시력장애, 두통이 생기며, 비뇨기에 이상이 온다. 울증이 오래되면 혈의 영양이 고갈되어 심에 영양을 공급하지 못하므로 신(神)이 상하게 되어 황홀(정신이 명한 상태)이 오고 걱정 근심과 신경예민 한숨과 우울, 그리고 심한 피로감을 느낀다. 이런 상황이 지속되면 몸의 진액 혈 정이 고갈되어 여러 증상이 수반된다. 간의 기허는 비위의 기허를 수반하는 것으로 간은 소설을 주관하므로 정서와 기능을 원활히 하고 평온하게 유지하는 것으로 자율신경의 중추가 되며 말초를 포함한 전반의 기능에 해당하는 것이다. 또한 간화(鬱火)는 세포조직에 영향을 미쳐 옹(癰-종기) 종(腫-부스럼) 염증을 일으킨다. 몸에서 일어나는 모든 염증은 대부분 간화에서 비롯된다고 생각된다. 간의 이상은 시호맥(寸關脈)으로 확인하며 소설, 청열, 해독, 유간(柔肝)의 법으로 치료한다.

3) 비장(脾臟)

비(脾)는 후천(後天)의 본(本)이라 하여 기(氣)와 혈(血)의 생성에 근본이 되는 영양을 생성하고 오장육부 사지백해의 모두를 유양하는 물질을 생성하고 운송하며 산포하는 기능을 갖는다. 비는 위에서 일차로 소화된 음식물을 받아서 다시 소화 흡수의 과정을 거친 다음에 인체에 유익한 물질로 변화시켜 전신에 공급하는데 이를 비주운화라 한다. 이 소화 흡수의 기능에는 신장의 도움(命門火)이 필수적이다.

운화는 두 가지의 의미를 지니고 있는데, 하나는 수곡정미의 운화를 말하고, 다른 하나는 수분의 운화를 의미하는 것이다. 만약 비장이 약하여 운화의 기능이 실조되면 음식생각이 없고, 복창(腹脹)이 생기고 마르며, 얼굴색이 누렇게 되면서, 묽은 변을 보게 된다. 그리고 물의 흡수와 배설의 기능은 폐의 기능으로 물을 방광으로 보내어 배설하는 것이다. 그리고 비장이 하는 작용 중 통혈과 생혈의 작용이 있는데, 혈액을 통섭(統攝)하여 맥외로 나가지 못하게 하는 작용은 통혈이라 하고, 흡수된 영양을 폐와 신장의 도움으로 혈을 생성하는 것을 생혈이라 한다. 혈액의 운행은 비와 심, 신의 공동 작업으로 이뤄지며, 기가 없으면 혈액은 순환하지 못하게 된다. 또 비장의 작용은 수곡정미를 폐로 상승시키는 작용과 사지와 기육(肌肉)을 주관하며, 비(脾)의 생화가 부족하면 입술색이 창백해지고 음식 맛을 모르게 되며 식욕부진이 나타난다.

4) 폐장(肺臟)

폐는 호흡을 주관하고 음식물의 정기와 폐에서 흡입된 청기가 결합하여 종기가 생성되는데 이는 폐의 호흡작용을 추진하고 혈이 운행하도록 밀어주는 작용을 한다. 인체의 조직은 반드시 폐가 산포하는 영양물질에 의해서만이 정상적인 기능 활동을 유지할 수 있다. 만일 폐기가 허약하면 땀이 저절로 나거나 몸이 권태롭고 힘이 없는 등 원기부족의 증상이 나타난다. 현대의 모든 우울증이나 무기력증은 대부분 폐의 이상으로 생각한다. 부정맥이나 맥결대는, 폐의 분배부족으로 영양의 분배가 일정하지 못하면 몸의 항상성 때문에 심장에 과부하가 걸린 상태로 되어 나타나는 현상이다. 그리고 폐의 작용 중 선발과 숙강, 통조수도가 있는데, 선발은 진액을 전신에 퍼지게 하여 오장육부와 기육, 피모에 이르게 하는 것이며, 숙강은 폐기가 아래로 내려가는 것이며, 통조수도는 선발과 숙강으로 이뤄지며 몸의 물길을 터주어 방광으로 습기를 내려 보내는 작용을 말한다. 폐의 이런 작용이 부족하면 기침이나 천식 가슴이 답답하고 가래가 끓으며 얼굴이 붓는 증상이 나타난다.

5) 신장(腎臟)

신장은 인체의 수액대사를 주관하고 뼈와 골수와 뇌수를 생성하며 몸의 항상성에 관여한다. 신에 저장된 정기를 신정이라 하고, 선천(先天)의 정과 후천(後天)의 정으로 나눈다. 선천의 정은 생명을 구성하는 기본물질이며 태아에서부터 출생 후 생장 발육 생육 번식에 이르기까지 모두 선천지정(先天之精)의 작용이다. 인체의 노쇠는 이러한 정이 쇠약해지거나 없어지는 것을 의미한다. 후천의 정은 음식에서 흡수된 영양물질이며 비장에서 각 장부로 보내져 오장육부의 정이 되는 것이다.

신기는 신정에서 생화한 것으로 신에 저장된 정에서 발현되는 생명력을 신기(腎氣) 또는 원기(元氣)라 한다. 원기는 각 장부의 기능이 원활해지고 조화롭게 작용할 수 있도록 하는 역할을 한다. 신양(腎陽)은 또한 원양(原陽)이나 진양(眞陽)으로 표현되며 인체 양기의 근본이며, 각 장부를 따뜻하게 하고 생화(生化)를 일어나게 하는 기능이 있다. 그리고 인체의 항상성은 바로 신양과 신음의 조화에서 시작된다. 신은 원래 사(瀉)하는 법이 없고 보(補)하는 법만 있는 것은 끊임없이 소모가 되기 때문이다. 신은 정을 저장하고, 정은 수(髓)를 생산하며, 수는 뼈 속에 저장되면서 뼈를 길러준다. 만약 신정이 부족하면 뼈가 길러 질 수 없어 골격이 연약해지고 힘이 없고 발육이 부전하며 치아가 흔들리거나 빠지며 정신과 의식의 활동에도 영향을 줄 수 있다.

인체 내에 있는 수액(水液)의 대사는, 폐 비 신 삼초 방광의 상호작용에 의해 이루어지는데, 신으로 들어온 수액 중 맑은 것(영양)은 신양의 작용으로 일부는 기로 화하여 폐로 상승하고, 탁한 것(소변)은 방광으로 흘러 들어가 소변으로 배출된다. 수액대사가 일어나는 과정에서 한 장부의 기능이 깨지면 수액이 쌓여 병이 발생한다. 청각은 신의 정기에 의해 길러지고, 신정의 기능이 약하면 이명이나 청력감퇴가 나타난다. 그리고 모발의 생성과 탈락도 신기와 관련이 있다. 유정, 조루, 정액부족, 불임 등의 질병도 신의 책임이다. 명문(命門)은 우신(右腎)을 말하고, 신양(腎陽)이며, 부족은 성욕감퇴, 음위, 수양성 하리 등이 나타나고, 신음이 부족하면 어지러움 마른기침, 해혈, 도한, 천식, 자한 등이 나타난다,

6) 소장(小腸)

소장은 심장과 표리관계며 소화시킨 음식물을 분리하여 영양은 상승시키고 찌꺼기는 대장으로 내려 보낸다. 소장의 기능이 약하면 정신이 황홀하고 몽정이 일어나며 여자는 적백 대하증이 발생하며 음문이 헐고 가려워진다. 소장의 기허증은 아랫배가 몹시 아프고 적백리가 생기거나 허리와 어깨 등이 아프다. 소장에 간열이 침범하면 꾸룩꾸룩 소리가 나고 소변의 이상이 온다.

7) 담(膽)

간과 표리관계이며 담즙을 저장하며 결단을 내리게 하는 기관이다. 담이 허하면 어지럽고 눈물이 나며 잠을 자지 못하고 누가 나를 잡으러 오는 것 같이 무서워한다. 반대로 실하면 화를 잘 내고 인후가 아프고 다리에 힘이 없어진다.

8) 위(胃)

위는 비장과 표리이며, 음식물을 소화시켜 오장을 편안히 해주며, 허하면 음식의 맛을 모르고 가슴과 배가 아프고, 구역질, 딸꾹질, 하품을 잘하며 신물이 넘어오고 면색이 누렇고 살이 빠지고 기운이 생기지 않는다. 위에 열이 차면 뜨거운 것을 싫어하고 겨드랑이가

부우며 목이 마르고 침을 흘린다.

9) 대장(大腸)

폐와 표리관계며 전도지관이라 해서 소화 된 찌꺼기를 배설하는 기관이다. 수분을 흡수하여 폐로 상승시키고, 허하면 배에서 소리가 나며 냉하면 설사를 하고 귀가 먹먹해진다. 대장에 열이 차면 변비가 생기고 입이 헐며 치질이 생긴다.

10) 방광(膀胱)

신과 표리이며 기화작용으로 소변을 저장 배출하는 곳이다. 방광에 열이 차면 소변이 나오지 않고 심하게 되면 정신이상이 온다.

11) 삼초(三焦)

삼초는 형상이 없고, 상초 중초 하초로 구분하는 것이며, 상초는 위의 유문을 나타내고, 음식이 위로 들어가게 하고 다시 토하지 못하게 하는 역할을 한다. 중초는 위의 중앙을 말하며 음식물을 삭게 하는 역할을 한다. 하초는 배꼽아래 방광의 윗구멍을 나타내며 청탁을 분리하는 역할을 말한다. 그래서 상중하 삼초를 육부중의 한 부로 정한 것이며 형상이 아닌 기능만을 나타낸다. 신경계로 보면 중추신경에서 연결된 척추신경, 말초 내장 신경의 기능을 생각할 수 있다.

8. 자율신경계(自律神經系)

사람의 몸은 세포로 구성되어 있다. 그러므로 세포 한 개 한 개가 건강해야 몸 전체가 건강할 것은 당연하다. 세포 속으로 산소와 기타 영양물질이 들어가서 에너지를 생산해 주고 노폐물을 제거시켜 주어야 한다. 또 한 가지는 자율신경계의 균형도 세포 건강에 필요하다. 왜냐하면 자율신경계는 인체의 모든 부분을 조절해 주기 때문이다.

1) 자율신경계란?

자신의 생각과 의지와 전혀 상관없이 인체의 모든 기관을 스스로 지배하는 신경인데 교감신경과 부교감신경으로 구분하며 식물성 신경계라고도 칭한다. 두 신경의 효과는 장기마다 다르게 효과가 나타난다. 교감신경은 자동차의 휘발유(또는 Gas)와 같다. 인체 대부분의 기능을 증폭시켜 주고 인체가 위험에 처해졌을 때 나타나는 행동과 관계가 깊다. 심장을 빨리 뛰게 하여 근육과 조직에 혈액을 많이 내 보내어 급박한 상황에 빠르게 대처하게 한다. 그리고 활동에 필요한 산소를 많이 흡입하기 위해 기도가 넓어지고, 동공이 커져서 주위환경의 변화를 빠르고 쉽게 인지하게 하고, 소화보다는 위험을 벗어나는 것이 우선이므로 소화기로 보내는 혈은 줄어들어 소화력이 떨어진다. 부교감신경은 교감신경의 흥분과는 반대의 작용을 하므로 사람을 자동차로 생각할 때 자동차의 브레이크와 같다고 생각하면 쉽다. 이 신경은 인체 대부분의 기능을 완화시켜 주고 평형을 유지시켜 준다. 부교감신경이 지배하는 상태에서 인체는 안정이 되고 정상적으로 유지된다. 인체가 부교감신경의 지배아래 있을 때 동화작용상태(同化作用狀態)에 있고, 인체가 교감신경지배아래에 있을 때는 이화작용 상태(異化作用狀態)에 있다.

인체가 동화작용상태에 있을 때는 우리 몸은 Healing이 되고 소화흡수가 잘 되며, 배설도 잘 된다. 물론 잠도 잘 오고 편안하게 쉴 수도 있으며 힘도 생긴다. 근육과, 뼈와, 관절과, 머리카락과, 손톱도 튼튼해지고 상처가 생겨도 쉽게 아문다. 운동선수들은 훈련을 잘 할 수 있고 피로회복도 쉽게 되며 자신의 기록을 향상시킬 수 있다.

인체가 이화작용상태에 있을 때는 상처는 잘 아물지 않으며 가슴이 쓰리고 소화불량증도 생기며 변비도 생기고 불면증도 생기고 근육통과 관절통도 생기고 머리카락과 손톱이 잘 자라지 않고 근육이 줄어들고 피부의 색깔도 나빠지며 모발도 약해져 잘 빠지고 상처도 쉽게 아물지 않는다.

2) 자율신경실조증

자율신경실조증이란, 자율신경계 즉 교감신경과 부교감신경의 조절이 부조화되어 각기의 기능이 제대로 발현되지 못하는 질환 군이다. 자율신경은 신체가 살아있는 상태를 유지 및 조절하는 신경으로 심장박동, 감각기관 등을 조절하고 비위의 기능, 소, 대장을 움직이며 호흡과 생식기능의 관리를 주관한다. 하지만 과도한 스트레스나 식생활의 부절제 등으로 인해 신경계의 균형이 깨져 이 현상들이 발생하게 된다. 증상으로는 우울, 무기력, 기타 여러 가지 신체적 정신적 병적 현상을 나타내지만 현대적 의학기기로 검사를 해도 원인이 밝혀지지 않아 그냥 지나치는 경우가 많다. 발현된 증상을 조속히 처치하지 않으면 증상의 악화, 질병의 만성화로 이환되어 처치하기가 어려워지게 된다. 본 증상의 원인은 호르몬의 변화 등 내분비적 원인, 스트레스, 욕구불만, 긴장, 흥분, 유전적 신경조절능력의 저하 등이 있으며 스트레스는 본 증상의 발현에 가장 중요한 원인에 속 한다. 직장인, 주부, 학생, 노인들이 심리적 압박과, 피로, 식생활의 부절제 등으로 많이 발생이 되며 본 증상의 처치

방법으로는 스트레스를 적절히 해소해야 하며 좋은 음악을 듣거나, 명상, 규칙적인 운동을 하거나 적절한 약용식품을 복용하여 생체리듬을 회복해야 한다. 주의할 점은 신경을 교란시키는 음주나 흡연, 과다한 커피의 음용, 흥분 등은 피해야 한다.

3) 자율신경실조증의 증상

자율신경실조증이 발생하면 신진대사는 무너지고 생명유지가 어렵게 된다. 이 현상은 단백질부족이나 불량단백질의 합성과, 효소작업 시 신경의 불안정한 상태가 이어지면 자율신경계의 신경절과 뉴런들은 생명유지나 세포의 신진대사기능이 어렵게 되면서 처음에는 증상이 없이 심해지며 전신을 질병으로 몰아간다. 그리고 자율신경실조증은 먹는 음식의 불균형, 스트레스, 과로 등으로도 올 수 있다. 처음에는 증상이 없다가 한동안 누적되어야 질병증상으로 나타난다. 자율신경실조증은 전신의 건강을 파괴시키는 무서운 증상이다. 필수영양소나, 신체적 육체적 불균형을 잡아주는 생약 건강식품 등을 충분하게 보충한다면 인체 영양의 불균형으로 오는 피해를 입는 일은 줄어들게 될 것이다.

자율신경은 인체의 신진대사와 생식, 생명유지와 종족보존을 위한 인체 여러 기관들을 구성하고 각종 세포에 분포하여 그것의 기능을 조절한다. 내장기관, 심장의 근육, 내분비의 의지와 상관없이 장기와 조직을 지배하는 신경계로 온 몸을 스스로 지배한다. 순환기계(간), 호흡기(폐), 소화기(비위), 내분비계(신), 생식기계(신)의 말초신경으로 이 오장육부의 자율적인 기능을 조절한다.

자율신경실조증 증상은 연령과 성별에 따라 다르게 나타난다. 초기에는 가벼워 발병이 심해질 때까지 증상이 미약하여 무심하게 지나가는 경우가 많다. 누적된 식생활의 불균형과 과도한 스트레스, 과로 등은 심하게 된 후에는 정신과 육체까지 심한 고통이 따른다. 병원의 각종 검사에도 특이한 원인이 나타나지 않고 어떠한 약물(양약)로도 치료가 어려워 이 증상은 본인도 모르는 상태에서 병이 진행된다. 기립성 저혈압, 야간설사, 소화장애, 배뇨장애, 발한장애, 발기부전, 고혈압, 정력저하, 이상발열, 이상발한, 등등과 저혈당에 대한 인지장애등의 자율신경실조증은 다양한 질병으로 나타난다.

4) 자율신경실조증의 치료

자율신경계 이상은 원인치료가 중요한데 가장 우선해야 할 것은 신장을 살리는 것이다. 그리고 마음을 안정시키는 약제들을 첨가하여 편안한 마음을 유지시켜주고 진액(血液)을 늘리는 요법을 이용한 약제를 사용한다. 아미노산 멀티비타민 항산화제 등의 복용도 획기적인 대안이 될 수 있다. 아미노산은 내분비, 심혈관, 호흡, 소화, 비뇨기, 생식기, 체온조절, 동공조절을 관여하는 단백질이 소화되어 자동차의 연료가 에너지를 내는 것처럼 아미노산이 단백질 영양소로 쓰여야 좋아지는 것이다.

인체의 세포는 계속 사용하여 늙은 세포로 진행하며 새로운 세포를 생성하며 숨을 쉬고, 움직이고, 말하는 것 등 모든 행동은 세포가 노화되는 과정이다. 자율신경실조증이 발병했다면 이미 인체의 절반이상이 항상성의 체계가 무너진 상태로, 새롭게 만들어지는 세포보다 늙어가며 병든 세포가 더 많아지고 이 세포가 많이 질수록 몸은 점점 쇠약해지고 면역력이 떨어지게 된다. 한약이든 건식이든 영양제든 신생세포가 많아지고 몸의 기능을 정상적으로 만들어 주면 병든 세포를 이겨내고 건강을 유지회복하게 되는 것이다.

[출처 : http://blog. daum. net/hqh105/13452577. http://blog. daum. net/cheoneui23. tistory. com/5346]

5) 자율신경실조증에 의한 증상

가슴이 답답하다	→ 간열과 폐위를 생각할 수 있다.
숨이 차다	→ 허로와 폐의 약함을 보여준다.
식욕이 없다	→ 비위가 약함과 간울, 신허를 생각할 수 있다.
위장이 약하다	→ 비와 신, 간의 부조화를 알 수 있다.
위 부위의 불쾌감이 있다	→ 간과, 비위의 허를 예측할 수 있다.
배가 빵빵해진다	→ 간화를 생각할 수 있다.
다리가 나른하다	→ 신허와 위열을 알 수 있다.
손발이 튼다	→ 진액부족과 폐의 허함을 알 수 있다.
피부가 꺼칠꺼칠하다	→ 폐약(肺弱)과 진액부족이다.
손발톱이 갈라진다	→ 간의 영양부족(유간이 안 됨)이다.
무좀이 생긴다	→ 신허로 오는 열증상이다.
만성변비가 있다	→ 간의 소설부족과 어혈이 있다.
설사를 잘 한다	→ 명문화의 부족과 대장의 기능이 약하다.
변비나 설사가 교대로 나타난다	→ 간과 신의 기능이 약이다.
자주 변을 보고 싶다	→ 신허로 봉장이 깨진 것을 생각한다.
소변을 자주 본다	→ 방광의 봉장이 약하거나 간열이 있다.
어쩌다 소변을 지린다	→ 간열과 신허를 생각한다.
밤에 소변을 자주 본다	→ 신허다.

53

소변 본 뒤 시원치 않다	→ 신허와 간열이다.
성욕이 많이 떨어졌다	→ 신허와 간 장혈의 부족으로 신경이 예민한 것이다.
임포텐스(발기부전)가 있다	→ 장혈과 소설의 문제와 신기능 저하다.
생리불순이 심하다	→ 혈허, 어혈, 몸이 냉한 경우가 많다.
불임증이 생긴다	→ 허로, 빈혈, 신냉(身冷)을 생각할 수 있다.
황, 백대하가 나온다	→ 간화와 비위의 수분조절 기능이 약하다.
하혈을 할 때가 있다	→ 자궁의 약함이다.
대변을 보면 항문이 빠진다	→ 허로와 봉장의 약함이다.
음부나 항문이 가렵다	→ 간과 신의 기능이 약하다.
고환이 커지고 내려 처진다	→ 중기가 약하고 신이 약한 것이다.
대변을 보고 난 뒤에 무지근하다	→ 대장의 열이나 신허를 의심해 본다.
소변 참기가 힘들다	→ 신허와 간화이다.
꿈을 많이 꾼다	→ 신허 간열 진액부족을 생각한다.
이유 없이 가슴이 두근거린다	→ 담의 허와 심과 비위의 부조화이다.
손발과 가슴에 작열감이 있다	→ 음허, 혈허를 알 수 있다.
한숨을 잘 쉰다	→ 간열이나 폐조를 생각한다.
머리가 텅 빈듯하고 모든 것에 의욕이 없다	→ 신허와 허로, 영양부족이다.
얼굴이 붉고 눈 충혈이 잘 된다	→ 심열 간열이 심한 것이다.
얼굴로 열이 올라온다	→ 혈허, 간열, 비위의 열을 나타낸다.
입이 잘 헐고 혀가 마른다	→ 진액부족과 허열이 많다.
막연한 불안감이 있다	→ 심장의 허열이나 간담의 약함이다.
쉽게 피곤해진다	→ 허로, 또는 진액부족이다.
몸이 휘청휘청 거린다	→ 신허나 진액부족이다.
냉한 체질이다	→ 명문화의 부족이나 영양부족이다.
안절부절 못한다	→ 심열이 심하거나, 허로다.
화를 잘 낸다	→ 신허, 간열, 진액부족으로 인한 허열이다.
우울하다	→ 폐조다.
잠들기 힘들다	→ 음허, 간열, 신허로 본다.
두통이 자주 나타난다	→ 스트레스나 허열로 본다.
어지럼증이 있다	→ 신허와 간허열로 생각한다.

눈이 흐릿하다	→ 간과 신의 부족이다.
귀에서 소리가 난다	→ 신허, 어혈, 간화다.
귀가 잘 안 들린다	→ 정혈부족, 즉 진액부족이다.
목이 마른다	→ 위열이나 진액부족이다.
목덜미가 결린다	→ 심 허열과 간화다.
어깨가 결린다	→ 간화다.
등줄기가 결린다	→ 신허와 간화다.
손발이 저리다	→ 혈허나 기의 흐름이 나쁜 것이다.

이처럼 외상이나 감염증이 아닌 질환은 거의 모두가 자율신경의 이상흥분으로 오는 경우가 많으며, 신정의 상승저하로 인하여 심화를 끌어 내리는 즉 수승화강(水昇火降)의 작용이 약하면 혈을 생성하는 작용과 폐 기능의 저하로 영양의 분배나 소비가 줄어들어 질병에 저항하는 힘, 즉 면역력이 약해져 만병이 발생한다. 신경성이라든지 저항력감소라든지 신체기능의 활동을 주관하는 모든 기능이 저하되어 질병을 항상 달고 사는 소위 말하는 종합병원이라는 말을 많이 하는 사람들이 있다. 이 증상들은 각 장부의 편에서 더 설명이 있을 것이며 이를 처치할 수 있는 약들도 기재할 생각이다.

9. 인간 100세를 꿈꾸며

미국의 건강의료정보 사이트인 웹 엠디(Web MD)가 오래 사는 방법을 소개했다. 1주일에 2시간 이상 적당한 수준의 운동을 하면 심장병, 뇌졸중, 당뇨, 우울증 등에 걸릴 위험이 줄어들고, 나이가 들어도 정신력을 예민하게 유지할 수 있다는 연구결과가 많다. 자신의 체력에 과부하를 주는 무리하게 운동을 하는 것은 역효과가 난다. 굳은 몸을 풀어주고 잘 움직이지 않던 근육을 이완시키는 스트레칭이 좋으며 땀을 너무 많이 흘리며 하는 운동도 좋지 못하다.

80년에 걸쳐 시행된 연구결과에 따르면 장수여부를 예측할 수 있는 최고의 변수는 성실한 성격이었다. 성실한 사람은 건강을 지키기 위해 더 많은 것을 하며, 더 나은 직업을 선택하고 사람들과 더 긴밀한 관계를 맺으며 산다. 손을 항상 움직이는 것은 신경의 자극이 오며, 자기의 일은 손수 해결한다는 마음은 노화를 더 지연시킬 수 있다. 그리고 남을 이해하고 용서하여 원한을 털어버리면 불안감이 줄어들고, 혈압이 떨어지며 숨쉬기가 편안해진다. 나이가 들수록 이 같은 효과는 커진다. 억울한 마음이 남아있는 경우는 늘 신경의 흥분을 유발하고 마음을 조급하게 만들어 신경질적으로 변하거나 의욕의 저하가 발생한다. 취미나 사회활동에 있어 마음에 맞는 사람과의 친분은 만족감을 주므로 마음의 안정을 찾을 수 있다. 호주의 연구진은 사교성이 있는 노인은 친구가 적은 동년배와 비교했을 때 10년 안에 사망할 확률이 낮다는 사실을 확인했다. 기존 연구 148건을 분석한 결과도 다양한 사교활동과 장수와의 관계를 입증하고 있다.

노후에 부부는 서로의 의지처가 된다. 서로 위안하고 같은 곳을 향하여 가다보면 행복감을 많이 느낄 수 있다. 그래서 결혼한 사람은 혼자 사는 사람보다 오래 사는 것으로 나타났다. 결혼은 사회적 경제적으로 큰 혜택을 준다. 심지어 이혼하거나 배우자를 잃은 사람도 결혼을 한 번도 하지 않은 사람보다는 사망률이 훨씬 낮은 것으로 나타났다.

어떤 종교를 믿든 종교를 가지고 겸손한 마음으로 마음을 비우면 풍요와 평안을 가져온다. 65세 이상의 노인들을 대상으로 12년간 실시된 연구결과에 따르면 매주 한차례 이상 예배를 드리는 사람은 그렇지 않은 사람보다 면역계에서 핵심적 역할을 하는 단백질을 더 많이 갖고 있는 것으로 나타났다.

나이가 들면 염색체를 양끝에서 보호하는 마개(텔로미어)의 길이도 줄어든다. 이렇게 되면 인간은 질병에 취약해진다. 한 연구에 따르면 다이어트와 운동 같은 건전한 생활습관은 텔로미어의 길이를 늘이는 효소를 활성화하는 것으로 나타났다. 살이 지나치게 많이 찌면 온갖 성인병의 원인이 된다. 나이를 먹고 너무 마른 것도 문제지만 비만은 피해야한다. 살을 빼면 당뇨와 심장병, 그리고 생명을 단축시키는 다른 요인을 차단할 수 있다. 담배 한 개비를 피우면 수명이 30초가량 줄어든다는 말이 있다. 담배는 활성산소나 다른 유해물질을 많이 함유하고 있다. 특히 혈관의 축소 작용으로 혈압을 상승시키고, 혈액의 순환을 방해하여 노인들의 건강을 해칠 우려가 많다. 50년간 실시된 영국의 한 연구결과에 따르면 30세에 담배를 끊으면 수명이 10년 연장되며 40세 때는 9년, 50세 때는 6년, 60세 때는 3년 목숨이 느는 것으로 나타났다.

술은 간에 뭉쳐진 울체를 풀어주는 작용과 혈액의 순환에 도움이 많이 된다. 과음은 반대다. 술을 적당량 마시는 사람은 전혀 마시지 않는 사람보다 심장병에 걸릴 가능성이 낮다. 미국심장협회는 하루에 여자는 1잔, 남자는 1~2잔 정도를 적당량으로 추천한다 . 잠을 잘 자는 것은 여러 가지로 몸에 이롭다. 혈액을 맑게 하고, 에너지의 보충이 잘 되어 훨씬 활기차고 건강한 생활을 영위할 수 있다. 잠자는 시간이 5시간 이하인 사람은 일찍 사망할 위험이 크다. 잠을 충분히 자야 각종질병도 예방하고, 병에서도 빠르게 회복된다. 규칙적으로 낮잠을 즐기는 사람은 그렇지 않은 사람보다 심장병으로 죽을 확률이 37% 낮은 것으로 나타났다. 24,000명을 대상으로 한 최근의 연구결과다. 연구진은 낮잠이 스트레스 호르몬을 줄여 심장을 보호하는 것으로 보고 있다.

사고에 대비한 안전장비의 착용은 생명을 연장시킬 수 있는 수단이 될 수 있다. 미국에서 1~24세의 사망원인 1위는 사고다. 교통사고의 경우, 안전벨트만 잘 착용해도 사망이나 심각한 부상을 50% 줄일 수 있다. 현대를 살아가는 모든 사람들의 가장 큰 관심사는 건강이라 생각한다. 다년간 많은 환자들을 만나보고 상담해본 결과 모든 만성질환들은 거의 모두가 저항력(免疫力)의 저하로 인하여 발생한다.

이로 인하여 발생하는 질환들은 가장 두려운 암 질환, 당뇨, 고혈압, 아토피, 비염, 천식, 만성피부질환, 간질환(만성간염 간경화 지방간), 류마티스 관절염, 신경통, 갑상선, 여드름, 부인병(생리불순 불임 갱년기장애), 정력 감퇴, 만성피로, 부종, 비만, 백납 등등 이다. 이 면역력저하로 발생된 질병은 현대의약으로는 처치하기가 매우 어렵다.

최근에 모 제약회사에서 생산 판매하는 건강기능식품 중 면역증강에 효과가 뛰어난 것이 있고. 이 제품을 응용하여 생약을 함께 쓰면 치료할 수 없는 질병이 많고 환자에게 적용해 본 결과 큰 효과를 보았다.

이 물질은 항암과 면역기능을 높여주는 물질과 정상세포를 보호하고 생성시켜 몸의 기능을 회복하게 한다. 갈수록 의학은 발달한다. 좋은 기술로 좋은 약이 하루가 멀다하고 나온다. 지금 건강이 안 좋다하더라도 절망하지 말고 희망을 가지고 긍정적인 사고 또한 치료에 많은 영향을 미친다.

암이 단연 시대의 화두가 되었다. 행복한 삶을 영위하는 환경을 방해하는 병마로서 기승하고 있는 시절이다. 개인의 삶이 황폐화 되는 것은 물론 가족까지도 삶이 엉망이 되는 것을 많이 보고 있다. 심하면 목숨마저도 잃게 되어 개인의 꿈과 희망을 앗아가는 무서운 질병이 되었다. 이러한 암에 걸리지 않는 예방법이 무엇보다도 중요한 때이다.

암이 발생하는 원인은 여러 가지가 있을 것인데, 가장 큰 요인은염증이 돌연변이를 일으켜 암으로 되는 것이다. 몸의 독소가 70% 이상이 되면 독소가 극성으로 변하고 극성이 염증과 합해지면 암으로 변하는 것이다. 이처럼 염증에 독성이 가해지면 암으로 변하므로 염증을 제거하고 독성을 해독하는 것이 암을 예방하는 방법이다. 염증의 발생을 억제하거나 제거하는 방법으로는 피로가 과도하면 어혈이 생겨 독소를 제거하지 못하여 염증을 발생한다. 몸이 36도 이하면 염증이 발생, 체온이 올라갈수록 면역력이 증가하며 36. 5도가 되면 염증발생이 현저하게 줄어든다.

찬 음식은 체온을 떨어뜨려서 혈행을 방해하고 이로 인해 독소의 제거가 어려워 염증으로 변화한다. 상체만 따뜻하고 하체가 차면 병이 시작된다. 손과 발끝이 따뜻해야 한다. 배는 따뜻한 것이 좋고 머리는 차가운 것이 좋다.

염분함량이 7% 이상이 되면 염증의 발생이 현저하게 저하된다. 보통 소금의 유해론에서 소금의 약성보다 해로움이 더 강조되는 듯하다. 그러나 염분이 몸에 적으면 염증발생이 많아지므로 염분함량의 증가가 필요하다. 소금은 80%의 약성과 20%의 독성을 함유하고 있기에 20%의 독성을 제거한 소금이나 천일염이 좋다.

각종 독에 의해서 피가 탁해져서 염증이 발생하므로 평소에 해독식품을 먹으면 염증방지에 도움이 된다. 염증을 풀어내는 건강식품의 섭취 등이 있다. 염증억제력과 면역증강과 항암 효과가 뛰어난 물질이 최근에 발매되었는데, 이것과 그 사람에 맞는 생약을 함께 투여하면 백혈구의 생성과 활동을 왕성하게 하여 면역증강에 좋은 효과를 기대할 수 있다.

암을 없애기 위해서는 항암주사를 맞는 방법, 방사선치료(화학적 요법)가 유일한 방법이라고 지난 세월 동안 모든 사람들은 믿어왔다. 그러나 존스 홉킨스 대학은 결국 다른 방법이 있다고 발표하였다. 아래는 암에 대한 기본적인 생각과 치료법에 대한 존스 홉킨스 대학이 발표한 내용이다.

10. 암에 관한 최신 소식

모든 사람들은 몸에 암세포를 가지고 있다. 이 암 세포들은 스스로 수십억 개로 복제될 때까지 일반적 검사에는 나타나지 않는다. 의사가 치료 후 암환자에게 더 이상 암세포가 없다고 말하는 것은 암세포를 찾아내지 못 했다는 것을 의미할 뿐인 것이다. 왜냐하면 그 암세포가 발견하지 못할 크기로 작아졌기 때문이다. 암세포들은 사람의 수명기간동안 6배에서 10배 이상까지 증식한다. 사람의 면역체계가 충분히 강할 때 암세포는 파괴되며, 증식되거나 종양을 형성하는 것이 억제된다. 사람이 암에 걸리면 복합적인 영양 결핍을 보인다. 이것은 유전적, 환경적, 식생활, 그리고 생활습관 상의 요인들에 의한 것이다. 복합적인 영양결핍을 극복하기 위해, 건강보조식품을 포함한 식습관을 바꾸는 것이, 면역체계를 강화시킨다.

항암주사 요법은 급속히 성장하는 암세포를 독살하는 것이다. 그러나 골수, 위장 등에서 급속히 성장하는 건강한 세포 역시 파괴한다. 뿐만 아니라 간, 신장, 심장, 폐 등과 같은 기관까지도 손상을 가져온다. 또한 방사선치료요법은 암세포를 파괴하는 동안 방사선은 건강한 세포, 조직, 기관 역시 태우고, 흉터를 내고, 손상을 입힌다. 화학적 요법과 방사선의 주요 처치는 종종 종양의 크기를 줄이기는 한다. 그러나 화학적 요법과 방사선의 오랜 사용은 더 이상의 악성종양 파괴를 하지 못한다. 이는 치료의 한계를 보여주는 것이다.

인체가 화학적 요법과 방사선으로부터 너무 많은 부담을 가지면, 사람의 면역체계는 약해지거나 파괴된다. 또한 다양한 감염과 합병증에 의해 쓰러질 수 있다. 화학적 요법과 방사선은 암세포를 돌연변이 시킬 수 있으며, 저항력을 키워 파괴되기 어렵게 만든다. 수술 역시 암세포를 다른 곳으로 전이시킬 수 있다. 암과 싸우기 위한 효과적인 방법은 암세포가 증식하는데 필요한 영양분을 공급하지 않음으로써, 암세포를 굶어 죽게 해야하는 것이다.

설탕은 암을 키운다. 설탕 섭취를 줄이는 것은 암세포에 영양분을 공급하는 중요한 한 가지를 없애는 것이다. 설탕 대용품들은 아스파탐으로 만들어 지는데 이것 역시 해롭다. 좋은 자연적 대용품은 천연꿀 또는 당밀 같은 것이지만, 이것도 매우 적은 분량이어야 한다. 식용소금은 색을 하얗게 만들기 위해 화학적 첨가제를 사용하는데, 가장 좋은 대용품은 바다소금(천일염)이다.

우유는 인체 특히 위장 내에서 점액을 생산하도록 한다. 암은 이 점액을 먹는다. 따라서 우유를 줄이고 무가당 두유로 대체하면, 암세포는 굶어 죽을 것이다. 암세포는 산성(acid) 환경에서 나타난다. 육식 중심의 식생활은 산성이다. 생선을 먹는 것과 소고기나 돼지고기 보다, 약간의 닭고기가 최선이다. 또한 육류는 또한 가축항생제, 성장호르몬과 기생충을 포함하고 있다. 이것들은 모두 해로운데, 특히 암환자에게 해롭다.

80%는 신선한 야채와 주스, 잡곡, 씨, 견과류, 그리고 약간의 과일로 이루어진 식단은 인체가 알칼리성 환경에 놓이도록 도와준다. 20%는 콩을 포함한 불에 익힌 음식들이다. 신선한 야채 주스는 살아있는 효소를 생산하며, 이것은 쉽게 흡수되어 15분 안에 세포에까지 도달하고, 건강한 세포에게 영양을 공급하여 성장을 돕는다. 건강한 세포를 만들기 위한 살아있는 효소를 얻으려면 신선한 야채 주스(콩의 새싹을 포함한 대부분의 야채들)를 마시고, 하루에 두세 번 생야채를 먹도록 노력해야 한다. 효소는 섭씨 40도에서 파괴된다. 카페인을 많이 함유한 커피, 차(홍차), 초콜릿을 피하는 것이 좋다. 대신 녹차나 천연 식물의차는 암과 싸우기 위한 좋은 대용품이다. 독소와 중금속 등은 인체의 저항력에 많은 손상을 주기 쉽다. 이 폐해를 줄이기 위해서는 수돗물이 아닌 정수된 물을 마시는 것이 좋으며 증류된 물은 무기질이나 영양분이 없고 산성을 나타낸다.

육류와 밀가루 음식은 소화가 더디고 대사이상이 있을 때는 질병의 근원이 되고 소화과정에 많은 양의 효소를 필요로 한다. 과식은 피한다. 소화되지 않은 육류나 가루음식, 인스턴트는 장내에 남아서 부패되거나 열을 발생시키고 더 많은 독소를 만들어 인체에 질병을 유발한다. 암세포의 벽은 견고한 단백질로 구성되어 있으므로 육류나 가공음식의 섭취를 줄이거나 삼가므로써, 더 많은 효소가 암세포의 단백질 벽을 공격할 수 있도록 하여 인체의 킬러세포가 암세포를 파괴하도록 만든다. 몇몇 영양보조식품들 항산화제, 비타민, 미네랄, 등은, 인체 스스로 암세포를 파괴하기 위한 킬러세포를 활성화하여 면역체계를 형성한다. 비타민E와 같은 다른 보조식품들은 유전자에 의한 세포의 능동적 죽음을 일으키게 하는 것으로 알려졌다. 암은 마음, 육체, 정신의 질병이므로 스트레스나 분노, 흥분, 과로, 음주, 흡연, 생활의 부절제 등을 삼가고 활동적이고 긍정적인 마음을 가지는 것이 암과 싸우는 사람을 생존자로 만드는 데 도움을 준다. 분노, 불관용, 비난은 인체를 스트레스를 쌓이게 하고 체액을 산성의 상태로 만든다. 그러므로 사랑하고 용서하는 마음을 가지고 남을 위한 마음가짐은 마음의 풍요를 주어 인체의 저항력을 높이는 것이 된다. 그리고 암세포는 혐기성 증식을 하기 때문에 유산소 환경에서는 번성할 수 없다. 매일 운동을 하고 심호흡을 하는 것과 행복한 마음을 유지하는 것은 암세포를 파괴하기에 좋은 또 다른 수단이다.

암의 사멸에는 백혈구의 작용이다. 그러므로 백혈구의 생성과 항암력은 신장과 간의 작용이 중요한 역할을 한다. 물론 보조적으로 폐와 위장의 문제도 있지만 높은 항암효과를 주는 것은 간신(肝腎)의 순조로운 상호 협조와 기능의 정상이다. 건강한 사람의 몸속에는 하루에도 암세포가 천 개에서 오천 개가 생겨났다가 사라진다. 하지만 정상적으로 건강을 유지하는 원인은 백혈구가 암세포를 제압하기 때문이다. 즉 암은 백혈구에게 상대가 되지 않는다는 얘기다. 건강한 세포들은 서로 교신하며 암세포를 찾아내서 제압한다. 그런데도 인간은 암에 걸리면 막대한 비용을 지불하면서 수술을 하거나 항암치료로 다른 세포까지 죽이면서 까지 힘겨운 싸움을 하다가 결국 패자가 되는 경우가 허다하다. 최근에는 항암치료를 거부한 채 자연으로 돌아갔다가 기적적으로 암을 이겨낸 사람들의 이야기를 자주 듣게 된다. 그 이유가 무엇일까? 바로 자연으로 돌아가서 먹는 음식으로 인해 백혈구와 같은 세포들이 살아나서 암을 제압했기 때문이다. 즉 자연의 순리대로 살면서 스트레스를 줄이고 마음의 평온과 행복감을 느낌으로 인체의 저항력에 힘을 실어줬기 때문일 것이다. 세포에 충분한 영양을 공급만 해주면 그 이상은 모두 세포가 알아서 처리를 하는 것이다.

세포는 8가지 영양소를 필요로 하며 그중 2가지는 음식에서 공급이 가능하지만 나머지는 자연적인 공급이 쉽지 않다. 과거에는 오염되지 않은 자연에서 세포에 영양을 풍부하게 공급받았기 때문에 병에 걸리지 않고 건강하게 살았지만 지금은 음식을 통해서 먹는 음식으로는 세포를 살리기에는 영양가가 너무 모지란다는 것이다. 예전에는 상추 한 장, 배추 한 장에 해당하는 영양가를 공급받으려면 현재는 30배 이상을 먹어야 한다는 보고가 있다. 이만큼 세포는 영양실조에 걸려있으며 병과 싸우기에는 체력이 미치지 못하고 있는 것이다. 가능한 농약을 사용하지 않은 유기농 식품을 먹어야 하며, 가공된 음식은 피하는 것이

좋고, 인스턴트는 살아있는 영양을 공급받기 보다는 식품첨가물의 피해를 더 많이 받을 수 있다. 신선하고 살아있는 식품을 섭취는 세포가 살아나게 할 수 있으며, 수 만 가지 병에 무차별 공격받는 세포에게 힘을 실어 줄 수 있는 것이기 때문이다. 많은 사람들이 유기농 자연식품으로 세포를 살려서 무시무시한 암의 고통을 극복하고 있다.

건강하다는 의미는 무엇일까? 병에 걸리지 않았다는 것만이 건강하다는 것은 아닐 것으로 생각한다. 면역력, 항상성, 저항력은 같은 의미로 병을 이겨낼 수 있는 몸의 상태를 말하는데, 이 항상성을 유지하는 데 가장 근본이 되는 것은 氣(기) 血(혈) 精(정)이라 한다. 기는 체내에서 무엇인가를 움직이게 하는 힘으로 심장박동, 위장의 소화운동, 땀구멍의 조절, 모든 근육의 움직임, 변의 배출 등등 신체의 일부를 움직이고 사고하는 모든 힘을 나타낸다. 즉 몸에 일정한 압력을 유지하는 힘이다. 풍선에 바람이 빠진 것을 연상하면 쉬울 것 같다. 기운이 부족하여 나타나는 질환으로는 가장 먼저 혈압에 이상이 올 수 있고 체압의 부족으로 기운이 없고 항상 피곤하며 수족 저림, 이롱이나 변비 등이 나타날 수 있다. 혈은 전신을 순환하면서 각 세포들이 살아가는 데 필요한 영양을 공급하여 생명을 유지하게한다. 혈은 진액으로 신체조직의 면역이나 윤활의 기능을 하는 것으로 생각된다. 현대인들에게 가장 많이 오는 질환은 이 혈액의 이상으로 나타나는 것이 많다. 동맥경화, 뇌졸중, 마비감, 관절의 이상, 근육의 통증, 조갑 및 피부의 건조, 탈모증 등을 일으킨다.

정(精)은 엄밀히 말하자면 한방적 의미로 볼 때 혈과 같이 진액에 해당되는 것이지만 그 작용은 다르므로 분리하여 설명한다. 정이 충만하면 인체는 평온을 유지한다. 정은 신장에서 만들어 지는데 밤 11시부터 새벽 4시까지 낮에 섭취한 영양을 활동에 사용하고 여분의 수곡정미로 수면을 할 때 생성되어 기상하여 정신적이나 육체적 활동을 하는데 사용하고 오장육부의 기능을 정상으로 움직이게 한다. 그리고 상초로 쏠리는 열(熱)을 아래로 내려오게 하여 전신을 따뜻하게 하는 항온을 유지시켜 준다. 지금까지 말한 기 혈 정은 인체를 건전하게 생활할 수 있게 유지시킨다. 이 중에서 하나만이라도 그 기능이 약하거나 편향되어 있으면 질병으로 나타난다. 이 설명은 폐와 간과 신장의 편에서 더 상세하게 설명할 것이다.

병이란 몸의 상태가 어느 한 쪽으로 치우쳐 스스로 그 치우침을 바로 잡을 수 없을 때 발생하는 것이다. 약이라 하는 것은 병을 고친다는 의미보다 편향된 어느 장부의 기능을 원활하게 작동하게 도와주어 몸 스스로 병을 고쳐나가게 하는 것이다. 현대의 모든 사람들은 모든 병은 약이 치료해 준다는 어떤 신념 같은 것을 가지고 있는 듯하다. 약은 병의 치료에 30% 정도만 도움을 주어 자신이 병을 이겨내고 치료하게 되는 것이다. 몸에 좋다는 것은 아무리 고가더라도 장소나 때를 가리지 않고 찾아나서는 세태다. 이런 부절제한 건강식품의 섭취로 자신이 어느 한 쪽으로만 치우쳐 병을 키우고 있는 사실조차 모르고 살아간다. 특히 보신뿐 아니라 정력에 좋다고 하면 혐오스런 음식도 마다하지 않는다. 기름진 음식을 포식하면서 밤새워 술을 마시며 색(色)을 밝힌다면 이는 곧 빨리 아파 드러눕기를 바라는 것과 같다고 보면 된다.

진실로 자기 몸을 사랑하고 아끼며 건강하게 오래 살고자 한다면 절제가 필요한 것이다. 절제하라는 것은 지나침이 없고 밤과 낮의 순행에 그대로 적응하면서 제철에 나오는 음식을 육식이나 야채의 비율을 적당히 섭취하고 마음의 안정을 취하는 것이 최고다. 마음이 안정되면 몸도 같이 이완되어 신경계의 교란이 일어나지 않아 평온을 유지할 수 있고 이 가운데서 행복도 얻을 수 있을 것이다. 종교를 가지고 성현들의 말씀을 따르며 스스로를 가다듬고 수행을 하는 것도 정신적인 안정에 많은 도움이 된다. 기 혈 정을 충분히 생성 유지하는 것도 중요하지만 과도한 소비가 더 문제가 될 수 있다. 과로를 했으면 충분한 휴식을 취하여 다시 기운을 채우고 신선한 야채나 과일 등을 섭취하여 혈액을 정화하고, 즐겁고 보람된 일을 찾아 실천하면서 마음의 충만을 가져오게 하면 100세 이상을 건강하고 즐겁고 행복하게 사는 길이라 생각한다.

나의 실력이 부족한 사람은 남을 Healing할 수 없다. 타인을 치료하고 조언하려면 우선 나의 지식을 갖추어야 하고, 흥하고 망하는 것은 나의 지혜에 좌우된다. 전문인이 금전적 욕심을 내면 천해지고 추해진다. 많은 지식을 갖추고 질병을 보는 시야를 넓히고 병 앞에서는 악인도 선인이 된다는 것을 알아서 그 사람이 진정 무엇을 원하고 무슨 말을 해 주길 바라는지를 알아야한다. 겸손한 마음으로 그에게 희망을 주고 삶의 의욕이 살아나게 해줘야 한다. 좋은 말은 환자에게 축복을 해주는 것과 같으며, 악담은 그대로 나에게 그대로 현실로 다가온다는 것을 명심하여 환자와 싸우는 일은 없어야 한다. 화를 내며 나의 주장을 고집한다는 것은 내 지식의 부족함을 것을 나타내는 것이며 환자가 내 뜻대로 움직이지 않는다고 그를 무시하고, 비방하거나 업신여기는 것은 내 욕심의 지나침이며 내 지식의 빈약함이다. 올바른 지식을 배양하여 바르게 사용하여야 한다. 내가 하는 모든 행위가 타인에게 이롭게 하는 것이 최고수준의 약국을 운영하는 것이라는 생각을 가지고 항상 자리이타의 마음으로 자기의 일에 충실해야 할 것이다.

11. 행복감을 느끼는 생활습관 10가지

자주 많이 웃는다.

웃음은 만병의 치료제라는 말 그대로 웃음은 질병을 예방하기도 하고 실제로 치료의 효과도 나타난다. 사람이 1분 동안 웃으면 수명이 이틀 더 늘어나고, 5분간 웃으면 5백만 원어치의 엔도르핀이 몸에서 분비되어 건강해진다. 타인으로부터도 호감을 사서 인간관계나 사업 운이 좋아질 수 있다. 일부러 웃을 수 있는 상황을 만드는 노력도 필요하다.

옷차림을 단정하게 한다.

옷을 입으면서 느끼는 자기만족도 중요하지만 역시 옷이란 다른 사람들에게 보여 지는 것인 만큼 인간관계에 영향을 미친다. 비싸고 유행하는 옷차림보다는 자신에게 잘 어울리는 디자인과 컬러의 옷으로 매력을 발산하는 것이 중요하다. 나를 보는 상대방에게 안정감을 주고 호감을 살 수 있게 되는 것이다. 검소하게 생활한다. 복은 검소함에서 오고 덕은 겸손함에서 온다는 말처럼 낭비 없이 절제된 생활을 유지하는 것이 중요하다. 복권 당첨으로 수십, 수백억의 돈을 갖게 된 사람들 중 대다수가 방탕한 생활을 하다가 몇 년 사이에 빈털터리가 된다는 사례에서 알 수 있듯이 지나친 부와 소비 생활이 행복을 가져다주는 것은 아니다.

적극적으로 행동한다.

예를 들어 복권 당첨이라는 행운을 꿈꾸고 있다면 적어도 복권을 사러 나가야 한다. 가만히 앉아 있는데 행운이 자신의 품으로 들어오는 일은 없다. 행동을 보인다는 것, 즉 그것은 노력을 한다는 의미가 된다. 적극적으로 도전을 한 사람에게 좋은 인연의 사람이 나타날 수도 있고, 발전의 기회가 따르게 된다.

일기는 반성이나 후회하는 내용이 담기게 마련이고 쓰다 보면 감정에 치우쳐진다.

결과적으로 사람을 의기소침하게 만들고 적극적인 행동을 방해하는 요소가 되기 쉽다. 이럴 때는 앞으로 일어날 자신의 미래를 미리 일기로 적어 본다. 자신에게 일어나기를 간절히 원하는 소망이나 어린 아이라면 커서 되고 싶은 모습 등을 상상하며 적다 보면 의욕도 생기고 열심히 노력하는 사람에게는 운도 따른다.

몰두할 수 있는 취미를 가진다.

여가 시간에는 우리의 몸과 마음도 휴식을 취해야 한다. 그래야만 집안 살림이나 회사 생활을 더 잘할 수 있는 기운을 얻을 수 있다. 음악은 기의 흐름을 좋게 해서 일과 관련된 것에 복을 부른다. 잠잘 때 가사가 없는 편안한 음악을 들으면 자연스럽게 기를 흡수하게 된다. 그리고 독서는 사업 운을 좋게 하는데 적극적으로 행동하고 싶을 때는 액션이나 공상 과학, 공포물 등을 읽고, 깊이 고민할 일이 있을 때는 역사물이나 미스터리물이 좋다.

올바른 자세를 취한다.

걸을 때는 얼굴을 들고 정면을 바라본 상태에서 등과 허리를 반듯하게 펴고 걷는다. 발뒤꿈치가 땅에 먼저 닿도록 하고 무릎을 쭉 펴서 걷는다. 의자에 앉을 때 다리를 꼬거나 떠는 일이 없도록 한다. 컴퓨터를 사용할 때는 의자로 등의 아래쪽을 지탱하고, 팔꿈치 높이에 키보드나 마우스가 오도록 한다. 다리를 움직이기 쉽도록 아래 공간을 확보하고, 발판을 달아서 발이 바닥에 닿지 않게 한다. 반듯하게 누워 잘 때는 다리를 높여 주는 것이 좋고, 옆으로 잘 때는 가슴이나 무릎에 베개를 끼운다. 잠은 절대로 엎드려 자지 않아야 한다.

복을 받는다는 것은 좋은 기를 흡수하는 것과 마찬가지다.

몸이 건강하지 못하면 기를 흡수하지도 못하고, 나쁜 기를 막아낼 수도 없다. 복을 부르는 체형을 갖도록 한다. 풍수에서는 살찐 몸이 운을 나쁘게 하는 좋지 않은 체형으로 본다. 현재 몸 상태를 체크하고 원하는 몸을 상상하고 소리 내어 표현해 본다. 스스로에게 암시를 주는 것으로 실제로 몸의 대사가 활발해진다. 모델 같은 몸매가 아니라 기를 잘 받아들일 수 있는 몸으로 만드는 과정임을 잊지 않도록 한다.

햇빛은 사람의 마음을 온화하고 평온하게 만드는 효과가 있다.

아침 시간의 햇빛은 그날 하루의 운을 좌우하는데 오전 6~8시에 신선한 공기를 들이마시면서 쬐도록 한다.

타인에게 애정과 관심을 갖는다.

인간관계가 원만하지 못하면 심적인 스트레스가 쌓이고 복을 얻을 기회도 점차 줄어든다. 사람은 사회적인 관계를 떠나서 살 수 없는 존재인 만큼 좋은 일을 스스로 만든다. 계절이 바뀔 때나 특별한 날 상대에게 안부를 묻는 일은 양쪽 모두에게 행운을 불러들인다. 새해 연하장이나 생일 카드 등을 보낼 때는 반드시 계절과 관련된 인사를 빠뜨리지 않도록 한다. 그 계절이 가지고 있는 운을 흡수하게 된다. 누군가를 만나도 인사를 하는 둥 마는 둥 하거나, 고개만 끄떡 하는 사람이 있다. 인사란 특히 처음 만난 사람과 나누는 인사는 앞으로의 관계를 결정짓는 요인이 될 수 있다. 예의바르게 인사하는 것은 나를 좋은 사람으로 기억되게 만든다. 상대에게 고마움을 표시하거나 잘못을 사과할 때도 공손한 표현으로 인사하면 말 속의 좋은기운이 상대에게도 전해져 관계가 좋아진다. 스스로 누군가를 헐뜯거나 험담하는 자리에 있다면 그 주변은 좋지 않은 기운으로 둘러싸이게 된다. 이런 일이 반복되면 복이 와도 흡수가 되지 않는 사람이 될 수 있으므로 주의한다.

긍정적으로 생각한다.

자신에게 닥친 상황을 감정적으로만 대처하지 않고 긍정적으로 받아들이면 몸과 마음이 안정이 된다. 그것은 곧 표정으로 드러나고 타인과의 관계도 원만하게 만드는 즉 복이 되어 돌아온다. 자신에 대해 100% 만족하고 사는 경우는 참 드물다. 남과 경제력이나 외모 등을 비교하면서 스스로 자신감을 상실해 가기보다는, 내가 가진 것에 대해 인정하고 고마움을 느껴야 한다. 그리고 더 많은 복을 위해 노력한다. 자기 혼자만 옳고 잘할 수 있다고 생각하는 사람에게는 좋은 인복을 기대할 수 없다. 사람들은 잘난 사람 곁에 머무르기 싫어하고 자신의 도움을 구하는 사람에게 가기 마련이다. 사촌이 땅을 사면 배가 아프다는 속담처럼 다른 사람에 대해 질투하고 자신의 운을 탓하는 것은 옳지 않다. 다른 사람의 이익에만 초점을 맞추고 있다 보면 자신에게 찾아온 좋은 운을 놓치고 만다.

제2장

한 약 의 임 상 과 응 용

심장
心臟

제2장
심장(心臟)

「韓方秘錄」

한 약 의 임 상 과 응 용

　심장은 군주(君主)의 기관이며 神明(신명-정신)이 있는 곳이다. 심장이 허하면 건망증이 생기며 잘 놀라고 기쁜 일이 없고 심하면 가슴과 배와 허리가 아프고 당기며, 실하면 웃기를 잘하고 입안이 잘 헤지며 냉수를 많이 먹고 땀은 많이 나지 않으나 코피를 잘 흘리게 된다.

　심장은 담과 상통하므로 심장의 이상은 담을 소통시키는 방법으로 치료를 한다. 탄식하는 것은 심장에서 나오며, 정기가 심에 잘 통하면 기쁨(喜)이 되고, 심장은 열(뜨거움)하면 제 기능을 발휘하지 못하며, 땀은 심장의 영양(알부민)이다. 심장은 맥을 주관하며 혈을 내뿜고, 심이 피로하면 혈이 상하게 되고, 놀라거나 정신을 잃은 후에 나오는 땀은 심장에서 나오는 것이다.

　간과 심장은 모자의 관계로 심화가 왕성해지면 간화도 성해지고, 간화가 왕성해지면 심화도 왕성해져 둘 중 하나만 항진되어도 이들은 서로 영향을 미쳐 심과 간에 모두 화가 성해진다. 간은 장혈의 기능이 있고 심장은 주혈의 기능이 있으므로 혈이 허하면 심과 간이 가장 큰 영향을 받으며 혈허의 증상도 간과 심에서 많이 나타난다. 간에 혈이 허하면 심혈 또한 허해져 눈이 마르고 뻣뻣해지며 시력이 약해지고 불면과 심장이 두근거리는 증상이 동시에 나타난다.

　사람이 생각하고 지혜와 지식의 근본은 심과 비의 기능에 영향을 받는데 심은 혈이 허하면 상하는 것이고, 비는 생각을 많이 하면 상하는 것인데 심과 비는 모자관계라 어느 한 쪽이 허해지면 다른 쪽도 상하게 되는 것이다. 심화는 보(補)하는 법이 없고 사(瀉)하는 법만 있는 것인데, 심화(心火)란 사람이 살아있는 존재의 이유이기 때문이다. 심장이 움직이는 것도, 사람이 무엇을 하려는 것도 모두 심화의 힘인데 심화는 항상 너무 왕성해서 문제가 생기는 것이므로, 심화가 없어지는 경우는 없는 것이다. 그리고 심장과 소장은 표리를 이루며 경락도 서로 연결되어 있다. 그래서 화가 왕성해지면 경락을 통해서 소장에 열이 전달되어, 소장은 그 열을 방광으로 전이되어 심번, 수면장애, 그리고 소변이 붉고, 줄기가 짧고, 열감이 있으며, 혈뇨가 나타나는 증상이 나타난다. 심과 폐를 연결시켜 주는 것은 종기(從氣)로, 이 종기는 심맥을 통과하면서 호흡이 이루어지게 되므로 심폐의 기를 통합하고 호흡과 혈액순환을 조화시켜준다. 폐의 기가 약해지면 단기가 더 심해지고 종기도 허해져 심의 기를 허하게 함으로써 심폐의 기를 약하게 만든다.

심폐기허의 사람은 폐기가 약해져 호흡이 가빠지고 움직이면 더 심해진다. 결국에 심장의 기도 약해져 혈행의 추동이 약해져 입술과 얼굴이 푸르게 되는 현상이 보인다. 심장에 열이 있으면 가슴이 아프거나 답답하며 장심(掌心-손바닥)이 뜨거워진다. 밤보다 낮이 되면 더 심해지는 현상이 있다. 이런 경우는 도적산을 쓴다.

심장이 허하면 건망증과 잘 놀라며 즐거운 마음이 없다. 양심탕을 쓴다.

그리고 심이 실하면 웃기를 잘하고 입이나 목이 잘 헐고, 갈증이 많이 나며 땀은 없고 코피를 쏟게 된다. 도적산 종류를 쓴다.

허로는 몸 관리를 잘못하여 병이 오고 이를 대수롭지 않게 여겨 방치하거나 제때에 바른 치료를 못하여 깊어지고 시간이 경과되면 허로가 되고 결국 오로(五勞)와 칠상(七傷)이 되며 육극(六極)이 되어 죽게 되는데 심로(心勞)의 증상은 혈의 고갈로 갑자기 기뻐했다 화를 냈다하며 변비가 심해지는 것인데 고암신기환을 쓴다.

소아가 놀라 심장에 열이 차면 혀가 굳어져 말을 못하고 자주 울고 가슴이 답답하여 엎드려 자며 번조해서 이불을 덮지 않으며 시원한 곳으로 가려고 한다. 이때는 사심탕이나 도적산을 사용하며, 심장이 허해지면 깊은 잠을 자지만 자주 놀라고 불안(不安)해 한다. 이때는 생서산(서각 지골피 적작약 시호 갈근 감초각2g 박하 소량)을 쓴다.

1. 심장과 타 장기와의 관계

앞서 오행의 순행도에서 설명한 것을 참조하면 되는데 비위는 심장의 기능에 많은 영향을 주고, 토의 기능이 좋으면 심장은 편안하므로 여기서는 비위와의 관계를 설명한다. 화토합덕이 되면 심장이 편안한 상태가 되는 것인데 이는 심장과 비위의 관계가 조화롭게 잘 순행하는 것이다. 반면 화토불합(火土不合)이 일어나면 불안, 초조, 긴장의 증상이 나타난다. 화는 심화를 나타내며 소양상화(– 火 = 慾 – 욕심)와 소음군화(+ 火 = 欲 – 의욕)로 나눈다. 소양상화(– 火)는 비교대상이 있어, 시기, 질투 등 상대적인 개념을 나타내고 소음군화(+ 火)는 스스로 생각하고 판단하는 것으로, 지식, 호기심, 명예 등 주관적인 것을 나타낸다. 상화와 군화는 사람의 행동력을 보여주는 것으로 행동하게 하는 힘으로 활동적인 사람은 엄청난 행동력을 가지고 있다. 고혈압자, 고콜레스테롤 환자 등은 활동력이 왕성하다.

심화는 사하는 법만 있으며 보하는 법이 없다. 심화는 심장박동의 힘으로 심장박동의 수가 빨라지는 것은 자양의 부족상태이며 혈액을 공급함으로 해서 해결된다. 즉 심장박동의 변수는 비위임을 알 수 있다. 음식을 섭취하면 비위에서 소화(消化), 생화(生化), 운화(運化)를 거쳐 영양을 폐에서 전신에 공급하여 심장이 편안해지고 비로소 마음이 안정된다. 비위가 약하여 그 기능이 떨어지면 영양의 생성부족이 되며 혈의 생성도 줄어들어 혈류가 약해진다. 그리하여 맥이 약해지며 연급이 발생하고 수족도 냉해진다. 혈류의 부족으로 영양의 공급이 저하되면 상처의 재생이 지연되며 종래에는 탈저도 발생한다. 비위의 기능저하로 영양의 부족은 기육(肌肉)을 자양하지 못하게 되고 혈의 생성도 부족되어 간기가 허해져 조갑(爪甲-손발톱)과 근(筋)과 건(腱-힘줄)을 자양하지 못해 손발톱이 푸석해지며, 견인은통(牽引隱痛)의 증상이 나타난다.

심을 안정시키는 방법은, 심허의 상황은 심혈을 보하고, 실한 경우는 심화를 사하는 방법으로 한다. 심혈을 보하는 것은 화토합덕이 일어나게 하여 신과 간을 키우는 방법과, 심화를 사하는 것으로는 황련을 사용하여 실열(實熱)을 내리는 사심법과, 생지황을 군으로 사용하여 하초의 신을 자양하여 수가 성해져 상승하여 화가 자연스럽게 내려오게 하는 장수제화의 방법이다. 이 법은 심양을 보하는 것이 아니고, 심신(心腎)을 보하는 것이다.

심허는 심혈부족이며 영위(榮衛)의 기를 조리하여 치료한다. 영위(榮衛)의 조리방법은 기와 혈을 조리하는 방법으로 기혈(氣血)은 신, 비, 폐가 연관되어있다. 비위에서 흡수한 영양은 폐의 종기와 합해져 정과 혈을 생성하고 혈이 간을 채우면 혈은 심장으로 들어가 심장을 자양하여 영위를 조리하게 된다. 이는 심혈허를 치료하는 방법이다. 심은 신명(神明)의 군주로 비, 폐, 신, 간을 조리하여 정상적인 대사를 일어나게 한다. 이것이 양심(養心)의 최고 뜻이다. 심장은 화(火)를 주관하고, 화는 신명을 나타내는 것이며, 신은 일신의 주(主)로서 칠정(七情)을 통섭한다. 신명이 쇠약하면 화로 인한 질환이 나타나는데, 보심을 하려면 반드시 화를 맑게 해야 하는데, 청열하여 화가 맑아지면 신(神)이 비로소 안정을 찾게 된다.

심에는 정과 신을 갖추고 있고 심은 생명의 근본이다. 심장은 군주의 관으로 신명이 불명(不明)하면 정기가 혼란하고, 신명이 지치면 혼백이 안정을 찾지 못하고 흩어지며 이로 인해 오매불안(자나 깨나 근심 걱정이 있는 것)으로 사기(邪氣)가 꿈으로 발현한 것인데 가벼우면 경계(驚悸-잘 놀람)와 정충(怔忡-두려워하는 것)이 생기고 심하면 미친병이 된다. 심혈이 충만하면 간은 혈을 수렴하게 되어 혼이 안정되고, 심열이 내리면 폐의 기능이 살아나, 기와 영양을 산포하고 형체가 바르게 되고 정신이 안정된다.

2. 심화(心火)의 정의

모든 정신과 감정은 몸 안에 봉인(封印)되어 있다. 봉인된 감정이나 마음을 움직이게 하는 원동력이 심화다 . 이것을 신(神)으로 표현한다. 감정은 장부가 약해지면 해당 감정이 나오고 해당 정신이 약해진다.

폐는 청기를 주관하고 피모를 자윤하며, 허하면 비감인 우울, 좌절, 한숨, 절망, 고통, 허탈, 눈물 등의 슬픈 마음이 생긴다.

비는 진액을 생성하고 기육(肌肉)과 혈관 벽을 주관하므로 모든 출혈은 비허로 발생한다. 비가 허해지면 헛생각, 이성이 없는 생각, 불안, 초조, 긴장, 현실과 상관없는 생각을 많이 한다.

간은 혈, 근, 건, 손톱, 발톱, 무릎을 주관하며 의(意)와 노(怒)를 간직하고 있으며, 간이 허하면 자극에 대해 쉽게 저항하므로 화를 잘 내며 신경이 날카롭다. 자극에 대한 소설은 이기는 것, 저항하는 것은 지는 것이다.

신은 정을 생성, 저장하며 뼈, 뇌, 모발, 치아를 주관하고 공(恐)과 지(志)의 감정을 가지고 있다. 공포는 신을 위축시켜 봉장을 깨트려 소변을 지리게 되며, 겁이 많고 신경이 예민하다. 일어나지 않은 일을 혼자 크게 생각하여 겁을 내며 떨고 온갖 상상을 다 한다. 지(志)는 한번 먹은 마음으로 이것이 깨지면 의심이 발생하여 의부증, 의처증이 생긴다. 그리고 어려우면 회피하며 그래도 나는 잘했다는 식의 책임을 면하려 한다.

심은 희(喜-기쁨)를 주관하고 너무 기쁘면 심화가 폐를 상하게 하여 슬픔을 느끼게 되고 기쁨이 지나치면 슬픔(아픔), 슬픔이 가면 기쁨이 온다. 몸속에 봉인된 감정과 마음을 움직이게 하여 감정표현을 하게하는 것이다.

치아를 잘 닦으면 잇몸이 건강해지고 지질 프라그의 생성을 줄여 동맥경화나 뇌졸중의 발생이 현저히 줄어든다는 미국 콜롬비아대학의 연구에 의해 밝혀졌다. 지질 프라그는 혈액 속에서 흘러 다니다가 심장동맥이나 뇌혈관에 침착이 되어 혈관을 좁게 만든다고 한다. 이를 잘 닦는 것도 심장질환이나 뇌질환의 예방에 한 몫을 하는 것이니 치아관리도 심장의 건강에 도움이 많이 되는 것이다.

심장에 열이 있으면 혀가 붓고 붉으며, 중풍으로 심절(心絶)이 되면 입을 열지 못한다. 얼굴이 붉고 잘 웃는 것은 심장이 약하거나 기능이 좋지 못한 경우가 많고, 눈이 붉거나 콧날이 자감색이면 심장이 약하거나 병이 있는 것이다. 입술의 자감색은 어혈, 심 질환, 몸이 아주 냉할 때 나타난다. 당뇨나 고혈압, 심장질환을 일으키기 쉬운 성인병의 원인은 비만이 가장 우선이 되고 특히 내장지방의 과다(배불뚝이)는 더욱 이런 질환에 이환되기가 쉽다. 내장지방의 침착원인은 냉해서 오는 것이며, 근육운동을 충분히 하고 몸을 따뜻하게 해야 한다. 근육을 움직이는 운동은 지방을 연소하며 생활에 활력도 증가시키고 당의 소모도 이루어져 당뇨병의 예방에도 도움이 된다.

일본의 이시이 나오타카의 내장지방을 연소하는 근육 만들기의 책에 나오는 내용을 보면, 근육은 나이가 많아져도 다시 생성이 되며, 빠르게 30분 이상을 걷는 것이 좋다고 밝혔다. 무리한 운동은 오히려 심혈관에 과부하가 생길 수 있으므로 적당히 땀이 나면서 옆 사람과 대화가 가능할 정도의 걷기운동은 몸의 기능을 정상으로 유지시키고 근육을 만들며 피로나 스트레스의 해소에 도움이 되어 자율신경의 균형을 유지시켜 저항력이 높아지게 한다.

3. 심전도로 알 수 있는 몸의 상태

약국을 운영하면서 실제로 심전도를 접하는 것은 매우 드물지만 이 심전도를 아주 모르고 있을 때 환자들로부터 이것이 무엇이며, 왜 이러냐고 물어 온다면 곤란한 경우가 생기게 된다. 이 심전도를 보고 우리는 병원에서 하는 병의 진단보다 몸의 상태 즉 맥의 상태를 어느 정도 알아 볼 수 있으며 이로 인해 상담을 하여 미병(未病-아직은 병이라고 말하기는 어렵지만 환자는 고통을 호소하는 것)의 상태를 생약이나 건강식품, 영양제등을 투약할 수 있는 좋은 기회가 될 수 있다. 약국을 찾는 사람들의 대부분은 미병의 상태로 와서 자기의 고통을 호소하는 경우와, 병원에서 검사소견은 정상이라 하는데 왜 이런 증상이 있느냐고 물어오는 경우가 대부분이라 생각한다. 이럴 때 약의 전문가인 우리들이 이것을 그냥 모르겠다고 하며 보낸다면 약국의 이미지나 약사의 실력, 즉 나의 지식의 정도를 그대로 보여주는 결과가 오기에 공부를 해 놓는 것이 좋을 것 같아 내가 아는 만큼, 내가 공부한 만큼, 내가 다룰 수 있을 만큼만 설명한다. 물론 이 경우는 병원진단과는 상관이 없으며, 심전도를 한방적으로 접근하여 상담을 유도하는 정도까지이다.

아래 그림은 정상 심전도의 그림이며, 우리가 알 수 있는 환자의 몸 상태는 영어로 나타낸 각 파(波)의 높이와 주기와 이상파를 파악하여 맥을 짐작할 수 있는 것이다. 그러므로 이 그림을 머릿속에 각인시켜 두어야 한다.

그림으로 알 수 있는 맥의 상태는,

− 삭맥(數脈=頻脈) : 심박동의 주기가 빠른 것,

− 홍대맥(洪大脈 : R과 S의 폭이 큰 것,

− 약맥(弱脈) : R과 S의 폭이 작은 것,

− 결맥(結脈) : 주기가 한 번씩 없어지는 것,

− 대맥(代脈) : R파의 높이가 다르거나, R과 S의 선의 이상한 모양으로 구부러져 있거나 중간에 한 번 구부러지는 상태,

− 서맥(徐脈) : 한 번의 주기가 느린 것, 즉 P에서 T까지 폭이 넓은 것,

− 부맥(浮脈 : 파의 주기가 기선보다 위에서 시작하는 것이나 기선 위로 점차 쏠리는 것,

− 침맥(沈脈) : 파의 주기가 기선보다 아래부터 시작하는 것이나 기선 아래로 쏠리는 현상, 하지만 부맥과 침맥은 심전도기기의 그래프를 기선에 맞춰 놓고 하는 경우는 알기가 어려워 진다.

− 부홍대맥(浮弘大脈) : 홍대맥과 부맥이 합해진 것,

− 수리맥(數理脈)으로 그림에서 굵은 녹색의 가로로 한 칸을 0. 25초로 생각하면 한 번의 맥박은 1초에 한 번 정도 뛰는 것을 알 수 있으며, 이 상황으로 일 분간 뛰는 맥박의 수를 알 수 있고 맥박의 수로 수리맥을 적용하여 그 사람의 병의 근원과 아픈 부위를 가늠해 볼 수 있는 것이다.

수리맥과 각 맥들이 나타내는 병의 상태는 상세하게 설명하겠다.

먼저 P, Q, R, S, T, U를 보기 전에 전기적으로 정지 상태에 있을 때의 평탄하고 곧은 선을 기선이라고 한다. 즉 쉽게 말씀드리면 P파의 개시점을 연결해주는 선이다(P파의 앞쪽 부분). 바로 다음으로 좌심방이 흥분하는데 보통 심전도에서는 1개의 산으로만 보인다. 기선을 중

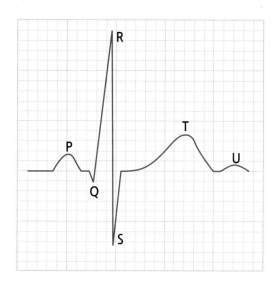

심으로 위 방향으로의 움직임은 양성, 아랫방향으로는 음성을 나타낸다. P파는 심장의 전기적 활동이 시작되고 가장 먼저 나타나는 파로 기선보다 위쪽인 양성의 작은 산 모양을 P파라고 한다. P파는 심방의 전기적 흥분의 시작을 의미하며 정확하게 말하면 우심방의 흥분이 시작되고 QRS군은 심실의 탈분극이라고 하며, 이것이 날카로운 형태를 나타내면 심실의 근육에서 자극이 빨리 전달된다는 것을 나타내고, 심장이 비대해지면 R파의 높이는 대체로 높아진다. QRS군의 움직임이 끝나고 잠시 동안 거의 평탄하게 가다가, 완만하게 상승곡선이 나타나는데 이것을 T파라고 하며 T파는 심실의 재 분극을 나타낸다. U파는 P파가 시작하기 전의 전기적 정지 상태로 보면 될 것이다.

4. 맥(脈)의 해석

1) 부홍대

체내의 기혈정이 고갈된 상태로 맥의 폭이 넓고 굵으며 촌관척이 모두 뛰는 것으로 맥에는 힘이 있으나 이는 허열이므로 극히 허한 상태로 정신근로자에 많다. 오장육부의 허를 판단한다.

2) 홍대

비위의 허약으로 영양의 상승이 부족된 상태를 나타내는 것으로 허와 피로를 나타내는 것으로 촌관척 중 2부위에 뛰며 비위를 본다. 파동이 부홍대와 비슷한 맥의 상태.

3) 맥결대

전신의 기혈 부조화이며 심한 정신적 압박이나 불안으로 나타난다. 영양의 분배가 적절치 못한 것이며 맥의 높낮이가 다르거나 한번 쉬고 뛰거나 촌관척 3곳이 이동되며 뛰는 것, 폐의 약함을 본다.

4) 부맥

살짝만 촉지해도 뛰는 것을 감지할 수 있는 맥이며 촌맥에 힘이 있으면 감기며, 무력하면 몸이 허한 상태를 나타내는 것으로 몸에 열이 있다는 것이다.

5) 약맥

손가락의 힘을 약간 주었을 때 맥이 잘 잡히지 않는 것으로 남자의 경우는 진액부족, 여자의 경우는 몸이 냉한 상태를 나타내는 것이다.

6) 규맥

성적(性的)인 스트레스를 나타내며 신정의 영양이 그냥 소실되는 것을 나타내며 맥에 힘을 주어 눌렀을 때 맥이 사라지는 것이다. 심전도상으로는 알 수 없다.

7) 척맥허대

힘을 주어 눌렀을 때 척맥만 뛰는 것으로 신장이 약한 것을 나타낸다. 맥박수로 판단한다.

8) 촌관맥

촌과 관의 중간에서 뛰는 것으로 간의 상태를 알 수 있다. 맥박수로 판단한다.

9) 관척맥

관과 척의 중간에서 뛰는 것으로 대장의 기능을 알 수 있다. 맥박의 수로 판단(90-99회).

10) 삭맥

맥이 빨리 뛰는 것으로 신경불안이나 공황장애를 판단할 수 있다.

5. 수리맥 「方劑에서 사람으로」

맥박의 수를 측정하여 인체 질병의 위치를 추정할 수 있다. 단위의 숫자는 60이 나타내는 것은 신장의 질환을 알 수 있고(방광), 70의 수는 간장(담), 80회는 심장(소장), 90회는 폐(대장), 100의 숫자는 비위의 이상을 알 수 있다(50도 동일한 것). 그리고 일 단위 숫자의 1과 3은 등 쪽(몸의 뒷면)아래 즉 허리 부위를 표시하며, 7과 9는 등 쪽 윗부분을 나타내고, 2와 4는 몸의 앞쪽 윗부분이고, 6과 8은 앞쪽 아랫부분 (배꼽아래)을 표시하고, 5와 0은 중앙(배)을 나타낸다.

1분간 뛰는 맥박의 수는 보통 70에서 80회 사이이며 신체가 건전한 상태를 나타낸다. 가령 맥박수가 75회를 뛰었다면 70은 간의 문제이며 5는 위장의 문제이니 간의 열로 소화가 잘 안되거나 속이 쓰리거나 가스가 찬 것으로 짐작할 수 있다. 그리고 맥압의 차이 (수축기 혈압 – 이완기 혈압)로 폐의 기능과 위장의 기능을 알 수 있다. 보통의 맥압 차이는 40에서 50 정도를 정상으로 보며, 40 이하는 영양의 소모가 많아 폐의 기능이 약해 진 것이며, 50 이상의 차이는 영양의 흡수불량이나 영양의 공급이 부족한 것을 나타낸 다(혈압이 120에 80이면 맥압의 차이가 40으로 정상적인 흐름이며, 110에 90이라면 맥 압 차가 20으로 폐가 약한 것이고, 140에 65면 위장에 문제가 있어 기혈정의 고갈로 생 각한다).

6. 체질량계수(BMI)
1) 표준체중 진단법
자신의 신장(cm)에서 100을 뺀 다음 0.9를 곱해 표준체중을 구한다. 비만도는 표준체중 에서 실제체중이 얼마나 초과됐는지를 구하는 공식이 된다.

표준체중(kg) = (신장 - 100) × 0.9

비만도(%)는 (현재 체중 - 표준체중) / 표준체중 × 100을 하거나 또는 남자의 경우는 신장(m)의 제곱 × 22을 하고, 여자의 경우는 신장(m)의 제곱 × 21로 한다. 비만도(%)는 표준체중(kg) × 100이다.

2) 비만도 판정
저체중 : 9% 이하

표준체중 : 9-11%

과체중 : 11 ~ 12%

비만 : 12% 이상

예를 들자면 남자의 실제 체중 70kg인데 신장 1.7m인 사람을 계산해 보면 표준체중(kg) 은 (170 - 100) × 0. 9 = 63(kg)이며, 비만도(%)는 (70 - 63)/63 × 100 = 11. 1(%)로 표 준체중의 범위에 내에 속하므로 표준체중으로 판단한다.

다른 방법은, 이 남자의 표준체중(kg)은 1.7의 제곱 × 22 하면 63.58이다. 비만도(%)는 (70 - 63. 58)/63. 58 × 100 = 10(%)로 표준체중에 해당한다.

3) 체질량 지수법 BMI(Body Mass Index)
체중을 신장의 제곱으로 나눈 값으로 비만을 판정하는 체격지수이다.

BMI = 체중(kg)/신장(m)의 제곱

정상 : 18. 5 ~ 22. 9

과체중 : 23 ~ 24. 9

경도비만 : 25 ~ 29. 9

중도비만 : 30 ~ 34. 9

고도비만 : 35이상

예로 체중60kg에 신장1.8m인 경우는 BMI수치는 60/1.8의 제곱= 18.51로 표준체중에 해당한다. 위의 공식들을 대입하기 전에 해당되는 기준표를 보게 되면 본인도 쉽게 계산을 할 수 있다. 그런데 한 가지 알아두어야 할 것은 바로 절대적인 값이 아니라는 것이다. 위의 계산법이 해당되는 사람은 바로 운동을 하지 않는 일반인이 해당된다고 생각하면 된다.

말랐다는 사람들은 흡수한 영양보다 소모가 더 많은 것으로 갑상선의 기능이 항진된 것이나 영양의 흡수불량이나 먹지 못해서 온 것으로 생각할 수 있다. 그리고 비만은 정상체중을 넘어선 체중으로 신진대사의 기능저하, 영양의 과잉섭취, 생활의 부절제를 생각할 수 있다.

우리가 여기서 주의할 것은 절대로 병원에서 진단을 내린 것에 반박을 하거나 내 주장이 맞는 것이라 하면 안 될 것이다. 우리는 병에 대한 진단을 내리거나, 검사를 하거나, 시술을 하는 것은 금지되어 있고, 단지 그 상태를 보고 추측이나 예측을 할 뿐이다. 그리고 병의원이나 전문가를 비하하거나 무시해서도 아니 되며, 있는 그대로 우리는 단지 이렇게 생각한다고 말하며, 그들의 진단한 모든 것을 인정해 주고 그들이 처방된 약을 복용 중인데 그것이 잘못된 처방이라고 말하는 행위는 안 될 것이다. 남의 탓을 하거나 남을 비방하거나 나만 잘 났다고 하는 것은 나의 무식한 모습을 보여 주는 어리석은 행동이며, 내가 모르는 것이 있을 때는 그것을 공부하여 나의 실력을 쌓는 것이 최선이라 생각한다.

7. 심장과 혈액의 이상으로 생기는 질환

1) 중풍(中風)

홍혜걸 의학박사의 닥터콘서트의 강연 동영상에서 밝힌 혈관계질환의 내용을 보면 이렇다.

[발췌 : 다음 카페 행복한 중년들, 올린이 – 들풀사랑]

　우리 몸에 발생하는 질병의 개수는 총 12,000여개인데, 그 중에서 가장 흔한 질병은 감기, 소화불량, 피로 등등 여러 가지를 생각할 수 있으나 답은 치주질환이다. 인구의 70~80%의 사람들이 잇몸질환을 갖고 있다고 하며, 약국을 찾는 사람들의 고통 중에서 이 질환으로 약을 요구하는 사람들이 꽤나 많으며 시판되는 약의 종류나, 치과의 수를 봐도 가히 짐작이 가며, 잘 발생하지만 약을 사용하면 잘 치료되니 큰 걱정은 없다고 생각하며 잇몸질환의 원인을 알면 Healing을 할 좋은 기회로 여겨진다. 잇몸질환의 원인은 신허와 위열(胃熱)이니 위 편과 신장 편에서 상세히 서술할 것이다.

　그리고 가장 치명적인 병은 한 번 걸리면 죽는 즉 고칠 방법이 없는 것을 나타내는데, 암, 고혈압, 관절염 등을 생각할 수 있으나 광견병이다. 공수병이라고도 하는데 물을 보면 무서워한다고 해서 이름이 공수병이다. 이 병을 고치는 방법은 아직 없으며 걸리면 사망하므로 치명적 병 1위에 올라 온 것이다. 그리고 가장 나쁜 병은 어떤 것일까? 치매, 암, 우울증, 여러 가지가 있겠지만 혈관계질병이다. 이 병은 발병을 하면 그 즉시 사망할 수도 있고, 삶의 질을 파괴하므로 나쁜 병이라 하는 이유이다.

　심장마비가 오면 손 쓸 틈이 별로 없고 조금만 늦어도 사망하므로 아주 위급하며, 뇌혈관이 막혀 오는 뇌졸중을 나쁜 병 1위로 올렸는데 의식은 있으되 움직일 수 없으므로 누군가는 항상 옆에서 돌봐 줘야 한다. 대소변은 물론 욕창방지를 위해 체위를 시간별로 바꿔 줘야 하며 환자는 의식은 있으나 움직이지 못하므로 그 느끼는 고통은 얼마나 클 것이며, 뇌졸중으로 입원한 환자를 문병 갈 때 주의할 것은 외부의 모든 소리를 듣고 인식을 하므로 환자에게 절망적인 말은 가급적 피하는 것이 좋다고 한다.

　혈액의 혼탁으로 올 수 있는 병과 주의할 점을 알아보면 일부 의사들은 혈관계질환을 가장 무서운 병으로 꼽기도 한다. 혈액은 전신에 필요한 영양분과 산소를 싣고 심장의 박출력으로 혈관을 타고 나와 전신에 공급되는데 그 중 한군데가 막혀도 영양의 공급이 끊겨 조직의 괴사나 기능저하, 사망하는 상태에 이르게 된다.

　날씨가 추워지면 혈관이 수축되고 탄력이 떨어져 혈관계 질환의 발생이 높아진다. 심장에 저밀도 콜레스테롤이나 중성지방의 침착으로 심장혈관이 좁아지거나 막히면 수 십분 내로 사망에 이르고, 뇌로 흐르는 혈관에 혈전 등으로 뇌의 혈관 어느 곳이 막히면 소위 말하는 뇌졸중이 발생한다.

　중풍이라고도 하는데 한의서에 적힌 내용을 보면, 유하간 선생은 중풍은 외부에서 몸 안으로 들어와 발생하는 것이 아니라 저절로 생기는 것이라고 했고, 황제내경에는 풍은 백병의 장(長-어른)이며 체내에서 변화하여 생기며, 편풍, 뇌풍, 목풍, 누풍, 수풍, 장풍, 심풍,

폐풍, 간풍 등의 종류가 있다. 중풍의 조짐을 미리 아는 방법은 2째와 3째 손가락이 마비감이 있거나 움직임에 어둔한 느낌이 있으면(V를 만들어 폈다 굽혔다 한다는 것입니다.) 2~3년 내에 풍이 올 것을 예고하는 것이니 영위를 잘 조리하여 혈의 순환이 좋게 하여 방지해야 하는데 강활유풍탕이 좋다. 중풍의 원인은 신수(신정)의 고갈과 심화가 갑자기 머리로 치밀어 오는 것과, 심장과 간에 열이 많아 교담(끈적한 가래, 血栓)이 만들어져 뇌혈관을 막아 중풍에 이르게 되는 것과, 몸에 습이 많으면 담(痰)을 만들고, 담은 열을 발생시키며, 열이 풍(風)을 발생시키는 것, 그리고 뚱뚱한 자가 잘 걸리는데, 비만한 사람은 체내 지방이 많아 기혈(氣血)의 울체(鬱滯)가 심해져 혈액순환에 장애를 일으켜 나타난다.

이런 사람들은 대체로 성격이 급하거나 결단력이 강하고 고량후미를 즐겨먹고 야채나 과일을 멀리하며 음주나 흡연을 즐기고 운동하기 싫어한다. 결과적으로 성인병의 요인을 전부 갖추어 있어 당뇨, 고혈압, 동맥경화 등이 잘 발생하며 호흡을 하는 것이 거칠게 들리기도 한다. 이때는 곽향정기산에 남성 목향 방풍, 당귀를 가하여 투여한다.

중풍의 종류로는 크게 4가지로 분류하는데 그 종류를 보면, 편고(偏枯-반신불수)가 있는데 머리로 올라가는 동맥이 막히거나 뇌 속의 혈관이 막혀 기와 혈이 한쪽으로만 허해져 살이 한쪽만 빠지고 뼈 사이가 아프고 말도 제대로 하며 정신도 정상이다. 그리고 풍비(風痺-사지불수)로사지를 제대로 움직이지 못하는 것인데 급박하게 오면 좌측이나 우측을 사용하지 못한다. 정신이 어지럽고 말을 못하면 난치다. 풍얼은 갑자기 쓰러져 말을 못하는 것이고, 풍로는 감각을 잘 모르는 것을 말한다. 그리고 여풍이 있는데 말을 잘 못하는 것으로 신장이 허하면 온다. 손발이 냉한 사람도 혈관기능을 의심해 봐야 한다. 남성은 음경에 수많은 미세혈관이 얽혀 있고 혈액의 흐름이 좋지 않으면 발기부전이 생긴다.

모발 또한 혈액을 통해 영양분을 공급받는데, 혈류가 나쁘면 머리카락이 빠진다. 혈관건강을 해치는 요인은 크게 세 가지다. 흡연. 스트레스, 그 밖에 고혈압, 고지혈증, 당뇨병, 등 혈관을 약하게 하는 질환이 있으면 다른 심혈관계 질환으로 이환될 위험이 높아진다. 혈관관리법으로 단연 운동을 꼽는다. 혈관에는 격렬한 운동보다는 가벼운 운동이 오히려 좋다 빨리 걷기 정도의 유산소운동은 혈관 내 유익한 콜레스테롤(혈전을 예방)은 높이고 유해한 콜레스테롤은 저하시켜 준다. 주 2~3회, 30분 이상의 빨리 걷기 운동 정도면 충분하다. 운동 효과로 인한 혈관개선효과는 꾸준히 반복적으로 하는 것이 중요하다.

식습관도 개선해야 하는데 혈관을 좁히는 음식은 멀리하고 넓히는 음식을 가까이 한다. 짜고 지방함량이 높은 음식은 멀리 하고, 신선한 야채류와 콩 견과류 등을 많이 먹는 것이 좋다. 수면은 몸 근육, 혈관의 이완과, 영양을 만드는 시간으로 특히 밤 11시부터 새벽 5시까지는 음식에서 흡수한 영양을 신정으로 만드는데, 이때 잠을 자지 않고 활동을 하거나 생각을 많이 하면 시정을 생성하지 못하여 나음 날 피로가 심하게 온다. 신정은 심열을 내려 주는 효과가 있으며, 뇌를 채워 뇌신경활동을 원활하게 해주고 부교감신경의 작용으로 혈관의 탄력과 혈관의 확장을 유지하게 하여 잠을 잘 자면 혈관도 튼튼해진다. 잠을 자야 할 시간에 숙면을 하면 혈관뿐 아니라 상처 난 혈관의 복구도 빨리 된다. 혈액을 맑게 해주고 냉한 몸을 따뜻하게 만들어 암이나 기타 성인병 등의 난치성 질환에 도움이 되는 조리법은 노지용 부추 적당량에 유산균 음료를 합하여 갈아 먹으면 좋다.

2) 뇌경색(중풍)예방과 조짐
[출처 : 친환경 먹거리(시인의 오두막) 건강상식, 글쓴이-노란비옷]

뇌조직은 피가 잘 흘러야 한다. 그래서 머릿속의 뇌세포가 계산을 하고 궁리를 하는데 필요한 에너지를 공급해주어야 한다. 그 기능을 담당하고 있는 혈관은 크게 4개다.

이 중 두 개는 목의 양옆을 따라 흐르고 있는 좌우 경동맥이고, 다른 두 개는 목뼈의 뒷부분을 통해 흐르고 있는 추골동맥이다. 이 혈관들은 두개골 바닥에서 가지를 벌렸다 다시 만나 서클을 형성하고. 이고리에서 많은 혈관이 뻗어 뇌 전체에 피를 보내게 된다.

그런데 만약 뇌조직에 신선한 피를 공급하는 이들 혈관에 문제가 생기면 그 피해는 크다. 뇌세포가 곧바로 활동을 정지해버리며 소요되는 시간도 극히 짧다. 단 5분 정도만 뇌조직에 혈액 공급이 멈추어도 뇌는 크게 손상을 받고, 그 상태가 3시간 이상 계속되면 뇌세포는 죽어버리기 때문이다. 이렇게 되면 신체는 아무 것도 할 수 없다. 생각하는 것, 움직이는 것, 말하는 것도 할 수 없다. 숨 쉬는 것밖에 할 수 없다.

따라서 뇌세포가 제 기능을 제대로 수행하기 위해서는 뇌로 피가 잘 흘러서 뇌세포가 필요로 하는 산소와 영양분을 즉시 공급 해주어야 한다. 그러자면 반드시 뇌로 통하는 혈관에 아무런 문제가 없어야 한다. 그러나 어떤 원인에 의해 뇌로 통하는 이들 혈관에도 크고 작은 문제들이 발생한다.

특히 나이가 들수록 위험요소는 더 많아진다. 일례로 뇌의 미세한 혈관에 동맥경화가 일어나 막혀버리거나 목과 뇌의 굵은 혈관 내측에 콜레스테롤 덩어리가 생겨 혈관이 좁아지기도 한다. 또 심장에서 생긴 혈전이 혈액을 타고 떠돌아다니다가 뇌혈관을 막아버리기도 한다.

이렇게 되면 그 결과는 자못 심각해진다. 삶에 돌이킬 수 없는 후유증을 남긴다. 반신불수, 언어장해, 치매 등 무시무시한 각종 증상을 유발시키기 때문이다. 경희대 동서신의학

병원 뇌혈관센터 고창남 교수는 그것이 바로 뇌출혈과 뇌경색이라 밝히고 특히 뇌경색은 발병률이 극히 높아 두려움의 대상이 되고 있다고 말한다.

(1) 뇌경색을 일으키는 위험인자들

뇌로 통하는 동맥의 벽이 두껍게 되면서 혈관이 좁아지거나 혈전이 뇌혈관을 막아서 발생하는 뇌경색, 이러한 뇌경색을 일으키는 원인은 다양하다. 특히 문제가 되는 요소는 다음과 같다.

흡연은 혈관을 수축시키기 때문이다.

실험 결과 흡연량이 많을수록 뇌경색의 발병 위험성도 높아지는 것으로 밝혀졌다. 고혈압은 혈류에 이상이 오기 때문에 미세한 뇌혈관이 파괴되거나 막히기 쉽다. 고지혈증은 혈액 내에 지방이 많아지면 온몸의 혈관을 막을 수가 있다. 당뇨병은 혈액이 설탕물처럼 끈적끈적해지면 혈액순환이 원활하지 않게 된다. 그렇게 되면 뇌로 통하는 혈관에도 문제가 생겨 뇌경색이 유발될 수 있다.

피임약은 혈전증을 일으킬 위험이 있다.

노화는 나이가 들수록 혈관의 퇴행이 되기 때문에 나이 또한 뇌경색을 일으키는 주요 원인 중 하나다.

고창남 교수는 노년기 암보다 무서운 뇌경색은 대체로 이들 위험인자들이 복합적으로 작용해 발병하는 경향이 있다고 밝히고 나이가 들수록 각별히 조심해야 될 대표적 질환이라고 경고한다. 노년기를 위협하는 뇌경색이 걱정된다면 미리 체크해볼 수 있는 방법이 있다. 병원에 가서 MRI 검사를 통해 체크해볼 수 있지만 만약 시간적, 비용적으로 부담이 된다면 다음 체크표를 활용하여 알아 볼 수 있다. 고창남 교수가 소개하는 뇌경색 체크표를 소개하면 다음과 같다.

(2) 뇌경색 체크표

- ☐ 평상시와 다른 두통이 장시간 지속되는 경우가 있다.
- ☐ 평소 현기증이 나타나면서 구토가 있거나 메스꺼움이 나타난다.
- ☐ 걸을 때 다리가 꼬이거나 걸려 넘어지려고 하기도 한다.

□ 계단 오르내리기나 문턱을 넘을 때 한쪽 발을 자주 부딪힌다.

□ 이전에 비해 손끝이 자연스럽지 않다거나 글씨가 바르게 써지지 않는다.

□ 이전에 비해 계산이 서툴러졌다. 특히 숫자 개념이 모호해졌다.

□ 얼굴과 입술이 마비될 때가 종종 있다.

□ 일시적으로 의식이 몽롱할 때가 있다.

□ 갑자기 혀가 잘 돌지 않아 말이 잘 되지 않을 때가 있다.

□ 말을 얼버무려서 알아듣기가 쉽지 않다.

□ 물을 먹을 때 사래가 자주 걸린다.

□ 사물이 이중으로 보이거나 시야가 흐려진다.

□ 작은 일로 갑자기 운다거나 큰소리로 웃어댄다.

□ 갑자기 침울해진다거나 우울해질 때가 있다.

□ 손발이 저리다.

□ 평상시 대소변 장애가 나타난다.

이상의 항목 중 3개 이상 해당되는 사람은 한 번쯤 숨은 뇌경색을 의심해보아야 한다.

(3) 행동으로 알아보는 체크법

① 오각형 그려보기 흰 종이에 좌우 대칭을 이루는 오각형을 그려보도록 한다. 뇌경색이 의심스러운 경우는 오각형을 그리는 데 어려움을 나타낸다. 이때는 미세한 뇌경색의 조짐이 보이므로 최대한 빨리 병원에 가서 구체적인 검사를 받아보아야 한다.

② 바빈스키 반사 체크 의자에 앉아 한 발을 다리 위에 올려놓는다. 발바닥 맨 끝에 엄지손가락을 대고 있다가 발가락 쪽으로 쭉 선을 그어본다. 이때 만약 다섯 발가락이 안쪽으로 오므려 들지 않고 엄지발가락이 치솟는다면 뇌경색을 의심해보아야 한다.

※ 10세 이하의 어린이의 경우에는 엄지발가락이 치솟지만, 성인인 데도 엄지발가락이 치솟는 바빈스키 반사가 일어나면 이는 뇌경색을 진단하는 중요한 잣대가 된다.

만약 뇌경색 체크 표를 통해 조금이라도 뇌경색 조짐이 보인다면 방치해서는 안 된다. 적극적인 치료가 반드시 필요하다. 그리고 일상생활도 180° 바뀌어야 한다. 숨어있는 뇌경색을 다스리는 데 도움이 되는 생활요법을 소개하면 다음과 같다.

8. 중풍에 사용하는 방제

– Ex제 처방으로 마비(痲痺-반신불수)의 처방은

팔미오자 + 자윤차 + 쌍화탕(+ 통증이나 저림이 있으면 + 오약순기) + 속명탕

피로하면 + 보기정, 부종이나 소화장애가 있으면 + 향사평위산 한다.

강활유풍탕   「韓方秘錄」

中腑中臟 先以此藥治之 以行經絡 久則火風悉去 清濁自分 榮衛自和矣

중부중장 선이차약치지 이행경락 구즉화풍실거 청탁자분 영위자화의

중풍(中風)을 치료할 때 이 약으로 조리를 하는데 영양과 기(氣)가 경락을 잘 통하게 하며, 장기간 복용하면 청탁이 스스로 분리되어 화(火)와 풍(風)이 모두 제거되어 영위(榮衛)가 스스로 회복된다.

> 창출 석고 생지황 각2.5g 강활 방풍 당귀 만형자 천궁 세신 황기 지각 인삼 마황 백지 감국 박하 구기자 시호 지골피 지모 독활 두충 진교 황금 백작약 감초各1.6g 육계0.8g

물로 달여 아침 저녁으로 복용한다.

속명탕   「傷寒論」

金匱曰 治中風痱 身體不能自收持 口不能言 冒昧不知痛處 或拘急不得轉側

금궤왈 치중풍비 신체불능자수지 구불능언 모매부지통처 혹구급부득전측

중풍으로 마비가 되어 신체를 스스로 거두어들이거나 지탱할 수 없고 말을 잘할 수 없고, 정신이 혼미하여 아픈 곳도 모르고 뻣뻣하고 당겨서 몸을 잘 움직이지 못한다.

> 마황 계지 석고 건강 천궁 당귀 인삼 감초各6 행인5

이상을 물 한말로 다려서 4승을 취하여 일승을 따뜻하게 복용하여 땀을 조금 낸다. 엎어져서 척추를 덮어 따뜻하게 하거나 안석(安席)에 기대어 있으면 땀이 나면서 치유가 된다. 땀이 나지 않으면 다시 복용한다. 금지사항은 없고 바람을 쐬지 말아라. 맥이 약하여 기운이 없어 누울 수 없는 것, 기가 역상하여 기침이 나거나 얼굴이 붓는 것도 같이 치료 할 수 있다.

마비의 초기에 사용하는 방제로서 마행감석의 의미도 있고, 월비탕의 의미도 있어 모

든 마황제의 의미가 다 포함되어 있으며, 마황과 계지는 표(表)를 강하게 발산하며, 마황과 석고는 숙강을 시키며, 마황 행인은 진통과 진해의 작용이 있다. 그리고 혈관내의 어혈을 제거하여 행혈(行血)하게 하고 원기를 돋워 기가 잘 돌게 하여 마비를 풀어준다. 폐의 기능을 정상으로 하여 경락으로 기의 흐름을 좋게 하기 위한 처방이다. 본방에서 명확히 중풍이라 말한 것은, 비는 영기와 위기에 속하고 실사(實邪)이다. 그래서 속명(續命)을 사용한다.

분명히 알 수 있는 것은 경락이 손상되어 나쁜 기운으로 막혀 기의 흐름이 나빠 혈이 잘통하지 못하여 마비나 저림이나 감각의 이상이 온 증상에 사용한다. 소모가 과다해질 수 있으므로 잘 조절하여 사용해야 한다.

진교승마탕 「古今名醫方論」

風寒客胃 口眼外斜 惡見風寒 四肢拘急 脈浮而緊

풍한객위 구안외사 오견풍한 사지구급 맥부이긴

풍사와 한사가 위에 침범하여 입과 눈이 비뚤어지고, 바람을 쐬는 것과, 찬 곳에 나가기를 아주 싫어하고, 사지가 구급하고 맥이 부하면서 긴한 것을 치료한다. 여기서 풍한이라 하여 단순하게 外部의 바람이나 찬 기운을 말하는 것으로 생각하지 말고 몸에 적용하여 풍은 간을 의미하고, 한은 신을 의미하는 것으로 생각해야 한다.

> 승마 갈근 진교 백지 방풍 감초 작약 인삼 계지 총백

구안외사가 오는 원인을 설명한 제제이다. 구안외사를 중풍으로 생각하는 사람노 많지만 중풍으로 단정 지을 수는 없다. 물론 간이 허하고 신이 허한(虛寒)하여 담음(痰飮)이 발생하고 이로 인해 구안외사나 중풍의 원인을 제공하는 것은 비슷하나 구안외사는 아직 중풍의 단계는 아닌 것으로 생각이 든다. 원인은 기혈부족과 신허 그리고 폐약 위약이며, 외사로 인한 온도차에 의한 것이 있다. 여기서는 전자(前者)를 설명한다. 비위는 오장에 영양을 공급하여 정상적인 대사를 하게하는 중요한 장부이다. 간의 화가 심하여 간기가 비위를 억압하면 비위는 제 기능을 상실하여 영양을 생성할 수 없게 되고, 영양의 부족으로 인하여 사지를 주관하지 못해 사지가 재대로 움직이지 못하게 된다. 입은 비위의 외후(外候)이며, 눈은 간의 외후이니 간과 비위의 부조화로 발생한다. 간과 신은 동근이므로 신허도 같이 온 것이다. 비위를 살리기 위해서는 명문화가 작용해야 하므로 지금 상태는 간과 신, 그리고 비위의 부조화로 봐야 한다. 비위와

간의 혈을 정상화시켜 영양이 고루 사지로 퍼지게 하고 사기를 몰아내면 구안와사가 치료된다.

기혈부족에 육미와 보중, 폐위에는 자감초, 그리고 경락의 막힘으로 인해 기의 순환이 방해를 받는 관계로 경락을 뚫는 속명탕, 기의 순환에 오약순기산, 근육에 이상에 쌍화탕을 사용하면서 나타나는 증상에 따라 가감을 하면 만성적인 구안와사를 치료할 수 있다. 갑자기 나타난 구안와사는 기혈부족으로 오는 경우가 많으므로 원기를 보하는 약에 경락을 뚫어주는 약을 일주일 정도 사용한다. 외사(外邪-찬 기운)로 인한 급박한 구안와사에는 계지가출부탕을 사용한다.

방풍황기탕 「古今名醫方論」

中風不能言 脈沈而弱者

중풍불능언 맥침이약자

중풍으로 말을 할 수 없고 맥이 침하고 약한 것을 치료한다.

방풍 황기各 등분(等分-동량)

나이 많은 어른들이 가장 무서워하는 병이 치매와 중풍이다. 노인이 되면 농담 삼아 하는 말 가운데 죽는 것은 두렵지 않은데 정신 놓고 불구되어 자식들 고생시키는 것을 염려한다. 자기 몸을 자기가 추스르지 못하여 남에게 의존하여 목숨만 연장하는 것은 본인도 괴롭지만 옆에서 보살피는 사람도 이만저만 힘든 일이 아닐 수 없다. 풍이 오는 전조증은 2번째와 3번째 손가락의 감각이 이상하고 움직이기 어둔하면 2~3년 내로 풍이 올 조짐이므로 풍을 예방하기 위해서는 강활유풍탕으로 영위를 조리하는 것이 좋다.

종류도 많지만 여기서는 음비라 하여 중풍으로 말을 못하는 것에 대해 알아본다. 중풍은 백병의 어른이고, 몸속의 변화로 모든 중풍이 발생하는 것이다. 중풍이 오는 것은 비바람이 몰아치듯 아주 급하게 나타나는데 가장 적당한 치료법은 풍사는 피부로 모여 위기를 허하게 만들므로 표사를 몰아내고 표의 정기를 튼튼하게 한다. 황기와 방풍을 합하여 사용하면 표를 고밀하게 하는 효과도 좋아지고 표사를 몰아내는 힘도 강해지게 되니 공격과 보를 동시에 할 수 있다. 입을 다물고 말을 못하는 것이 원기부족으로 오는 것이다. 이렇게 음비가 되어 말을 못할 때 신허부터 치료한다. 위에서 말한 대로 신정이 허하여 신음이 혀까지 도달하지 못하여 발생한다. 중풍으로 말을 못할 때 지황음자가 신허를 보하면서 말을 할 수 있게 해준다.

지황음자 「韓方秘錄」

> 숙지황 파극 산수유 육종용 석곡 원지 오미자 백복령 맥문동各4 부자 육계
> 석창포各2 강3 조2

허약자나 노인은 숙지황을 배가하고 인삼을 더 추가한다. 허화(虛火)가 많은 사람은 황련을 조금 가하여 사용한다.

삼생음 「古今名醫方論」

卒中昏不知人 口眼外斜 半身不遂 幷痰厥 氣厥

졸중혼부지인 구안외사 반신불수 병담음 기궐

졸중풍으로 혼수가 와서 사람을 알아보지 못하고 입과 눈이 비뚤어지고 반신불수가 온 것을 치료한다. 아울러 담궐과 기궐도 치료한다.

> 남성40생용 천오거피생용20 부자거피생용20 목향8 매복 20g

중풍에는 진중풍과 유사중풍이 있다. 진중풍은 심화폭심으로 구규가 막혀 졸도하여 깨어나면 생명은 건질 수 있으나 깨어나지 못하면 죽는 것이다. 유사중풍은 반신불수가 와서 신체를 마음대로 사용하지 못하는 것이다. 반신불수가 오는 것은 처음 풍이 발생했을 때 약을 잘못 사용한 것이 원인이다. 졸도를 하는 것은 기가 허해서 오는 것인데 풍을 치료하는 약으로 기를 더욱 소모하면 오른쪽 반신이 마비가 오는 것이고, 혈을 소모하면 좌측 반신의 마비가 오기 때문인데, 처음 풍이 발생하면 기를 통하게 하는 약을 약간 사용하여 막힌 것을 뚫어주고 보기와 보혈을 해야 한다. 그렇게 혈행을 도와주면 고친다. 졸도하지 않고 오른쪽이 감각이 이상하며 다른 증상이 보이지 않으면 중풍이 아니다. 이것은 기가 허한 것이며, 왼쪽만 불편하고 다른 증상이 없으면 혈허한 것이다. 잘 구별하여 약을 사용해야 한다. 본 방에 천오와 부자를 빼면 성향산인데 담궐과 기궐을 치료한다.

성향정기산 「韓方秘錄」

기와 혈이 잘 통하지 못하는 증상에 급히 사용하는 이기제이다. 남성 목향 당귀 방풍으로 조성되어 있다.

쾌효산 「韓方秘錄」

手足麻痺 必中風之喉 豫服此方 神效

수족마비 필중풍지후 예복차방 신효

손이나 발이 마비감이 있는 것은 중풍의 전조증상으로 풍의 예방에 차원에서 이 약을 먹으면 효과가 좋다.

> 백출 황기各20g 감초4g 계지 진피各2g

청량승마탕 「韓方秘錄」

口眼外斜神方 此足陽明筋病也 卽治胃者也

구안외사신방 차족양명근병야 즉치위자야

구안외사를 고치는 신묘한 처방으로 이 병은 족양명의 근육병이므로 위를 바로잡아야 치료되는 것이다.

> 황기8 인삼 당귀 백작약 승마 갈근 진교各4 감초 계지 백지 방풍 목단피 홍화 황백各2

물과 술을 동량으로 넣어 달인다.

가감윤조탕 「韓方秘錄」

左半身不遂

좌반신불수

> 백작약酒炒8 당귀6 천궁 백복령 백출 남성 반하 천마各4
> 생지황酒炒 숙지황 진피鹽水洗 우슬酒洗 황금酒炒 산조인炒各3.2
> 도인 강활 방풍 계피各2.4 홍화 酒洗 灸감초各1.6 황백炒1.2

죽력과 섞어 먹는다.

거풍제습탕 「韓方秘錄」

右半身不遂 屬氣虛與濕痰

우반신불수 속기허여습담

우반신불수를 치료하는 방제로 기가 허하여 습담이 생겨 발생한 것이다.

> 백출4.8 백복령 당귀酒洗 진피 적작약 반하 창출 오약 지각 강활
> 황금酒炒 산조인炒各4 인삼 천궁 길경 방풍各3.2 灸감초2 생강2

가미대보탕 「韓方秘錄」

左右癱瘓 此氣血太虛者也

좌우탄탄 차기혈태허자야

좌우 다리가 아프고 잘 걷지를 못하는 것을 치료하는 것으로 탄탄은 기혈이 심하게 허해진 자에게 나타난다.

> 황기밀구 인삼 백출 백복 산약 당귀주세 천궁 백작 숙지황各2.8 오약 우슬주세 두충 주초 모과 방풍 강활 독활 의이인各2 포부자 침향 육계 감초 목향各1.2 생강3 대조2

팔보회춘탕 「韓方秘錄」

一切風虛諸症 去風和氣活血 大驗

일절풍허제증 거풍화기화혈 대험

풍기운을 제거하고 기를 조화롭게 하고 혈액을 맑게 하여 풍으로 온 모든 허한 증상을 치료하는데 효과가 좋다.

> 백작6 황기3.2 백출2.4 복신 반하各2 부자 인삼 마황 황금 방기 행인 천궁 당귀 진피 방풍 육계 건강 향부 숙지 건지 감초各1.6 침향 오약 천오各1.2 생강 대조各2

배기탕 「韓方秘錄」

忽然卒倒 不知人 口中痰聲 此平日不愼女色 精衰以致氣衰

홀연졸도 부지인 구중담성 차평일부진여색 정쇄이치기쇄

갑자기 졸도하여 사람을 알아보지 못하고 목에서 가래 끓는 소리가 나는 것을 치료한다. 이 증상은 평소에 여색을 삼가하지 못해 정수가 고갈되어 기가 급속히 약해져서 발생한다.

> 인삼 백출 황기各40 복신20 백개자12 반하8 창포 부자各4

조양통기탕 「韓方秘錄」

兩手癱木 面赤 乃氣虛而不能運化血故也 此方 大補氣而血行也

양수마목 면적 내기허이불능운화혈고야 차방 대보기이혈행야

얼굴이 붉고 양손이 마비된 것을 치료하는데 이 증상은 기가 허하여 혈액의 순환이 순조롭지 못해 발생한다. 본방은 기를 보하여 혈행을 좋게 한다.

> 황기 백출 위유 각20 당귀 복령 각12 오약 맥문 천화분各8 인삼4 방풍2 목향1.2 부자0.8

2제를 복용하면 손의 마비가 풀리고 다시 2제를 복용하면 얼굴의 마비가 풀린다.

전신탕　「韓方秘錄」

卒倒之後 半身不遂 此氣虛卒倒也 大輔氣之藥 小佐消痰之味 最適

然其過於去風以耗其氣 必至右半身不遂 或過用去風以耗其血 必至左半身不遂矣

졸도지후 반신불수 차기허졸도야　대보기지약 소좌소담지미 최적

연기과어거풍이모기약　필치우반신불수 혹과용거풍이모기혈　필치좌반신불수야

졸도 후에 반신불수가 되는 것은 기허로 인한 졸도이다. 이를 치료하는 약으로 기를 보하는 약에 소담하는 약을 조금 가하여 사용하는 것이 가장 좋다. 풍을 제거하는 사용하여 기가 많이 소모되면 우반신불수가 되고, 거풍하는 약을 과용하여 혈이 소모되면 반드시 좌반신불수가 된다.

> 백출80 복령40 반하12 인삼 신곡各4 부자1.2

4제를 먹으면 손을 움직이고 걸을 수 있으며, 다시 4제를 먹게 되면 예전처럼 달릴 수 있다.

조리기혈탕　「韓方秘錄」

半身不遂 宜心胃調理之 神方

반신불수 의심위조리지 신방

심장과 비위를 조리하여 반신불수를 치료하는 좋은 약이다.

> 황기40 인삼 당귀 백출各20 반하 갈근各12 홍화8 계지6 감초4

9. 혈압(BP) - 고혈압, 저혈압

혈압은 심장에서 피를 내 보내는 압력으로 고혈압과 저혈압으로 나눠지며 다시 고혈압은, 본태성 고혈압과, 간열성 고혈압, 숙식형 고혈압, 신성 고혈압, 저혈압에서 고혈압으로 바뀐 것으로 대별할 수 있다.

고혈압은 음허화왕으로 허열이 발생하여 나타나는 것으로 두통의 발생과 유사하다. 혈압이 높으면 강활유풍탕으로 장기 복용하여 혈전 생성을 예방하고 혈행을 좋게 해주는 것이 좋다. 중풍의 예방도 이 방법을 택한다. 저혈압은 음허의 상태로 열이 발생하지 않은 상태이다. 음허가 오래 지속되면 허열이 발생하거나 혈관이 좁아져 고혈압으로 바뀐다. 혈압에는 신장이 가장 많이 관여가 되고 명문화 부족으로 숙식의 발생으로 습열이 상요하여 구토와 고혈압이 나타나고 몸이 냉해져 혈관의 위축으로 발생하는 것, 장혈(藏血)부족으로 간의 울체가 생겨 화화(火化)하여 두통, 고혈압, 현훈, 항배통이 발생한다. 심화의 편향은 신정의 상승부족으로 수승화강이 일어나지 않아 나타나는데 이는 본태성 고혈압이다.

양약의 혈압약은 영양이 에너지로 전환되는 것을 차단하여 쉽게 피로해지고 오장육부의 기능이 저하되며 심박동수를 줄이고 소변을 빼냄으로 폐가 조(燥)해져 건기침을 할 수 있다. 이럴 때는 빈혈약을 투여하여 음허를 채워주면 효과가 있다.

저혈압의 원인을 살펴보면, 비위의 기능저하로 영양의 흡수가 불량하고 이로 인해 신진대사의 기능도 저하되며 적은 영양으로 몸을 자양하기는 역부족현상이 일어나며 폐에서 에너지의 발생이 저하되어 이로 인해 신체가 냉해지며 심장의 기능도 저하되어 피를 보내는 압력이 낮아질 수밖에 없으므로 혈압이 낮아지는 것으로 추정한다.

대체적으로 저혈압인 사람은 활력도 없고 추위도 많이 타고 빈혈이며 내성적인 성격이 많다. 저혈압이 있는 사람은 멀미를 잘 하는데, 저혈압의 원인이 폐가 전신에 영양을 공급하는 기능이 약하기 때문인데, 폐가 약해재고 조하게 되어 차의 매연이나 탁한 공기로 인해 갑자기 위축이 되어 역상하여 멀미와 구토를 유발하는 것이다.

멀미에는 자감초와 소건중을 합하여 사용한다. 물론 양약의 멀미약도 일시적으로 사용한다. 이에 치료는 폐에 영양을 보급하는 물질, 기력을 높여 영양의 흡수를 도와주는 약, 폐의 기능을 살려 신진대사의 기능을 높이는 약물로 치료하면 영양이 보급되어 몸의 기능이 살아나면 된다.

다음은 고혈압으로 여러 가지 질병을 일으키는 원인이 되므로 잘 다스려야한다. 그 원인을 살펴보면, 혈액의 혼탁과 점도, 염분의 농도가 원인이 되어 심장 박출량이 증가하는 것인데, 짠 음식은 혈액 중에 나트륨의 농도가 높아져 혈액으로 수분의 유입을 높게 하여 상대적으로 혈장이 증가하고 혈액부족 현상이 일어나 충분한 영양공급을 위해 심장에서 혈액의 박출을 많게 하여 발생하는 것이다. 그리고 신경성 고혈압이 있는데, 이는 자율신경의 실조며 싱겁게 먹어도 심장의 박출량을 증가 시킨다. 신경의 자율적 조절이 약해져 교감신경의 과도한 흥분으로 혈액의 나트륨을 저류시켜 조직이 수분이 혈액으로 유입되게 만들어 생기는 것이다. 당뇨병이 고지혈증 등의 성인병이 있는 사람이나, 고량후미의 음식을 많이 섭취하여 혈중 콜레스테롤의 수치를 높인다.

콜레스테롤 중에서도 HDL보다 LDL의 수치가 높은 사람이 혈압이 높아지는데 이 LDL이 혈관 속에 침착이 되어 혈관의 폭을 줄어들게 만들어 발생한다. 육류나 음식을 적게 먹는 사람도 LDL의 수치가 높으면 말초혈관의 내부에 침착되어 고혈압이 된다.

심박출량보다 혈관저항이 높은 경우도 고혈압이 되는 것은 혈 중 LDL이 혈관에 침착되어 탄력성을 잃게 만들어 온다. 마른 사람의 고혈압은 대체적으로 이런 경우며 교감신경을 흥분시키는 신경전달물질은 혈관을 수축하게 만들어 전신의 혈관저항성을 높여 혈압이 올라간다. 자율신경실조증으로 오는 고혈압이며 특히 갱년기장애로 혈압이 올라가는 경우가 이런 것이라 보면 된다.

혈액계의 이상으로 오는 고혈압보다 혈관의 저항으로 오는 고혈압이 더 난치다. 이 고혈압의 예방은 과도한 방사(房事)로 신정을 고갈시키거나 음주와 흡연, 고량후미를 줄이며 적당한 운동, 빠르게 걷는 것이 제일 좋다. 하루에 30분 이상하면 근육도 증가시키며 혈관의 탄력도 증가시켜 당의 수치도 떨어지며 다이어트에도 도움이 된다. 약국에서의 고혈압 처치는 처방전에 의한 경우가 대부분이며 의학적 접근보다 한방적인 접근이 환자의 불편을 조금이라도 경감시키고 혈압약의 부작용을 최소화시켜 건강하고 정신적 육체적 안정을 찾아주는 것이 좋을 것으로 생각한다. 혈압이 높은 사람의 일차 선택 약은 한방의 강활유풍탕이다. 이는 중풍의 조리약으로도 사용되고 어혈이나 허열을 없애고 혈행을 좋게 하는 약이다.

1) 고혈압은 산소가 답이다.

2015년 현재 우리나라 고혈압 환자 수는 1,000만 명을 넘어섰으며 진료비용만 한해 3조 원에 이른다. 고혈압은 암이나 당뇨처럼 만성질환이면서도 동시에 자칫 뇌혈관이 터질 경우 한두 시간 내에 사망에 이르는 무서운 질병으로 알려졌다.

고혈압을 해결하기 위해 범국가적으로 많은 노력을 기울이고 있으나 환자수가 줄어들기는커녕 해마다 환자 수와 진료비용이 큰 폭으로 증가하고 있다. 고혈압 환자수가 점점 증가하는 것은 전 세계 의학계가 근본 처방을 내놓지 못하기 때문이며, 저염식 강조 등 고혈압의 본질과는 거리가 먼 국가 정책과도 무관하지 않다. 현대 의학이 고혈압에 대한 바른 처방을 내놓지 못하는 이유는 원인을 찾지 못했기 때문이다. 따라서 원인처방을 하지 못하고, 약을 통해 정상적인 인체 활동을 강제하여 혈관에 미치는 압력만 낮추고 있다. 고혈압의 근본 원인은 산소결핍이다. 공기가 탁한 곳이나 산소분압이 낮은 고산지대나 운동할 때 혈압이 높아진다. 혈압이 크게 높아질 때에는 반드시 숨이 찬데 그 이유는 부족한 산소를 더 공급하기 위함이다. 숨을 참아도 혈압이 크게 높아지는데 이때 맥박은 더 열심히 뛴다. 맥박이 뛴다는 것은 혈액이 공급되고 있다는 것이다. 다시 말해서 숨을 막아서 세포에 산소가 부족하면 산소를 조금이라도 더 공급하기 위해 혈압을 높이는 것이다. 만일 혈압이 높이진 이유가 물이나 영양을 더 공급하기 위함이라면 물이나 음식을 먹고 싶을 텐데 혈압이 크게 높아진 상태에서는 오로지 산소만 흡입할 수 있다. 모두 고혈압의 원인은 곧 산소부족 때문임을 증명하는 단편적 사실들이다. 뇌세포에 단 4분만 산소공급이 중단되어도 사망할 수 있을 만큼 인체에서 산소는 매우 중요한 요소다. 혈압이 높아지는 것은 산소결핍을 해소하기 위해 최선을 다하는 인체의 자구책이다. 물론 위와 같은 현상이 나타난다 하여 고혈압은 아니다. 일상적인 상태에서 정상혈압만으로는 충분한 산소를 공급할 수 없는 몸 구조를 가진 경우를 고혈압이라고 한다. 따라서 고혈압에 대한 대책은 정상혈압으로 세포에 충분한 산소를 전달할 수 있는 몸 구조로 변화시켜 주어야 한다. 현대의학은 고혈압이 위험하다고 생각하면서도 원인을 모르므로 약으로 심장의 힘을 약화시키거나, 혈관의 수축력을 약화시키는 등 인체 기능을 약화시켜 혈액공급을 제한하므로 혈관에 압력이 미치지 못하게 만든다. 따라서 혈압약을 복용하면 뇌 산소 결핍을 만들어 두통, 구토, 어지럼증, 만성피로, 구건, 발기 부전 및 요실금과 같은 부작용을 초래할 뿐만 아니라 심장병, 암 등 또 다른 질병을 유발시킨다.

대표적인 혈압약인 칼슘길항제는 심장으로 가는 칼슘을 차단하므로 심장이 힘을 쓰지 못하게 하는 약이다. 산소 부족현상을 해소하기 위해 최선을 다하는 심장의 힘을 무력화시키면 심장은 힘을 발휘하지 못하고 세포의 산소부족 현상은 더욱 심해져 만성적인 산소결핍으로 암 발생은 물론 수명이 크게 단축된다. 최근 뇌졸중과 뇌경색이나 치매 환자가 많아지는 것도 바로 혈압약 복용으로 인해 뇌세포에 산소가 부족해진 것이 주요 원인이다. 지금 대다수 고혈압 환자는 이렇게 부작용이 많은 약을 죽는 날까지 처방받으며 심지어 막연한 두려움으로 한번 약을 먹으면 죽는 날까지 먹어야 한다고 믿고 있다. 하지만 혈관이 좁아진 경우(약 5%)를 제외하면 대부분의 고혈압은 생활을 바로 하면 한두 달 내에 정상화할 수 있다.

혈압이 정상화되면 세포에 산소가 충분히 공급되는 만큼 암이 자연 치유되는 인체 환경이 조성되는 것이다. 모든 질병은 원인이 있으며 질병을 치료하기 위해서는 원인을 알고 원인처방을 해야 한다. 고혈압을 해결하는 방법은 정상혈압만으로도 세포에 충분한 산소가 공급될 수 있도록 막힌 혈관을 열어주고 점도가 높거나 탁한 혈액을 맑게 해주어야 하는 것이지 단지 혈압을 낮추겠다며 산소(혈액)공급을 차단하는 방법을 사용하는 것은 매우 위험천만한 일이다.

의사나 고혈압 환자는 혈압이 높은데 혈압약을 먹지 않으면 뇌혈관이 터질 것을 두려워한다. 이론상으로 평소 혈압이 높으면 뇌혈관이 터질 가능성이 높은 것은 사실이다. 하지만 단순히 평소 혈압이 높다는 이유로 뇌혈관이 터진다는 데이터나 임상적 근거는 없다. 혈압이 250mmHg 혹은 300mmHg이 넘어도 대부분 뇌혈관은 터지지 않는다. 그런데 근거 없이 140mmHg이 넘으면 고혈압이라는 인위적인 기준을 만들어 혈압약을 복용하는 것은 바른 의학적 판단이라 할 수 없다. 뇌혈관이 터지는 것은 평소혈압이나 혈압약 복용 여부와는 거의 상관이 없다. 뇌혈관이 터지는 경우는 극심한 스트레스로 인해 뇌세포에 산소가 아주 크게 부족하여 뇌동맥의 탄력이 줄어들어 오는 경우뿐이다. 극심한 스트레스 받으면 아무리 건강한 사람도 순식간에 혈압이 250mmHg 이상 높아진다. 극심한 스트레스를 받으면 혈압이 높든 낮든 혈압약을 복용하든 복용하지 않든 뇌혈관은 터진다. 이러한 사실을 모르고 혈압이 조금 높다는 이유로 막연한 불안감에 (뇌)세포에 산소를 공급하지 못하게 하는 혈압약을 복용하면 암 환자의 경우 산소부족으로 인해 암이 더욱 빨리 증식하고 정상세포는 쉽게 암세포로 바뀐다.

혈압약을 복용할 경우 유방암에 2. 5배 더 생기고, 혈압이 높을수록 수명이 길며, 혈압약을 복용할 경우 사망자 수가 크게 증가한다. 산소가 부족해질 경우 혈압을 높여서 부족한 산소를 공급할 수 있는 심장의 힘이 있어야 한다는, 즉 심장의 힘을 약으로 약화시켜서는 안 된다는 주장을 뒷받침한다. 고혈압에 대한 대책은 혈압이 높아지는 원인 즉, 산소가 잘 공급되도록 해야 할 일이지 강제로 혈압을 낮추어 산소공급을 차단해서는 안 된다. 그동안 의학계가 고혈압의 원인을 밝히지 못해, 유전이라며 죽는 날까지 약으로 강제하던 방법에서 환자 스스로 자연치유할 수 있는 방법이 제시된 만큼 바른 처방을 통해 건강을 되찾기를 바란다. [출처 : 윤태호/고혈압 산소가 답이다/서평출판사/ 2015년]

2) 고혈압의 임상

약국에서의 혈관계 질환이나 심장에 작용하는 약은 거의 처방에 의해 이루어지나 생약이나 일반약으로 판매하는 혈액정화제나 순환에 도움이 되는 약을 나열해 본다.

(1) 본태성 고혈압

본태성 고혈압은 아무런 증상이 없는 것이 특징으로 일차성 고혈압이라고도 하며 평소에 몰랐던 것을 우연히 측정하여 알게 되는 경우가 많다. 이의 원인은 영양의 과다소모와 저장된 영양의 부족으로 뇌를 자양하지 못해 뇌 내에 허열 이 발생하여 머리의 혈관을 확장시켜 발생한다. 이는 심장과 신장의 부조화로 생각한다. 팔미 삼사 황해 중보 삼칠 청심연자음을 사용한다.

(2) 간열성 고혈압

간열성 고혈압으로 이는 스트레스성 고혈압이라 하며. 심장의 열을 내리지 못한 상태에 간열이 합하여진 것으로 뒷목이 뻣뻣하고 어지러우며 가슴이 답답한 것이 특징이다. 팔미 중보 삼사 시호정 등을 가감하여 사용한다.

(3) 숙식형 고혈압

숙식형 고혈압으로 심화와 소화불량(숙식의 내재)으로 발생하며, 토하거나 구역질이 잘 나는 특징이 있다. 팔미 중보 삼사 향평 등을 사용한다.

(4) 저혈압이 고혈압

저혈압이던 사람이 고혈압으로 바뀐 것으로 음허의 상태(저혈압)가 지속되면 인체는 열을 발생시키고 이 허열이 혈압을 높아지게 만든다. 이런 사람들은 혈류의 흐름이 약하여 혈관이 좁아진 상태를 나타낸다. 팔미 중보 삼사 당사오 삼칠 등을 가감하여 사용한다.

(5) 신성 고혈압

신성 고혈압으로 신장의 기능이상인 신하수, 급만성 신염, 네프로제 등의 질병이 있으면 신장에서 소변의 양을 조절하는 호르몬을 혈 중에 비정상적으로 분비하여 혈액의 량을 조절하는 기능이 저하된다. 결과로 소변의 양이 줄고 항상 부종을 일으키며 200이상의 혈압을 나타내며 난치의 경우가 많다. 병원에서 지속적인 관리가 중요하다.

혈압은 머리 내의 혈압 이상이 아니며 혈류가 개선되지 않은 상태에 허열로 인한 혈관의 확장은 혈압을 높이는 결과를 초래한다. 허열의 원인은 욕심, 스트레스 영양부족이며 혈액의 흐름을 주관하는 곳이 심장이 아니라 폐에 있다. 폐는 경락을 주관하고 경락의 압력이 혈압이며 경락의 흐름(氣)을 원활하게 해야 한다. 기가 잘 흐름으로 인해 혈은 자연적으로 따라 가는 것으로 치료도 이에 준한다. 즉 신정을 자양하고 선폐를 하여 기의 흐름을 돕고, 음을 보충하고 허열을 내리며 혈관의 노폐물을 없애는 방법으로 한다. 특히 하초로 가는 혈액의 량이 줄어들면 상부의 혈압은 상대적으로 높아진다. 하부의 혈액부족현상을 채우기 위해 심장의 혈액 박출력을 높여 발생하는 경우가 많으므로 상초의 혈류개선보다 하초로 흐르는 혈류를 개선하여야 하므로 반드시 어혈제거와 신허를 잡아주는 것이 바람직하다. 팔미 삼사 황해 삼칠 속명 등을 가감한다.

10. 협심증

갑자기 충격을 받거나, 빨리 걷거나, 언덕이나 계단을 오르면 가슴이 아픈 증상을 호소하거나, 가슴이 조이는 증상이다. 가슴통증은 협심증의 대표적인 증상으로, 이 현상이 자주 나타나는 경우에 협심증이 아닐까 노심초사하는 사람들이 많다. 일교차가 심한 날씨에는 협심증이나 심근경색, 고혈압, 뇌졸중 등 심혈관질환이나 뇌혈관 질환에 걸릴 위험이 높아지므로, 환절기, 특히 일교차가 심한 겨울에서 봄으로, 또는 가을에서 겨울로 변하는 시기에는 각별한 주의가 필요하다.

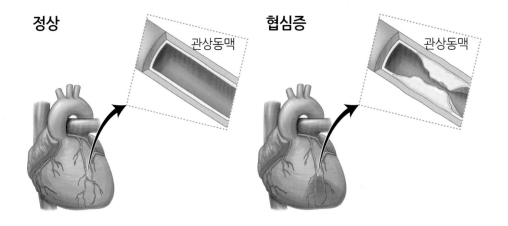

만약 증상이 발생하는 상황이 운동을 하거나 갑자기 무거운 물건을 들 때 자주 발생하거나, 관상동맥질환의 위험인자인 고혈압, 당뇨, 고연령, 심혈관질환 가족력 등을 가진 경

우라라면, 협심증일 확률이 높다. 그러나 심혈관질환 위험도가 거의 없는 20대 초반의 사람인 경우는 가슴에 통증이 있어도 심각한 심혈관질환일 경우는 많지 않으며, 몇 초 동안 잠깐 통증이 있거나, 침으로 찌르는 듯한 날카로운 통증, 여기저기 돌아다니며 생기는 가슴통증 등은 협심증으로 인한 증상이 아닐 가능성이 많다. 가장 흔히 볼 수 있는 것으로는 식도에 염증이 생기는 역류성식도염은 가슴통증의 강도와 양상이 협심증 증상과 비슷한 경우가 많다. 식도염 이외에 십이지장궤양이나 담석증 등으로 오는 경우가 많은데, 전체를 놓고 보면 위장이나 담석증으로 오는 경우가 절반 정도 된다. 심장의 관상동맥에 콜레스테롤이 침전되어 혈관이 좁아져서 오는 협심증은 전체 가슴통증환자의 30%정도다.

이렇듯 가슴통증의 증상이 있다고 모두 협심증은 아니다. 단, 가슴통증의 원인 중 두 번째를 차지하는 질환이 협심증을 포함한 심혈관질환이므로, 가슴통증이 있을 때, 심장질환에 의한 것인지 아닌지의 판단이 필요하다. 심장질환 이외에 소화기계통의 질환, 흉곽의 근골격계 질환, 또는 속을 많이 썩인다든지 스트레스를 많이 받아 오는 것, 과로, 밤을 세워 일을 하는 것 등이 원인이 되어 발생할 수 있으므로, 모든 상황을 잘 파악하여 원인을 찾아야 한다. 협심증은 심장으로 혈액을 공급하는 관상동맥 혈관이 좁아져 심장에 산소와 영양을 공급하지 못하여 발생하는 질환으로, 심장으로 가는 피의 양이 요구량보다 부족할 경우 심장근육의 경련을 유발하여 가슴통증이 오게 된다. 협심증 통증의 표현은 쥐어짜는 듯, 맞은 듯 뻐근함, 끈이나 철사로 묶는 듯한 조여듦, 무거운 것으로 누르는 듯, 가슴이 부풀어 오르고 터지는 듯한 답답함 등등으로 사람마다 다르게 나타나지만 공통적인 것은 이런 통증이 갑자기 오는 것이고 2~3분에서 15분 정도 지속된다. 30분 이상 통증이 지속되는 경우는 심근경색증일 가능성이 높으므로 즉시 병원으로 가서 정확한 진단을 받고 처치를 받아야 한다. 우리가 이런 사람들을 만났을 때는 그 증상의 경중을 보고 투약을 해야 한다. 경미하거나 오래 경과하여 병원에서도 위험한 상황이 아니라고 하는 경우에 생약을 투여하는 것이 좋다. 먼저 혈액을 생각해야 하는데 콜레스테롤을 어혈로 보고 구어혈제를 사용하며, 활혈이 되려면 신장의 기능이 좋아야 하므로 신허를 잡고, 심장의 열이 순환되기 위해서는 인화귀원을 시킬 필요가 있으므로 청심연자음으로 돌려주며, 흉통이므로 시함탕을 쓴다. 처방을 구성하면 팔미, 청심연자음, 시함탕, 계령이나 당귀수산을 쓰면서 삼칠을 가하면 좋다.

11. 심장마비 「韓方秘錄」

심장마비는 심궐(心厥)에 해당되는 것인데, 궐(厥)이라는 의미를 보면 역(逆)이 라는 뜻이며 궐은 화(火)이며, 화기가 정상적으로 흐르지 못하고 거꾸로 흘러 발생하는 것이므로 수족의 온기가 정상을 유지하지 못하여 갑자기 차지고 경련이나 마비가 일어나는 것이다. 심하면 말을 못하고 졸도하는 것인데 이 현상이 심장에 일어났다는 말이다. 가만히 있다가 쓰러져 사망하거나 수면 중에도 일어나기도 한다. 평상시 신경이 매우 예민한 사람이 다른 사람과 싸우거나 갑작스런 충격, 과식, 과음 후에도 나타나 생명을 잃는 경우를 말한다. 심장이 약해서 오는 현상이라 알고 있는 사람들이 있는데, 심 자체의 문제보다는 신정이 고갈되어 기허나 음허, 신허, 식궐, 등 여러 원인이 있다. 다시 말하면 담음(痰氣-요즘 말로는 지질이나 콜레스테롤 혈전 등)이 심장의 혈관을 막아 심장의 혈액이 순환되지 않아 심장의 정지가 발생하는 현상이다. 심장마비를 예방하는 방법으로 식사 후에 찬 물을 마신다면 찬 물은 위를 급하게 냉하게 만들고, 방금 먹은 기름진 음식(지방분)을 응고시키게 되며 응고된 지방을 소화시키는데 많은 시간이 걸리게 된다. 그 지방들은 위산과 반응하면 깨어지고 다른 고형음식보다 빨리 장으로 들어가 흡수되며, 그리고 흡수된 지질은 체내에서 지방으로 바뀌고 혈액에 들어가 혈관에 침착이 되어 각종 성인병이나 심장질환을 일으킨다. 식사 후에는 뜨거운 국이나 따뜻한 물을 마시는 것이 좋으며 혈을 맑게 유지하는 방법이다. 모든 심장마비 증세가 왼팔이나 왼쪽 가슴이 아프다고 알고 있지만 사실은 그렇지 않다는 것을 알아야 한다. 턱 선을 따라 심한 고통이 있음을 알아야 하며 심장마비의 경과과정에서 처음에는 가슴에 통증이 결코 오지 않을 수 있다. 메스꺼움과 심하게 식은땀이 나는 것이 공통적인 증세이며, 잠자는 동안에 심장마비가 오는 사람의 과반수 이상은 잠에서 깨어나지 못한 채 숨을 거둔다. 턱의 통증으로 잠에서 깰 수 있고, 이것이 심장마비의 전조증이라는 것을 염두에 두고 주의 하기 바란다. 이 현상을 더 깊이 생각하여 식생활이나 생활습관에 주의를 하면 이런 갑작스런 현상으로부터 생명을 유지하고 더 오래 살 수 있는 기회가 된다.

[출처 : 다음 카페 – 당신이 머문 자리는 아름답다, 생활종합정보, 올린이 – 참좋은넘]

1) 심장치료법 「方劑에서 사람으로」

생화의 공식을 보면, 사군자탕에 당귀 황기 + 산사 신곡 맥아하면 빨리 생화가 일어난다. 즉 영양을 만들 수 있다. 이진탕은 청탁분리 후 생긴 습을 제거하므로 팔미와 함께 사용하면 효과가 더 좋다. 평위산은 청탁이 혼재된 상태, 즉 숙식을 내려 보내는 작용으로 소화부족, 소화불량을 치하며 목향 사인을 가하면 청탁분리 촉진하고 지실을 가하면 빨리 내려가게 한다. 대시호탕에 향사평위산을 합한 것과 같다. 평위산은 영양을 만들 수 없으며 숙식만 제거한다 결과적으로 심계항진을 잡는 약의 처방은 사군자 + @, 이진탕 + @로 만들어진다. 그리고 건중의 개념을 가진 약은 심계항진을 잡을 수 있다. 배토이어풍, 구풍이사

목(培土而御風, 驅風以瀉木) 즉 간화를 내리고 비위의 기능을 살려준다는 것으로 배토는 영양을 만들기 위함이며 구풍은 간화를 내리는 의미로 간화는 소설부족을 의미하며 활혈 부족의 의미도 포함된다. 건중의 처방은 구풍 (청열, 활혈, 소설) + 배토 (사군자,이진) + 목 적에 맞는 약을 가감한다. 소화 흡수된 영양이 폐에서 분배부족으로 심계항진이 일어나는 경우는 폐위로 영양이 전신에 골고루 산포되지 못하여 일어난다. 화토합덕(火土合德)은 구풍 배토 안신제의 공식을 가지고 있다.

자음건비탕　「韓方秘錄」

臨事不寧　目眩　此心脾虛怯也　此氣血虛損　有痰飮也　作眩之仙劑矣

임사불녕 목현 차심비허겁야 차기혈허손 유담음야 작현지선제의

일이 닥아 올수록 마음이 안정이 안 되고 눈앞이 깜깜해지는 것은 심과 비가 허하고 겁이 있어서이며 기와 혈이 부족하고 담음이 있기 때문이다. 때때로 어지러워지는 것을 치료하는 뛰어난 약이다. 로이로제의 성약이다.

사물 + 사군자 + 이진	+	원지 산조인 백복신	+	맥문동
↓		↓		↓
(구풍 + 배토 = 건중의 의미)		(불안 초조 긴장 동계=안신제)		(선폐의 작용)

위의 처방에 + 석창포하면 총명탕이 된다.

가미온담탕　「韓方秘錄」「古今名醫方論」

治熱嘔吐苦　虛煩　驚悸　不眠　痰氣上逆　心膽虛怯　觸事而驚

치열구토고 허번 경계 불면 담기역상 심담허겁 촉사이경

열이 나며 구토를 하는데 쓴맛의 구토를 하며 심장과 담이 허하고 겁이 많아 잘 놀라고 심장이 두근거려 안정이 되지 않고 꿈이 뒤숭숭하여 숙면이 되지 않아 피로하고 번조한 것은 담기가 상역하는 것으로 이를 치료한다.

죽여 지실 반하 감초 진피 생강 복령(온담탕)

이진탕 + 죽여 지실 + 숙지황 오미자 당귀 인삼 + 원지 복신(가미온담탕)

흔히 듣는 말 중에 용감하다, 겁이 없다, 무모하다, 대범하다 등의 표현을 하는 경우의 모두가 대담하다와 의미가 같은 말이다. 대담하다는 말은 표현 그대로 담이 큰 것을 말하는데 담이 크면 겁이 없고 용감해지는가 보다. 반대의 의미로 소심하다, 부끄

러움이 많다, 주저하기를 잘 한다, 초조하다 등은 담이 약하고 심장이 약한 사람들을 볼 때 사용하는 표현이다. 이 탕에서 담이 약해지면 심장도 약해지는 연관을 알아본다. 물론 보이지 않는 힘 즉 신장도 빼놓을 수 없다. 심한 병을 앓고 난 뒤이거나 고질병을 앓고 있는 경우, 혹은 열사나 한사가 지나간 후 몸의 영양도 모두 소진이 되었고 사열이 남아있는 관계로 반드시 소양의 화기를 상하게 만든다. 결과 진액부족으로 열을 끌 수 없기에 번조해지며 심장도 몸의 진액을 공급하기 위해 무리가 되어 허열이 차 많이 뛰게 된다. 이 상태는 담에 열이 차서 요동을 일으켜 담액을 저장하지 못하여 발생하는 것이다. 담이 울체되고 훈증이 되면 열이 나면서 쓴 구토를 하게 되는데 담 자체가 편안하지 못하기 때문이다. 담기상역이란 가래가 많이 올라오는 상태를 말하는 것으로 간의 열이 위장을 핍박하여 위가 제 기능을 발휘하지 못하여 숙식이 생기고 습이 생겨 습열로 변하여 역상하여 가래로 나오는 것이다. 입맛이 쓰다, 쓴물이 넘어 온다 등의 표현을 많이 접하게 되는데 이것도 담기가 울체되어 나타나는 것이다. 담이 안정이 되는 것은 바로 따뜻하게 해준다는 말이다. 따뜻해지면 실제로 담은 맑아진다. 담은 찬 것을 싫어하며 두려워하는데 담이 찬 것은 명문화의 쇠약이 원인이다. 그러므로 온담을 할 때는 신을 잊어서는 안 된다. 간과 신은 동근(同根)이다. 겁이 많아 잘 놀라고 일이 다가오면 초조하고 안절부절 못하는 사람이 있다. 주로 청심원을 찾는 사람들이 대부분이다. 이런 사람들에게 온담탕이 적당하며 여기에 안신을 더 강화하기 위해 귀비탕을 합하여 주고 위에 설명한 대로 명문화를 살리는 팔미나 육미를 같이 줘야한다.

가미귀비탕 「韓方秘錄」「古今名醫方論」

治思慮過多 勞傷心脾 或健忘 怔忡 盜汗 驚悸

寤而不寐 或心脾作痛 嗜臥 少食 月經不調

치사려과다 노상심비 혹건망 정충 도한 경계

오이불매 혹심비작통 기와 소식 월경부조

많은 생각과 근심으로 비가 상하면 청기의 생성이 약해지므로 건망이 생기고, 근심하며 두려워하고, 자다 깨어서 잠을 잘 수 없다. 혹 심장과 비에 통증이 있을 수 있고, 눕기를 즐기고, 밥을 조금 먹고, 생리가 고르지 못한 증상을 치료한다. 혈허가 오는 과정, 혈허로 발생하는 증상과 심장과의 연관을 잘 살펴서 사용해야 한다.

> 인삼 황기 감초 백출 복령 목향 용안육 산조인 당귀 원지 생강3편(귀비탕)

加시호 치자 목단피하면 가미귀비탕이다.

비허하고 심허하여 혈허의 상태가 발생되어 동계와 불안 불면 등의 관계를 보여주는 처방으로 화토합덕과 화토불복의 상황을 알 수 있다. 혈의 생성과 심을 안정시키는 연관을 설명해 보면 방중의 용안육, 산조인, 당귀는 심장을 보하는 약이며, 인삼, 황기 백출 복령 감초는 비위를 보한다. 여기에 원지를 가하는 것은 심장을 안정시키고 약력이 신장으로 잘 들어가도록 하기 위함인데 신을 보하기 위해서는 원지만으로는 부족하다. 육미를 가하는 것이 더 좋다. 이렇게 하는 것은 심과 비, 신을 겸하여 치료하게 하는 것이다. 신지사의(神智思意)는 화토합덕에 의하여 나온다. 부족한 혈을 이용해 오랫동안 영양을 공급하는 심장은 과로로 손상을 입어 허열이 발생하고, 근심과 걱정으로 비가 상한다. 심비가 허하고 겁이 있어 일을 하려고 생각만 해도 가슴이 뛰고 갑자기 일이 닥쳤을 때도 놀라 가슴이 뛰게 되는 심허의 증상이 나타난다. 이럴 때는 귀비탕에 온담탕을 합하여 사용하면 좋다.

음식을 먹게 되면 몸속의 혈이 비위로 쏠리게 되어 혈이 허한 상태라 노곤해지며 움직이거나 생각도 제대로 할 수 없고, 사지무력, 눈과 귀도 몽롱해지는 비허의 증상이 나타난다. 비에서 청양을 충분히 만들 수 없어 심장으로 영양을 제대로 보낼 수 없고 신정도 채울 수가 없어 신정의 상승이 일어나지 않아 심화를 끌고 내려 올 수 없게 된다. 이것이 심신불교(心腎不交)이다. 이로 인하여 위는 열이 뜨고 아래는 냉하게 되어 명문화가 약해져 비위를 생할 수 없는 악순환이 계속되게 된다. 뜨는 허열을 잡고 비위의 기능을 살리기 위해 시호와 치자 목단피를 가한 것이 가미귀비탕이다.

황기, 인삼, 감초는 보원탕의 조성이며, 보중과 귀비탕에도 포함이 되어있다. 두 처방 모두에 당귀와 백출을 가하여 위기를 살려 영양을 만들고 비를 살려주는 것으로 생각되나 사군자에 황기 당귀의 보혈탕이 포함된 것으로 보는 것도 좋다. 이 방은 비를 살려 심을 자양하고 생명활동의 원기를 채워주는 처방이다.

주사안신환 「古今名醫方論」

治心神昏亂 驚悸 怔忡 寤寐不安

치심신혼란 경계 정충 오매불안

심신이 혼란하여 놀라고 심장이 두근거려 자나 깨나 편안치 못하다.

> 주사 황련各20g 생지황12g 당귀 감초各8g

술로 쪄서 삼씨 크기의 환으로 만들어 자기 전 물로 30환을 먹는다.

심장의 허열을 없애주어 심장이 뛰는 것을 안정시켜주고 주사의 진정작용으로 겁내하고 불안하고 잘 놀라는 것을 치료한다. 주사를 사용할 수 없어 실제로 사용하기는 어렵다. 위의 증상이 나타날 때 본방 이외의 약으로 심장을 안정시켜 마음을 진정시키면 된다. 소위 오매불안은 자나 깨나 근심걱정이 많은 것으로 음사(陰邪)가 꿈(夢)으로 발하여 가벼우면 경계와 정충이 되고, 심하면 치망전광(미친병)이 된다.

천왕보심단 「古今名醫方論」

主治心血不足 神志不寧 津液枯竭 健忘 情忡 大便不利 口舌生瘡等症

주치심혈부족 신지불녕 진액고갈 건망 정충 대변불리 구설생창등증

심장 자체의 혈이 부족하여 기능이 쇠약하여 잘 놀라고 심장이 두근거리고 불안하며 잠도 잘 들지 못하는 증상을 치료하는 약이다.

> 인삼 산조인 당귀 생지황 백자인 맥문 천문 원지 오미자 백복령 단삼 현삼 길경

시중에 본방이 환이나 액제로 만들어져 판매되는 흔하게 접할 수 있는 약이며 우선 불안하고 심장이 두근거릴 때 보혈제와 함께 복용하면 진정효과가 빠른 약이다. 양약의 신경안정제처럼 졸리거나 습관성이 생기지 않는다. 불안하고 초조할 때 보혈제(補血劑-양약의 빈혈약)와 함께 투여하고, 불면증이 있으면 삼황사심과 함께 복용하면 효과가 좋다. 위의 방법은 일시적으로 오는 증상에 몇 번 투약하는 방법으로 만성화가 되어 있거나 수시로 그런 증상이 나타날 때는 몸을 잘 살펴보고 근본적인 치료를 해야 한다.

이황탕 「古今名醫方論」

治上焦火盛 頭面大腫 目赤疼痛 心胸 咽喉 口舌耳鼻熱盛 及生瘡毒者

치상초화성 두면대종 목적동통 심흉 인후 구설이비열성 급생창독자

상초 즉 심장과 폐에 열이 심하여 상초부위의 부종이나 염증이 발생하면 청열하여 그 증을 치료하는 것이다. 폐에 열이 발생하면 폐조로 인한 폐위로 폐의 숙강이 부족되어 얼굴의 부종이 생기고, 심열로 인하여 얼굴부위의 염증이 발생한다.

102

황금 황련 감초

모든 통(痛), 창(瘡), 양(痒)은 열로 인하여 발생한다. 모든 종창과 심하(心下)가 답답한 것은 모두 심화에 속한다. 상초의 열로 인해서 흉부와 얼굴과 머리에 나타나는 제열증으로 가슴이 답답하고 염증이나 부종은 열을 내려주는 제제로 청열하고 상초로 열이 쏠리는 것은 신정의 상승이 부족하여 발생하는 것으로 신음을 보하는 것이 병행되어야 한다. 염증이 발생하면 부위에 따라 약을 첨가를 하면 된다.

도적산 「古今名醫方論」

治心熱 小便黃赤 莖中痛 熱急不通

치심열 소변황적 경중통 열급불통

심장에 열이 있어 소변이 붉고 진하며 음경이 아프고 작열감이 있는 것은 열이 빠지지 않아 오는 것으로 이 증상을 치료한다.

생지황 목통 감초各4g (혹 加 청죽엽2.5g)

심과 신의 교류가 되지 않아 상초는 열이 극심하고 하초는 신허로 인하여 냉한 상태를 신음을 보하여 신정이 상승하게 하여 상초의 심열을 내려주는 처방으로 요도의 작열감이 오는 것은 마황연초적소두탕과 같으나 본방은 심장의 열만 내려주는 것이고 마황연초적소두탕은 위의 습열이 훈증되어 황달이 있고 피부가 가려워지는 증상에 사용하는 인진호탕과 흡사한 약이다. 장수제화의 법으로 단 세 가지의 약제로 신음을 채워 심화를 내려주는 아주 간단하면서 그 이치는 오묘한 처방으로 생각된다. 간단한 약으로 어려운 병을 치료하는 것은 대단히 좋은 일인 것이지만 환자가 받아들이는 약의 신뢰는 약해질 수 있다. 육미 황련해독(삼황사심) 평위산 Ex로 바꾸어 사용하면 더 좋을 것이다.

양심탕 「古今名醫方論」

治心神不足 夢寐不定 驚悸 健忘等症

치심신부족 몽매부정 경계 건망등증

심혈허로 자나 깨나 불안하며 잘 놀라고 건망증이 있는 것을 치료한다.

> 백작약 당귀 인삼 원지 맥문동 황금 산약 흠실 연수(蓮鬚) 산조인 복신 석련자

심장은 군주의 관, 신명이 있는 곳으로, 허하면 건망증과 즐거움이 없고 심하면 가슴과 배와 허리가 아파진다 이때 본방을 쓴다. 실하면 웃기를 잘하고 입이 헤지고 눈이 짓무르고 심하면 물을 많이 마시고 코피를 흘린다. 심허는 심혈부족을 말하며 이의 조리법은 영위의 기를 조화롭게 해야 한다. 그 방법은 비, 폐, 신, 간을 조리하여 정상적으로 대사가 일어나게 만들어 영양이 생성되면 정과 혈이 충족성되어 심기를 키우는 최고의 방법이다.

계지감초탕 「傷寒論」

傷寒論曰 發汗過多 其人叉手自冒心 心下悸 欲得按者 本方主之
상한론왈 발한과다 기인차수자모심 심하계 욕득안자 본방주지

> 계지8g 감초4g

심계항진이 극심하여 본인 스스로 손을 합하여 심장부위를 덮어 감싸더라도 진정이 되지 않아 다른 사람이 이 부위를 눌러 주기를 바라는 경우에 본방을 쓴다. 사우나를 즐기는 사람들은 체액의 손실이 과다해져 이 현상이 생기기 쉬우므로 주의해야 한다.

괄루해백반하탕 「傷寒論」

金匱曰 胸痺 不得臥 心痛徹背子 本方主之
금궤왈 흉비 부득와 심통철배자 본방주지

> 과루인8 해백6 반하10

청주 400ml에 물을 가하지 않고 다려먹는다.
심장의 통증이 등 쪽으로 찌르는 듯한 증상에 사용하며 협심증, 심장부전, 심장판막증, 늑간신경통, 급성심근경색증, 담석증 등에 사용한다.

황련아교탕 「傷寒論」

治少陰病得之二三日 心中煩 不得臥 本方主之

104

치소음병득지이삼일 심중번 부득와 본방주지

> 황련8g 황금 작약4g 계자황1개 아교3g

다섯 가지 약재를 먼저 황련 황금 작약을 물 다섯 되로 달여 찌꺼기를 버리고 두되를 취하여 아교를 녹인 다음 약간 식힌 다음 계란 노른자를 넣어 잘 저어 섞고 따뜻하게 7합을 하루 3번 먹는다.

가슴이 답답하고 기운이 없어 누우면 더 답답해져 다시 일어나고 일어나면 다시 기운이 없어 눕기를 반복하거나 가슴이 답답하여 가만있지를 못하고 바깥을 들락날락하며 안절부절 못하는 경우가 있다. 심중이 답답해지면 눈에 헛것이 보인다고 하여 정신병자처럼 보이기도 한다. 심중이 답답하고 눕지를 못하는 증상을 목표증으로 하여 본방을 사용한다. 본방을 사용해도 효과가 없을 경우 감초사심탕을 적용해 본다. 음이 충만하여 안정이 되면 양은 음속에 포함되어 움직이지 않으면 정신을 치료할 수 있게 된다.

2) 심장의 임상

– 심장 두근거림, 불안증 : 가미귀비 + 가미온담하여 천왕보심단액을 같이 투약한다.

– 심장부위통증 : 협심증의 증상이 있으면 병원으로 보낼 것,

– 가슴통증 : 폐위(肺痿)가 원인이며 자감초에 시함탕을 합하여 사용한다.

– 가슴답답 : 소시호 자감초 황련해독을 사용한다.

– 뒷목통증 : 이 증상으로 오는 사람은 반드시 전자혈압계로 혈압을 체크해 보는 것이 좋다. 혈압의 상태로 과립제를 투여해도 좋고 영양성분으로 복용하게 해도 좋다. 간단하게 요구할 경우는 소시호와 삼황사심을 합하여 주고 양약의 진통제를 같이 투여해도 좋다.

– 수족저림 : 혈관의 협소와 심박출력이 약하여 발생하기 쉽다. 항산화제와 혈액순환제를 투여하고, 한약으로는 오약순기, 계령, 팔미 등을 가감하여 준다.

– 정맥류 : 간의 소설부족과 몸이 냉하여 혈관이 좁아져서 심장의 혈액 흡입력이 약해져 심장에서 먼 곳 특히 하지 쪽에 많이 발생한다. 팔미 계령 소시호 당사오 등을 합하여 주거나 양약으로 나온 센텔라아시아티카 추출물을 투여한다. 혈액순환제를 병용 투여해도 좋다.

– 뇌출혈 시 : 행동에 이상이 오며 말을 잘 못하며 본인의 이름이나 집 주소를 잘 알지 못하고 혀를 내밀어 보라하면 잘 못한다. 이럴 때는 삼황사심에 삼칠을 합하여 급히 먹

고 병원으로 즉시 보내야 한다 (처음에 기술한 뇌졸중 알아내는 방법을 참고).

– 모든 어지럼증의 처방 : 소시호 + 오령산 + 삼황사심

– 불안 초조 긴장 : 가미온담 + 가미귀비(피로하면 + 피로방)

– 자반병(피하출혈 때문에 혈액의 빛이 자적색을 띠고 피부에 적자색의 점이 생기는 증
　상) : 육미 + 보중 + 자감초 + 황기건중 + 인삼가루

– 수험생보약 : 육미 + 가미귀비 + 보기정

– 기와(耆臥-누우려고만 한다) : 가미귀비 + 위령 + 육미

– 식은땀(불안 초조 긴장 시) : 가미귀비 + 위령 + 육미

– 가위눌림 : 가미귀비 + 위령 + 육미 + 귀기건중

– 생리불순(불안 초조 긴장) : 가미귀비 + 위령 + 팔미

– 정충(심장이 덜컥 내려앉는 것) : 사물안신탕(사물탕 + 원지 산조인 백복신)

– 의부증, 의처증 : 가미사륙탕 (육미 + 사물 + 원지 백복신 산조인 + 구기자 하수오 녹용)

3) 양약의 심장 조리약

(1) 통심락

혈압이나 혈전, 콜레스테롤이 높은 사람에게 사용할 수 있는 약을 판매하는데 방제 중
대황자충환을 가감하여 만든 것으로 성분중의 전갈 수질 오공 선퇴 자충은 혈액속의 혈전
(한의서에는 건혈(乾血)로 나타냄)을 용해하는 작용이 있고, 대황 도인 행인은 빼고 용뇌
로 대체하여 경락을 통하게 하고, 황금 감초 건지황을 빼고 인삼으로 완중하여 중기를 보
하고, 작약을 합하여 수렴하게 하여 허를 보하고 중초를 조리해준다. 협심증이나 뇌혈전
증, 혈액순환개선에 효과가 좋을 것 같다.

대황자충환　「傷寒論」

金匱曰 五癆虛極 羸瘦腹滿 不能飮食 食傷 憂傷 飮傷 房室傷 饑傷 勞傷 經
絡榮衛氣傷
　內有乾血 肌膚甲錯 兩目黯黑 緩中補虛 大黃蟅虫丸主之
　금궤왈 오로허극 이척백병 불능음식 식상 우상 기상 방실상 기상 로상 경락영위기상
　내유건혈 기부갑착 양목암흑 완중보허 대황자충환주지

오로(五勞)로 허가 극심해지면 음식을 먹을 수 없고 몸이 마르고 배만 볼록하게 나온다. 음
식의 부절제와 근심과 방사과다, 굶주림, 심한 노동이나 운동으로 몸이 상하여 경락과 영위

의 기가 상하여 혈액 속에 건혈(血栓)이 만들어지고, 피부가 갑착(甲錯-건조하고 윤기가 없는 상태)하고 양 눈에 까만 점들이 오르락내리락 하면 중초를 다스려 허한 것을 보하는데 본방을 쓴다.

> 대황5g 황금4g 감초6g 도인20g 행인20g 작약8g 건지황20g 건칠2g 맹충2.6g
> 수질12g 제조8g 자충4g

가루로 하여 밀환 오자대로 만들어 1회 4g씩 일 3회 복용한다.

오로– 식상, 우상(憂傷), 음상(飮傷), 방실상(房室傷), 기상(饑傷), 노상(勞傷).

칠상– 희(喜), 노(怒), 우(憂), 사(思), 비(悲), 경(驚), 공(恐)에 상하는 것.

오로와 칠상이 되면 허극(虛極)이 되고 그러면 마르고 배만 볼록해지고 음식을 먹을 수 없다.

맹충→쇠파리, 자충→메뚜기, 수질→거머리, 제조→굼벵이

(2) 코엔자임 Q10

이 성분은 혈관의 탄력을 저하시키고 노화를 촉진하여 성인병의 발생의 원인이 되는 유해산소를 제거하는 힘이 있고, 세포 속의 미토콘드리아에서 에너지 생성을 보조하여 심장이나 혈관을 튼튼하게 해 준다. 이 성분은 청년기에는 스스로 만들어 몸에 공급을 하지만 40대가 넘어가면 생성량이 줄어들므로 음식에 포함된 양은 작아 약물로서 보충을 해애 줘야 하며, 등 푸른 생선이나 신선한 야채, 계란류나 육류를 섭취하여 흡수를 도와 줘야한다.

중년 이후 이 성분이 중요한 이유는 성인병발생의 기초가 되는 혈액의 혼탁과 혈관의 탄력이 줄어드는 시기인 만큼 충분한 공급으로 심장과 혈관의 기능을 건강하게 유지해야 할 필요가 있다. 특히 심장계통에 가장 낮은 농도를 보임으로 중년 이후에는 더욱 필요한 물질이다.

(3) 아스피린

용량에 따라 효과가 다르게 나타난다. 해열제로 사용할 때는 500mg이상이며, 100mg은 혈액의 점도를 낮춰 묽게 해주는 작용이 있어 협심증이나 뇌졸중, 심근경색 등을 예방하며 혈압이 높은 사람에게 거의 통용으로 처방하거나 구매하여 복용한다. 1일 100mg으로 하루 동안 효과가 지속된다. 생산하는 회사도 많고 제품도 다양하다. 오메가3의 함께 복용은 더 좋은 효과를 기대할 수 있다.

간단하게나마 심혈관에 작용하는 약을 기술하였지만 이런 제품들로 혈관계 질환의 약

을 복용하는 환자들에게 잘 설명하여 보조적으로 복용하게 함으로서 부작용을 최소화해 삶의 질을 높여 주는 것이 좋을 것이다.

12. 정신(=神明) 「韓方秘錄」

심장은 군주의 장이며 신명을 간직하고 있다. 신(神)은 일신의 주(主)라하며 신은 칠정(七情)을 통섭한다.

1) 경계(驚悸)

많은 생각과 공상, 몹시 놀랐거나 공포에 노출되어 생기는 것과, 혈이 허하고 담에 열이 성하여 발생하는 두 가지 증상이 있다. 경은 심장이 별안간 뛰어서 마음이 평정을 찾지 못하는 것이며 계는 심장이 뛰어서 놀라는 것이다. 많은 생각이나 공상으로 심장이 상(傷)하여(이것을 사려상심이라 함) 경계가 된 경우에는 온담탕, 청심보혈탕, 양심탕을 쓰고, 많이 놀랐을 때는 온담탕을 쓴다. 그리고 혈이 허하고 담이 성(盛-혈허담성)하여 생기는 두 가지 증상이 있다. 혈허담성으로 오는 경계(驚悸)의 특징은 심장이 덜컥 내려않는 느낌이나 파다닥 뛰는 느낌이 있는 것인데 이때는 사물안신탕을 쓰고, 담화(痰火)경계에는 가미이진탕을 쓴다.

2) 정충(怔忡)

이 증상은 다른 사람이 나를 잡으러 오는 것같이 두렵고 가슴이 두근거리는 것이다. 그리고 놀란 것이 오래되어 생기기도 한다 열이 머리로 치밀고 비위에 담음이 있어 오는 정충은 안신보혈탕을 쓴다. 담음이 돌아다니다가 심장에 들어가면 정충과 경계가 생기는데 이때는 가미정지환을 쓴다.

3) 건망(健忘)

건망증은 생각을 지나치게 많이 하여 비가 상하여 영양의 흡수가 줄어들면 혈의 생성이나 혈행에 지장을 초래하고 심장에 혈이 부족하여 심혈허의 상태가 오면 신(神)이 제자리에 있지 못해 지나간 일을 잘 잊어버리게 되는 것이다. 정충증이 오래 경과되면 기억력도 떨어지게 된다. 혈이 허하고 신정의 부족으로 심장을 자양하지 못하면 허열이 위로 치밀어 뇌를 혼란하게하면 잘 잊어버리며 전혀 생각이 나지 않는 것이다. 귀비탕 정지환 등을 쓴다.

4) 전간(癲癇)

중초의 기가 순조롭시 못하여 담화가 역상하여 머리를 교란하면 어지러워 쓰러지게 되며 소리가 들리지도 않고 사물이 보이지도 않으며 정신이 혼미하며 쓰러질 때 소리를 지르고 깨어날 때는 입에 거품을 흘리는 것으로 가끔 발작하는 것이다. 이 원인은 임신 중에 어머니가 심하게 놀라 그 기운이 태아에게 전달되어 발생한다. 성인의 경우는 전(癲)이라 하고 소아는 간(癎)이라 하는데 동일한 증상이다. 자음영신탕을 쓴다.

5) 탈영실정(脫營失精)

전에는 귀한 몸이었다가 지금은 천해진 상태를 말하며, 실정이란 전에는 부유하게 살다가 지금은 가난하게 되어 생기는 증상으로 마음의 비관으로 인해 생기며 음식의 맛을 모르고 체중이 빠지며 의욕이 없는 것이다. 승양순기탕을 쓴다.

6) 기타

광질과 전질이 있는데 약국에서 접할 수 없으므로 기술하지 않는다. 정신이 이상한 경우는 팔미 + 가미귀비 + 소건중 + 감맥대조 + 삼황사심을 사용한다

7) 치매(癡呆=呆病)

매병은 현대의 치매와 비슷한 증상이다. 뭔가 정신이 나간 것 같으며 말을 잘 하지 않고 배가 고픈 것 같고, 사지가 힘이 없고 또 먹고 마시는 것을 싫어하고, 갑자기 웃다가 노래를 부르기도 하며 쓸데없는 일을 근심하기도 하고 잘 울며 감정의 기복이 심하다. 이 병의 원인은 간기가 울체되어 위장을 핍박하면 위가 약해져 담(痰)이 많아지고 이 담이 심장에 몰리면 심은 신을 간직하지 못하여 신명이 맑지 못하게 되어 발생한다. 치료법은 간의 울체를 풀고 위를 건전하게 하여 담의 생성을 줄여 심장에 기가 잘 통하게 하면 되는 것이다. 간과 비위를 살리는 법은 신을 먼저 살려 간과 위의 기능이 정상으로 돌아오게 해야 한다. 세심탕을 쓴다고 하지만 과립으로 처방을 바꾸면 팔미와 시호제(또는 가미귀비) 소건중 감맥대조를 적절히 합하여 투여해도 될 것 같다.

13. 건망증과 치매

건망증의 원인으로는 스트레스가 가장 큰 이유며 스트레스로 간의 화가 많아 비위가 약해져 혈의 부족을 초래하여 심장이 신명을 통섭하는 힘이 약해져 발생하며 외부자극

감소, 당뇨, 빈혈, 피로, 우울증, 나이 등이 있다. 혈이 허하고 신정의 부족으로 심장을 자양하지 못하면 허열이 위로 치밀어 뇌를 혼란하게하면 잘 잊어버리며 전혀 생각이 나지 않는 것이다. 여성들이 남성들에 비하여 건망증이 많은데 임신으로 사회활동이 줄어들고 집안의 단조로운 일상과, 육아나 살림의 스트레스, 생리로 인한 빈혈, 피로감등이 인체의 리듬을 깨트리고 신장, 간, 비위의 부조화가 신명을 혼란시켜 건망증을 심하게 만들고 있다.

건망증 예방법은 주변 환경을 조금만 바꿔도 예방할 수 있는데 우선 스트레스를 제거하는 것이 중요하며 뇌를 활성화시키는 행동이나 약물의 복용도 있다.

뇌를 활성화시킬 수 있는 방법을 몇 가지 소개를 하면,

[출처 : 친환경 먹거리(시인의 오두막) 글쓴이-촌할배(음성]

걷기운동으로 조금 빨리 걷는 운동은 유산소운동으로 뇌의 혈류량을 증가시켜 신경전달물질이제대로 작용하게 하며, 약간의 음주는 기억력을 담당하는 수용체를 자극하여 항상 활성을 유지하며, 커피의 음용은 중추신경의 흥분작용으로 기억력을 유지하는데 많은 도움이 된다. 그리고 잠을 잘 자는 것도 스트레스를 해소하고 부교감신경을 흥분하게 하여 몸이 이완되고 비위나 심장을 안정시킨다. 주요한 행동은 메모하는 습관인데 이는 기억력에 도움을 주며, 등산 바둑 같은 오락보다 독서를 하는 것이 기본 기억력을 향상시킨다. 건망증에 좋은 음식은 호두, 잣, 사과, 땅콩, 칡즙, 참깨, 검은 콩, 계란 등이 좋은 음식이다 항산화제가 들어있는 혈액순환제도 좋고, 은행잎으로 만든 제제도 장복을 하면 기억력에 많은 도움이 되며, 오메가3의 복용도 좋다. 기름기가 많거나 너무 찬 음식은 소화가 힘들고 담음을 많이 생성하게 하여 기억력을 나쁘게 하는 요인이 된다.

치매에 대해서 알아보면 간에 울체가 심하여 비위가 약해지면 담음이 많아지고 혈류가 약해져 심기를 허하게 만들어 신명이 흩어져서 오며 대체로 억울한 것을 해소하지 못하고 분함을 풀지 못했거나 창피를 당하여 생긴다고 한의서에 기재되어있다.

치매의 초기증상으로는 크게 2가지로 나눌 수 있는데 첫째는 인지기능의 변화증상이고, 둘째는 행동증상의 이상이 나타난다.

기억력 저하는 건망증과 공통증상이기 때문에 많은 사람들이 치매 초기증상을 건망증으로 오인하는 경우가 많다. 기억력저하는 치매와 건망증에 큰 차이를 보인다. 건망증은 자신이 했던 행동을 시간이 지난 뒤에 그 일이 밝혀지면 기억을 해내지만, 치매는 전혀 그런 사실이 있었던 것조차도 기억하지 못한다. 시공간능력의 저하는 치매라는 것을 가장 쉽

110

게 확인할 수 있는 증상이다. 자기가 가고자 하던 방향을 잃어버리거나, 집에 가는 길을 알지 못하고 헤매는 것이다. 또 시간경과의 인지저하로 지금이 낮인지 밤인지, 지금이 몇 년도인지 구분을 못한다.

언어기능의 저하는 항상 기억하던 물건이나 의복이 누구 것인지 무엇에 사용하는 것인지 자신의 이름이 무엇인지 동생인지 형인지 친척인지도 알지 못한다. 수행능력의 저하는 어떤 물건을 보면 항상 사용하던 사물의 이용법을 알지 못하고, 조작방법을 몰라 헤매는 것을 말한다. 치매로 인한 행동의 변화는 모든 것에 대한 무관심이다. 국제정세나 정치의 상황, 사회의 흐름, 가족에 대한 관심조차도 없어지는 것이다. 심지어 자신이 무엇을 하고 있으며, 무엇을 해야 하는지도 관심이 없는 것이다. 그리고 충동에 대한 조절이 약화되는 것으로 간단한 일에는 화를 내지 않고 쉽게 넘어가던 사람이, 사소한 일에도 화를 많이 내고, 성격도 까다로워지고, 했던 일을 반복해서 한다면 치매를 의심해볼 수 있다. 그리고 망상이 있는데 몇 년이 지나간 사건이나 전쟁 등이 현재 일어나고 있다고 생각하며 무서워하거나 숨으려고 한다. 치매의 가장 큰 증상인 환각인데, 눈앞에 없는 사람이나 사물을 보이는 것처럼 말하고 아무런 소리나 요동도 없는데 본인이 느끼고 있다고 말한다. 치매가 심해지면 이러한 허상의 사람이나, 허상의 사물과 대화를 하며 혼자 웃기도 하고 울기도 한다. 치매는 우울증을 동반하는데 평소 활발하던 사람이 갑자기 슬픔을 주체하지 못하는 행동을 한다면 단순 우울증이 아닌 치매에 의한 우울증임을 알 수 있다. 치매방지에 좋은 음식은 견과류인데 치매에도 좋고, 건망증에도 좋으며, 비타민도 풍부하고, 심지어 스트레스 해소의 효과까지 있는 최고의 간식이라고 할 수 있다. 그리고 생선인데 여기에 있는 오메가3 지방산은 신명이 흩어지는 것을 잡아줘서 치매의 발생위험이 감소한다.

치매가 오면 병원에 주기적인 진료를 받으며 진행을 늦춰주는 약을 항시 복용해야하며 항산화제, 은행잎제제 등을 같이 복용해도 좋다. 외출 시에는 환자에게 이름과 연락처, 주소가 적힌 명찰을 달아주는 것도 환자가 어디 있는지 모를 때 많은 도움을 받을 수 있고 환자도 덜 헤매게 된다. 반면에 지방이 많은 쇠고기, 돼지고기 등 육류는 위에서 말한 대로 비위와 심혈의 흐름에 지장을 초래하여 치매를 더욱 악화시키는 원인이 된다. 멸치나 시금치 등에 많이 함유된 칼슘이 풍부한 음식은 뇌의 신경기능을 강화시키는데 도움을 준다. 반대로 뇌의 신경기능을 극도로 악화시키는 것이 담배다. 흡연은 간 기능과 비위의 기능을 약화시키고 체내의 혈관을 축소시켜 뇌세포를 손상시킨다.

[발췌 : 방혜승 건강의학전문기자의 기사, 글=로뎀나무내과 방혜승 원장(내과 전문의) 영등포구 치매지원센터]

치매가 온 사람은 암에 걸리지 않는다는 기사가 있다. 암은 신생물이 많이 생기는 것이고 치매는 있던 것이 사라지는 상반된 몸의 반응이라 생각이 들며, 모든 것을 놓아버리고 아무 욕심이 없이 사는 것은 암의 발생을 억제하는 것 같다. 간과 비위의 기능을 살아나게 하고 신명을 맑게 하는 방법은 우선 신장을 보하여 신정이 충만하게 만드는 것이며, 치매의 치료에 가장 중요한 healing이라 생각한다.

14. 신명(神明)의 방제

청심보혈탕　「韓方秘錄」

治勞心思慮 損傷精神 頭眩 目昏 心虛氣短 驚悸煩熱

치노심사려 손상정신 두현 목현 심허기단 경계번열

많은 생각으로 정신에 손상이 와서 어지럽고 심장이 뛰고 숨이 차며 잘 놀라며 번열이 있는 것을 치료한다.

> 인삼6 당귀 작약 복신 산조인 맥문各4 천궁 생지황 진피 치자炒 灸감초各2 오미자50개

사물안신탕　「韓方秘錄」

治心中無血 如漁無水 怔忡跳動

치심중무혈 여어무수 정충도동

심장에 혈이 부족하여 마치 물고기가 물이 없는 곳에 있어 파다닥 거리며 뛰는 것처럼 심장의 이상박동을 치료한다.

> 당귀 작약 생지황 숙지황 인삼 백출 복신 산조인炒 황련炒 치자炒 맥문 죽여各2.8
> 대조2개 오매2개 炒米一撮 水煎服(볶은 쌀 한줌을 넣고 물로 달인다)

가미이진탕　「韓方秘錄」

治痰火驚悸 始作始止

치담화경계 시작시지

담이 성하여 때때로 잘 놀라는 증상을 치료한다.

> 이진탕加 지실 맥문 죽여 황련 치자 인삼 백출 당귀各4 오매2개 생강3 대조2

양심탕   「古今名醫方論」

治憂愁思慮虛傷心 或勤政 勞心致 心神不足 驚悸 少睡

치우수사려상심 혹근정 로심치 심신부족 경계 소수

여러 가지 생각과 근심으로 심장이 약해졌거나 어떤 일에 몰두하여 심장이 약해져 마음이
약해져서 잘 놀라고 잠을 이루지 못하는 것을 치료한다.

> 복령 복신 당귀 생지황各4 황기蜜灸 원지薑炒各3.2 천궁 백자인 산조인炒 各2.8
> 반하2.4 인삼2 灸감초 계지各1.2 오미자14粒 생강3

안신보혈탕   「韓方秘錄」

治怔忡驚悸

치정충경계

정충과 경계를 치료한다.

> 당귀 생지황 복신 황금各5 맥문8 백출 작약各4 원지 산조인炒各3.2 천궁2.8 현삼2
> 감초1.2

가미정지환   「韓方秘錄」

治痰迷心隔 驚悸怔忡

치담미심격 경계정충

담이 심장에 들어가 잘 놀라는 증상을 치료한다.

> 백복령120 원지 석창포各80 인삼40 호박 울금各20 爲末 蜜丸 梧子大 每服 30丸

꿀로 오동나무열매 크기로 빚어 30환씩 먹는다.

정지환   「韓方秘錄」

治心氣不足 忽忽喜忘 神魄不安 驚悸恐怯 夢寐不詳

치심기부족 홀홀희망 신백불안 경계공겁 몽매불상

심장의 혈허로 자주 잊어버리고 정신이 불안하고 잘 놀라고 두렵고 怯이 많으며 꿈도 선명
하지 않은 것을 치료한다.

> 인삼 복령 백복신各120 창포 원지各80

꿀로 오자크기의 환을 만들어 50~70환을 미음으로 먹는다.

자음영신탕 「韓方秘錄」

治癲疾 不時暈捯

치전질 불시훈도

정신이상(發狂)으로 갑자기 어지러워 쓰러지는 것을 치료한다.

> 당귀 천궁 작약 숙지황 인삼 복신 백출 원지 남성各4 산조인炒 감초各2 황련酒炒1.6
> 생강3

승양순기탕 「韓方秘錄」

治脫營失精 又治 七情損傷 氣虛發熱 不食

치탈영실정 우치 칠정손상 기허발열 불식

탈영실정을 치료하고 또 칠정(七情)의 손상으로 기운이 없고 허열이 나고 먹지 못하는 것을 치료한다.

> 황기蜜灸8 인산 반하各4 신곡炒3 당귀 초두구 진피 승마 시호各2 황백 灸감초1.5
> 생강3

복신탕1 「韓方秘錄」

治狂疾 年年不愈 持刀慾殺人 不知親戚 見水則喜 見食則怒

치광질 년년불유 지도욕살인 부지친척 견수즉희 견식즉노

정신병으로 오랫동안 낫지 않고 칼을 들고 사람을 죽이려 하고 친척도 알아보지 못하며, 물을 보면 좋아하고 음식을 보면 화를 내는 것을 치료한다.

> 인삼12 백출 복신各40 감초 창포 각4 반하 토사자各12 부자0.4 생강5

한 제를 먹으면 광(狂)증이 멎고, 두 제를 먹으면 치료된다.

복신탕2 「韓方秘錄」

治心虛驚悸 心臟病

치심허경계 심장병

심장이 허하여 잘 놀라는 것이나, 심장병을 치료한다.

거할 수는 있다. 그것이 바로 음식 속에 들어 있는 항산화제이며 약품으로 시판되는 것도 많다. 이러한 항산화제는 다양한 색깔이 있는 채소, 빛깔이 좋은 싱싱한 과일 등에 많이 들어 있으므로 평소에 많이 섭취하는 것이 좋고 스스로 부족한 느낌이 있으면 약을 복용하는 것도 좋은 방법이다.

뇌세포는 신에서 상승된 신정과, 활혈된 혈액이 혈관을 타고 뇌에 도달한 영양분과 산소로 그 기능을 유지한다. 혈관에 문제가 생겨서 혈액이 뇌에 충분히 전해지지 못하거나 신정이 부족하면 뇌는 서서히 그 기능이 약화되고 죽어가게 된다. 그래서 뇌세포를 보호하고 기능을 유지하려면 뉴런을 먹여 살리는 영양의 통로인 혈관을 보호하고 신장을 살리는 것이 필수적이다. 고혈압 예방을 위해 음식은 싱겁게 먹고, 고량후미의 음식을 삼가고 신선한 과일과 야채를 섭취하여 혈당 및 콜레스테롤 관리에 힘써야 한다. 그리고 혈관에 염증을 유발하는 활성산소의 제거에 힘쓰며 복부비만이 생기지 않도록 해야 한다. 체내에 염증을 일으키는 호모시스테인의 수치가 높이지는 원인은 엽산 비타민 B1, B2, B6의 부족이므로 평소에 이러한 영양소가 들어 있는 시금치, 콩, 감자, 유제품, 생선 등을 자주 먹고 멀티비타민을 복용하는 것도 좋다.

인간으로 태어나서 생각도 많고 할 일도 많아 오장육부의 기능이 손상되어 신체의 질병이 오고 많은 에너지의 소모로 뇌세포의 기능을 저하된다. 뇌를 보호하는 한 방법으로 중요한 것은 건전한 인간관계를 맺어 마음의 안정과 자율신경의 안정을 찾는 것이다. 이 인간관계는 우리가 생각하고, 감정을 느끼고, 협력하고, 울고, 웃고, 대화를 하는 과정에서 활발하게 일어난다.

이 연결이 활발하게 되면 뇌의 회로가 커지고 활성화가 되며, 외톨이처럼 혼자 있거나 아무것도 하지 않으면 뇌세포 사이의 연결이 끊어지고 기능이 떨어져 신경세포의 노화를 촉진한다. 흡연은 생명유지에 조금도 도움이 되지 않으며 수많은 유해물질이 포함되어 세포의 노화를 가져오게 하고 특히 혈관을 축소시키는 작용으로 혈행에 나쁜 영향을 끼치며 담배에 들어있는 중금속, 일산화탄소는 뇌세포에 손상을 주기도 하고, 파괴하기도 한다. 뇌세포를 건강하게 유지하려면 필히 금연을 하여야한다. 그리고 과음은 간과 신장의 기능을 저하시켜 혈을 혼탁하게 하고, 영양의 공급을 줄어들게 하여 뇌가 안정된 상태를 유지하는 기능을 방해한다. 이는 뇌신경에 직접적인 손상을 입히게 되고 알콜성 치매는 이렇게 하여 발생한다. 운동하는 것은 뇌에서 신체 활동을 통제하고 조절하여 뇌세포의 활성이 가능하다. 따라서 운동을 하면 통제하고 명령하는 뇌세포의 연결이 늘어나고 활성화된다. 거기에 운동을 함으로서 흥미까지 더해진다면 엔돌핀이나 세로토닌의 분비가 왕성해지므로 뇌의 건강이나 정신적 안정에 더 좋다. 오래 앉아서 일하거나 오래 누워있는 것은 기체와 혈체가 생겨 신허를 유발하므로 활동이 적은 사람보다 서서 일하고 움직임이 많은 사람이 심혈관이나 뇌혈관 질환이 적게 발생한다. 혈관의 건강은 뇌 건강과 직결되므로 게으름보다 활동을 함으로서 육체적이나 정신적인 안정을 갖게 한다.

만병의 근원 스트레스는 간에 직접적으로 작용하여 울체가 생기고 자율신경의 실조를 유발하여 뇌세포의 건강도 위험하게 한다. 부정적인 생각은 꼬리에 꼬리를 물고 스트레스를 가중시키며 교감신경을 자극하여 인체를 긴장의 상태에 놓이게 한다. 긴장의 상태에서는 마음의 안정을 찾을 수 없고 항상 신경을 날카롭게 하여 화를 잘 내게 만든다. 뇌를 피곤하게 만드는 스트레스는 운동으로 푸는 것이 가장 좋은 방법이다. 따로 운동할 시간이 없다면 업무를 보거나 퇴근 후 귀가할 때 걸어서 다니는 것도 좋다. 그리고 손가락의 움직임을 많이 하면 뇌신경세포도 활성화되고, 시를 짓거나 수필을 쓰는 등의 창작활동은 뇌신경세포를 골고루 이용하므로 타자나 직접 손으로 글을 쓰는 것은 뇌세포의 노화를 막는 좋은 방법이다. 독서는 뇌세포의 시냅스 연결을 긴밀하게 하므로, 기억력의 증진이나 뇌세포를 활성하려면 시를 외워 낭송하거나 짧은 글이라도 좋은 글귀를 외우는 것이 좋다.

뇌를 보호하려면 외부에서의 물리적 충격에도 주의해야 하는데 미끄러져 넘어져 뇌를 진탕하거나 높은 곳에 떨어져 머리에 충격을 가하면 뇌의 신경회로에 손상이 커져 뇌졸중이나 치매를 발생시키는 원인이 되기 때문이다. 그러므로 위험한 작업 시 머리가 충격에 노출되지 않도록 항상 보호모를 착용하고 차를 탈 때는 안전띠를 착용하는 습관을 가져야 한다. 잠을 자지 않으면 신정의 생성이 부족하게 되므로 술을 마신 것처럼 뇌를 불안정하게 만든다. 자시(子時)부터 인시(寅時)까지는 신정의 생성이 활발한 시간이므로 새벽까지 안자고 술을 마시면 뇌는 두 배 이상으로 고통 받는다. 잘 시간에는 푹 자야 뇌도 안정을 찾을 수 있다. 마지막으로 모든 환경은 인간을 끊임없이 공격하여 질병을 발생하게 한다. 알레르기 유발물질, 중금속 등의 유해물질, 체온의 급격한 변화, 칠정에 노출 등은 우리의 건강을 호시탐탐 노리고 있다. 유해물질에 노출되지 않는 것도 뇌를 보호하는 방법의 하나이며 절제된 생활습관도 나를 보호하는 방편이 된다. 자연과 친화적으로 살아가는 것이 가장 손쉬운 방법이며, 지나친 욕심을 버리고 타인을 배려하는 넉넉한 마음으로 살아가는 것이 정신적 육체적 건강에 도움이 된다.

16. 두통과 현훈에 사용하는 방제

가미이진탕 「韓方秘錄」

治右偏頭痛

치우편두통

우측 편두통을 치료하는데, 이 편두통은 어혈과 열담(熱痰)으로 발생한다.

> 이진탕 加천궁 백지 방풍 형개 박하 승마各4

가미이사탕 「韓方秘錄」

治左偏頭痛

치좌편두통

좌측 편두통을 치료하며, 이원인은 어혈과 간화(肝火)로 인한 것이다.

> 이진탕合사물탕 加형개 방풍 박하 세신 만형자 시호 황금各4

당귀탕 「韓方秘錄」

治兩太陽穴頭痛

치양태양혈두통

양편의 태양혈(관자놀이)이 아픈 것을 치료한다.

> 건지황酒洗 백작약 천궁 황금酒炒各4 방풍 시호 만형자 고본各1.6

지동탕 「韓方秘錄」

一切頭痛如神

일절두통여신

모든 두통에 효과가 좋다.

> 천궁20 만형자 백지 반하 세신 감초各4

방현탕 「韓方秘錄」

治眩暈

치현훈

모든 어지러움증을 치료한다.

> 숙지황 당귀 작약 백출各40 천궁 산수유 반하 각20 인삼12 천마4 진피2

1) 약국임상

– 일반적인 두통

감기로 온 두통은 갈근탕, 계지탕, 마황탕을 증에 맞게 사용하고, 감기가 아닌 것에는
육미 + 삼사에 + 두통약을 주고, 소화가 안 되고 두통이 있으면 육미 + 삼사 + 향평 +
두통약을 투여한다.

– 고질적 만성두통(진통제를 하루 10정-20정 이상 복용자)

육미 + 보기정 + 시호제 + 삼사 + 청상견통탕

– 편두통

장기간 사용 시; 육미 + 보기정 + 시호제 + 삼사

1~2일 사용 시; 시호제 + 삼황사심 + 양약의 편두통약

– 현훈(어지러움)

시호제 + 오령 + 삼사

신허가 있으면 육미를 더하고, 자주 어지러운 사람은 혈행개선 영양제를 투여한다.

17. 혀(舌) 「韓方秘錄」

혀는 심장의 싹이며 심장의 기운은 혀로 통한다. 심장이 안정되면 입과 혀가 오미(五味)
를 아는 것이다. 심에 열이 있으면 입이 쓰고, 위와 심에 열이 있으면 혓바늘이 돋고 입이
잘 헐게 된다. 심과 비와 위가 열이 있으면 입술이 붓고 헐며 입술이 갈라진다. 입이 쓴 경
우에는 용담사간탕이나 양격산을 쓰고, 혓바늘이 생기고 입이 허는 것은 이열탕, 양격산을
쓰고, 입술이 붓고 헐고 입술이 갈라지는 데는 사위탕, 작약탕을 쓴다.

용담사간탕 「韓方秘錄」

治口苦 心熱則 口苦

치구고 심열즉구고

심장에 열이 있으면 입이 쓰다. 이것을 치료한다.

> 시호4 황금2.8 감초 인삼 천문동 황련 용담 치자 맥문동 지모各2 오미자7粒

달여서 복용하고 오신채(마늘 파 양파 후추 고추)는 금한다. 간의 열이 담으로 옮겨가면 입이 쓰게 된다.

> 宜소시호탕 加맥문동 산조인 지골피 원지

양격산　「韓方秘錄」

治心熱口苦 或生瘡 用此方

치심열구고 혹생창 용차방

심열로 입이 쓰거나 혓바늘이 생긴 것을 치료한다.

> 연교8 대황 망초 감초各4 박하 황금 치자各2 죽엽7片 蜜小許(꿀 약간)

달인 뒤 망초를 가하여 복용한다.

이열탕　「韓方秘錄」

治口糜 心胃壅熱 口瘡糜爛

치구미 심위옹열 구창미란

심과 위에 열이 있어 입이 헐고 혓바늘이 생긴 것을 치료한다.

> 생지황 목통 감초 택사 저령 백출 복령各4g (도적산合사령산)

사위탕　「韓方秘錄」

治口脣乾裂 煩渴 便秘 此胃有實熱故也

치구순건열 번갈 변비 차위유실열고야

입술이 마르고 갈라지고 갈증이 있고 변비가 있는 것은 위의 실열 때문이다.

대황10 갈근4 길경 지각 전호 행인各2 생강3

작약탕　「韓方秘錄」

治脾火盛　口脣生瘡

치비화성　구순생창

비에 열이 극심하여 입과 입술이 헐 때 사용한다.

적작약 치자 황련 석고 연교 박하各4 감초2

1) 혀와 입 질환의 임상

– 혓바늘

　삼황사심 + 소시호 + 배탁 + 상황에 따라 연고를 함께 투약

　비오틴제제 + 소염제 + 황련해독

　프로폴리스 + 소염제 + 황련해독

– 구각염

　소시호 + 배탁 + 비오틴제제 + 상처연고

　프로폴리스 + 비오틴제제 + 황련해독 + 상처연고

　멀티비타민 + 빈혈약 + 상처연고

– 입병(구내염)

　삼사 + 소시호 + 배탁 + 상황에 따라 연고를 함께 투약

　고함량 비타민 + 프로폴리스 + 소독제로 소독

– 입술물집

　갈근탕 대량요법 + 바이러스연고

　오령 + 오약순기 + 황기건중 + 바이러스연고 (대상포진에도 사용한다)

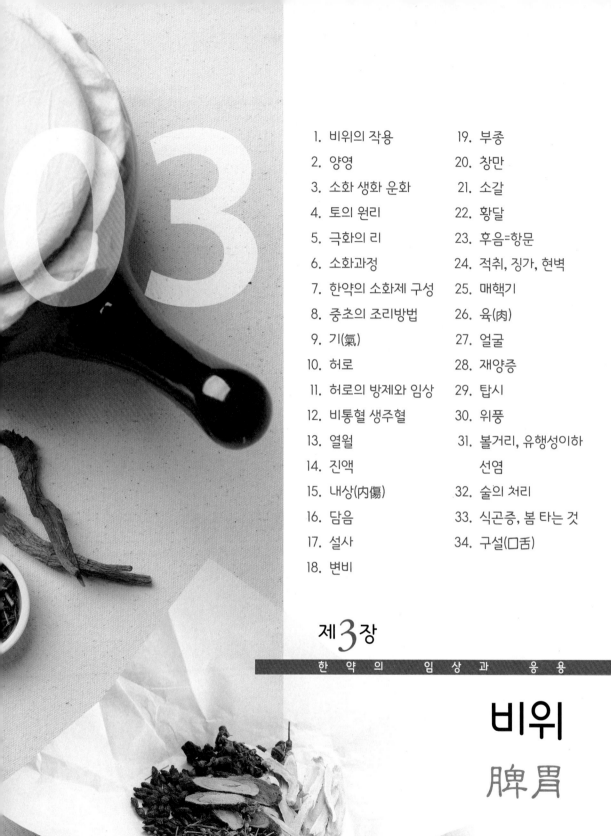

제3장

한 약 의 임 상 과 응 용

비위

脾胃

제3장
비위(脾胃)

1. 비위의 작용

비위는 오행에 토(土)에 해당되며 토는 생화의 본이며 후천(後天)의 본이라 하여 기와 혈의 생성에 근본이 되는 영양을 생성하고 오장육부와 사지백해의 모두를 유양하는 물질을 생성하고 운송하며 산포하는 기능을 갖는다. 비위는 간(木)의 극을 받아 기능이 조절되고 화(命門火)의 생(生)으로 기능이 살아난다. 토(비위)는 목(간)과 화(명문화)의 작용을 받지 못하면 본래의 기능을 발휘할 수 없다.

비위가 건강하게 작동되면 청기의 생성이 충만해지므로 폐의 기능도 원활해져 기운이 생기며 혈의 생성과 정(精)의 생성도 충만하여 인체의 모든 기능이 순조로워진다. 비위가 정상적으로 작동하는 조건은 간의 기운을 조절하여 토의 기능을 조절하고 명문화를 살려 힘을 주는 방법이다. 위(胃)는 습(濕)을 싫어하고 조(燥)한 것을 좋아하며, 비(脾)가 약하면 습을 만들기 쉽다. 비의 기능은 운화, 통혈과 생혈, 승청강탁의 작용, 기육과 사지를 주관하고 입으로 규(竅)가 통하고 그의 상태는 입술로 확인한다. 위에서 소화된 음식을 소화와 흡수의 과정을 거쳐 전신에 수곡정미를 운송하는데 비주운화라 한다.

운화는 두 가지 의미가 있는데 첫째는 영양의 운화와, 수습의 운화가 있다. 명문화의 도움으로 소화를 시켜 청기만 흡수하여 폐로 상승시키고, 폐는 혈맥을 통하여 전신에 수송하여 자양을 한다. 수습(水濕)의 운화는 물의 흡수와 유포, 배설을 말하며, 물을 온 몸에 유통시키고 난 후 폐의 작용으로 신에 전달되면 방광의 작용으로 배설하는 것을 말한다. 비가 허약하여 수습의 조절기능이 상실되면 설사, 부종, 가래, 대하 등이 발생한다. 혈은 비가 흡수, 운화한 수곡정미에 의해서 만들어지고, 혈을 통섭하여 맥외로 나가지 못하게 하는 작용을 한다. 비통혈이란 혈을 전신에 순환시키는 작용을 말한다. 혈액의 순환은 비, 심, 신의 작용이 함께 이루어지는 것이며, 혈은 비에서 생화한 영양으로 만들어지고 심의 추동작용으로 움직이며, 간에 저장되고 폐에서 기의 작용으로 전신에 퍼지며 신에서 땀이나 소변, 분비물 등을 적절히 분비되도록 통제한다. 소화 생화 운화의 전 과정을 극화(克化)의 리(利)라 하며 신체가 생명을 유지하는 기본 과정이다. 극화의 리(利)가 이루어져야 생명유지가 되고 이 과정이 일어난다는 것은 비위의 정상적인 상태다.

비허가 있으면 비의 통혈작용이 상실되고 생혈작용이 약하여 혈이 허해지고 빈혈이나 만성 출혈질환을 일으킨다. 비는 청기를 폐로 상승시키고 폐는 산포와 유양작용을 하면 간과 신의 기운도 같이 상승하여 한 곳에 뭉쳐지지 않게 된다. 위는 소화를 거친 음식을 하강시켜 소화의 과정을 완수하는데 동시에 심과 폐의 기운도 함께 하강된다 이런 작용이 비의 승청강탁 작용이다. 비의 운화기능에 의해 기육(肌肉)과 사지가 청기를 받아 활동을 할 수 있는데, 사지와 기육의 튼튼함과 위축은 비의 기능이 정상인지 알 수 있다. 비가 허하면 내장의 기능이 무력하여 이완되거나 하수가 일어나는데, 중기하함의 상태로 발생하는 것이다. 비기가 정상이면 기육(肌肉)이 풍만하고 입술색이 붉고 윤택이 나며 입맛이 좋게 된다. 만일 비가 허하면 영양의 부족으로 살이 빠지고 입술색이 하얗게 변하며, 밥맛을 모르고 음식 먹기가 싫어지게 된다. 비위가 실하면 그의 자(子)인 금(폐, 대장)을 사(瀉)하면서 목과 화를 조절한다. 이 소화흡수의 기능에는 신장의 도움(명문화)이 필수적이다.

만약 비장이 약하여 생화와 운화의 기능이 실조되면 누렇게 되면서 묽은 변을 보게 된다. 그리고 물의 흡수와 배설의 기능은 폐의 기능으로 물을 방광으로 보내어 배설하는 것이다. 그리고 비장이 하는 작용 중 통혈과 생혈의 작용이 있는데, 혈액을 통섭하여 맥외로 나가지 못하게 하는 작용은 통혈(統血)이라 하고, 흡수된 영양을 폐와 신장의 도움으로 혈을 생성하는 것을 생혈(生血)이라 한다. 혈액의 운행은 비와 심, 신의 공동 작업으로 이뤄지며, 기가 없으면 혈액은 순환하지 못하게 된다. 또 비장의 작용은 수곡정미를 폐로 상승시키는 작용과 사지와 기육을 주관하며, 비의 생화가 부족하면 입술색이 창백해지고 음식 맛을 모르게 되며 식욕부진이 나타난다. 비장에 열이 있으면 얼굴이 누렇게 변하며 헛배가 부르고, 움직이는 데 힘이 없어 잘 눕고 허열이 나며 물을 많이 마시고 코가 붉어진다. 밤이 되면 나타나는 증상은 더 심해지고, 팔다리를 잘 가누지 못하며 전신에 힘이 없는 증상이 나타나는데 사황산을 사용한다.

126

비(脾)는 조한 것을 싫어하고 습한 것을 좋아한다. 위 속에 진액이 충만하면 위의 기능이 정상적으로 작동하여 음식의 수납과 소화작용이 쉽게 일어난다. 위는 음식물을 받아들여 일차적 소화를 시켜 간과 심의 작용이 합쳐져 오장을 자윤하여 편안하게 해주며, 위가 허하면 음식 맛을 모르고 명치와 배가 아프며 구역과 딸꾹질과 하품을 하며 신물이 넘어오며 얼굴이 누렇게 되고 살이 빠지며 기운이 없게 된다. 위에 열이 있으면 뜨거운 것을 싫어하고 겨드랑이가 붓고 목이 마르며 침을 흘린다. 위의 기능이 정지하면 입과 눈이 의지와 상관없이 움직이고 잘 놀란다. 평위산에 인진호탕이나 백호탕 등을 증상에 맞게 합하여 사용한다.

비위에 있어서 이를 작동하게 하는 가장 기본적인 처방은 사군자탕 가감으로 하는데 사군자탕은 생화의 기본이며, 어떤 약을 배합하느냐에 따라 모든 기능이 좌우된다.

사황산 「韓方秘錄」

治脾熱 口瘡 口臭

치비열 구창 구취

비열로 입이 헐고 입 냄새가 나는 것을 치료한다.

> 치자6 곽향 감초4 석고3.2 방풍2.4 꿀 약간

물로 달여 먹는다.

1) 비위의 임상

(1) 구취

> 향사평위산 + 인진호탕 + 가글제를 투여(열이 심하면 + 황련해독)

(2) 구창

> 소시호탕 + 황련해독탕 + 배탁 + 멀티비타민(가글로 소독)

평위산 「古今名醫方論」

治濕淫于內 脾胃不能克制 有積飮痞膈中滿者

脾胃不和 不思飮食 心腹痛 嘔呃逆 惡心 噯氣 呑酸 面黃 肌瘦 怠惰 嗜臥

治濕飮于內 肥胃不能克制 留積飮痞隔脹滿者

脾胃不和 不思飮食 心腹痛 嘔噦逆 惡心 噫氣 呑酸 面黃 肌瘦 怠惰 嗜臥

습이 위장에 넘쳐 비위가 소화시킬 수 없고 음식이 쌓여 가슴이 답답하고 배가 부른 것을 치료한다. 식의 생각이 없고 배가 아프고 구역질이나 딸꾹질을 하며 트림과 신물이 넘어오고 얼굴이 누렇고 마르며 힘이 없어 눕기를 좋아하는 것을 치료한다.

> 창출8 진피5.5 후박4 감초2.4 생강3 대조2

가루로 만들어 10g씩 생강탕으로 하루 3번 복용하거나, 물로 달여 먹는다.

본방은 위내의 숙식을 소화하고 담음을 제거하는 방제이다. 소화가 되지 않거나 체했을 때 사용하는 방으로 향부자와 사인을 가하면 향사평위산으로 소화력이 더 좋아진다.

2. 양영(養榮)

비위는 음식을 소화시켜 영양을 만드는 것이 주목적이다. 소화와 생화를 거쳐 영양이 생성되고 생성된 영양은 운화에 의해 폐로 상승하여 폐를 자윤하고 폐의 산포에 의해 활동에너지로 사용된다. 기와 합쳐진 여분의 영양은 신으로 하강하여 신정을 만들고, 신정은 척추를 타고 뇌로 올라가 뇌를 자양하고 골수로 들어가 혈을 활혈의 기본이 된다. 신정은 생명을 유지하는 기본물질이며 일신에 일승육합이 되면 심화를 하강시켜 전신을 온후하게 하고 항온을 유지하며 항상성을 강하게 한다. 하강한 심장의 열을 명문화이며 비위의 기능을 살아나게 하고 오장육부에 양기를 공급하여 제 기능을 발휘하게 한다.

이처럼 비위에서 시작한 영양의 생성은 생명체가 살아가는 기본이 된다. 후천의 본을 생하여 선천의 본을 유지하고 생명활동을 왕성하게 한다. 모든 생명체의 생명력은 선천의 본을 기본으로 하여 후천의 본을 살려 영양을 공급받아 삶을 영위한다. 비위를 정상적으로 작동하게 하는 처방은 기를 강하게 하여 청기의 생성을 하는 사군자탕, 음식을 쉽게 소화시키고 숙식을 내려가게 하는 평위산, 담음을 제거하여 위의 움직임을 정상화하여 영양의 생성을 쉽게 하는 이진탕이 기본이다. 이 기본약에 목적에 맞는 약을 배합하여 영양의 생성을 돕고 체내에 잘 분포되도록 하여 영기를 키우는 것이 양영이다. 보혈과 보기를 목적으로 한다. 혈은 영양의 총집합으로 생혈을 하기 위해서 보혈 < 보기 < 보정하는 것이 좋다.

인삼양영탕　「古今名醫方論」「韓方秘錄」

治脾肺俱虛 發熱惡寒 肢體瘦倦 食少作瀉等症

若氣血虛而變見諸症 勿論其病其脈 但用此湯 諸症悉退

치비폐구허 발열오한 지체수권 식소작사등증

약기혈허이변견제증 물론기병기맥 단용차탕 제증실퇴

비와 폐가 같이 허하여 열이 나고 오한하고 사지와 몸이 파리하고 권태롭고 조금 먹어도 물을 제어하는 힘과 청탁의 분별이 불분하고(소화불량) 명문의 화가 부족하여 설사가 나는 것을 치료한다. 기와 혈이 허하여 발생한 제증은 맥과 증으로 판정하여 이 처방을 사용한다. 그러면 모든 증상이 사라진다. 비와 폐만 보지 말고 그 뒤에 신을 생각해야 한다.

> 인삼8 백출 복령 감초 황기 진피 당귀 계지 숙지황4 백작8 오미자3 원지2 생강3 대조2

청열제와 사물탕은 사군자의 헬퍼로 작용하여 간화를 사하여 비위가 정상작동 되게 하여 창통을 잡고, 위장의 기능을 살려준다. 사물탕 단독은 활혈을 시키고, 청열제는 무조건 간화를 사한다. 사물탕 + 사군자 + 당귀 황기 + 계지하면 십전대보탕이며 사물이 사군자의 기능을 돕고 사군자의 건중작용에 당귀 황기의 생화작용과 계지가 약력을 표로 이끌고 간다. 그래서 표에 힘이 넘치게 된다. 움직이기 싫다, 기운이 없어 누워있는 사람에게 적당한데 과로한 자, 흥분성인 자, 음허화동 자, 신경성인 자는 절대 사용을 금지해야 하며, 복용을 하면 이 증상들이 더 심해진다.

본 방의 사용 목표증은 모발탈락, 안면무택, 홀홀희망(忽忽喜忘-잘 잊어버리는 것), 적담불식(積痰不食), 심계불면(心悸不眠), 전신고조(全身枯燥), 조고근고(爪枯筋枯)로서, 머리카락이 빠지며, 안색에 광택이 없고, 잊기를 잘 하고, 몸에 담이 쌓여 먹지를 못하고, 심장이 뛰어 잠을 이루지 못하며, 전신이 살이 빠지고 건조해지며, 손톱과 발톱이 푸석하고 근육이 줄어드는 현상이다. 비가 허하고 폐도 같이 허하면 먼저 나타나는 증상이 극심한 피로를 호소할 수 있는데 이것은 청기의 생성과 상승 그리고 분배를 생각하면서 이탕을 보아야 한다. 기허에 사군자탕, 혈허에 사물탕을 기본으로 사용하여 처치했으며, 기혈이 모두 허하면 팔진탕에 황기 육계를 넣어 십전대보탕을 만들어 투약한다. 약제 구성 중에 사물에서 천궁을 빼는 것은 행혈보다 파혈의 작용이 있는데, 보혈을 하려면 혈이 모여야 하기 때문이다. 겨우 만들어진 혈을 한쪽에서는 부수고 있는 결과가 오기 때문이다. 혈은 쉽게 소모되고 만들기는 어려워 단지 혈맥 내에서 기르고 구하는 수밖에 없는데 영기가 부족하면 인삼으로 비기를 살려 소화를 도와 청기를 생성하게 하고 좌약으로 원지를 사용하여 마음을 안정시키고 심열을 제거하면 사군자탕의 인삼 백출 복령이 감약(甘藥)이 청기를 생성하게 하여 혈을 만드는 영양물질을 폐로 충분히 상승시켜 신체를 정상대사로 돌려준다.

영양이 부족하여 그 부족한 영양을 전신에 공급하기 위해 발생된 심장의 열을 내려 안정시키면 진액의 소모가 줄어들어 체력소모가 없어지게 된다. 그래서 오미자로 신명을 진정시키고 원지의 안신과 더불어 영양이 폐의 산포작용으로 맥 중으로 잘 흐르게 하여 사지와 오장으로 잘 유입되게 한다. 그래서 이탕의 이름을 양영이라 했고, 기대하는 효과를 충분히 얻을 수 있게 된다. 영양의 생성과 상승 그리고 폐의 산포 그 뒤에 명문화와 영양의 저장을 잊으면 안 된다. 어느 질환이든 인체의 정상적인 기본 대사에서 어긋나는 상황이 병이라는 것을…

3. 소화(消化), 생화(生化), 운화(運化) 「方劑에서 사람으로」

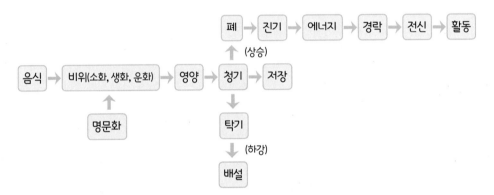

비위가 약해지면 소화, 생화, 운화의 기능이 상실되어 음식생각이 없다. 그리고 복창이 발생하여 기혈생화에 영향을 끼쳐 장부의 기능이 실조되면 전신을 자양하지 못하게 되어 사지무력, 기육소수, 면색위황, 복창, 당설(溏泄)이 발생한다. 소화란 음식의 오행을 명문화의 도움으로 분해하는 것으로 청탁의 분리가 소화다. 생화는 음식물이 소화의 작용으로 영양으로 변화하는 것이며, 운화는 생성된 영양의 상승과 하강을 일으키는 작용이다. 명문화는 신주수(腎主水)의 기능으로 신으로 하강한 영양을 변화시켜 생성한 진액이며 이것을 신정이라 하며 자신의 몸에 일승육합이 만들어지면 독맥(督脈-척추)를 타고 상승하여 심화를 끌고 내려 온 것이 명문화이다. 수중화(水中火)라 하며, 우신의 작용으로 본다. 이 명문화는 전신을 온후하게 하고, 항온을 유지하고, 항상성 유지의 근본이 된다.

음식은 오행이 골고루 들어있는 것이며, 이 비율이 적당히 포함된 것이 최상의 음식이다. 약은 오행 중 하나 또는 그 이상의 성질이 편중되어 강하게 작용되는 것이며, 독은 오행 중 한 성질이 극에 달하여 넘치고도 남는 것으로 인체에 강하게 작용을 한다. 어떤 성질의 힘이 한 장향으로 넘침은 약이고, 오행 중 어느 하나나 둘 이상의 부족은 병이다. 이 넘침과 부족을 서로 채워 평형을 유지하는 것이 중용이며 병이 치료되는 원리다.

4. 토(土)의 원리

토의 원리는 화(化)이며, 뭔가를 이런 상태에서 저런 상태로 변화되게 한다는 의미이며, 변화를 이끌어 주는 힘이 토의 힘이다. 이 변화를 주도하는 작용이 있을 때는 항상 습(濕)이 관여를 한다.

계절이 바뀔 때 습(濕)의 작용으로 계절변화가 일어난다. 이것이 화(化)이다.

5. 극화(克化)의 리(利)

승청강탁(升淸降濁)의 작용이 운화(運化)이다 그 기전을 보면

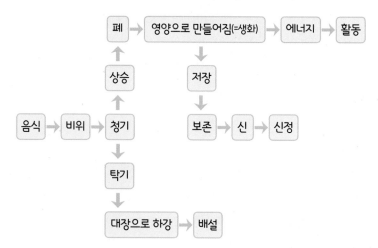

위의 모든 상황(소화, 생화, 운화)을 극화의 리라 하며, 몸이 살아가는 가장 기본 과정이

다. 생명유지의 원천은 극화의 리가 이루어져야 하며 극화의 리(利)는 비위의 정상적인 상태다.

6. 소화 과정

입에서부터 항문까지 음식이 흘러가며 칠충문(七衝門)을 통과하면서 영양이 흡수되는 과정이며, 모든 과정은 위 장관을 지나는 것이며, 위와 장의 모든 병변은 표로 적용하여 약을 사용한다. 입술은 호문(呼門)이며, 치아는 비문(飛門)으로 음식이 입으로 들어오면 잘게 부수고 침과 물 등이 잘 섞이게 한다. 인후는 흡문(吸門)으로 음식을 위로 내려 보낸다. 위의 상부는 분문(賁門)이라 하며, 위를 완(脘)이라하고 위산과 소화액을 반죽 혼합하여 습과 청기와 탁기의 혼합된 죽상으로 명문화의 도움으로 작동한다. 위의 하부를 유문(幽門)이라하며, 위로 들어온 음식을 소화되기 쉬운 상태가 될 때까지 가두어 두었다가 충분히 부숙이 되면 문을 열어 소장으로 내려 보내는 작용을 한다. 소장과 대장 사이는 란문(爛門)으로 청기만 흡수하여 폐로 상승시키며 습과 탁기는 대장으로 내려 보내 습을 흡수하여 폐로 상승시킨다. 탁기는 대장에서 시(屎), 분(糞), 변(便)으로 변하여 배설의 과정을 기다린다. 마지막 항문은 백문(魄門)은 탁기와 습을 포함한 변을 가두어 두었다가 몸의 수분 요구량에 따라 수분을 공급하고 배설된다. 이 칠충문의 기능은 열고 닫히는 것으로 서로 길항적으로 작용한다. 2가 열리면 1과 3은 닫히고, 3이 열리면 2와 4는 닫힌다. 개합(開闔)을 반복하는 것은 음식의 소화 흡수와 탁기의 배설을 위한 시간을 벌기 위한 것이다. 비위는 칠충문의 개합에 작용하는 자율신경(간과 신의 기능)과 명문화에 의해서 조절된다. 개(開)의 추(樞)는 간의 작용이며 소설이 주된 목적이다. 합(闔)의 추는 신의 작용이고 봉장하여 쉽게 흘러가는 것을 막아주는 작용이다. 승청강탁은 비위의 정상적인 상태로 소화의 작용이 순조로운 상태이며, 청탁의 분별이 되지 않는 것은 비위의 비정상적 상태며, 소화되지 않고 머물러 있는 것을 숙식(宿食)이라 한다.

7. 한약의 소화제 구성

사군자탕을 기본으로 하여 비위의 힘을 길러주고 소도제와 거습제 강역제를 합하여 비위가 건전하게 소화작용을 행할 수 있도록 배합하며 간화를 청열하여 위의 소화를 방해하는 요소를 순조롭게 해주며, 신장의 명문화를 살려 극화의 리가 잘 일어나게 해주어야 한다. 한약을 복용할 때나 비위가 허약할 경우에는 위장을 냉하게 하여 소화작용에 지장을 주는 계면주육(鷄麵酒肉)은 피해야 한다. 조류의 고기는 풍의 발생을 쉽게 하지만 오리고

132

기는 제외되고, 모든 육류는 비위를 냉하게 하나 개고기는 따뜻하여 제외되고, 모든 어류는 화에 속하지만 붕어는 토에 해당한다.

8. 중초의 조리방법

중초의 문제는 비위의 문제이며, 대복은 손바닥과 연결이 되어있어 대복이 차면 손바닥이 차고, 손바닥이 차면 대복이 찬 것이다. 소복은 발과 연결되어 있고 소복이 차면 발이 차며, 발이 차면 소복이 찬 것이다. 비위의 문제는 총 5가지가 있다.

첫째 건중의 문제로 목내건중기 구풍이사목 배토이어풍이라 하여 간의 기운이 위장을 핍박하여 비위가 약해지고 가스가 차며 배가 아파지는 것을 간의 기운을 다스려 비위의 기능을 살려 주는 것을 말한다. 간의 기운을 다스리는 것은 시호와 작약으로 조리하고 구풍에는 감초와 생강이 하며 수렴과 청열을 하여 복통을 잡는 것은 작약이 한다. 대표적인 방제가 계지가작약탕이다. 스트레스가 심하면 잘 나타나며 신경을 쓰거나 속상한 일이 있어 위가 쓰리며 가스가 차고 복통이 있을 때 사용할 수 있는 처방은 소건중에 소시호를 합하여 사용하는 것이다.

둘째 이중의 문제로 한수릉어내(寒水凌於內)라 하여 찬 물이 비위에 넘쳐 비위가 기능이 약해진 것으로 통증은 별로 없으며 위속에서 물소리가 난다. 위내에 찬 물이 고여 있으면 위상유한(胃上有寒)과 어제유청락(漁際有靑絡)한 것인데 위부분을 손으로 만져보면 냉하고 어제(엄지손가락 아래 볼록한 부분)부위에 파란 줄이 나타난다. 이 두 현상을 보고 위 속에 찬 물이 고여 있어 차다는 것을 알 수 있으며 손바닥이 냉하게 만져진다. 이중탕으로 조리하며, 코감기가 걸려 찬 콧물이 줄줄 흐를 때 이것을 확인하여 소청룡과 이중을 합하여 투여하면 효과가 빨리 나타난다.

샛째는 보중의 문제인데 건중과 이중의 합이라 생각하면 된다.

위장이 약하여 생화가 되지 않고 흉격에 열이 가로막고 있어 청기가 상승하지 못하는 것을 말하는데 심번불안하며 사지곤권하고 너무 피로하지만 생각은 많아진다. 이것은 보중익탕으로 조리하는 것이다. 속이 냉하고 배가 아프며 가스가 차면 건리탕(소건중 + 이중)을 쓰고, 배가 꿈틀거리고 손을 대지 못하도록 아픈 것은 대건중을 쓰는데 건리탕으로 사용해도 된다. 넷째는 안중의 문제로 어떤 원인지는 모르나 위속에 찬 기운이 들어와 뱃속이 냉해져 한으로 인해 위 근육의 수축으로 통증이 나타나는 것을 말하는데 안중산을 쓴다. 위속에 어떤 원인 없이 찬 기운이 만들어지는 것은 명문이 약하고 활혈이 일어나지 않아 발생하는 경우가 많다. 안중산을 사용하는데 방 중의 현호색과 회향은 부인의 혈중자통을 치료하는 효과가 있어 생리통에도 사용한다. 마지막 조중의 문제는 음식물의 분자가 커서 흡수에 문제가 있는 것을 산사 신곡 맥아를 이용하여 잘게 부수어 소화흡수가 잘 되게 하는 것이다. 산사 신곡 맥아를 삼선(三仙)이라 한다. 최고의 위장약은 다섯 가지의 중의 문제를 다스리는 처방에 건강과 반하를 넣고 육미를 넣어 사용하는 것이다 이것을 오중탕이라 한다. 육미 + 사군자 + 당귀 황기8 + 계지4 작약8 + 건강4 + 현호색 + 회향4 + 삼선 + 건강 반하가 오중의 처방인데, 위장이 좋지 못하여 약을 먹지 못하는 사람에게 적용하며, 피로가 심한 사람은 시호 승마 맥문을 더 가하고, 불안 초조한 사람은 산조인 원지 백복신을 넣는다. 설사를 잘 하는 사람은 위령탕을 합하여 사용한다. 음식을 먹지 못하는데 그래도 억지로 먹으면 소화가 되는 것은 비의 문제이며, 음식을 먹기는 먹어도 먹게 되면 소화가 되지 않는 것은 위의 문제이다.

9. 기(氣) 「韓方秘錄」

형체가 없고 활동만 하는 것으로 생명력을 나타낸다. 기의 상태는 음기와 양기가 있고 움직이는 것과 머무르는 것이 있다. 기가 비정상적으로 움직이면 상충, 동요, 흥분 등이 나타나고, 머무르게 되면 비(痞-답답함), 기울로 울체되어 저림이나 마비 등이 나타난다. 기의 정상적 흐름은 상하와 표리를 순환하면서 혈을 돌게 하여 인체의 체형을 유지하고 활동하게 하는데 병적으로 변하여 정체하면 오장육부의 움직임을 둔화시켜 소화나 활동 등에 지장을 준다. 기는 혈의 수(帥)라 하는데 기가 있어야 혈이 만들어지고 흐른다는 의미며, 혈이 기의 모라 하는 것은 혈이 충만해야 기가 정상적으로 운행한다는 의미다. 선천 진원지기는 신에서 주관하며 부모로부터 물려받은 원천의 힘이며, 후천 수곡지기는 위에서 주관하며 생명활동에 필요한 영양을 흡수 공급하기 때문이다. 선천의 기와 후천의 기가 합쳐지는 것이 생기의 기본이다. 체내에서 운용되는 원기는 두 가지인데 후천운용지원기와 선천운용지원기로 나눈다. 먼저 후천 운용지원기는 영기와 위기와 종기로 나눠지며, 영기(營氣)는 수곡지정기로 흡수한 영양이 경맥 내를 회전하는 것이며, 위기(衛氣)는 소화 흡수한 영양이 맥외를 순환하며 외사에 저항하는 힘이다. 종기(宗氣)는 호흡을 통하여 폐로 흡입된 기로서 흉중에 쌓인 기이며 청기를 에너지로 변화시킨다. 두 번째 선천 운용지원기는 방광경의 기로서 영기의 도움으로 표를 주관하여 피모를 보호하고 폐경의 기는 오장 내를 통하면서 몸의 내를 주관하고 관절에 힘을 주고 활동을 하게한다. 삼초의 기는 내와 외의 중간을 흐르면서 몸의 반표반이(半表半裏)를 주관하고 땀구멍을 조절한다.

10. 허로(虛勞) 「韓方秘錄」

허로란 채워져야 할 것이 완전히 채워지지 않은 상태와, 흡수되어 생화한 저장된 영양의 과도한 소모로 에너지가 고갈된 상태를 말한다. 영양의 생성이 부족하여 음(陰-진액)이 부족하면 혈의 생성도 부족하게 되어 순환의 부전이 오며 비위가 허해져 입맛을 모르고 혈의 부족으로 생리불순과 탈모가 발생하며 신정의 생성도 저하되어 신경이 예민해지고 저항력이 떨어지는 결과가 온다. 비위와 장에 진액이 부족하면 허열이 발생(양명열)하여 열이 경락을 타고 흐르면 치통이나 치주염증, 피부소양증이 발생한다. 허로의 특징은 체중과 체격에 상관이 없고 병명과도 상관없이 나타나며, 병의 경과 과정이 길며 증상이 조금씩 나타나며 병세가 완만하고 컨디션이 나쁘면 더 심해지고, 활동이 많고 에너지의 소모가 많은 봄, 여름에 더 심해진다. 유유작통과 면면작통으로 은근히 오랫동안 낫지를 않고 몸의 상태에 따라 호전과 악화가 이어진다. 허로가 심해지면 생기는 증상은 오로(五勞)와 육극(六極)과 칠상(七傷)이 있다. 오로는 혈의 손상으로 피가 부족한 것으로 갑자기 기쁘다가 화를 냈다 하며 변을 시원하게 보지를 못하고 입이 잘 허는 것이 심로(心勞)이며, 정신이 오락가락하는 신(神)의 손상은 얼굴과 눈이 검게 되고 마르며 눈이 침침하고 눈물이 잘 흐르고 가슴이 아파지는 것은 간로(肝勞)며, 입맛이 없고 음식을 먹을 수 없는 것은 식로(食勞)이며, 기운이 없고 배에 가스가 많이 생기며 촉각이 무디어지고 입이 쓰며 혀가 뻣뻣하며 입술이 마르고 구역질을 잘 하는 것은 비로(脾勞)라 한다. 기의 손상으로 기운이 없고 얼굴이 붓고 냄새를 모르고 기침을 하면 가슴이 아프고 숨이 차고 입이 마르는 것을 폐로(肺癆)라 하고, 정의 손상으로 정수가 고갈되어 이명이나 요통, 관절통 등이 생기고 소변이 붉으며 꿈이 많아지는 것은 신로(腎勞)이다.

칠상은 영양의 부족으로 혈과 정의 부족을 일으켜 허열이 발생하여 신명(神明)이나 오장육부의 정상상태를 유지하는 봉장의 기능이 약해져서 생기는 증상으로 특히 신정의 부족으로 오는 신기능의 저하 증상이 주로 나타난다.

그 종류는 음한음한(陰寒陰汗)으로 음경이 차고 식은땀을 흘리는 것이고, 음위정한(陰痿精寒)은 발기부전이 있고 정액이 냉한 것을 말하며, 이급정활(裏急精滑)은 뱃속이 당기고 아프며 조루증세가 있는 것이며, 정소정루(精少精漏)는 정액의 양이 적고 루정(漏精)이 되는 것을 나타내며, 낭하습양(囊下濕痒)은 사타구니에 땀이 많이 나고 가려운 것이며, 야몽음인(夜夢陰人)은 꿈이 많고 몸이 냉하고 기운이 없는 것이고, 소변빈삭(小便澁數)은 소변이 시원하지 않으며 붉고 열감이 있으며 침으로 찌르는 통증이 있으며 자주 보고 싶은 증상을 말하는 것이다.

육극(六極)은 첫째 근극(筋極)으로 열 손톱이 모두 아픈 것이며, 골극(骨極)은 이가 흔들리고 다리에 힘이 없어 오래 서 있지를 못하는 것이요, 혈극(血極)은 얼굴이 창백하고 머리카락이 빠지는 것이며, 정극(精極)으로 기운이 없고 안광에 힘이 없고 피부가 까칠해 지는 것이다. 마지막으로 기극(氣極)은 가슴이 답답하고 화를 잘 내며 말을 할 기운조차도 없는 것이다 다섯 종류지만 육극으로 표현한다.

기허와 양허는 동일한 것으로 맥이 미약하며 정혈이 마르고 기력이 감소되어 잘 먹지 못하고 정신이 명료하지 않고 유정(遺精) 몽설(夢泄)이 생기며 요배(腰背)와 가슴근골이 견인 동통하며 열이 났다가 안 났다하고 자한과 도한이 나타나고 기침을 하면 각혈이 생기고 침에 피가 섞여 나오며 한열왕래가 생기고 기 혈 진액이 고갈되어 점점 쇠약해 지는 것이다. 음허는 혈이 허한 것으로 오후 해질 무렵에 오한이나 조열(潮熱)이 나는 증상이 심해진다.

음양구허(陰陽具虛)는 기와 혈이 부족한 것인데 잘 먹지 못하고 번조증이 생기고 자한이 있고 신허로 인해 다리에 힘이 없어 잘 걷지 못하고 기침을 하며, 목이 잘 마르고 오래 지속되면 폐결핵이 된다.

11. 허로의 방제와 임상

소건중탕   「傷寒論」「古今名醫方論」

傷寒論曰 傷寒 脈陽澁 陰弦者 或心季而煩 或腹中急痛 先與小建中湯 不着者
小柴胡湯主之

金匱曰 虛勞 裏急 悸 衄 腹中痛 夢失精 四肢酸疼 手足煩熱 咽乾口燥 本方主之
男子黃 小便自利 當虛勞 小建中湯

상한론왈 상한 맥양삽 음현자 혹심계이번 혹복중급통 선여소건중탕 불착자 소시호탕주지

금궤왈 허로 이급 계 뉵 복중통 몽실정 사지산동 수족번열 인건구조 본방주지

남자황 소변자리 당허로 소건중탕

상한으로 양맥이 삽하고 음맥이 현한데, 심장이 뛰고 번조하며 배가 갑자기 아플 때는 먼저 소건중탕을 주고, 효과가 없으면 소시호탕을 준다, 금궤에는 허로하여 뱃속이 당기고 산장이 뛰고 코피, 복통, 자면서 실정을 하는 경우, 사지가 시큰거리고 뻐근하며 손발에 번열이 나고, 목과 입이 마를 때 본방을 쓴다. 얼굴이 노르스름하고 소변이 자주 나오는 것은 허로의 증상이니 본방을 쓴다.

```
계지6 작약12 감초12 생강4 대조3 교이24
```

달여 거제 후 교이를 넣어 약하게 끓여 하루 세 번 먹는다.

본방은 허로를 치료하는 제 일 번방으로 찌는 듯한 열이 나는데 진액을 보충하여 열을 내리게 한다. 허로는 날이 갈수록 음식을 먹지 못하는데 이 약은 비위를 다스려 소화를 시켜 음식을 먹게 한다. 해수가 나타날 수 있는데 본방은 비위를 키워 영양을 상승시켜 윤폐하여 해수를 잡는 약으로 이용한다. 허로는 신허가 함께 오는데 이 방은 비를 살려주면서 영양을 바로 신으로 보내어 신정을 빨리 채우게 도와 신의 기능이 살아나게 한다. 진액이 부족하면 얼굴색이 창백하고 갈증이 생기며 빈혈과 심동계가 생긴다. 남자가 맥이 약하며 표증이 없고 숨이 차고 뱃속이 결리고 소변이 시원하지 않고 가끔 어지럽고 헛배가 불러지는 것은 과로로 인해 진액이 소모되어 오는 것이다. 본방으로 주지하면 된다. 몸이 마르고 혈색이 없는 모든 병에는 우선 본방을 사용하여 진액을 채워준다. 태음병으로 배가 부르고 잘 토하고 소화를 시키지 못하고 설사가 점점 심해지며 때때로 배가 아파지는 증상에 본방을 쓴다. 간의 기운을 깎아내어 비위를 살려주는 것으로 이것을 건중이라 한다. 이렇게 본방의 사용 목표증은 아주 광범위하다. 진액을 채우는 제 일번 방이라는 것을 항상 기억하면 좋을 것이다. 몸의 진액부족상태에 나타나는 모든 증상에 다빈도로 사용하는 약 중의 하나이다. 허로, 심동계, 코피, 복통, 사지산동, 수족번열, 인건구조(咽乾口燥) 등은 음허로 발생하는 허열로 기인한 것이다. 모두 본방을 주어 치료할 수 있다. 남자가 맥이 약하며 표증이 없고 숨이 차고 뱃속이 결리고 소변이 시원하지 않고 가끔 어지럽고 헛배가 불러지는 것은 과로로 인해 진액이 소모되어 오는 것이다. 몸이 마르고 혈색이 없는 모든 병에는 우선 본방을 사용하여 진액을 채워준다. 간의 기운을 깎아내어 비위를 살려주는 것으로 이깃을 건중이라 한다. 계지탕에 작약을 배로하고 교이를 넣어 이(裏)에 진액을 채움으로 신체를 건강하게 하는 제제이다. 소건중이란 의미는 간과 비의 관계를 나타내며 계지가작약탕이 소건중의 의미에 가장 적합하고 거기에 교이를 가한 것이 소건중탕이다. 본방은 차지도 뜨겁지도 않으며, 보하지도 사하지도 않는다. 오직 감미(甘味)로서 완(緩)하고 미산(微酸)으로 수렴하므로 이름이 건(建)이라 한다.

황기건중탕 「傷寒論」

金匱曰 虛勞裏急 諸不足 本方主之
治虛勞裏急 悸 衄 腹中痛 夢失精 四脂酸疼 手足煩熱 咽乾口燥 諸不足
금궤왈 허로이급 제부족 본방주지

치허로이급 계 뉵 복중통 몽실정 사지산동 수족번열 인건구조 제부족

몸을 무리하게 움직여 영양이 부족하 뱃속이 당기고 모든 기능이 약해진다. 허로와 이급, 심계, 코피, 복통, 실정, 사지산동 수족번열 인건구조 등의 모든 부족증에 본방을 사용한다.

> ## 소건중탕 + 황기

황기의 고표(固表)작용으로 표의 허를 채우는 작용이 있고, 황기가 소건중의 약력을 끌고 표(表)로 가서 표의 허를 채워주는 작용을 한다. 새살이 빨리 돋게 하여 농이 빠져 나오게 하는 작용이 있다. 비위도 표이므로 위궤양 위염 등에 사용한다. 고표(固表)작용이란 무한(無汗)이면 땀을 나게 하고, 유한(有汗)이면 땀을 그치게 하는 작용이다.

중경방유취에 단기흉만자(短氣胸滿者-가슴이 답답하고 숨이 참)는 加생강하고 복만자(腹滿者)는 거대조 가복령6g하며 폐기가 소모되어 기운이 없을 때(肺氣損不足) 기를 보할 때는(補氣) 加반하12g 한다.

건중제로는 소건중탕과 당귀건중, 황기건중, 대건중이 있다. 각기 사용하는 용도가 다르지만 대체로 진액을 보충하는 의미로서는 같다. 단지 약력이 어디로 작용이 되게 하는가에 따라 처방을 다르게 사용할 뿐이다. 진액이 말라버린 상태에서 빨리 몸에 진액을 채워 주는 것은 황기건중 보다 소건중탕이 좋을 것으로 생각한다. 급히 중기를 보하려면 입맛을 좋게 하여 식사를 잘해서 진액을 왕성하게 하여 혈을 채우고 정을 생(生)하여 진음부족을 채워야 한다. 하지만 비위의 기능이 살아나 음식의 소화가 왕성해야만 하는데 명문화가 쇠해진 경우는 소화에 문제가 있을 수 있으므로 신도 같이 살리면서 처치하여야 한다. 단지 감약(甘藥)을 주약으로 사용하여 비위를 다치지 않게 하면서 진액을 생성하게 한다. 시고 맵고 떫고 쓴 약은 사용하지 않는 것이 좋다. 토하거나 구역질이 나는 사람은 소건중등의 건중제는 사용하면 안 된다. 위중에 습이 많은 상태에서 다시금 건중제로 위중의 진액을 더 보태게 되면 감약태과가 우려되고 그렇게 되면 기의 흐름이 막혀 기체가 되어 감약지체가 되어 중만(中滿)해진다. 급히 진피와 사인 등의 기제를 사용하여 감약지체를 움직여 줘야 한다. 그렇게 하여 청탁의 분리를 얻을 수 있고 중기의 안정을 찾을 수 있게 된다. 음허를 채우기 위해서는 육미나 사물을 합하는 것이 좋을 것이다.

양은 음에 뿌리를 두고 자라며, 음은 양의 작용에 의하여 생성되는 것 때문이다. 영양을 과다하게 소모하여 진액의 부족상태로 인하여 허열이 발생하고 오심번열의 한 증상인 심장이 뛰는 번조한 상태를 치료하는 것에 소건중이 있는데 중기가 허해 사를 외

로 내 보낼 수 없을 때 교이의 감미로 중기를 살려 사를 제거하게 하는 것이다. 황기건중은 소건중에 황기를 가해 허로이급, 자한, 표허, 폐허, 제부족증을 치료한다. 중기를 세워 진액을 생성하여 청기를 폐로 올려 줌으로 해서 표기를 살려내는 것이다. 대건중탕은 양기의 부족으로 음기가 상역하여 흉중이 대한(大寒)하고, 울렁거리고 배가 아파서 먹지도 못하는 상태며 뱃속이 꿈틀거리며 만지지 못하게 한다. 요즘엔 이런 증상을 가진 사람은 별로 없지만 간혹 노인들이나 아주 약한 사람들에게 보이기는 한다. 허로의 치료와 음허 열을 내리는 처방으로 보중과 자감초와 육미를 합방하고, 허열이 심하면 황련해독이나 시호제등을 수증에 따라 합방하여 빠른 효과를 얻는 처방으로 사용한다. 허하고 마른 몸에 건중제를 먼저 복용하여 몸의 진음을 채운 뒤에 땀을 내거나 또는 설사를 시키는 것이 좋다. 선보후사(先補後瀉)와 선급후완(先急後緩)의 의미를 되새겨 볼만한 내용이다. 이중에 있어서 중초를 치료하는 것은 온중하는 것과 보중하는 것으로 나눈다. 온중을 하는 것은 이중에 부자를 가하여 부자이중으로 하며, 보중은 이중에 건중을 합한 의미다.

건중제 사용 시 주의사항은 감약 태과를 방지하여야 하는데, 감약이 태과하면 설사를 하고 기체로 가슴이 답답해진다. 구토를 하는 사람은 사용하지 않는데 진피 사인으로 움직이게 하여 치료한다(대시호 + 향평를 사용한다). 술 먹고 울렁거릴 때 소건중을 복용하면 토하게 되는데 이는 감약태과의 상태가 만들어지기 때문이다. 이 부작용을 이용하여 과음하여 위 내용물을 급히 토할 때 사용한다. 음주 후 시간이 많이 경과하고 속이 거북할 때 소건중이나 황기건중을 사용한다.

대건중탕 「傷寒論」

金匱曰 心胸中大寒痛 嘔不能飲食 腹中寒上衝

皮起出見 有頭足 上下痛而不可觸近 大建中湯主之

금궤왈 심흉중대한통 구불능음식 복중한상충

피기출견 유두족 상하통이불가촉근 대건중탕주지

심흉이 차고 아픈데 구역질이 나서 먹을 수 없고 뱃속의 찬기운이 위로 치밀면 배의 피부가 일어나는 것이 보이는데 머리와 꼬리가 있다. 아래위로 아파서 손도 못 대게 하는 데 대건중탕을 쓴다.

촉초2 건강8 인삼4 교이20

양허로 복중이 냉하여 음기가 역상하여 심흉이 아주 차고 구토와 복통이 생겨 음식을 먹을 수 없고 유동불안하며 통증이 심하여 손을 대지 못하게 한다. 이중탕 + 소건중탕 하면 이 증상을 치료할 수 있다. 건리통이 있어도 이 합방을 사용한다. 요즘은 별로 보이지 않는다.

당귀보혈탕　「古今名醫方論」

治男婦肌熱 面赤 煩渴引飲 脈來洪大而虛 重按全無

치남부기열 면적 번갈인음 맥래홍대이허 중안전무

남여가 진액부족으로 허열이 빠져나와 피부에 열이 있고 얼굴이 붉으며, 음(陰-진액)의 부족으로 번갈(煩渴)하여 마실 것을 찾고, 맥은 홍대하면서 허하며, 세게 누르면 맥이 사라진다. 혈을 생성하게 하는 방법을 설명하는 것으로 다른 약에 포함하여 사용하는 경우가 많으며 단독 사용은 잘 하지 않는다.

> 당귀8 황기40

물로 달여 먹는다.

보기혈정탕　「韓方秘錄」

脈浮洪大 虛勞諸症

맥부홍대 허로제증

맥이 부홍대한 것은 허로로 인한 것이며 모든 허로에 적용한다.

> 당귀320 백출 숙지황 백작 황기200 산수유160 인삼 복령 맥문동 오미자120 신곡40 사인 진피20

과립제로는 육미 보중 자감초하면 같은 의미가 된다.

보원탕　「古今名醫方論」

治氣虛血弱之總方也. 小兒驚痘家 虛者最宜

치기허혈약지총방야 소아경두가 허자최의

기허와 혈약의 총방이다. 기가 생성되는 것과 혈이 만들어지는 과정, 그리고 기와 혈의 작용을 보여주는 처방으로 생각이 된다. 허약한 소아의 마마에 기와 혈을 채워 주는 최고의 방이다.

> 황기12 인삼8 감초4 육계2.5

위의 4미를 물로 달여 복용 보원(保元)은 원기를 소모하지 않고 지키고 보호하는 의미이다. 기는 혈의 수(帥-장수)며, 혈은 기의 모라는 문구를 기억하면서 이 문장을 해석하는 것이다. 기와 혈의 생성 이전에 수곡에서 영양의 생성되어 혈이 되고 기가 되는 과정은 위(胃)와 폐(肺)와 신(腎) 그리고 간(肝)이 연관된다. 소아가 잘 놀라는 것은 진액부족과 혈이 부족하여 이로 인해 심장이 약해서인데 놀라는 것을 진정해 주는 효과가 빠른 것이다. 혈허와 기허에 직접 보하는 것보다는 신정을 채우는 것이 혈허를 치료하는 빠른 방법이고 기를 직접 보하는 것보다는 음을 보하는 것이 더 빠르다. 요지는 음허와 기허로 비 폐 신 심의 관계를 보여주는 처방이다.

사군자탕 「古今名醫方論」

治面色痿白 言語輕微 四肢無力 脈來虛弱者
若內熱 或飮食難化作酸 乃屬虛火
치면색위백 언어경미 사지무력 맥래허약자
약내열 혹음식난화작산 내속허화

비위가 허하여 소화가 잘되지 않는 사람은 영양생성의 부족으로 인하여 얼굴색이 희고 초췌하며 말에 힘이 없고 팔다리 힘이 없으며 맥이 허약한 자를 치료한다. 기가 허하여 음식이 소화되기 어렵고 위산이 만들어지는 것은 숙식으로 인한 것이며 숙식은 허화를 발생한다. 포강(包薑)을 가하여 쓸 수 있다. 입술의 혈색이 없는 경우는 필히 사군자위주로 처방해야 한다.

> 인삼 백출 복령 감초各4 생강 대추

진피를 넣게 되면 오미이공산이 되고, 진피 반하를 넣으면 육군자탕이 된다. 오미이공산은 건위소화제다. 비위가 허하여 소화되기가 어렵고, 위의 숙식으로 인한 영양의 발생이 적어지면 기운이 없고 얼굴도 핏기가 없어진다. 비위의 기가 허한 사람은 인삼 백출 복령 감초의 감미로 비위를 살려야 한다. 달고 따뜻한 약으로서 위를 살려주면 소화가 건전하게 되며 영양의 생성이 순조로워지므로 군자탕이라 한다. 여기에 이진 즉 진피와 반하를 가하면 육군자탕이 되는데 위중의 담음을 제거하여 위를 보하게 하고 소화작용도 있게 된다. 사람이 살아가면서 필요한 기운은 위기에서 나오는데 위기

141

를 후천지본이라 하는 것이 이 때문이다. 위기가 왕성하면 영양이 충분히 공급되어 오장이 순조롭게 움직일 수 있다. 위기가 약하면 종래는 몸의 저항력이 떨어져 많은 병이 발생하게 된다. 병이 오랫동안 차도가 없고 재발이 반복되면 위기를 보하여 이를 살리면서 신을 채워주는 방법밖에 없다. 영양의 생성과 분배, 그리고 저장의 의미로 볼 때 이 방법이 제일 좋다. 사군자는 단독 사용하는 것이 아니라 증에 따라 약을 사용하면서 비위를 건강하게 만들기 위함과 약의 기운이 온몸으로 잘 퍼져 나가게 하여 병을 몰아내는 것이다. 이렇게 처치를 한다면 아픈 부위에 약이 잘 들어가 병을 빠르게 치료할 수 있게 된다. 이처럼 사군자와 육군자는 다른 약을 사용하면서 비위를 살리고 보호하는 약으로 사용하여 생명을 관리하는 기본으로 삼아야 한다. 육군자에 목향과 사인의 방향성 건위제를 가하면 향사육군자탕이 되며, 소화 쪽으로 약력을 실어주는 방이다.

향사육군자탕 「古今名醫方論」

治氣虛腫滿 痰飮結聚 脾胃不和 變生諸症者

치기허종만 담음결취 비위불화 변생제증자

기허로 인하여 숙식이 생겨 뱃속이 팽만하여 가득하고, 담음이 뭉쳐있어 비위가 제 기능을 발휘하지 못하여 발생하는 모든 병을 치료한다.

인삼4 백출8 복령8 감초3 진피3.2 반하4 사인3.2 목향2.8 생강8

물로 달여 복용한다.

본방은 사군자에 목향과 사인을 더한 처방으로 방향성약제를 가하여 막힌 곳을 뚫어주고 기를 움직이게 하여 소화를 돕는 약이다. 몸이 건강한 사람은 기의 순환이 잘되고 잘 움직이게 되면 병이 잘 오지도 않을뿐더러 치료도 빨리 된다. 그러나 허약한 자는 기의 순환이 약하여 소화를 제대로 시킬 수 없어 숙식이 발생하고 쌓여서 병이 만들어 진다. 어떤 사람이든 살아있는 사람은 기가 있으며 중초에서 서로 교류하여 영양을 생성하고 그 영양은 다시 기로 만들어지고 일부는 저장하여 혈과 정이 되니, 기는 생명의 기본으로 생각하면 된다. 음식을 섭취하여 음이 만들어지고, 그 음은 다시 기로 화(化)하여 밤낮 쉼 없이 겉과 속을 순환하며 생명활동을 영위한다. 소화가 되지 않으면 숙식으로 인한 적취가 생겨 헛배가 부르고 입맛이 없어 먹을 수 없고 담음이 발생하여 영양의 생화가 일어나지 않으므로 몸이 마르고 빈혈이 생기며 습의 상승으로 인한 가래와 기침이 생기고 비위의 기능이 비정상적이라 구역질과 딸국질이 일어나는 등의 비위의 허로 인한 영양부족 증상이 나타난다. 사군자탕은 기분(氣分)의 기본약으로 기허로 인한 제증상에 수증가감하여 비위를 살려 주는 성약이다.

기허로 인하여 엉켜버린 비위에 감약지체로 인하여 청기가 상승하지 못하면 행기제로 흔들어 상승되기 쉽게 해야 한다. 그래서 사군자탕에 진피를 가하여 감약지체를 풀면서 폐의 역상을 내려가게 해주고 반하를 가하여 비위의 습을 마르게 한다. 이것이 이진탕이며, 여기에 다시 방향성약제인 목향을 가하여 삼초의 체기를 뚫어주고 사인으로 하여 비위와 신장의 원기를 잘 돌게 하여 숙식으로 막혀진 비위를 열어 소화가 되게 한다. 더 큰 효과를 얻기 위해서는 팔미를 합방하면 좋다. 이렇게 하면 사군자가 기허를 보하는 효과를 충분히 얻을 수 있는 처방이 될 것이다. 물론 간화가 있을 때는 시호제를 합방하는 것도 역시 좋다.

보중익기탕 「古今名醫方論」

陰虛內熱 頭痛 口渴 表熱 自汗 不任風寒 脈洪大
心煩不安 四肢困倦 女賴于言語 無氣以動 動則氣高而喘
음허내열 두통 구갈 표열 자한 불임풍한 맥홍대
심번불안 사지곤권 날우언어 무기이동 동즉기고이천

황기 당귀 인삼 백출 자감초 진피 승마 시호

위의 8미에 생강3편과 대추 2개를 넣고 물로 다려 온복한다.

음허내열은 비위가 허하여 곡기를 생화하지 못하고 청기가 상승하지 못해 몸의 영양이 부족하여 허열이 발생하여(중기하함) 두통이 발생하는데, 이는 영양이 신정으로 만들어져 뇌수를 채워야 하는데 채움이 부족하여 머리 내(內)에서 허열이 발생하여 나타난다. 구갈은 청기의 부족으로 진액부족상태이며, 표열은 음이 허하여 발생한 열이다. 허열을 끄기 위해 땀을 배설하며, 발열은 감기 같으나 한으로 인한 발열이 아니므로 오한이 없고 신체통도 없는 상황이다. 맥이 홍대한 것은 생화부족으로 인한 영양의 불상승으로 진액이 부족하여 허열로 인해 혈관이 확장되어 맥이 부하고, 두 군데 이상 뛰고 맥에 힘이 없는 현상이다. 심번불안은 무언가 해야 하는데 하는 생각은 있으나 막상 하려고 하면 힘이 없어 미뤄버려 아무것도 못하는 상태로 머리가 터질 것 같고 미쳐버릴 것 같고 답답한 상태며 강박관념이 발생한다(보중 + 삼사).

四肢困倦(사지곤권)은 수족권태보다 더 심한 상태로 움쩍거릴 힘이 없는 상태를 나타내고 날우언는 말에 힘이 없는 것이다. 무기이동은 움직일 힘이 없는 것이며, 동칙기고이천은 힘이 없는데 그래도 움직이면 허열이 올라 肺痿(폐위)를 일으켜 숨이 찬 현상이다.

```
조성은  사군자 + 당귀 황기 +  시호 승마 +  진피
              ↓              ↓          ↓
        (생화의 공식=영양생성)   (목적=올려 줌)  (감약지체를 품)
```

익기(益氣)는 생화하여 영양을 공급하는 것에 중점을 두고 수족권태를 목표로 사용하며 보기란 비위를 정상화시켜 생화가 잘 일어나도록 하는 것에 중점을 두는 것으로 빈혈과 위황(痿黃)을 목표로 사용한다. 허로(피로)와 맥홍대 처방은 과립으로 팔미 + 보중 + 자감초 + @이며 초제는 육미 + 사군자 + 당귀 황기160 + 시호 승마40 + 계지 맥문아교 + 구기자 하수오 + 녹용이다. 의왕탕으로 불리는 본방은 음이 허하므로 해서 내열이 생겨 두통과, 입이 마르고, 몸에 열이 나며 식은땀이 있는데 감기는 아니다. 맥은 홍대하며 가슴이 답답하고 불안하며 사지에 힘이 없고 말에도 힘이 없다. 기운이 없어 움직이면 상기가 되고 숨이 차게 된다. 본방을 단독으로 사용하기는 어렵다. 맥홍대와 사지무력과 피로를 목표로 다른 약과 합방하여 자주 사용되는 처방중의 하나이다. 피로와 과로로 몸이 마르고 음이 허하게 되면 허열이 발생하는데 감기와 비슷한 열증이 생기게 된다. 비위가 약해지면 청기가 오르지 못하는 관계로 폐가 제일먼저 손상을 받게 되므로 황기를 사용하여 체표를 보호하고, 진액이 빠지는 것을 막아줘야 한다. 인삼 백출 감초로 바위를 살려 소화를 돕고, 자감초가 심장의 허열도 끄게 되니 황기 인삼 감초는 번열을 제거하는 데는 꼭 사용해야 한다. 중기하함된 상태를 시호와 승마를 이용하여 끌어 올려 준다. 신이 허하면 하초에 음허로 청기가 상승하지 못하고, 하초에 양이 허해져도 상승이 일어나지 않는다. 후천의 비위를 튼튼하게 하는 것이 선천의 신을 돕는 것이고 선천은 후천을 다시 돕는 현상이 일어난다. 비위는 달고 따뜻하고 보하는 것, 정체되지 않고 통하는 것, 청기의 상승, 건조한 것을 좋아하며 그 반대의 상황을 무척 싫어한다. 이런 것을 보중익기로 해결할 수 있다. 하초가 약하거나 하초가 약자는 보중을 해서는 안 되며 반드시 팔미로 치료해야 한다. 보중익기탕은 여러 방면

144

에 사용되는 방으로 자감초탕과 육미(팔미)를 합방하여 선천의 본을 잡고 후천의 본을 살려 인체의 가장 기본이 되는 대사를 정상화 시킨다. 맥홍대나 결대맥이 있을 때는 그 상황에 맞게 양을 조절하여 사용하여 청기의 생성과 상승, 그리고 분배를 완벽하게 수행할 수 있고 만성질환에 기본으로 사용하는 처방이다. 보중익기탕 단독으로서 잘 사용하지 않는 상황이 여기에 있다. 허(虛)와 로(勞)로 인해 발생되는 모든 질환에 사용해도 부족함이 없는 처방이다.

자감초탕 「傷寒論」

傷寒論曰 傷寒 脈結大 心動悸 炙甘草湯主之

肺委 涎唾多 心中溫溫液液者

상한론왈 상한 맥결대 심동계 자감초탕주지

폐위 연타다 심중온온액액자

상한으로 맥이 결대하고 심장이 두근거리는 자를 치료한다. 폐위로 기침하고 자주 토하며 가슴이 매슥거리는 자를 치료한다.

> 자감초8 생지황32 맥문동10 인삼4 계지6 생강6 대조12개 아교4 마자인8

일명 부맥탕이다.

본방은 어떤 원인이지는 모르지만 폐위가 되어 맥이 결대하고 심장도 두근거리며 극심한 피로감과 폐의 위축으로 인한 울렁거림(왝왝거림)등을 치료하는 방제로 폐조와 폐위의 성약으로 임상에서 무척 많이 적용되는 약이다. 폐기가 허하면 익폐(益肺)하고, 조(燥)하면 윤폐(潤肺)해야 한다. 표리가 통하고 진액이 폐로 잘 흐르게 되면 탁기가 점차 아래로 내려간다. 탁기가 내려감으로 해서 폐가 맑아지고 진액이 폐로 잘 흘러 폐위가 풀리면 울렁거림과 토할 것 같은 현상이 가라앉는다. 이렇게 해서 온온액액이 치료되며 이 약의 요점이다. 폐위로 인하여 심장이 약해진 상태로서 결대맥이나 동계도 이로 인한 것이다. 폐위를 치료하여 영양의 산포가 제대로 이루어지면 심장도 편안해 지며, 필요한 청기가 몸에 고루 퍼지게 되면 피로도 회복이 된다. 만성병이나 고질병에 육미와 보중익기탕과 더불어 가장 많이 임상에 적용이 되는 약이다. 본방의 기전을 충분히 숙지하여 언제 어디선 어느 상황이든 병의 상태, 몸의 상태를 설명할 수 있게 해야 한다.

승양익위탕 「古今名醫方論」

治脾胃虛 怠惰嗜臥 四肢不收 時値濕熱 體重節痛 口乾舌燥 飲食無味

大便不調 小便頻數 食不消 兼見肺病 洒淅惡寒 慘慘不樂 面色不和

치비위허 태타기와 사지불수 시치습열 체중절통 구건설조 음식무미

대변부조 소변빈삭 식불소 겸견폐병 쇄석오한 참참불락 면색불화

비위가 약하여 숙식과 담음이 발생하여 기육으로 빠져 정체되어 나타나는 증상을 치료하는 제제로, 위가 약하여 청기가 상승하지 못하여 피곤하여 눕기를 좋아하고, 팔다리를 마음대로 쓰지 못하고, 때론 습열에 노출되어 기육에 정체하여 몸이 무겁고, 관절이 아프고, 입과 혀가 마르고, 숙식으로 음식의 맛이 없고, 대변이 시원하지 않으며, 소변은 자주 마렵고, 먹어도 소화가 되질 않으며, 폐위로 병(한사)이 겸해지면 오싹오싹 물을 뿌리듯 추우며, 몸이 아파서 즐거운 일이 하나도 없고, 영양부족으로 얼굴색이 좋지 않은 것을 치료한다.

> 강활 독활 방풍 시호 인삼 백출 복령 감초 황기 백작 반하 황련 택사 진피4

위를 살려 영양을 상승시켜 주어 습을 제거하는 방이다. 사군자탕에 시호를 가하여 비위를 살리고, 이진을 합방하여 담음을 제거하며, 진통제를 사용하여 신체통을 치료하는 제제로, 비위가 약하여 습담이 생겨 기육에 정체되는 과정을 설명한 것이다. 비위가 허약하면 소화를 시킬 수 없어 숙식이 생기고 담음이 발생하여 물을 조절할 힘을 잃어버려 습이 기육이나 관절에 정체하여 몸이 무겁고 관절이 아파지는 현상이 나타난다. 위에서 영양생성이 부족하여 음식의 맛이 없어지고, 숙식의 하강으로 대변이 정상적이지 못하고 방광도 봉장의 기능이 저하되어 소변이 자주 나오게 된다. 물을 끼얹듯 오싹오싹 추워지는 것은 폐로 영양이 불승하여 폐가 표를 조절할 힘이 약하기 때문이다. 얼굴색이 좋지 못한 이유는 영양부족으로 기육을 자양하지 못하기 때문이다. 처방의 구성을 보면 인삼 백출 복령 감초의 사군자탕에 시호를 가하여 간의 기운을 깎아 비위를 살아나게 하여 소화가 되게 하고, 반하 진피 복령의 이진탕을 가하여 체내의 담음을 제거하면서, 황기가 약력을 표로 인도하며, 강활 방풍 독활의 발산해기 작용과, 작약의 수렴작용을 사용하여 비위로 청기를 생성하면서 담음을 제거하고, 표나 관절에 정체된 습을 발산하게 하는 약이다. 이 약의 적용 대상은 뚱뚱하면서 가래가 있고 항상 몸이 무겁고 아픈 사람이다. 방법을 달리하여 비위를 살려 숙식을 제거하고, 비만자의 습을 제거하면서 신의 명문화를 살리는 처방으로 구성하면 더 좋은 효과를 얻을 수 있다.

독삼탕 「古今名醫方論」

治元氣虛而不支 脈微欲絶 及婦人血崩 産後血暈

치원기허이부지 맥미욕절 급부인혈붕 산후혈훈

원기가 허하여 몸을 지탱할 수 없고 맥이 미미하여 끊어 질 듯하고, 부인의 혈붕과 산후 혈훈을 치료한다. 맥미욕절은 소음병의 맥증으로 원기(원양)가 소모되고 냉한 기운이 몸속에 들어있는 상태며 당사오에도 나오는 맥이다. 진한가열로 인하여 얼굴이 붉어지면 통맥사역탕증이다.

인삼12g

인삼 3냥을 뿌리를 제거하고 윗부분을 취하여 두드려 진하게 달여 돈복한다. 원기가 점차 회복되는 것을 기다려 증상에 따라 가감한다. 단미제로 어떤 병을 치료함에 있어 특효약으로 사용되는 예는 한의학 책에 소개되는 경우는 많지 않다. 한약이라 함은 하나의 약제로 병을 고치기보다는 적어도 두개 이상의 약을 혼합하여 사용한다. 막무가내로 혼합하는 것이 아닌 원리에 맞게 배합하는 것을 말한다. 군약이 있고 신, 좌, 사를 맞춰 병을 조리하는 것이 한약이다. 여기에서는 인삼 단미로 원기허탈을 회복하는 방제다. 인삼을 진하게 달여 복용하면 기허와 혈탈에 빠른 효과가 난다. 탈진한 상태에 사용하는 것으로 여겨지나 인삼의 원기 회복보다 소건중탕으로 진액 보충을 하는 것이 허탈의 회복을 돕는 작용이 훨씬 빠르다. 기의 보충보다 진액의 보충이 어떤 면으로 보든 더 좋다. 혼자의 힘보다는 두 사람이 힘을 합치면 더 강한 힘을 낼 수 있듯이 단미보다는 약의 조합을 잘 맞춰 사용하는 것이 좋다. 보중익기탕만 사용하는 것보다 자감초탕을 합쳐 사용하면 허로를 치료하는 효과가 더욱 좋아지듯 독삼탕의 인삼을 기허를 보하는데 타약에 합방하여 사용하는 것이 인삼을 가장 멋지게 사용하는 방법이다.

구록이선고 「古今名醫方論」

大補精髓 益氣養神

대보정수 익기양신

정(精)과 수(髓)를 크게 보하고 기를 더해주고 정신을 키워준다.

녹각10근 구판5근 구기자20냥 인삼15냥

기가 상하면 신(정신)이 맑지 못하고, 정이 부족한 자는 신경이 예민해진다. 녹(鹿)은

천지의 양기를 온전히 갖추고 있어 최고로 양기를 얻을 수 있고, 독맥을 잘 통하게 해주며, 정이 풍족하면 생명이 넘쳐 날 수 있고, 구(龜)는 천지의 음기를 최고로 많이 간직하고 있으며 임맥을 잘 통하게 하고, 기가 충분하면 생명을 연장할 수 있게 된다. 두 약제는 기와 혈에 속하고 두 가지를 함께 먹게 되면 그 조화는 오묘하다. 정이 생겨나면 기가 왕성해지고, 기가 왕성해지면 정신이 창성하게 된다. 사물과 육미의 효과를 얻기 위함인데, 실제로 사용해 보니 효과는 별로 좋지 않았다.

인삼황기산 　「韓方秘錄」

肺虛勞 咯血 潮熱 盜汗 痰嗽唾膿血

폐허로 각혈 조열 도한 담수타농혈

폐로로 인하여 각혈을 하고 열이 나며 도한이 있고 기침을 하면 진한 피가래가 나오는 것을 치료한다.

> 별갑灸6 천문동4 진교 시호 지골피 건지황各2.8 상백피 반하 지모 자완
> 황기 적작 감초各2 인삼 백복령 길경各1.2

공진단 　「韓方秘錄」

肝虛 禀賦素弱 因天元一氣 使水昇火降 百病不生

간허 품부소약 인천원일기 사수승화강 백병불생

타고난 체력이 허약하여 나타난 간허를 치료하는데 이 약으로 수승화강이 잘 일어나게하면 병이 생기지 않는다.

> 녹용 당귀 산수유 인삼 숙지황 160 사향20

탄자대(청심원 크기)로 환을 만들어 하루 3번 복용한다.

본 방은 간 기능 개선에 효력이 좋다. 이 효과는 선천의 기를 보하고 신수를 상승시켜 심열을 내리게 하는 수승화강의 작용을 원활히 일어나도록 하는 것에 기인하며 만병을 미연에 방지할 수 있다.

자주 밤에 잠을 자지 않고 일을 하거나 스트레스 심하더라도 머리가 맑고 몸을 가볍게 해주며 체력의 손실을 줄일 수 있다. 육미나 팔미로 잘 다스려지지 않는 신허를 본방으로 투여하면 빠르게 신허를 잡을 수 있다. 단점으로 생각되는 것은 가격이 비싸다는 것이다.

귤피전환 「韓方秘錄」

脾胃太虛 不進飮食 肌肉消瘦 虛弱憔悴

비위태허 부진음식 기육소수 허약초졸

비위가 심하게 허하여 음식을 조금 먹고, 살이 찌지 않고 허약하고 초췌한 것을 치료한다.

> 귤피200 감초132 당귀 비해 육종용 오수유 후박 육계 양기석 파극 석곡
> 부자 토사자 우슬 녹용 두충 건강各40

위의 약을 가루로 하고 도자기로 된 그릇에 술과 귤피가루를 넣어 달인 물에 넣어 환
을 만들어 공복에 온주로 50~70환을 먹으면 효과가 좋다.

육미지황탕 「韓方秘錄」

虛勞 腎氣衰弱 久新憔悴 寢汗發熱 五臟俱損 瘦弱虛煩 骨蒸痿弱 兼理脾胃

少年水虧火旺 陰虛之症 最宜多服之 是萬世之法全也 愼勿輕視也

허로 신기쇠약 구신초졸 침한발열 오장구손 수약허번 골증위약 겸리비위

소년수휴화왕 음허지증 최의다복지 시만세지법전야 진물경시야

신기가 허약하고 몸이 초췌하며 자면서 땀을 흘리고 허열이 나고 오장이 모두 약하며 마르
고 약하며 뼈가 약해 다리에 힘이 없는 허로를 치료하며 또 비위를 조절한다. 소년이 신정이
부족하여 화가 성한 음허의 증상을 치료하는 최고의 방제이다. 이것은 수휴화왕의 치료에
최고의 법이니 가볍게 보지 말 것이다.

> 숙지황320 산약 산수유各160 목단피 택사 복령各120

용부탕 「韓方秘錄」

元氣精血虛耗 潮熱盜汗

원기정혈허모 조열도한

원기와 정혈이 말라 열이 나며 도한이 날 때 사용한다.

> 녹용 부자포各6 생강7

쌍화탕　「韓方秘錄」

陰陽具虛 卽氣血不足也 或房勞後勞役 或勞役後房勞 及大病後虛勞 氣乏自汗等症

음양구허 즉기혈부족야 혹방로후노역 혹노역후방로 급대병후허로 기핍자한등증

음양이 모두 허한 것 즉, 기혈부족을 치료하는데, 방사 후에 힘든 일을 하였거나 또는 힘들게 일한 후에 방사를 하였거나, 그리고 큰 병을 앓고 난 뒤 허로가 되어 기가 결핍되고 땀이 저절로 나는 것을 치료한다.

> 작약10 숙지황 당귀 황기 천궁 계지 감초各4 생강3 대조2

팔물탕　「韓方秘錄」

虛勞 氣血兩虛 能調和陰陽

허로 기혈양허 능조화음양

기와 혈이 모두 허하여 허로한 상태를 치료하며 이 방은 음양을 조화롭게 한다.

> 사군자탕 合 사물탕(인삼 백출 복령 감초 숙지황 당귀 작약 천궁各6)

땀이 많으면 계지 황기 방풍을 가하고, 두통이 있으면 천마와 세신을 가한다.

고진음자　「韓方秘錄」

陰陽兩虛 氣血不足 飮食少思 五心煩熱 潮熱自汗 精氣滑脫 步行無力

음양양허 기혈부족 음식소사 오심번열 조열자한 정기활탈 보행무력

음과 양(기혈)이 모두 허하여 음식 생각이 없고 오심번열이 있고 열이 나며 정기가 모두 빠져나가 보행에 힘이 없어 흐느적거리는 것을 치료한다.

> 숙지황6 인삼 산약 당귀 황기蜜灸 황백 鹽酒炒各4 진피 백복령各3.2
> 두충炒 灸감초 각2.8 백출 택사 산수유 파고지炒각2 오미자10粒

– 피로의 임상

　육미 + 보중익기 + 자감초 + 소건중(체력이 약한 사람) + 시호제(필요시)

　육미 + 보중익기 + 자감초 + 곽향정기(뚱뚱한 사람) + 시호제(필요시)

　아미노산제제 + 간장약제제 = 음주를 자주하며 피로를 호소할 때 장기복용

150

멀티비타민제 + 혈액순환제(또는 아미노산제제) = 양약으로 장기투여 시

– 근육의 경련

시호제 + 쌍화탕

향사평위산 + 쌍화탕(소화력이 약한 사람)

– 어린이의 경기(驚氣)

향사평위산 + 시호제

12. 비통혈(脾統血) 생주혈(生主血)

혈액은 비위에서 흡수한 수곡정미를 폐로 보내어 에너지로 사용하고, 여분의 영양을 신으로 보내어 신정을 생성하고 신정은 골수로 들어가 혈을 생성한다. 생성된 혈은 비의 작용으로 통섭되어 정상적으로 순환하며 맥외로 넘치지 않게 한다. 혈은 비에서 만들고 심에서 주관하며 간에서 장혈하며 폐어서 선포하여 신에서 시치한다. 시치란 땀이나 소변 그 외에 분비물이 적당히 분비되도록 통제하는 기능을 말한다. 그래서 비가 허하면 생혈의 부족이 오고 빈혈이 발생되어 혈허의 상태가 만들어져 쉽게 출혈이 되며 동계 불안 등의 증상이 나타난다. 혈부족의 원인은 비위의 허로 인한 영양흡수의 부족, 신허로 인한 신정 부족으로 혈의 생성이 부족되는 것, 간의 장혈부족으로 활혈이 일어나지 않아 상대적 부족과, 생리, 출산, 외상으로 출혈이 일어나 부족된 경우 등이 있다. 눈은 혈을 얻어야 보고, 귀도 혈이 있어야 들리며, 수족 역시 혈이 잘 공급되야 능히 움직일 수 있고, 오장육부도 혈이 스며들어야 제 기능을 발휘한다. 기는 혈의 수라하여 기가 움직이면 혈도 같이 움직이며 기가 멈추면 혈도 멈춘다. 기는 혈에 의해서 만들어지고 소멸되니 기와 혈은 막혀 정체가 되면 통증이 발생한다. 혈 부족으로 동계나 불안은 사물탕을 기본으로 안신제(원지 맥복신 산조인 등)를 쓰고, 의심이 많은 사람은 보정제(육미, 구기자 하수오 녹용 등)를 합하여 치료한다. 의부증이나 의처증은 가미사륙탕을 사용하고, 정충증(심장이 덜컥 내려앉는 것)에는 사물안신탕을 사용한다.

1) 뉵혈(衄血)

코는 뇌와 통해 있어 뇌에 피가 넘치면 코로 나오는 것이다. 이때는 서각지황탕에 울금 편금 승마를 넣어 쓰거나 소건중탕에 황련해독을 합하여 사용하고, 감기로 땀이 나지 않아 코피가 나오는 경우는 마황탕이나 대청룡탕을 쓴다. 코피를 많이 흘려 인사불성이 된 사람은 도씨생지금련탕을 쓴다.

도씨생지금련탕　「韓方秘錄」

衄血不止 譫語失神 閉目撮空 不省人事

뉵혈부지 섭어실신 폐목촬공 불성인사

코피가 그치지 않아 실신하여 헛소리를 하며 눈을 감고 허공을 움켜잡고 인사불성이 된 것을 치료한다.

> 생지황 황금 황련 치자 천궁 작약 시호 길경 서각 감초4 대조2

2) 토뉵(吐衄)

피가 입과 코로 나오는 것으로 위장의 울열(鬱熱)로 혈이 망행하여 나오는 것이다. 우리의 범위에서 처치할 증상이 아니다.

3) 구혈(嘔血), 토혈(吐血)

위에서 출혈이 된 것과 폐에 출혈이 되어 입으로 피가 나오는 것인데 피가 나올 때 소리가 나는 것은 구혈이고, 소리 없이 나오는 것은 토혈이다.

4) 해혈(咳血), 수혈(嗽血)

기침을 심하게 하면 나오는 것으로 폐에서 나오는 것으로 청해탕을 쓰며, 수혈은 가래에 피가 섞여 나오는 것으로 비에서 나오는 것이다. 가미육군자탕을 쓴다.

청해탕　「韓方秘錄」

> 당귀 작약 도인 패모炒4 백출 목단피 황금 치자炒3.2 청피 길경2 감초1.2

가미육군자탕　「韓方秘錄」

> 육군자탕 + 상백피 편금 지각 오미자

5) 타혈(唾血)

침에 피가 섞여 나오는 현상으로 신에서 나오는 것이며 청타탕을 쓴다.

152

청타탕 「韓方秘錄」

> 지모 패모 길경 황백鹽炒 숙지황 현삼 원지 천문동4 건강炒黑2

6) 각혈(咯血)

피 가루를 뱉거나 붉고 가는 실 같은 피가 나오는 것인데 정혈이 고갈되어 나오는 것이다.

청각탕 「韓方秘錄」

> 진피 반하 복령 지모 생지황 패모4 길경 치자炒黑2.8 행인 아교2 상백피6 감초2 계지0.8 생강3

7) 뇨혈(尿血)

소변 중에 피가 섞여 나오는 것으로 통증이 없고 임력기운이 아닌 것이다. 심장의 열이 방광과 소장으로 옮기어 발생한다. 청장탕이나 저령탕에 + 황련해독 + 육미하여 사용한다.

청장탕 「韓方秘錄」

> 당귀 생지황 치자炒 황련 적작약 황백 적복령 목통 편축 지모 맥문동2.8 감초2 등심一團

노인 뇨혈에는 육미를 쓴다.

8) 결음(結陰)

대변을 볼 때 하혈을 하는 것으로 변혈(便血)이라고도 한다. 음기가 내결(內結)하여 열로 변해 외부로 나가지 못하고 장으로 스며들어 혈변이 되는 것이다. 황련해독탕 + 소건중탕으로 쓰거나 괴화사물탕이나, 괴각탕을 쓴다.

괴화사물탕 「韓方秘錄」
肛門出血 如神
항문출혈 여신

> 사물탕 + 괴화炒 황백炒

1주일 정도 먹으면 치료된다. 효과가 뛰어나다.

괴각탕 「韓方秘錄」

大便下血 如神

대변하혈 여신

> 괴각 지유 당귀 방풍 적작약 황금 감초4 황련2

9) 치뉵(齒衄)

잇몸은 위장과 연결되어 있고 치아는 신에 속해있어 위경(胃經)의 열이 신경(腎經)으로 들어가면 잇몸에서 출혈이 있게 된다. 황련해독탕 + 육미하여 쓰거나, 서각지황탕 + 육미하여 쓴다.

10) 설뉵(舌衄)

혀에서 피가 나오는 것으로 심화가 심하고 신의 음이 허하여 발생하는데 혀는 붉고 헐며 갈라져 그 사이로 출혈이 되는 것이며 호설단을 쓴다.

호설단 「韓方秘錄」

> 현삼20 목단피 맥문동 길경12 감초 인삼 숙지황 오미자4 황련1.2 육계0.4

4제를 먹으면 치료된다.

11) 혈한(血汗), 괵중유혈(膕中流血)

혈한은 담이 열을 받으면 혈이 망행하여 땀으로 피가 나오는 것인데 황기건중을 쓰고, 혈이 극허(極虛)하면 오금에서 출혈이 되는 것으로 괵중유혈이라 하며 십전대보탕을 쓴다.

12) 구규출혈(九竅出血)

심하게 놀라면 이목구비와 대소변으로 출혈이 되는 것을 구규출혈이라 한다. 우리 몫이
아니다.

13) 혈에 관련된 방제

사물안신탕　「韓方秘錄」

사물탕 + 원지 백복신 산조인

가미사륙탕　「韓方秘錄」

육미 + 사물탕 + 원지 백복신 산조인 + 구기자 하수오 녹용

혈이 망행(妄行)하는 증상을 살펴보면, 축혈(蓄血)은 어혈(瘀血)이다. 축혈이 있으면
갈증이 있어 물을 마시지만 삼키지는 않는다. 어혈증이 심하면 미친 듯한 증상이나 헛
소리를 하고 혼괴(昏憒-마음이 심란한 것)의 증상이 나타난다. 상초어혈에는 서각지황
탕, 중초어혈에는 도핵승기탕이나 저당탕, 하초어혈에는 청열자음탕으로 제거한다.

서각지황탕　「古今名醫方論」

吐衄便血 婦人血崩 赤淋

토뉵혈변 부인혈붕 적림

음허로 허열이 발생하여 허열이 혈관을 확장하여 위로는 피를 토하거나 코피가 나고 대변
에 혈이 나오고 자궁으로 열이 뻗어 오는 부인의 혈붕과 혈뇨를 치료한다.

생서각 생지황 백작약 목단피

진액이 부족하여 양을 함양하지 못해 고양(孤陽)이 되어 열이 나고 그 열이 혈관을 확
장하거나, 열이 혈맥으로 들어가 혈이 망행하여 발생하는 제 출혈증을 잡는 처방이다.
대체적으로 서늘한 약을 사용하면서 진액을 보충하여 열을 내려 출혈을 치료한다. 음
과 양은 분리하여 생각할 수 없고 음이 있어야 양이 살고, 양이 있어야 음을 생성할 수
있으니 두 관계가 잘못되어 음이 약하거나 양이 성할 때의 발현 증상들을 보면. 기는
양이요, 혈은 음이다. 양은 음이 충만하면 안정이 되고, 양이 성하면 음이 손상을 입게

된다. 음이 충만하면 양은 음속에 포함되어 안정이 된다. 만약 음허가 있으면 양은 반드시 빠져 나온다. 이것이 고양이며 빠져나온 양은 반드시 열로 나타난다. 그래서 음이 부족하고 양이 유여(有余)하게 되면 반드시 화화(火化)된다. 만약 화가 자궁에 들어가게 되면 혈은 경락을 제대로 운행할 수 없어 망행하게 된다. 역상하는 기를 따라 상초 부위로 망행하면 입과 코로 출혈이 오고, 아래 하초로 쏠리게 되면 대변과 소변으로 출혈하게 된다. 심장은 주혈이라 하여 혈행을 주제하고, 간은 장혈이라 하여 화혈과 파혈을 주제하는 관계로 혈의 망행은 심과 간이 열을 받은 소치이다. 심은 혈행(血行)의 주(主)라 심화가 왕성하면 혈은 안정을 잃어버리게 된다. 간은 장혈의 장기로 간화가 왕성하면 혈을 지키고 보호할 수 없다. 이 방은 자음지제로 음을 보하면서 열을 내려주는 처방이다. 실혈하면 음허하게 되고, 음허하면 기가 약해지게 된다. 고로 음부족자는 당연히 음을 보하여 진액이 충만하게 되면 기도 상하지 않고 기를 살아나게 할 수 있다. 음의 부족으로 양기가 성할 때 음을 채워 양을 조절하는 것이 바른 이치다. 음을 채우는 처방에는 여러 가지가 있지만 특히 신음을 채우는 것은 육미, 열을 내려주는 것은 황련해독, 음이 허하다면 모든 진액의 부족이므로 음을 채우는 소건중탕이 빠르고, 자궁의 문제라면 사물이나 궁귀교애를 쓰고, 간화도 내려주는 약으로 사용하면 음허로 오는 제 출혈을 치료할 수 있다.

도핵승기탕　「傷寒論」

熱結膀胱 其人如狂 下之則愈 小腹急結者 乃可攻之
血結胸中 手不可近 或中焦蓄血 寒熱 胸滿 漱水不欲咽 喜忘 昏迷 如狂者
此方治敗血留經 通月事
열결방광 기인여광 하지즉유 소복급결자 내가공지
혈결흉중 수불가근 혹중초축혈 한열 흉만 소수불욕인 희망 혼미 여광자
차방치패혈유경 통월사

열이 방광에 뭉쳐 사람이 미친 듯한 것은 하(下)하면 낫는다. 소복급결자는 도핵승기탕으로 치료한다. 혈이 뭉쳐 가슴에 있어 손을 가까이 댈 수도 없고 혹 중초에 혈이 쌓이면 한열과 흉만, 건망증 물로 입이 건조하여 입을 축이기만 하고 넘기지 않으며, 정신이 혼미하고 마치 미친 것 같은 것을 치료한다. 어혈이 경락에 머물러 있는 것을 생리를 통하게 하여 치료한다.

> 도인6 대황8 망초 계지 감초4

저당탕 병환(倂丸) 「傷寒論」

其人喜忘者 必有畜血 所以然者 本有久瘀血 大便反易 其色必黑

傷寒蓄血 倂治癥瘕 追蟲 攻毒甚佳

기인희망자 필유축혈 소이연자 본유구어혈 대변반이 기색필흑

상한축혈 병치징가 추충 공독심가

건망증이 있는 것은 반드시 어혈이 있어서 온다. 오래된 어혈이 있어서 대변은 잘 나오나 대변의 색은 검다. 하복에 어혈이 있는 사람이 상한으로 열이 하복에 들어와 어혈과 뭉쳐 축혈이 된 것을 치료하며, 병행하여 징가(癥瘕-부인의 혈병을 말함)로 하복부에 어혈이 뭉친 증상에 충을 이용하여 쌓여진 어혈을 몰아내는데 좋은 약이다.

> 수질오3.6 맹충거시족5.2(날개와 다리를 떼어낸 것) 도인4 대황주세12

4미를 물 5승으로 다려 거재하고 3승을 취하여 따뜻하게 1승을 마신다. 하혈이 되지 않으면 다시 복용하는데 4미를 찧어서 가루한 뒤 4환으로 만들어 물1승과 환 한 개를 다려 7합을 취하여 복용한다. 하루가 지나면 당연히 하혈을 한다. 만약 하혈이 되지 않는 자는 다시 복용한다.

구어혈제 중에서 실증의 어혈증을 치료하는 방제들은 대황목단피탕, 도핵승기탕, 하어혈탕, 대황자충환, 저당탕 등이 있는데, 각 방제들의 사용 목표증을 살펴보면, 대황목단피탕은 소복구급이라 하여 제(臍-배꼽)에서 오른쪽 장골 사이에 뭉글뭉글한 덩어리가 만져지고 누르면 통증이 있고, 통증이 요도 쪽으로 뻗치는 증상에 사용하며 만성맹장염이나 치질의 통증에 사용한다. 계지복령환은 징가를 제거하는 구어혈제이며 어혈제거의 목적으로 많이 사용된다. 도핵승기탕은 소복급결이라 하여 배꼽에서 왼쪽 장골 쪽으로 스치듯 마찰하면 통증을 호소하는 증상으로 만성변비에 어혈증이 있을 때 사용하는 방제이다. 하어혈탕은 산후에 복통이 지속되어 약을 쓰도 효과가 없고 배꼽아래 한 치쯤 되는 부위에 3곳의 압통점이 있는데, 그 중에 하나만 아파도 사용할 수 있으며, 이것은 자궁 내에 건혈(乾血)이 붙어있는 증상이다. 대황자충환은 오로허극으로 몸은 말랐는데 배만 볼록하게 나오고 음식을 먹을 수 없고 피부가 까칠하고 양 눈에 검은 물체가 떠다니는 증상이 있을 때 사용하는 것이다. 이 증상도 자궁에 건혈이 있어 생기는 증상이다. 저당탕 및 저당환은 태양병의 열사가 아래 하복으로 들어와 혈과 뭉쳐진 것인데, 배꼽 아래에 딱딱한 덩어리가 만져지고 건망증이 심하고 대변이 검게 나오며, 변비는 아닌 증상에 사용하는 방제이다. 방광은 물의 창고이며, 혈은 쌓여 있

157

는 경우는 없다. 모든 양은 주로 기이며, 기가 많은 부(腑)의 경은 반대로 기가 적다. 태양병으로 표에 열이 심한 경우는 몸의 모든 양을 동원하여 한에 대한 저항을 하므로 방광의 기는 상대적으로 약해지는 것이다. 방광의 기가 약해지면 표의 열이 방광으로 들어와 뭉쳐져 소변이 잘 나오지 않게 된다. 반대로 잘 나오는 사람은 어열(瘀熱)이 자궁에 뭉쳐진 것이다. 이 탕은 소복을 다스리는 것이지 방광을 다스리는 것은 아니다. 비록 소변이 잘 나오더라도 경만(硬滿)하며 급결(急結)한 것은 어혈이 소복에 쌓여 있는 것이다. 열이 내(內)에서 머리로 치밀면 신혼(神魂)이 불안해져 미친 증상을 일으킨다. 영(榮)이 움직이지 못하면 기(氣) 또한 불선하게 되어 맥이 침하고 결하게 된다. 영기가 몸에 산포되지 못하면 황달을 일으키게 된다. 소곡선기(消穀善饑)하는 것은 위화(胃火)의 직성(熾盛) 때문이다. 대변이 쉽게 나오는 자는 혈이 변을 부드럽게 한 소치이다. 대변 색이 검은 것은 축혈(蓄血)이 스며 나와 그렇다. 건망증이 심한 것은 혈이 불영(不榮)하여 지(智)가 밝지 못해서이다. 이런 증상들은 모두 어혈을 제거해야 할 증상으로 강한 방제로서 하(下)해야 할 것은 아니며 자궁에 어혈이 뭉쳐 막혀 있는 것을 풀어내기 위해 방제들이다. 비록 열이 심하더라도 아직 미치지 않았고, 소복이 만(滿)하나 아직 딱딱하지 않으면 환제로 만들어 천천히 작용되어 치료하게 한다. 외증(外症)은 이미 풀렸는데 소복이 급결하여 미친 듯한 사람은 양명으로 변한 것으로 조위승기탕에 도인과 계지를 가해 혈을 돌게 하고 중초를 약하게 사하여 위가 잘 움직이면 치료된다. 이 도인승기탕은 천천히 어혈을 풀어내어 치료하는 것이다. 참고로 어혈이 있을 때 나타나는 증상은 혀와 입술이 푸르스름하며, 눈 밑의 와잠부위도 검고 멍이 잘 들고 생리불순이 오며 생리 혈에 덩어리가 섞이기도 하며 그 색도 검거나 푸르게 보이는 경우가 있다. 심한 변비로 인하여 좌 하복에 단단한 변 덩어리가 만져지는 경우는 시호제와 도인승기탕을 합하여 풀어주면 되고, 어혈증이 있을 때는 계령을 사용하면 된다.

청혈자음탕　「韓方秘錄」

下焦瘀血 血尿血便

하초어혈 혈뇨혈변

하초어혈로 혈뇨나 혈변을 치료한다.

> 생지황 맥문 치자炒黑4 현삼 목단피3.2 당귀 천궁 적작약2 지모 황백酒炒 백출 진피 감초1.2

158

사물탕 「古今名醫方論」

一切血虛 血熱 血燥諸症

일절혈허 혈열 혈조제증

혈허와 혈열 혈조로 오는 모든 혈병의 증상을 치료하는 부인병의 성약이다.

> 당귀 숙지황 천궁 백작약酒炒8

부인병의 성약이라 혈의 질환에 모두 사용되는 아주 좋은 방제이다. 생혈, 화혈, 파혈, 행혈의 힘을 가지고 힘을 발휘하기 위해 만반의 준비를 하고 있다. 사물탕은 오로지 혈을 보하는 약이다. 그리고 혈을 고르게 조절하는 약은 아니며, 음이 허하여 발열하는 것, 실혈(失血)로 화가 성해지는 등의 증상에 보음하여 치료하는 방이다. 음을 상하게 하는 약들(쓰고 찬 약)과 함께 사용하는 것은 잘못된 것으로 빠른 효과는 기대할 수 있지만 오래 사용하는 경우 비위를 상하게 하여 나쁜 상황으로 빠질 수 있으니 조심하여 사용해야 한다. 음허(陰虛)로 인한 허열로 출혈하는 경우 아이의 소변과 인삼 단미만으로 급한 것은 어느 정도 잡을 수 있겠으나 장기적인 치료는 중초를 살리면서 신정을 보하는 것이 좋다. 혈의 병이 보이면 혈을 치료하지 말고 반드시 먼저 기를 보호해야 한다. 사물탕에 보기약을 사용하지 않으면 양(陽)을 만들 수 없고, 음(陰)을 만들어 저장하는 힘이 약하다. 양을 만들고 음을 저장하기 가장 적당한 방법은 보기(補氣)보다 보정補精)이 더 좋다. 혈을 보하기 위해서 보기도 좋지만 신정을 채우는 것이 가장 빠르다. 혈허와 빈혈은 같은 것이 아니며, 빈혈은 혈허일 수는 있다. 빈혈이란 혈이 부족한 것이며, 혈허란 혈이 제대로 활용되지 못하는 것을 말한다. 밤이 되면 열이 나는 경우 소시호나 황련해독탕을 합방하여 치료한다.

대황목단피탕 「傷寒論」

腸癰者 小腹腫痞 按之則痛 如淋 小便自調 時時發熱 自汗出 微惡寒 脈遲者 可下之

장옹자 소복종비 안지즉통 여림 소변자조 시시발열 자한출 미오한 맥지자 가하지

장옹(맹장통증, 내지 염증)은 소복이 붓고 거북하며 만지면 통증이 있고 소변이 찔끔거리지만 반대로 소변이 잘 나오며 때때로 열이 나며 땀이 나고 약간 추워하며 맥이 느린 것은 대황목단피탕으로 치료한다.

대황8 목단피6 도인8 동와자12 망초8

하어혈탕 「傷寒論」

產婦腹痛 法當枳實芍藥散 假令不愈者 此爲腹中有乾血 着臍下

산부복통 법당지실작약산 가령불유자 차위복중유건혈 착제하

임산부의 복통은 지실작약산으로 치료하나, 낫지 않는 경우는 뱃속에 건혈(乾血)이 있어 배꼽 주변에 붙어있는 것이다.

대황6 도인2 자충12

가루로 하여 꿀로 4개의 환을 만들어 술80cc로 달여 60cc로 만들어 돈복한다.

배꼽아래 어혈로 인한 복통은 지실과 작약만으로 제거되지 않으므로 어혈을 제거하기 위해 본방을 쓴다. 출산 후 오로나 복통, 생리중지에 좋다.

계지복령환 「傷寒論」

婦人宿有癥病 所以血不止者 其癥不去故也 當下其癥

부인숙유징병 소이혈부지자 기징불거고야 당하기징

부인이 오래된 징(癥-덩어리)병으로 생리가 끊이지 않는 것은 뱃속의 덩어리가 없어지지 않아 생기는 것으로 반드시 하(下)하여 징(癥)을 제거한다.

계지 목단피 도인 작약6 복령8

어혈로 인해 배가 당기고 상충하거나 심하가 뛰는 경우, 생리가 불순하고 얼굴이나 다리가 붓는 자, 혈증(血症)이 변하여 수족이 번열하고 소변이 시원치 않은 것을 치료한다.

대황자충환

심장에서 설명하였으므로 생략한다.

성유탕 「古今名醫方論」

一切失血 或血虛煩渴燥熱 睡臥不定 五心煩熱 作渴等症

일체실혈 혹혈허번갈조열 수와부정 오심번열 작갈등증

어떤 원인으로 혈을 손실하여 부족 된 혈을 채우고, 또는 혈허로 인해 열이 생겨 갈증과 번열이 나며, 잠을 자려고 누워도 허화가 떠올라 신경이 안정이 안 되어 잠을 못자고, 五心에서 열이 나고 갈증이 생기는 등의 음허화동의 증상을 치료한다.

> 사물탕 去작약 加인삼 황기

음은 이(裏)에 있으면서 양을 지키고, 양은 외에 있으면서 음을 사용한다. 고로 양중에 음이 없는 것을 고양(孤陽)이라 하고, 음중에 양이 없으면 사음(死陰)이 된다. 등잔 속의 기름은 음이요, 타는 불꽃은 양이다. 둘 중 어느 하나가 없어도 빛을 낼 수 없다. 빛을 낸다는 것은 살아있는 것이요, 살아있음으로 해서 빛을 낸다. 사물(四物)은 음을 만들어 혈관 내를 돌면서 오장을 적셔주지만 한곳에 저장되어 일신(一身)을 건강하게 하는 것은 아니다. 자궁의 혈허로, 자궁 내 허열이 심해 잉태하지 못하는 자는 사물에 지모와 황백을 가해 열을 내리고 자궁의 혈을 보하면 임신이 가능하게 된다. 사물에 인삼과 황기를 가해 음허를 채우고, 기를 살려 혈허를 치료한다. 대체로 음양은 같은 뿌리로, 음이 허하면 양이 의지할 곳이 없어져 번열과 조갈이 생기고 양 자체도 쇠락한다. 기와 혈은 상호 표리 관계로서 혈이 허하면 기가 돌아올 곳이 없어져 허열이 생겨 잠을 잘 수 없고 불안해지며, 이런 상황이 지속되면 기도 약해진다. 혈탈로 생긴 모든 증상은 먼저 기를 보하여 양이 생겨나면 음이 만들어진다. 그렇게 하면 기를 따라 음이 이(裏)를 순환한다. 음이 허하면 무기(無氣)요 무기하면 사(死)한다. 여기에 육미를 합하여 사용하면 신정이 채워지고 기혈이 왕성하게 되어 내외를 조화롭게 한다. 합하여 사용하는 것이 최고의 방법이다.

소요산　「古今名醫方論」

肝家血虛火旺 頭痛 目眩 頰赤 口苦 倦怠 煩渴 抑鬱不樂 兩脇作痛 寒熱

小腹重堅 婦人經水不調 脈弦大而虛

간가혈허화왕 두통 목현 협적 구고 권태 번갈 억울불락 양협작통 한열

소복중견 부인경수부조 맥현대이허

비위의 기능이 약하여 영양의 생성이 부족하든지 신허로 인한 혈의 생성이 부족하여 간에 혈이 충분하지 못하고 소설의 부족으로 화가 발생하여 두통, 어지러움, 뺨이 붉고, 입이 쓰고, 권태롭고, 울화로 인한 신경조절물질의 불균형으로 즐거운 일이 하나도 없고, 때로는 흥

분하고, 슬퍼하고, 간의 종대로 양옆구리가 아프고, 간열의 침범으로 소복이 딱딱해지고 아프며, 간화의 자궁침범으로 호르몬의 불균형과 자궁 내 혈의 부족을 초래하여 부인의 생리가 순조롭지 않고, 일찍 생리가 끊기거나 하혈도 할 수 있고, 갱년기 증상도 나타난다. 맥이 현하고 대하며 허한 것을 치료한다.

> 당귀 작약酒炒 백출炒 복령 감초灸 시호4

가미소요산은 차방에 목단피 산치자炒 各2g씩 가한 것이다.

모든 사람들에게 나타나는 간열의 증상으로 대부분의 사람들이 이 증상을 병으로 인식하지 않고 생활하고 있음을 많이 본다. 그저 살면서 좋은 일, 나쁜 일 겪다보면 화병이 생긴다고 누구나 알고 있고, 그것이 병적 상태로 나타나지 전까지는 병과 더불어 같이 살아가고 있다고 생각이 든다. 간열이 위를 침범하여 갑작이 복통이 나타날 때 단것을 먹어 간기를 완하한다.

간은 성질이 급하고 잘 노하는 장부로 간의 기운이 상행하여 폐와 심장을 돕는 것은 순행(順行)이며, 하행하여 정체되고, 정체하여 쌓이면 울체되어 울(鬱)이 된다. 울은 화화(火化)하여 간화가 되어 각종 병이 발생하는 시발점이 된다. 간화가 머리 쪽으로 가면 두통과 이명 현운 간혹 눈이 충혈되고, 중초 비위로 뻗게 되면 비위의 기능이 약해져 흉만과 협통, 간혹 신물이 넘어오고, 하초로 내려가면 소복동선(小腹 疼疝), 혹 간열로 방광의 봉장을 파괴하여 방광염이나 소변불리가 생기게 되고, 외(外)로 나가면 한열왕래와 같은 학질의 상태가 되는 것이다.

이런 모든 증상들은 간 경락을 따라 나타는 증상들이며, 간을 치료하는 증상들의 전부다. 간의 울(鬱)이 생기는 것은 두 가지 원인이 있다. 그 중 하나는 비위가 약하여 영양을 간으로 올려 줄 수 없는 상황과, 신음(腎陰)의 부족으로 혈의 생성이 부족하여 혈이 허하여 간을 자양할 수 없는 것이다. 간의 기는 비위의 영양공급으로 힘을 얻는다. 음혈이 부족하여 간이 제 기능을 할 수 없는 상태가 되면 간은 시들어 울이 되고, 울은 화화(火化)하여 간화가 된다. 사람들이 목극토(木剋土)는 알아도 토승목(土昇木)은 모른다. 백출, 복령은 비위의 습을 제거하여 비위를 도와 청기가 간에 도달하게 하고, 당귀 작약은 영혈을 만들어 간을 자양한다. 목단피는 중초의 열을 풀고, 감초 치자는 하초의 화를 내린다. 시호는 청열과 양을 올려 주거나 열을 발산시킨다.

간을 치료하는 가장 기본적인 것은 혈을 보하고 신음을 보하고 간의 청열이 치료의 방법이다. 간의 청열과 소설은 대시호탕이 가장 기본방제라 생각이 들며, 혈을 보하는

162

방법으로 어혈이 있으면 구어혈제를 사용하고, 혈 부족일 때 보혈보다 신정을 보하는 것이 좋은 결과를 기대할 수 있다. 소시호탕과 당귀작약산, 그리고 육미의 합방은 간을 살리는 가장 기본 방으로 보약 중 가장 멋진 약이다.

지골피음　「古今名醫方論」

陰虛火旺 骨蒸發熱 日靜夜劇者 婦人熱入血室 胎前發熱者
음허화왕 골증발열 일정야극자 부인열입혈실 태전발열자

체내 음이 허하다는 것은 혈과 신정과 모든 진액의 부족을 말하며 이상태가 되면 음은 양을 간직할 수 없어 양이 홀로 뜨게 된다. 이것이 고양(孤陽)이며 음의 허함이 심할수록 화(열)가 왕성해지고 활동 시는 아무런 증상이 없다가 휴식 시나 잠을 잘 때는 열이 기육에 정체하여 찌는 듯한 열로 잠을 잘 수 없고 침한이나 도한이 생기게 된다. 부인의 혈실에 열이 들어가 출산하기 전에 열이 나는 자도 치료한다.

四物湯加 地骨皮 牧丹皮12

음허로 인한 골증 발열을 설명하는 것으로 음이 허하여 발생되는 경우를 세 가지로 구분하여 나타냈다. 본방은 혈허로 인한 발열로 음이 허하게 되면 양을 붙잡아 둘 수 없는 상태가 되어 양은 반드시 빠져나와 열이 나게 된다. 음이 허해도 열이 나지만 청기가 상승하지 못하고 위내에 숙식으로 정체해 있어도 반드시 열이 나게 된다. 음이 허하여 열이 나는 것은 비위와 신, 그리고 간의 세 가지로 그 치료법도 나누어진다. 그러나 음에는 혈, 정, 진액이 모두 포함되는 것으로 나타나는 증상으로 해당 장부를 찾아 적절하게 치료한다. 비위가 허하여 청탁을 분리하지 못해 청양을 폐로 상승시키지 못하고 숙식으로 정체하여 위중에 정체하면 열이 발생하고, 위에도 진액이 부족하여 음허로 나는 열중 가장 심한 열이 나게 된다. 보중익기탕으로 청탁을 분리한 후 청기를 상승시키면 열이 자연적으로 가라앉으나 직접 위에 진액을 보충하고 열을 끄는 백호가인삼탕이 빠르다. 만약 신이 허하여 신정이 부족하면 허열이 난다. 이때는 육미를 사용하여 신음(腎陰)을 저장하게 하면 장수제화하여 평온해진다. 간의 혈이 부족하여 혈허로 발열이 되면 지골피산을 이용하여 혈이 간으로 들어가게 하고 서늘하게 해주면 간의 화도 안정이 된다. 이렇게 음이 허해서 열이 나는 것은 반드시 세 가지로 나누어 봐야하고 그 증상을 잘 파악한 후 치료를 해야한다. 사물탕은 활혈하여 간의 음을 보하는 제제인데, 지골피를 사용하는 것은 청열하고 안신하는 의미이다. 간을 다스려

비위를 살려주는 건중의 의미이다. 소요산은 간자체의 울체를 풀어 간화를 내려 주는 제제로 간의 울체를 소설시켜 순간(順肝) 하여 나타나는 제 증상을 치료하는 것이다. 소요산은 간에 소설과 청열을 하여 간이 살아나게 해주는 방제이며, 지골피음은 활혈로 양혈(凉血)하여 순간(順肝)을 하는 제제이다. 간을 치료할 때 항상 병행 투여한다. 간을 다스려 순간을 하는 방법은 시호제로 소설하면서 청열하고 활혈을 시키고 신정을 같이 채워주는 것이 가장 기본적인 원칙이다.

13. 열월(熱越)

몸에 열이 발생하는 원인을 대별하면 태양병에서 외사의 침범에 대항하여 발생하는 저항열과, 음허로 인한 진액부족으로 발생하는 허열이 있다. 몸에서 열이 나는 것은 감기 아니면 음허로 생긴다. 위장의 열도 위내의 진액이 허한 것이며, 간의 열도 간혈(음)의 부족으로 오며, 심장의 열은 생명유지의 기본적인 열이지만 심에 영양의 공급이 줄면 더 심한 열이 난다. 신의 열도 신허 즉 신정의 부족으로 인한 것이다. 폐의 열은 감기로 인한 것으로 저항열이다. 음이 허하여 발생하는 허열은 양을 가두어 두지 못해 고양이 되고, 이 열은 외부로 나와 표에 머문다. 음허로 나는 열은 세 가지로 구분하는데, 비위의 허로 인해 청기의 생성이 부족하여 음허(陰虛)가 만들어져 발생하는 것, 신허로 인한 신음(腎陰)의 부족으로 나는 것, 간혈의 부족으로 발생하는 것인데, 청기의 부족은 보중익탕으로 비위의 기능을 살려 영양의 생성이 좋게 하면 없어지며, 신허로 인한 것은 육미를 사용하여 신정을 채우면 장수제화하여 평온해 지고, 간의 혈허는 지골피음이나 사물류를 사용하여 혈을 보충하면 청열이 된다. 한(汗), 혈(血), 정(精) 등 체액의 총칭을 진액이라 하며, 섭취한 음식의 수곡정미가 장부의 작용으로 생성된다. 땀을 많이 흘리는 것은 표의 진액부족이 발생하고 설사는 이부의 진액부족을 초래한다. 한출(汗出)과 설사(泄瀉)는 전신의 진액부족이 오며, 뱃속이 당기고 근육의 경련을 유발한다. 위열의 발생 기전을 살펴보면, 위는 진액을 주제하며 과도한 운동이나 노동은 위의 진액을 소모하여 발생하는 것, 한사가 위부로 들어가면 양명에서 저항이 강력해져 발생하는 기분의 열과, 소화가 되지 못하여 위내에 숙식이 머물러 부숙(腐熟)하면 습과 열이 발생하는 습열의 두 가지 유형이 있다. 위를 뜨겁게 하는 음식(매운 음식, 술, 꿀, 옻닭 등)이나 약제(인삼, 홍삼, 부자 등)를 먹어도 위(胃)의 열을 더 심하게 한다. 양명의 열은 대열(大熱)로 진액부족이 되고, 진액을 보충하고 열을 내리기 위해 갈증으로 냉수를 많이 마시며, 표에 열을 끄기 위해 대한(大汗)이 나고, 열로 인한 맥홍대를 가져온다.

대열(大熱), 갈증(渴症), 대한(大汗), 맥홍대(脈洪大)를 양명의 4대증이라 한다. 열만 표로 나오는 것은 기분(氣分)의 열이고, 백호탕으로 처리하며, 습열(濕熱)로 오는 열은 인진호탕으로 처리한다. 양명의 열이 심한 사람은 겨울철에도 냉수를 즐기며, 몸이 더워 이불을 덮지 못하고, 항상 서늘한 장소나 음식을 즐기게 된다. 구불인(口不仁)은 음식의 맛을 모르며 저작운동에 이상이 오며 입술의 선이 단정하지 못하고 입의 좌우 균형이 다르거나 일그러져 보인다. 이를 갈거나 얼굴에 때가 낀 듯한 거뭇거뭇하게 보인다. 음식 알러지나 옻닭 먹고 가려운 것, 약을 먹고 알러지가 발생하는 것, 심한 구취 현상들도 위의 습열로 인한 열월이다. 양명에 열이 많으면 음식이 그냥 삭아지는 소곡선기가 발생하고 아무리 먹어도 배가 고픈 현상이 일어나며 현대의 당뇨병과 같은 증상이 발생한다. 음허열은 발생한 장부에 따라 경로도 다르고 증상도 다르게 나타난다. 간의 열은 간의 경락을 따라 머리 목의 측면 눈 어깨 가슴 근 건 연골 대퇴 종아리 발목 발등 발가락 등 온몸의 측면으로 빠지며 염 옹 종을 일으킨다. 류마티스나 통풍 역시 간의 열로 인한 것이므로 이들의 치료도 간의 열을 청열하여 치료한다. 신의 열은 신의 길인 뼈나 허리 관절 발바닥 귀 무릎으로 열이 빠지며, 비위의 열은 기육, 입, 눈꺼풀, 손바닥으로 빠지면서 수포를 만들거나 불면이 생긴다.

백호탕　「古今名醫方論」「傷寒論」

三陽合病 腹滿身重 難以轉側 口不仁 面垢 譫語遺尿 若自汗出者
陽明症 汗出 渴欲飮水 脈洪大浮滑 不惡寒 反惡熱
삼양합병 복만신중 난이전측 구불인 면구 섬어유뇨 약자한출자
양명증 한출 갈욕음수 맥홍대부활 불오한 반오열

삼양(태양 소양 양명)의 합병으로 배가 부르고 몸이 무겁고 구불인하고 얼굴에 때가 낀 듯하고 헛소리를 하며 소변을 지리고 땀이 저절로 나는 것은 백호탕으로 치료하며, 양명병으로 땀이 나고 갈증으로 물을 마시려하고 맥이 홍대하면서 부활하며 오한은 없고 반대로 오열(惡熱)하는 것을 치료한다.

> 석고32 지모12 감초4 갱미18

양명병의 3대증상은 맥홍대 대한 대갈인데 맥이 홍대하고 갈증이 있는 증상은 많은데 대한의 증상은 의외로 나타나지 않는 경우가 많다. 땀은 열을 식히기 위해 피부로

나오는 수분으로 땀 이외에 피부 어느 한부분에 진물이 지속해서 나오는 것도 땀으로 생각한다. 위의 증상은 느끼지 못해도 양명의 경락을 따라 열이 외월(外越)하는 경우에도 백호탕을 적용한다. 불면증이라든지 치통, 삼차신경통, 이를 가는 것, 감기로 인한 고열, 인후통, 코막힘 등의 증상도 석고를 사용할 수 있는 증상이다. 장위(腸胃)에 열이 차서 땀으로 진액의 손실을 초래하여 갈증을 느끼는데 뜨거운 것은 절대로 좋아하지 않고 시원하거나 얼음을 띄운 물을 좋아한다. 그리고 한 겨울에도 냉수를 먹어야 하고 잠을 잘 때도 배를 덮고 잘 수 없고, 손발은 차더라도 찬 것을 마시거나, 찬 것을 만지는 것이 좋다고 하면 이것도 석고증이다. 구불인(口不仁)이라는 내용이 나오는데, 입으로 할 수 있는 모든 것이 부자유스럽다는 뜻으로 말을 제대로 못하거나 발음이 불명확하고, 뜨겁고 차고 아프고 가려운 것을 느끼지 못하고 맵고 짜고 시고 달고 하는 오미(五味)도 가려내지를 못한다는 의미이다. 이 증상도 백호탕을 적용할 수 있다. 사(邪)가 양명으로 들어오면 열을 싫어하고 열이 외로 넘쳐 땀이 많이 난다. 사열(邪熱)이 진액을 말려 갈증이 생기고 물을 마시려 한다. 사(邪)가 성하면 맥이 홍대한데 경락에 열이 있게 되면 부활도 겸하게 된다. 그래서 뜨거운 열이 비위를 조하게 만든다. 이 상태는 차고 단것으로 치료를 해야 한다. 여기에 인삼을 가하면 중(中)을 보하고 기를 더해주면서 진액을 생성한다. 감초와 힘을 합하여 화(和)하고, 갱미는 보하여 석고와 지모의 찬 기운이 위를 상하지 않고 화를 사할 수 있다.

백호가인삼탕　「古今名醫方論」

太陽中熱 汗出 惡寒 身熱而渴者 暍是也

태양중열 한출 오한 신열이갈자 갈시야

열에 상하여 태양병처럼 땀이 나고 오한하며 몸에 열이 있고 갈증이 있는 자는 더위를 먹은 것으로, 이를 치료한다.

> 지모12 석고32 감초4 갱미18 인삼6

右五味 以水如前煮服法.

백호탕과 같은데 인삼 일미만 더 가하여 위를 정상화시켜 진액을 많이 생성하게 하여 위열도 끄고 폐의 열도 끄게 하는 방제이다. 배오한(背惡寒)이 나타나는 것은 소음병으로 표의 양기가 없어서 오는 것과, 양명의 내열이 폐를 훈증하여 땀이 나고 표의 양기가 날아가 나타나는 것이 있다. 소음병은 물을 마시려 하지 않지만 백호증은 갈증이 있는 것으로 구별하면 된다.

그러나 항상 오한증이 나타나는 것은 아니다. 땀이 나면서 오한하고 몸에 열이 있으며 갈증이 없는 것은 상풍(傷風), 즉 감기다. 땀이 나며 오한하고 갈증이 있는 자는 더위 먹은 것이다. 두 증이 비슷하나 갈증의 유무로 구별이 된다. 상한과 상풍은 모두 등(背)에 미오한이 있고 때때로 오풍이 있는데, 계지탕이나 마황탕을 사용하며, 때때로 오풍하면서 갈증이 있으면 백호인삼탕으로 치료한다. 폐가 상하면 표기가 허해지고 표허칙(表虛則) 표부족(表不足)이라 땀이 나면서 몸에 열이 있고 오한이 난다. 갈증이 함께 나타나면 백호가인삼탕증이며, 갈증이 없으면 계지탕증이다. 비위의 열을 끄면서 진액을 생성시켜 폐로 상승시켜 폐의 열도 함께 식혀주는 아주 많이 사용되는 처방이다. 상세한 내용은 백호탕에서 기술하였기에 참고하길…

인진호탕 「傷寒論」

陽明病發熱 但頭汗出 身無汗 小便不利 渴飮水漿 此爲瘀熱在裏 身必發黃 腹微滿者

穀疸之爲病 寒熱不食 食卽頭眩 心胸不安 久久發黃 爲穀疸

양명병발열 단두한출 신무한 소변불리 갈음수장 차위어열재리 신필발황 복미만자

곡달지위병 한열불식 식즉두현 심흉불안 구구발황 위곡달

양명병인데 열이 나면서 몸에는 땀이 없고 단지 머리에서만 땀이 나며 소변이 잘 나오지 않고 갈증이 심해 물로 된 것을 마시고자 한다. 이것은 어열(瘀熱)이 이에 있는 것으로 반드시 황달이 오게 되며, 배가 조금 부른 것 같은 자는 인진호탕으로 주지한다. 곡달이라 하는 병은 추웠다 더웠다하며 음식을 먹지 못하고 억지로 먹게 되면 어지러워지고 가슴이 불안한 것이 오래되면 황달이 발생하는데, 이것을 곡달이라 한다.

> 인진호12 치자3 대황4

위장에 뭉쳐진 습과 열이 외로 빠져나와 발산되지 못해 황달이나 가려움증 알레르기를 일으키는 것을 청열하여 치료하는 방으로서 비교적 자주 사용되는 처방이다. 황달로 인하여 우리에게 찾아오는 경우는 드물지만 알레르기 및 가려움증은 자주 접하게 된다. 음식을 먹고 알레르기를 일으킨 (소위 식중독으로) 사람이나 만성적인 음식알레르기로 찾아오는 경우가 많다. 태양병이나 양명병은 모두 황달을 일으킬 수 있는 조건을 가지고 있다. 이부에 열이 있어 외부로 빠져나오면 그 열을 식히기 위해 땀이 나

야 하는데 단지 머리에서만 땀이 나고 기타 부위는 땀이 전혀 나지 않게 되면 속의 열이 모두 외부로 빠지지 못하여 이부에 남게 되고, 소변마저 잘 나가지 못하면 열은 더욱 빠지기 어렵게 된다. 그래서 습열이 기육에 정체되어 황달이나 가려움증을 일으키게 된다. 이런 현상이 일어났을 때 삼양의 열을 식혀야 하는 것이다. 태양병이나 양명병으로 오는 황달의 치료법은 다른데, 태양병으로 이부에 열이 위중에 정체 위의 습을 훈증하여 황달이 온 것으로 소변 줄기가 뜨겁게 느껴지는 증상이 있고, 발산하여 표의 습은 발산하고 위중의 습은 하강하게 하여 소변으로 빠지게 하면 된다. 마황연초적소두탕으로 서늘하게 발산하면 된다. 심흉은 태양과 양명의 위치며 태양병으로 열이 나며 황달이 발생한 것으로 마황연초두탕과 비교하면 조금 더 이부로 들어온 상태며 피부에 땀이 배어 나와 축축하며, 인진호탕보다 심한 황달은 아니고 변비나 복만 소변불리의 증상이 없는 경증의 황달에는 치자백피탕으로 화를 식히는 방법으로 하며, 장(腸)과 위(胃)는 양명의 위치며, 양명의 습열로 온 황달은 장위(腸胃)의 열과 습을 사(瀉)하는 법으로 해야 하는데, 본방으로 몰아내는 방법이다. 양명의 열은 기육과 치아 눈꺼풀로 빠진다. 이런 이치로 보아 그 부위의 염증이나 통증은 모두 양명의 열로 보고 본방을 사용하거나 다른 약을 합하여 신통한 효과를 얻을 수 있다.

인진오령산　「傷寒論」

> 인진호2 오령산1

혼합하여 1회4g씩 3회 복용한다.

위장의 습열이 표로 빠지는데, 열보다 습이 더 심한 경우에 사용한다. 손바닥에 땀이 줄줄 나거나 두피의 진물이 많이 나오는 것, 겨드랑이 땀이 많을 때 사용한다.

죽엽황기탕　「古今名醫方論」

消渴 氣血虛 胃火盛而作渴
소갈 기혈허 위화성이작갈

소갈증은 요즘의 당뇨병과 같은 병으로 비위가 제구실을 못하고 신장의 기능도 약한 상태에서 발생한다. 신음의 부족으로 명문화도 약해져 비위를 生할 수 없고, 소모의 과다와 혈의 부족으로 진액이 부족하여 위열이 발생하여 다시 진액을 태워버리므로

168

몸은 수분의 고갈현상이 일어나 심한 갈증이 생기게 된다. 담죽엽 생지황각8 황기 맥문동 당귀 천궁 황금 감초 작약 인삼 반하 석고4 본방의 소갈증은 위열이 심하여 갈증이 생기고 물을 많이 마셔도 소변은 많지 않은 상태다. 팔미환에서 보이는 이음일두(以飮一斗) 소변일두(小便一斗) 즉, 한 말의 물을 마시고 한 말의 소변을 보는 것과는 차이가 있다. 위열이 발생되는 원인이 기도 허하고 혈도 허한 상태라 진액의 부족현상이다. 이 결과로 인해 위에 열이 발생하여 위에서 생화할 수 있는 영양의 생성도 불충분하여 더욱 진액부족 현상을 초래하여 심한 갈증이 생기는 것이다. 본방은 위화가 직성하여 발생하는 갈증을 치료하는 방제이다. 소모과다로 인해 기가 약해지고 간과 신이 허하여 혈이 부족하면 위의 열이 발생된다. 위화(胃火)많아지면 영양의 생성이 부족하여 더욱 기혈이 허해지는 결과가 온다. 서늘하게 하는 것은 망양을 일으키지 않으며 따뜻하게 하는 것은 화(火)를 키우지 않는다. 정기를 강하게 해주면 사기(邪氣)는 물러간다. 사물을 사용할 때 생지황을 이용하여 찬 성질을 얻어 화가 성해지는 것을 막고, 인삼 황기 감초는 번열을 치료하는 약이므로 중초를 살리고 보하면서 표를 조절하여 진액의 생성으로 번열을 없애준다. 음이 허하여 위화가 성한 자가 갈증을 일으킬 때 우선적으로 생각해야 할 것은 음은 몸속의 모든 진액을 이르는 것으로서 신음과 혈을 보하고, 위의 열을 없애는 것이 가장 적합하다. 육미와 사물 그리고 백호탕, 이 처방을 서로 합하여 사용하면 갈증도 없어지고, 소갈증의 근본적 원인을 치료할 수 있다.

승마황련환　「韓方秘錄」

심한 구취에 사용한다.

> 황금주세80 황련 청피 승마20 감초12 백단향8

생강즙으로 쪄서 탄자대로 환을 만들어 식후에 1일 3번 씹어서 복용한다.

청위산　「古今名醫方論」

胃經濕熱 牙齒牙根腫痛 或牽引頭腦 或面發熱

위경습열 아치아근종통 혹견인두뇌 혹면발열

위경에 습과 열이 있어 치아와 잇몸이 붓고 아프며 혹 머리까지 당기고 얼굴에 열이 나는 것을 치료한다.

> 생지황 당귀 천황련 승마 목단피

양명의 위(胃)는 다기다혈(多氣多血)하고, 양양(兩陽)이 합쳐져 열이 성하게 되고 이때에 사(邪)가 들어오면 병은 항상 실증을 나타낸다. 만약 갈증이 심하고 설태(舌苔)와, 번조한 증상이 나타나는 것은 기분(氣分)이 상한 것으로, 열이 위(胃)를 뜨겁게 하여 진액이 말라 버려 발생된다. 백호탕으로 주지한다. 만약 고량후미를 많이 먹거나 굽거나 불에 태운 음식을 많이 먹어 위에 열이 옹체되면 경락을 타고 열이 올라간다. 습열(濕熱)이 통하지 않으면 이것은 혈분(血分)이 상한 것이다. 인후가 답답하고 이와 잇몸이 붓고 아픈 등의 증상을 치료해준다. 치아가 아픈 것은 양명 위(胃)의 열이 치아로 빠져나오기 때문이며, 이를 치료하는 것은 위에 진액을 채워 열을 끄고 발산시키면 된다.

1) 열월의 임상
– 입에서 단내가 날 때
  백호가인삼탕6
– 구취
  인진호 + 향사평위 + 황련해독
– 피부가려움(음식 알러지) 위장의 습열로 인한 것
  황련해독 + 인진호탕 + 향사평위
– 혈허성 가려움(따뜻한 곳에 가면 가렵고 긁으면 가루가 떨어진다.)=건선, 아토피
  육미 + 당귀음자 + 황련해독(+ 장기치료 시 황기건중)
– 알러지(외인성, 접촉성)
  십미패독 + 황련해독
  주부습진
  육미 + 향사평위 + 황련해독(+ 백호가인삼)
– 잇몸이 붓고 아플 때
  갈근탕 + 백호가인삼 + 진통소염제,
  또는 이가탄제제 + 사위환 + 진통소염제
– 이가 흔들리고 아플 때
  갈근탕 + 백호가인삼 + 팔미

또는 인사돌제제 + 사위환 + 진통소염제

- 치아가 누렇다

  인진호탕 + 향사평위

- 손바닥에 수포가 맺히는 경우

  백호가인삼

- 수족구의 경우(소아)

  갈근탕3g × 3회

- 대상포진

  갈근탕대량요법, 또는 오약순기 + 오령산 + 황기건중

- 먹기만 하면 어지럽다

  인진호탕 (통상적인 어지러움엔 오령산 + 소시호 + 삼사)

- 실핏줄

  육미 + 보기 + 시호제 + 계령

14. 진액(津液)

대장은 진(津)을 소장은 액(液)을 주관하여 피모(皮毛)와 주리(腠理)를 충실하게 한다. 주(腠)는 털구멍과 땀구멍을 나타내는 것이며, 리(理)는 피부조직이 된 사이를 말한다. 주리가 힘이 없어 쉽게 열리면 땀이 흐르게 된다. 신장은 오액(五液)을 주관하여 오장에 고루 진액을 분포한다. 진액이 신으로 들어가면 타(唾)가 되고, 폐로 들어가면 체(涕)), 심으로 들어가면 한(汗), 간으로 들어가면 루(淚), 비로 들어가면 연(涎)이 된다. 땀은 심액(心液)으로 혈이며, 땀이 나는 것은 혈장의 손실이다. 땀은 심장의 열로 나오는 것이며, 과도한 땀은 혈의 허를 유발하여 순환장애나 심장의 기능에 이상이 와서 동계(動悸)가 생기거나 심하면 심장정지도 올 수 있다. 감기로 인하여 저절로 땀이 나는 것은 상풍(傷風)으로 계지탕을 쓰며, 기허로 인한 자한(自汗)은 황기건중, 내상(內傷)으로 기허로 땀이 나는 것은 보중익기, 표허(表虛) 자한에는 소건중, 옥병풍산, 기허 자한에는 기부탕, 양허(陽虛) 자한에는 삼부탕, 자한은 저절로 땀이 흐르고 나오는 것으로 삼부탕, 계지가부자탕을 쓰고, 도한(盜汗)은 잠을 자면서 자신도 모르게 흘리는 땀으로 음허(陰虛), 혈허(血虛), 유화(有火)해서 발생하며 당귀육황탕을 쓴다.

침한(寢汗)은 도한의 원인과 같으며, 음허로 인한 허열은 활동 시는 활동에너지로 사용되며잠을 잘 때는 열이 표에 머물러 그 열을 식히기 위해 이불이 젖을 정도의 땀을 흘린다.

침한은 겨울에 많으며 진액의 부족을 초래하여 연급(攣急)의 증상이 나타난다. 유한(油汗)은 냉한(冷汗)이며 점한(粘汗), 유한(柔汗)이라고도 하며, 기름과 같이 끈적끈적한 땀이 나며, 머리에서 나오면 머리에 기름을 바른 듯 윤이 나고, 머리카락이 뭉쳐지며 얼굴도 기름이 흐르는 듯 번들거린다.

망양(亡陽)은 땀을 흘려 표허(表虛)가 극심해져 생기는데 땀이 줄줄 흐르면서 그치지 않는 것을 말한다. 망양이 되면 가슴이 답답하고 사지가 구급되고 움직이기가 힘들어진다. 모든 땀의 기본 처방은 육미 황련해독 쌍화탕으로 구성한다. 여기에 땀이 나는 부위별로 필요한 약을 가한다.

음함양(陰含陽)이라 하여 음(陰)은 양(陽)을 포함하고 있다는 뜻으로, 음이 허하면 음허(陰虛) 불함양이라 하여 양이 부유(浮游)하여 위로 뜨게된다. 음허(陰虛)로 양(陽)이 뜨는 것을 허열(虛熱)이라 한다. 저장은 몸의 영양으로 이것이 부족하여 양이 혼자 뜨게 되는 것이다. 이것을 치료하기 위해서는 우선 음을 채우면서 부유한 양을 끌고 내려오게 하는 것이다. 땀은 체온을 조절한다. 내부의 열이 겉으로 빠져나와 머무르면 이 열을 식히기 위해 땀을 분비한다. 모든 땀의 기본 처방은 음을 보충하고, 허열을 내리면서 보혈하고 기를 튼튼하게 하는 것으로 구성한다. 여기에 땀이 나는 부위별로 필요한 약을 가한다.

표(表)가 허해져 자한(自汗)이 된 원인도 진액의 부족으로 인해 폐의 고표작용이 약해져 오는 것으로 음(陰)을 보충하고 허열을 끄고 고표한다. 사기(邪氣)가 표에 있거나 많으면 표기(表氣)는 반드시 허해진다. 발산(땀을 내는 것)이 지나치면 표의 기가 허해져 폐가 땀구멍을 굳게 닫지 못하여 재차 풍(風)이나 한(寒)이 침범하기 때문이다. 즉 풍(風)을 내보내려 발산을 했는데 너무 과도하게 발산이 되어 진액이 부족하게 되고 표기(表氣)도 허해져 다시 사기(邪氣)에 노출이 될 수 있다. 자한이 그치지 않으면 미약한 사(邪)가 아직 표에 있는 것으로 주리가 고밀하지 못해서다. 이(裏)의 영(榮)이 부족하여 표기(表氣)가 허하여 주리를 조절할 힘이 없어 저절로 땀이 나고, 냉습(冷濕)이 몸속 깊숙이 들어와 몸이 냉해져 음(陰)이 성해지고 이에 반하여 양(陽)이 허해진 고질적인 상태를 일으킨 것을 치료한다.

다시 땀이 나는 원인을 요약하여 보면, 영(榮-내부의 저장된 영양)의 부족으로 표를 조절하지 못하여 자한이 된 것(기허), 비위(脾胃)가 약하여 위(胃)속에 오래 머문 음식이 열과 습으로 변하여 열월이 되어 표에 머물러 자한이 된 것(습열), 신(腎)의 음허(陰虛-신정의 부족)로 허열이 발생하여 자한이 된 것(음허)으로 대별 된다. 몸에서 땀이 나는 것은 체온을 조절하기 위한 자구책이며, 땀이 난다는 것은 가열(假熱)이든 열월(熱越)이든 몸에

172

열이 있는 것이다. 열이 나는 것은 상한(傷寒-감기)으로 인한 방어의 기전으로 나는 것과, 음(陰)이 허하여 양을 포함하지 못해 나는 허열이 있다. 땀이 종류도 많고 어느 부위에서 나는가에 따라 처방도 달라지지만 땀이라는 자체는 진액이며 혈에서 빠져 나오는 음(혈장=알부민)이다. 어느 형태의 땀이든 땀을 수렴하게 하는 기본처방이 있다. 음허(陰虛-혈, 정, 진액부족)를 잡고, 열을 식혀주면서 땀이 나는 위치에 따라 약을 더해주면 되는데, 땀이 나는 위치는 두한(머리), 액한(겨드랑이), 사타구니, 안면이 있고, 상태에 따른 땀은 침한(寢汗), 도한(盜汗), 자한(自汗) 등이 있다. 이부(裏部)의 영이 부족하여 주리를 조절하지 못하여 나는 땀을 자한이라 하며, 비위에 숙식이 화화하여 열월로 땀이 나는 것, 신장에 음의 부족으로 허열이 발생하여 나는 땀, 세 상황 모두 양이 허하여 저절로 땀이 나는 것을 나타낸다. 음허(陰虛)로 도한이나 침한, 자한이 심한 자들은 어떤 착각 속에 살고 있는 사람들이다. 자기는 피로하지도 않고 아픈데도 하나도 없는데 단지 땀이 좀 많이 난다라고 한다. 그 사람이 절대로 건강한 상태가 아니라는 것을 알아야 하며, 고쳐야 할 병적 현상이다. 과도한 활동이나 소모성 질환으로 음혈을 소모하여 체내의 진액이 고갈되어 표를 조절할 영기가 부족하여 자한이 나거나, 신정이 부족하여 위장기능이 약해져 위열이 발생하여 열월로 침한이 나는 상황을 잘 알아야 하며, 기허(氣虛)로 인한 땀보다는 위열의 열월로 인한 땀의 증상이 더 많다는 것을 모르고 있다. 표허나 위열이나 모두 진액의 부족으로 인해 나타나므로 땀의 치료는 우선적으로 진액을 채우고 열을 내려 주는 것이 치료의 목표이다. 땀은 혈에서 빠져 나오는 진액이며 혈은 간과 폐를 출입한다. 영의 개합(開闔)은 간과 신의 힘으로 조절이 되며 주리의 조절은 폐가 주관한다. 땀이 나는 원인으로는 표의 허와 영분의 허로 나누며 그에 해당하는 땀이 있다. 양허(陽虛)로 나는 땀은 표인 폐에 원인이 있고, 음허(陰虛)로 나는 땀은 이부의 영분의 책임이다. 이 차이를 뚜렷하게 구별할 방법이 모호하다.

땀은 체온조절을 위한 것으로 음이 허한 경우에 허열로 땀을 흘리게 되면 진액은 점점 더 부족한 결과를 가져온다. 위기(衛氣-표기)가 허하여 주리를 제대로 조절하지 못하면 진액을 손실하게 되고 이로 인해 영기를 약하게 하여 양기가 조밀하지 못하게 되는 것이다. 도한을 치료하는 방법으로는 두 가지가 있다. 하나는 간혈(肝血)이 부족하여 간이 심장을 자양하지 못하여 심허열로 나는 도한은, 간음을 보하여 심장의 허혈을 잡는 법과, 간의 열이 심하여 간화가 폐를 침범하여 폐가 허해져 오는 도한은 간혈을 보하여 청열로 식히면서 폐의 기를 높여 치료하는 것이다. 간화가 생기는 원인은 간혈이 부족하여 열이 발생한 것인데, 간의 열이 심하여 폐가 약해지니 간의 열을 내려줘야 한다.

표(위기)가 극도로 약해져 땀이 줄줄 흐르며 멎지 않는 것은, 진액의 과도한 소모로 인하여 소변이 나오지 않으며, 진액부족으로 연급이 발생하여 결리고 몸을 움직이기가 어려워진다. 땀이 나는 약을 먹어도 나지 않는다는 사람은 위험한 상황으로 발전할 수 있어서 빨리 몸에 영양을 채워 표기를 강하게 하여 기운이 빠져 나가지 못하게 해야 한다. 식사 후(後)에 땀이 비 오듯 나는 것은 위(胃)의 열이다. 식사 때 머리에 땀이 비 오듯 하는 것은 위(胃)의 화다. 손발에 땀이 나는 것은 위의 습열(濕熱) 때문이다. 전신에 땀이 많이 나는 것은 음허(陰虛)와 혈허(血虛)와 허열(虛熱) 때문이다.

이상은 한의학적으로 본 땀의 분비에 관한 것이었다. 땀이 필요 이상 많이 나는 것은 자율신경의 조절 이상으로 보면 되는데, 자율신경을 조절하는 곳은 뇌이며, 뇌를 자양하고 건강하게 유지하는 영양은 신장에서 공급한다. 신장이 약해지면 신음(腎陰)의 생성이 부족해지고, 신음이 부족하면 혈을 만드는 힘도 약해져 결국 음허(陰虛)의 상태가 되는 것이다. 혈이 부족하면 간의 기능이 약해져 허열(虛熱)이 더 많이 생기게 된다.

결론적으로 자율신경의 조절은 간과 신장이 하는 것으로 보면 된다. 땀은 가능하면 흘리지 않는 것이 좋다. 과도한 운동이나 노동은 땀의 배출을 많이 가져와 몸의 상태를 더욱 나쁜 쪽으로 끌고 가게된다. 땀이 나는 원인을 제거하면 병적인 다한증은 치료된다.

1) 수족한(手足汗)

손바닥에 땀이 줄줄 흐르는 증상으로 위의 숙식이 부숙하면서 나는 열이 수장으로 빠지면서 나타나는 것이다. 기본방에 인진오령산을 합한다.

2) 두한(頭汗)

머리부위는 모든 양(陽)의 집합이며, 두한은 표증이며 땀은 이증이다. 표와 이를 합하면 반표반이의 증상으로 소양증(小陽症)이 된다. 기본방에 시호제를 가한다.

3) 액한(腋汗)

겨드랑이에 땀이 나는 것으로, 겨드랑이는 담경(膽經)의 통로이며, 담경의 습열(濕熱)로 인해 발생한다. 기본방에 용담사간탕을 합한다.

4) 낭습(囊濕)

신이 허하면 하초에 허열이 발생하고 땀이 난다. 과로로 인하여 저장된 영양의 고갈로 신이 허해지고 그로인해 폐의 자윤이 부족하면 폐조가 발생하여 폐의 통조수도작용이 약하여 체내에 수분의 정체가 발생한다. 낭습을 신착증이라 하며, 착은 하초의 수분정체이다. 기본방에 영강출감탕을 합한다.

5) 황한

계지가황기탕=쌍화탕   「傷寒論」

黃汗之病 兩脛自冷 假令發熱 此屬歷節 食已汗出 又身常暮臥盜汗出者 此勞氣也

若汗出已 反發熱者 久久其身必甲錯 發熱不止者 必生惡瘡

若身重汗出已 輒輕者 久久必身瞤 瞤則胸中痛 又從腰以上必汗出 下無汗

腰髖弛痛 如有物在皮中狀 劇者不能食 身疼重 煩燥 小便不利 此爲黃汗

桂枝加黃耆湯主之

황한지병 양경자냉 가령발열 차속역절 식이한출 우신상모와도한출자 차노기야

약한출이 반발열자 구구기신필갑착 발열부지자 필생악창

약신중한출이 첩경자 구구필신순 순즉흉중통 우종요이상필한출 하무한

요관이통 여유물재피중상 극자불능식 신동중 번조 소변불리 차위황한

계지가황기탕주지

황한(黃汗)이라는 병은 진액의 부족으로 간의 허를 유발하여 음허로 인해 열이 나더라도 양종아리는 차고 통증이 오는 것을 말하는데, 이것은 역절(歷節)에 속한다. 위장의 허로 인해 음식을 먹고 나면 땀이 나고 저녁 무렵에 잠을 자려고하면 영기가 부족하여 도한이 나는 것은 허로로 인한 것이다. 땀이 나고 열이 내렸는데 다시 열이 나는 것은 진액의 부족으로 표를 자양하지 못해오는 것이며, 오랫동안 지속되면 몸이 까칠해지고, 이 열이 그치지 않으면 반드시 악창(惡瘡-허는 것)이 발생한다.

몸이 무거워 땀을 내고 나면 문득 가벼워지는 사람은 음의 허를 나타내며, 땀을 내어 진액 부족이 되면 연급(攣急)이 일어나 몸이 떨리게 되며 가슴에 통증이 생긴다. 허리 위로는 땀이 나며 이하는 땀이 없으면 허리와 엉덩이가 벌어지는 듯한 통증이 오고, 피부 내에 근육의 경련으로 딱딱한 덩어리가 만져지고 심하면 밥을 먹지 못한다. 몸이 무겁고 뻐근하며 번조현상이 나타나고 소변이 시원하지 못한 것은 진액의 고갈로 인한 것인데, 이것을 황한지병(黃汗之病)이라 한다. 계지가황기탕으로 치료한다.

6) 땀의 방제

옥병풍산 「古今名醫方論」

風邪久留 而不散者 自汗不止者亦宜

풍사구유 이불산자 자한부지자역의

풍사가 흩어지지 않고 오랫동안 머물러 있는 자를 치료한다. 자한이 그치지 않는 자도 역시 사용한다.

방풍 황기 백출各 동량

가루로 만든 것을 술에 타 먹는다.

당귀육황탕과 비교해 볼 때 표허(表虛)로 인한 자한에 사용하는 것이며, 표를 실하게 하여 땀이 저절로 나는 것을 치료하는 방제이다. 당귀육황탕은 음허로 발생한 허열로 인해 도한, 자한에 적용하며 보혈, 청혈, 고표(固表)의 작용으로 땀을 그치게 하는 제제이다. 표가 허해져 자한이 된 원인도 진액의 부족으로 인해 폐의 고표작용이 약해져 오는 것으로 당귀육황탕과 비슷한 상황이 된 것이다. 음을 보충하고 허열을 끄고 고표(固表)한다. 사기(邪氣)가 표에 있거나 많으면 표기(表氣)는 반드시 허해진다. 그래서 풍을 치료하는 가정 좋은 방법은 풍이 발산된 뒤 다시 침범하는 것을 막아야 한다. 그 것은 발산이 지나치면 표의 기가 허해져 폐가 주리를 닫지 못하여 재차 풍이나 한이 침범하기 때문이다. 즉 풍을 내보내려 발산을 했는데 너무 과도하게 발산이 되어 진액이 부족하게 되고 표기도 허해져 다시 사기에 노출이 될 수 있다는 의미다. 방풍이 황기를 만나면 지한(止汗)의 효과가 더욱 좋아진다. 방풍통성산은 표를 발산하고 이(裏)를 사(瀉)하고 소양부위의 사(邪)를 청열하는 약으로, 삼초와 표리의 실사(實邪)를 공격하여 배출하는 약이므로 본방의 증을 가진 사람에게 사용하면 더 위험한 결과를 초래할 수 있다.

기부, 출부, 삼부탕 「古今名醫方論」

陽虛自汗 寒濕沈痼 陽虛陰盛

양허자한 한습침고 양허음성

이부(裏部)에 영(榮)이 부족하여 표시(表氣)가 허하여 주리를 조절할 힘이 없어 저절로 땀이 나고, 냉습(冷濕)이 몸속 깊숙이 들어와 몸이 냉해져 음이 성해지고, 이에 반하여 양이 허해 진 고질적인 상태를 일으킨 것을 치료한다.

> 기부탕 - 황기40 부자20
> 출부탕 - 백출40 부자20
> 삼부탕 - 인삼40 부자20

기부탕→영(榮)의 부족으로 표를 조절하지 못하여 자한이 된 것

출부탕→비위가 약하여 숙식이 화화(火化)하여 열월이 되어 표에 머물러 자한이 된 것

삼부탕→신(腎)의 음허로 허열이 발생하여 자한이 된 것

유사 처방으로 상한론의 백출부자탕을 보면,

백출부자탕

風濕相搏 身體疼煩 不能自轉側 不嘔不渴

풍습상박 신체동번 불능자전측 불구불갈

표허와 비위의 허로 풍사와 습사가 침범하여 진액의 부족과 기허로 기육과 근을 자양하지 못하여 몸이 아프고, 허열로 번조하며, 스스로 움직이기 힘든 마비상태가 나타난 것이다.

> 부자2 백출8 생강 대조6 감초4

이 처방들은 급한 가운데 완(緩)한 상태가 있고, 완한 것 중에 급한 것이 있어 하나로만 억제할 수 없는 것을 서로 보완하여 억제할 수 있어 묘한 이치라 할 수 있다. 몸에서 땀이 나는 것은 체온을 조절하기 위한 것이며, 땀이 난다는 것은 가열(假熱)이든 열월(熱越)이든 몸에 열이 있는 것이다. 열이 나는 것은 상한으로 인한 방어의 기전으로 나는 것과, 음이 허하여 양을 포함하지 못해 나는 허열이 있다. 땀의 종류도 많고, 어느 부위에서 나오는가에 따라 처방도 달라지지만, 땀이라는 자체는 진액이며 혈에서 빠져 나오는 음이다. 어느 형태의 땀이든 땀을 수렴하게 하는 기본처방이 있다. 이부(裏部)의 영(營)이 부족하여 주리를 조절하지 못하여 나는 땀을 자한이라 하여 황기와 부자를 합하여 기부탕을 사용하고, 비위에 숙식이 화화(火化)하여 열월로 땀이 나는 것은 백출과 부자를 합하여 출부탕을 쓰고, 신음(腎陰)의 부족으로 허열이 발생하여 나는 땀에는 인삼과 부자를 합하여 삼부탕을 사용하였다. 세 상황 모두 양이 허하여 저절로 땀이 나는 것을 치료한다.

기부탕은 표에 힘을 실어 허풍(虛風)을 치료하며, 출부탕은 비위의 숙식을 제하여 습을 치료하며, 삼부탕는 원신(原腎)을 왕성하게 하여 영양의 생성을 도와 신정을 채움으로서 신의 허화를 치료를 하게 하는 것이다. 본 처방들은 서로 섞어 사용할 수 있으

며 나타나는 증에 따라 적절하게 배합하여 사용하면 효과가 좋으며 기대하는 효과를 충분히 얻을 수 있다. 금궤요략에 보면 백출부자탕에 감초 하나만 가하여 비증(痺症-저리거나 마비)을 치료한다. 땀은 흘리지 않는 것이 제일 좋다. 진액을 헛되이 소모할 이유가 없는 것으로 볼 때 절대로 땀을 내서는 좋을 것이 없다.

당귀육황탕 「古今名醫方論」

陰虛有火 令人盜汗者
음허유화 영인도한자

혈과 신음(腎陰)을 포함한 몸속의 진액이 부족하여 화(火)가 발생하여 도한(盜汗)이나 자한(自汗)을 치료하는 약이다.

> 당귀 생지 숙지 황기 황금 황련 황백

땀은 음허(陰虛)상태에 열이 있는 것으로, 치료는 음(陰)을 보하고 화(火)를 내리는 것이 치료법이다. 앞에서(기부, 출부, 삼부) 기술한 대로 어느 부위에서 나는가에 따라 적절한 처방을 합하여 사용한다.

과도한 활동이나 소모성 질환으로 음혈을 소모하여 체내의 진액이 고갈되어 표를 조절할 영기가 부족하여 자한이 나거나, 위열이 발생하여 열월로 침한이 나는 상황을 설명하고 있다. 표허로 인한 땀보다는 위열의 열월로 인한 땀의 증상이 더 많이 보인다. 표허나 위열이나 모두 진액의 부족으로 인해 나타나므로 땀의 치료는 우선적으로 진액을 채우고 열을 내려 주는 것이 치료의 목표이다. 땀은 혈에서 빠져 나오는 진액이며 혈은 간과 폐를 출입한다.

영의 개합은 간과 신의 힘으로 조절이 되며, 표의 개합(開闔-주리의 조절)은 폐가 주관한다. 땀이 나는 원인으로는 표의 허와 영분의 허로 나누는데 그에 해당하는 땀이 있다. 양허로 나는 땀은 표인 폐에 원인이 있고, 음허로 나는 땀은 이부의 영분의 책임이다. 땀은 체온조절을 위한 것이며 음이 허한 경우에 허열로 땀을 흘리게 되면 진액은 점점 더 부족한 결과를 가져온다. 위기가 허하여 주리를 제대로 조절하지 못하면 진액을 손실하게 되고 이로 인해 영기를 약하게 하여 양기가 조밀하지 못하게 되는 것이다.

도한을 치료하는 방법으로는 두 가지가 있다. 하나는 간혈이 부족하여 간이 심장을 자양하지 못하여 심허열로 나는 도한은 산조인탕으로 간음(肝陰)을 보하여 심장의 허열

178

을 잡는 법과, 간의 열이 심하여 간화가 폐를 침범하여 폐가 허해져 오는 도한은 당귀육황탕으로 간혈을 보하여 간열을 식히면서 폐의 기를 높여 치료하는 것이다. 간화가 움직이는 것은 간혈이 허하여 열이 발생한 것인데 간의 열이 심하여 폐가 약해지니 간을 청열해야 한다. 음허(陰虛)하여 열이 있는 자는 관, 척맥이 강하게 뛰는 사람이다. 이는 중초와 하초가 허하고 열이 있다는 의미이다. 중하초가 몸의 음을 주관하는 곳이다. 음이 허하고 기가 약한 사람은 진액이 모두 빠져나간 것으로 육미로서 신음을 보하여 음양의 근원을 견고하게 해야 한다.

계지가부자탕 「傷寒論」

發汗遂漏不止 其人惡寒 小便難 四肢微急 難以屈伸者

발한수루부지 기인오한 소변난 사지미급 난이굴신자

땀이 쉼 없이 나오고 추워하며 소변이 나오지 않고 사지가 결려 움직이기 어려운 것을 치료한다.

계지탕 + 부자2

표가 극도로 허해져 땀이 줄줄 흐르며 멎지 않는 것으로, 진액의 과도한 소모로 소변이 나오지 않으며, 진액부족으로 연급이 발생하여 결리고 몸을 움직이기가 어려운 것이다.

본 처방은 표증이 완전히 사라지지 않은 상태에서 음허로 이행된 것이므로 계지탕으로표를 풀고 부자로 음허를 치료하는 것이다. 본방에 백출8을 가하면 계지가출부탕이며, 복령8과 백출8을 가하면 계지가영출부탕이 되며 풍한습(風寒濕)으로 온 관절염에 사용한다.

이감탕 「韓方秘錄」

食後汗出如雨 此胃熱

식후한출여우 차위열

식사 후에 땀이 비 오듯 나는 것은 위의 열이다.

구감초 생감초 오미자 오매6 생강3 대조2

적양환　「韓方秘錄」

每食之時　頭汗如雨　此胃火

매식지시　두한여우　차위화

식사 때 머리에 땀이 비 오듯 하는 것은 위의 화다.

현삼 맥문600 천문1200 생지황600 오미자160 산조인300

爲末 蜜丸 梧子大(꿀로 오자대의 환을 만들어) 日40g씩 복용 3개월 필유(必愈)

기갈탕　「韓方秘錄」

手汗由脾胃濕熱

수한유비위습열

손에 땀이 나는 것은 비위의 습열 때문이다.

황기8 갈근4 형개 방풍1.2

물로 달여 먹고, 따뜻할 때 3번 씻는다. 신방이다.

반갈산　「韓方秘錄」

足汗

족한

백반 건갈 等分

백반과 건갈을 가루로 한 것 20g을 달여 씻으면 효과가 좋다.

방도지한탕　「韓方秘錄」

盜汗如神　夢遺之後　身體狼狽　加之行役太過

或房事太甚　盜汗　此心氣之熱也

도한여신　몽유지후　신체낭패　가지행역태과

혹방사태과　도한　차심기지열야

도한에 효과가 좋은 처방으로 몽정 후 신체가 낭패하고 마음이 상한 것과, 노동을 심하게 했거나 방사를 과도하게 행하여 심(心)의 열로 도한이 된 것이다(음허로 인한 허열이 원인이다는 말이다).

> 산조인 숙지황40 맥문20 산수유 단삼 복신12 인삼4 황련 육계2

2제를 먹으면 낫는다.

15. 내상(內傷)

내상이란 음식을 자기가 처리할 수 있는 양보다 더 많이 먹어 소화가 잘 되지 않는 것을 나타낸다. 소화를 시킬 수 있는 한계 이상의 과식은 내상의 원인이 된다. 그리고 많은 스트레스나 과로 등은 간의 화를 발생하게 하여 비위가 약해지게 만들고, 신허로 인한 명문화의 부족도 원인이 된다. 과식, 생냉(生冷)한 음식, 간화, 명문화 부족은 비위를 약하게 만들어 내상의 주원인이다. 내상이 일어나면 위와 장이 손상을 입어 중기하함(中氣下陷)으로 근맥이 풀려 기력이 없어지고 혈을 통섭하지 못해 하혈을 하거나 장에 봉장이 깨져 탈장이나 치질이 발생한다.

맛있게 잘 먹고 명치에 딱 걸려 내려가지 않고 정체가 되면 답답하고 울렁거리고 머리도 아파지고 안절부절 못하게 된다. 그래서 바늘로 따고 배를 문지르고 해도 잘 내려가지 않는다. 식체(食滯)가 발생하는 원인은 다섯 가지 정도가 있는데, 간(肝)의 기능이 좋지 못하여 오는 것(간위의 불화), 위(胃)에 찬 물이 고여 오는 것(찬 음식이 원인), 위(胃) 자체가 힘이 없는 것(기력부족임), 위(胃) 자체가 냉(冷)해서 오는 것(이건 신장과 관계가 있음), 위의 운동이상(신경성)으로 오는 것이다. 통상적으로 느끼는 체함의 증상은 답답함이다. 위에 음식이 정체하여 막고 있으면 경락(經絡)도 불통(不通)되어 머리가 아파지고, 영양의 흡수도 저하되어 기력도 없어지고 전신의 에너지 부족현상이 일어나 심장의 박동도 빨라진다. 심장의 두근거림은 모두 이 현상으로 일어나는 것이다. 이럴 때 약을 먹으면 답답함이 풀어지고 소화가 된다. 그런데 꼭 약을 사러 오는 사람 중에는 어떤 약을 지목하여 달라는 사람이 많다. 대부분의 건위소화제들, 기타 소화효소제들은 거의가 당의정으로 코팅이 되어있고, 이 코팅된 약은 위산에서는 잘 녹지 않는다. 그리고 이 소화효소제들은 위(胃)의 활동(活動 -움직임)과는 무관하며, 이런 약들은 소장으로 내려가 코팅이 녹아 그때 소화효소들의 작용이 시작되는 것이다.

체했다는 것은 위에 음식이 과잉으로 들어오든지 너무 찬 것이 들어와 위가 움직이지 않고 정체되어 생기는 현상이다. 체의 치료에 있어 우선은 위를 움직이게 해야 하는 것이다. 그래서 위의 연동운동이 일어나 음식이 소장으로 내려가는 것이다. 소화효소는 위에서 작용하는 것이 아니라 장에서 작용하여 음식을 분해하는 것이다. 위(胃)에서는 음식을 죽처럼 만들어 아래로 내려 보내는 작용을 주로 하는데, 위(胃)의 근육에 자극을 주는 약과 위에 힘을 주어 힘차게 운동을 하게 하는 약을 먹어야 체가 뚫리게 된다. 그런 작용은 보통 생약제 제가 주이며 양약의 효소제들은 그런 작용을 못한다. 양약 중에 위를 움직이게 하는 약은 돔 페리돈, 트리메부틴 등이 있는데 생약제제와 같이 투약을 하면 효과가 빨라진다. 그 외의 위 장조절제는 전문약으로 등재되어 처방에 의해서만 약을 먹을 수 있다. 이렇게 보면 체했다 고 소화효소제를 구입하여 먹는 것은 순서가 어긋난 행위다. 액제(液劑) 소화제들은 거의 위(胃)를 움직이게 하여 막힌 것을 뚫어주는 작용을 하는데 이름 없는 약만 준다고 푸념을 하는 사람에겐 원리를 잘 설명해 주고 투약을 하면 좋다. 약을 다루는 사람들은 약의 원리대 로 약을 주려하며, 약의 성분을 보고 그 사람의 증상에 맞게 약을 주려한다. 하지만 이것에 반발하는 사람이 꽤나 많다. 올바른 지식으로 올바르게 약을 주는 것이 좋겠다는 말이다.

등소평의 어록 중에 유명한 말이 있다. "쥐를 잡는데 흰 고양이 검은 고양이를 따질 것 없다. 쥐만 잘 잡으면 된다." 말이 딴 방향으로 흘렀는데 체하는 것과, 모든 위장의 병은 간 과 신장과 기허가 원인이지 소화효소의 부족만이 아닌 것을 기억하는 것이 좋다. 자주 체 하거나, 소화기능에 이상이 있어 속이 쓰리거나(위염 위궤양 등), 가스가 차거나 하는 사람 들은 근본적으로 치료를 하는 것이 더 큰 질환을 예방하는 길이다.

1) 식체(食滯-체한 증상)

음식에 체하게 되면 머리가 아프고 배도 아프고 열이 나는데 몸은 아프지 않다. 가슴이 답답하고 가스가 많이 생기며 음식냄새가 올라오고 토하거나 설사를 한다. 체했다는 것은 명치부위에 음식의 기운이 정체하여 내려가지 않은 것이며 숙식이라 한다. 향사평위산, 지 출환, 소건중탕을 쓴다. 비위가 허약하면 먹은 음식이 소화되지 않고 헛배가 부르고 구역 과 설사가 발생하여 밥맛이 없고 피로하게 된다. 혹 과식을 했거나 제때에 식사를 못하면 내상이 발생하니 반드시 건위익기하는 약을 사용한다. 보중익기, 전씨이공산, 육군자탕, 향사육군자탕, 등에 팔미를 합하여 쓴다. 비위가 모두 건전하면 식사 때가 조금 지나도 배 가 고프지 않으며, 조금 과식을 해도 내상이 생기지 않는다. 반면 모두 약하면 잘 먹지 못하 고 마르며, 조금 먹어도 살이 찌는 것은 위에 힘이 없어 사기(육음 중 한(寒)과 습(濕))을 이 기지 못하여 생기니 살이 찌더라도 사지를 가눌 힘이 없게 된다. 많이 먹는데 살이 찌지 않 는 것은 위에 열사(熱邪)가 있어 생긴다. 위에 열이 지나치게 심한 것은 신정의 부족과 비 장의 열이 위에 머물러 있으면 음식을 빨리 삭게 만들고 배고픔을 쉽게 느끼게 되는 상태가 되는데 입맛이 지나치게 좋고 먹은 것이 잘 소화되어 배고픔을 느끼는 것은 위화(胃火)가 성(盛)하고 위음(胃陰)이 소모되어 생기는데 몸은 마른다. 이 증상을 소곡선기라하며, 소갈(당뇨병과 유사)의 주요증상의 하나다.

향사평위산　「韓方秘錄」

> 창출8 진피 향부자各4 지실 곽향各3.2 후박 사인2.8 목향 감초2생강3

복령음　「韓方秘錄」

心胸中 有停痰 宿水 自吐出水後 心胸間虛 氣滿不能食 服後 消痰氣 今能食

심흉중 유정담 숙수 자토출수후 심흉간허 기만불능식 복후 소담기 금능식

심흉에 담이 정체하여 숙수로 변하여 스스로 물을 토한 후 심흉이 허해져 객기가 들어와 헛배가 불러 먹지를 못한다. 이 약을 먹고 난 뒤 담음이 없어지면 음식을 먹을 수 있게 된다.

> 복령 인삼 백출6 지실4 귤피5 생강8

위 속에 담음과 오래된 물이 고여 있어 이 물을 토하고 난 뒤 위가 허해지고 사기가 가득하여 음식을 먹을 수 없다. 본 약을 먹고 담음과 사기가 없어지면 음식을 먹을 수 있다. 배가 고파 음식을 조금만 먹어도 헛배가 불러 먹지 못하는 증상과, 음식생각을 하거나 보기만 해도 헛배가 불러지는 것을 치료하며, 위속에 담음으로 배가 불러 먹지 못하고 심하(心下)가 답답하여 저절로 물을 토하는 것도 치료한다.

지출환　「古今名醫方論」

胃虛 濕熱飲食壅滯 心下痞悶 痞滿 消食 強胃

위허 습열음식옹체 심하비민 비만 소식 강위

위장이 약하여 습과 열과 음식이 위내에 머물러 심하가 답답하고 괴롭다. 이 약은 위를 강하게 하여 소화가 잘 되게 한다.

> 백출80 지실炒40 爲末

作丸 50~70환, 따뜻한 물로 복용한다.

위가 허하여 습열과 음식이 위에 정체하여 심하가 답답하고 괴로운 것을 치료하며 위

를 강하게 하여 소화가 잘 되게 한다. 위가 힘이 없어 음식을 소화하지 못하여 위내에 정체하여 심하가 답답하고 괴로운 것을 치료하는 약이며, 한두 번 복용하여 위내 숙식을 풀어주게 하는 약이다. 금궤의 지출탕과 같은 조성으로 되어있으나 량이 다르고 목표증도 다소 차이가 있다. 본방은 지실의 하기(夏期)작용과, 백출의 제습(除濕)작용을 이용하여 급하게 체기가 내려가게 한다. 본방은 심하에 사발 엎어놓은 듯한 덩어리가 만져지는 것을 목표로 사용하는 약이며, 위(胃)가 허(虛)하여 물이 흩어지지 못해 심하(心下)에 뭉쳐진 것을 풀어주는 약이다. 지실은 미(味)가 고온(苦溫)하여 심하의 답답하고 괴로운 것을 풀어주고 위중(胃中)의 숙식이나 체기를 내려 보내 제거한다. 이 약들은 위중의 숙식을 내려가게 하는 약으로 먼저 허를 보하고 후에 손상된 것을 치료한다. 본방은 급박증을 완화하고 체기를 움직이게 하면서 위기를 보하는 약이므로 지출탕과 사용하는 약은 같으나 적용하는 병증은 다르다. 숙식의 정체를 풀어주는 약은 평위산이 있고, 심하비를 푸는 것은 반하사심탕이 있다. 심하가 답답하고 음식이 내려가지 않으면 향사평위산과 시호제를 합하여 사용해도 되고, 대시호탕에는 지실이 포함되어있고 평위산에 출이 있으므로 본방보다는 시호제와 합하여 사용하는 것이 더 좋다. 가(加) 귤피40하면 귤피지출환이며 냉한 음식을 많이 먹어 담(痰)이 많은 것을 치료한다. 가 신곡초 맥아초40하면 체하여 심흉이 답답하고 불쾌한 증상에 쓴다. 가 귤피 반하40하면 귤반지출환으로 체하여 답답하여 고통스러운 것을 치료한다.

백출120 지실초 진피 황련주침초40하면 귤연지출환으로 비를 보하고 위를 조리하여 소화가 잘 되고 담을 삭여주며 열을 내리고 소화를 시킨다. 황금80 황련주초 대황 신곡초 백출 진피40 지실초20하면 삼황지출환인데 고기, 면, 음주 등의 후미를 먹어 내상이 되어 항상 괴롭고 불쾌한 증상을 치료한다.

금궤지출환 「傷寒論」

心下硬 大如盤 邊如旋杯 水飮所作

심하경 대여반 변여선배 수음소작

심하에 쟁반크기의 딱딱한 것이 있고 그 주변이 마치 잔이 도는 것(?) 같은 것을 치료하는데 이것은 물인 뭉쳐 만들어진 것이다. 잔을 뒤집어 놓은 듯한 것이 제대로 의미가 통한다.

지실13 백출8

지출환에서 설명이 된 관계로 본조에서는 상세한 설명을 하지 않는다. 심하(心下)는

위의 위쪽 완(脘-밥통)이며 유문이다. 위기(胃氣)가 약하면 마신 물이 소화가 되지 않아 딱딱하게 심하에 뭉쳐 답답하게 된다. 그 형상이 가운데 부분은 높고 주변은 낮아 마치 잔을 엎어놓은 듯 하며 만져보면 겉은 딱딱한 것 같으나 속은 텅 비어있는 듯하다. 그것을 치료하는 방법은 반드시 위를 강하게 하여 그 답답함과 뭉쳐진 것을 풀어야 한다. 백출은 건비하고 강위하며, 지실은 심하의 답답함을 잘 풀어내며, 정체된 물을 몰아내고 정체된 혈을 흘어 잘 흐르게 하여 물이 뭉쳐져 있는 것이 없어지게 한다.

전씨이공산 「韓方秘錄」

脾胃虛弱 飮食不進 消化不良 心胸痞悶

비위허약 음식부진 소화불량 심흉비민

비위가 허약하여 음식을 잘 먹지 못하고 소화가 되지 않으며, 가슴과 명치가 답답하여 괴로운 것을 치료한다.

> 인삼 백출 복령 귤피 목향 감초4 생강3 대조2

설사 시는 오령산을 합한다.

향사육군자탕 「韓方秘錄」

不思飮食 食不能化 食後 倒飽者 此脾虛也

불사음식 식불능화 식후 도포자 차비허야

음식을 먹고 싶은 생각이 없고 먹으면 소화가 되지 않고 먹은 뒤에는 배가 가득 찬 상태로 있어 음식에 물리는 것인데 이것은 비가 허한 것이다.

> 향부자 백출 복령 반하 진피 백두구 후박4 사인 인삼 목향 익지인 감초2생강3 대조2

허냉하면 건강 육계를 가하고, 음주 후 불편하면 양강을 가하고, 식울(食鬱)에는 지실 황련을 가한다.

– 체의 임상(소화불량)

　　팔미 + 향사평위 + 소건중 + 시호제 = 만성 소화불량에 장기복용

　　팔미 + 향사평위 + 대시호 = 5~6일 복용

　　향사평위 + 대시호 + 소화제(또는 트리메부틴) + 돔페리돈액 = 3~4일 복용

안위환 + 트리메부틴 + 소화액제 = 1~2일 복용

반하사심 + 트리메부틴 + 소화액 = 명치가 답답하고 토할 것 같을 때 1~2일 복용

연라환, 보하환 등의 한방소화제 + 트리메부틴 + 소화드링크 = 1~2일 복용

– 밥맛이 없을 때 : 향사평위 + 시호제 + 소건중 + 육미

– 거식증 : 시호제 + 향사평위산 + 육미 + 소건중

2) 오문식취

위의 기가 역상하면 위완이 냉해져서 잘 먹지를 못한다. 방광이 열을 소장으로 보내면 음식냄새를 싫어한다. 임신 중에 입덧을 하는 이유이다. 태음병 즉 뱃속이 냉한 상태에서 위에 기운이 없으면 냄새 맡기를 싫어한다. 평위산 류를 사용하며 팔미로 신을 같이 잡아 줘야한다. 이중탕 삼령백출산 등도 필요하면 합한다.

(1) 약국임상

팔미 + 향사평위 + 이중 = 5~6일 복용

향사평위 + 삼령백출 + 트리메부틴 = 2~3일 복용

안중조기환 + 트리메부틴 + 돔페리돈액 = 1~2일 복용

3) 비결, 사결

일이 자기 마음대로 풀리지 않아 속을 끓여 울결이 되면 음식을 먹지 못하는데 이것을 비결이라 하고, 많은 생각과 상상은 상심이 되어 먹지를 못하는 것으로 이는 사결이라 한다. 온담탕에 죽여를 빼고 사용한다.

(1) 약국임상

가미온담 + 향사평위 + 팔미 = 장기복용

팔미 + 가미귀비 + 가미온담 + 삼령백출 = 장기복용

가미온담 + 향사평위 = 6~7일 복용

가미온담 + 향사평위 + 트리메부틴 = 2~3일 복용

4) 식후혼곤

음식을 먹으면 정신이 몽롱해지고 기운이 빠져 잠을 자려고 하는 것은 비장이 허해서

생긴다. 삼출탕을 쓴다.

삼출탕 「韓方秘錄」

脾胃虛弱 元氣不能 勞於心肺 四肢沈重 食後昏困

비위허약 원기불능 로어심폐 사지침중 식후혼곤

비위가 허약하여 원기의 생성이 약하여 심과 폐를 자양하지 못하여 사지가 무겁고 식사 후에 정신을 차리기가 어려운 것이다

> 황기8 창출4 신곡2.8 인삼 진피 청피 감초2 승마 시호 황백 당귀1.2

일명 삼기탕이라 하며, 보중익기탕에 가감한 처방이다.

– 식후혼곤의 임상 : 팔미 + 보중익기 + 자감초 + 향사평위

5) 신기급약(腎氣怯弱)

밥맛이 당기지 않아 음식을 못 먹는 사람에게 비를 보하는 약을 사용해도 효과가 나지 않는 것은 신허(腎虛)로 인해서 명문화가 쇠하여 음식을 소화시킬 수 없어서 나타나는 것이다. 토사자를 가루로 하여 3g씩 일 3회 술로 복용하면 10일 정도에 음식이 꿀맛처럼 맛있어진다(밥맛 당기는 약).

(1) 약국임상

팔미 + 보중 + 소건중 = 장기 복용

팔미 + 향사평위산 + 시호제 = 장기복용

6) 탄산, 토산

입에 신물이 고이고 신물을 토하는 것은 위산이 많은 까닭인데, 습담(濕痰)이 오래되어 울체되면 열이 생기고 이 열이 상역(上逆)하면 신물을 토하는 것이다. 창련탕을 쓴다.

창련탕 「韓方秘錄」

> 창출 황련薑炒 진피 반하 적복령 신곡4 오수유 사인2 감초1.5 생강3

– 탄산의 임상

    팔미 + 시호제 + 향사평위 + 황기건중 = 장기복용

    이진탕 + 시령탕 + 트리메부틴 + 위산분비조절제 = 10~15일 복용

    트리메부틴 + 위산조절제 + 생약습소화제산제 = 3~5일 복용

7) 조잡(嘈雜)

조잡증은 사기비기(似飢非飢) 사통비통(似痛非痛) 이유오농(而有懊憹) 불자녕모(不自寧貌)라 하여 배가 고픈 것 같기도 하고 안 고픈 것 같기도 하고, 아픈 것 같기도 하고 안 아픈 것 같기도 하여 안절부절 못하는 경우로, 열이 치밀어 오르는 경우도 있고 가슴이 답답하고 기분이 나쁘며 배가 아파지는 것으로, 모두 담화(痰火)나 식적이 있으면 발생하는 것이다. 화담청화탕을 쓴다.

화담청화탕   「韓方秘錄」

> 남성 반하 진피 창출 백출 작약 황금 황련 치자 지모 석고 감초 생강3

– 약국임상

    팔미 + 향사평위 + 안중조기환 + 이진탕 = 장기 복용

    팔미 + 가미귀비 + 가미온담 + 안중조기환 = 신경이 예민하고 불안 초조가 있는 자는 장기복용

    팔미 + 오적산 + 향사평위 + 시호제 = 장기 복용

    오적산 + 향사평위 + 트리메부틴 = 3~6일 복용

8) 애기(噯氣-트림)

음식이 소화될 때 생기는 트림으로 위에 습이 많고 열이 있어서 생긴다. 이진탕에 가감해서 사용한다.

이진탕

> 加창출 신곡 맥아 황련薑炒

선복화대자석탕　「傷寒論」

汗吐下 解表後 心下痞硬 噫氣不除

한토하 해표후 심하비경 애기부제

땀을 냈거나 토하거나 설사를 시켜 표가 풀린 뒤 심하가 답답하고 단단하며 위가 허하여 트림을 계속하는 자를 치료한다.

> 선복화 감초 대조6 인삼4 생강10 대자석2 반하10

발한법이나 토법, 하법 등으로 다스려 열은 풀렸는데 심하가 답답하고 트림이 계속 나오는 증상을 치료한다.

생강사심탕으로 치료를 해도 그 증상이 없어지지 않는 것으로 열을 풀 때 몸의 진액을 너무 손상시켜 너무 허해진 소치이다. 그러나 대자석이란 붉은 흙이고 공기오염이나 토양오염 등으로 먹을 수 없을뿐더러 위장장애를 더 일으킬 수 있는 원인을 제공할 수 있으므로 사용하기가 조심스럽다. 본방보다는 생강사심이나 반하사심탕, 또는 소시호탕을 사용하면서 향사평위산과 팔미를 함께 사용하면 된다. 본방은 명문화가 부족하여 영양의 생성이 되지 않아 전신에 진액을 산포할 수 없는 상태를 소화되게 하여 영양을 생성하게 하는 성약이다. 발한, 토, 하로 표가 풀린 뒤 사(邪)는 비록 물러갔지만 위기의 손상은 많아진다. 위기가 손상되면 영양의 생성부족으로 삼초가 제 기능을 잃어 버려 신정이 상승하지 못하여 심화를 내려오게 하지 못하고, 심하가 막혀 음도 내려오지 못해 신음을 만들지도 못한다. 이렇게 되면 위중에 탁사(濁邪)가 머물게 되어 복음(伏陰)이 역상하여 심하비경이되고 소화되지 못한 숙식이 부숙하여 가스가 발생하고 트림이 끊이지 않게 된다. 하초의 수기(水氣)가 위로 흘러 넘쳐 와들와들 떨면서 쓰러지려고 하는 자는 진무탕으로 진정시키고, 명문화가 약하여 설사하는 자는 적석지우려량탕으로 잡는다. 이방은 중초의 위가 허하여 기가 아래로 내려가지 못해 병이 중초에 있는 것을 이 탕의 법대로 치료하면 흉중에 전이되어 풀리지 않는 것을 풀어준다.

- 트림의 임상

　팔미 + 향사평위 + 시호제(뚱뚱하면 + 곽향정기, 보통은 + 이진탕) = 장기 복용

　반하사심탕 + 트리메부틴 + 돔페리돈액 = 2~3일 복용

　대시호 + 향사평위 + 트리메부틴 = 2~3일 복용

9) 흘역(吃逆-딸꾹질)

딸꾹질을 하면서 복부가 팽만해지는 것은 실사(實邪)가 속에 정체해 있기 때문이며, 헛구역질을 하고 딸꾹질이 나오는 것은 위기(胃氣)가 허하고 냉하기 때문이다.

귤피탕 「傷寒論」

乾嘔 吃 若手足厥者 本方主之

건구 흘 약수족궐자 본방주지

딸꾹질이 나오면서 건구역질과 수족이 냉한 증상이 있으면 사용한다.

> 귤피8 생강18

기의 역상이 주된 원인이며, 더불어 담음의 상충으로 인하여 생긴 것이므로 딸꾹질이 나오면서 건구역질과 수족이 냉한 증상이 나타난다.

귤피죽여탕 「傷寒論」

吃逆者 本方主之

흘역자 본방주지

> 귤피16 죽여4 대조14 생강16 감초10 인삼2

본방의 흘역은 기의 역상이 주증이다. 수독의 상충은 객증이므로 단지 흘역을 나타낼 뿐이다. 건구증과 수족궐냉은 없다.

– 흘역의 임상 : 자감초탕 + 오령산(4~5일) 이렇게 복용해도 효과가 없을 때는 대시호를 합한다. 멀미에도 사용한다.

10) 복통(腹痛)

배는 대복 소복 제복으로 나누며 배꼽 위를 대복이라 하며 비경에 속하고, 배꼽 아래를 소복이라 하며 간경에 속하며, 제복은 배꼽 부근으로 신경에 속한다. 복통이 있을 때 누르면 더 아파지는 것은 실통이며, 눌러서 아프지 않으면 허통이다 실통에는 대시호탕, 조위승기탕을 쓰고, 허통에는 이중탕, 건리탕, 소건중탕 등을 쓴다. 이중 + 소건중은 건리탕인데, 건리(명치와 배꼽의 중간)의 압통을 확인하고 사용한다.

190

(1) 한복통(寒腹痛)

배가 허한하여 살살 아프고 더 심해지지도 않고 덜하지도 않은 것으로 건리탕을 쓴다.

(2) 열복통

때때로 아프다 안 아프다하며 아픈 곳이 뜨거우면 손을 대지 못하게 하고 대변이 굳어 나가지 못하며 찬 것을 좋아한다. 대시호탕, 조위승기탕을 쓴다.

(3) 어혈복통

아픈 곳이 일정하지 않고 타박이나 부닥쳐서 생기며 부인의 생리불순으로 생긴다. 계지 복령환, 당귀수산, 당귀건중탕, 당귀작약산 등을 쓴다.

(4) 담음복통

배가 아프면서 소변이 잘 나오지 않는 것이다. 궁하탕, 사합탕을 쓴다.

사합탕   「韓方秘錄」

> 진피 반하6 후박 지각 적족 자소엽 향부자 울금2.8 감초2 생강2

궁하탕   「韓方秘錄」

留飮 痰飮腹痛 水停心下 背冷如掌大 或短氣而渴 四肢歷節痛

유음 담음복통 수정심하 배냉여장대 혹단기이갈 사지역절통

담음이 심하에 있어 배가 아프며, 등 한 곳이 손바닥 크기로 냉하며 숨이 차거나 갈증이 있을 수 있다. 사지역절통에도 사용한다.

> 천궁 반하 적복4 진피 청피 지각2 백출 灸감초1 생강2

(5) 식적복통

배가 아파 변을 배설하면 통증이 없어지는 것을 식적복통이라 한다. 가미평위산, 향사 평위산 등을 쓴다.

가미평위산 「韓方秘錄」

평위산 加산사 신곡 맥아 사인 청피

(6) 충심복통

복통이 있다 없다하면서 복중 상하가 송곳으로 찌르는 통증이 있는 것이다.

(7) 제축증(臍築症)

臍痛築深 而命將 難痊也(痊-병 나을 전)

제통축심 이명장 난전야

배꼽부위를 누르면 뛰면서 아픈 증상이다. 이 원인은 신기의 허한(虛寒)으로 오는 통증이다. 잘 낫지 않는 것이다. 신을 크게 보해야 한다.

이중탕에 백출을 빼고 복령 계피을 가한다.

11) 복통방제

이중탕 「傷寒論」

癨亂 頭痛 發熱 身疼痛 熱多欲飮水者 五笭散主之

寒多不用水者 理中湯主之

治中氣不運 腹中不實 口失滋味 病久不食 臟腑不調

如傷寒直中太陰 自利不渴 寒多而嘔等症

곽란 두통 발열 신동통 열다욕음수자 오령산주지

한다불용수자 이중탕주지

치중기불운 복중부실 구실자미 병구불식 장부부조

여상한직중태음 자리불갈 한다이구등증

곽란으로 토하고 설사를 하는데 두통과 열이 있고 몸이 쑤시고 아프며 열이 많아 물을 먹으려 하는 자는 오령산으로 치료하고, 한이 많아 냉하여 물을 찾지 않는 사람은 이중탕으로 치료한다. 비위가 움직이지 않아 소화가 정상적으로 이루어지지 않고 입맛이 없고 병이 오래되어 먹지 못하고 장부가 조화를 잃어버린 증상을 치료한다. 상한으로 한사가 뱃속으로 바로 들어와 냉하게 되어 설사가 나지만 갈증은 없고 한(寒)이 많아 물을 찾지 않는 구토의 증상을 치료한다.

> 인삼 백출 복령 감초6

비위가 냉하게 된 상태를 따뜻하게 만들어 줌으로 해서 비위의 기능이 살아나 소화와 생화를 돕는 처방으로, 겨울보다는 여름에 많이 사용될 수 있는 약이다. 본방의 적용은 우선 뱃속이 차다는 것을 목표로 사용하는데, 그 상태를 찾아내는 것이 우선이며 비위의 냉으로 인한 담음이 발생한 것도 치료할 수 있다. 양이 움직여야 비로소 비위가 따뜻해지고 비위가 온기를 얻어야 음식의 소화를 시킬 수 있게 된다. 비위의 기가 충분하여 곡기를 소화하여 청기를 상승시켜 주는 방제가 바로 이중탕이다. 이중탕은 중초에 양기를 보태주어 음식을 소화시키고, 음식이 영양으로 변화하게 하는 것이다. 만약 위의 양기가 부족하여 소화시킬 힘을 상실하고 영양의 생성을 하지 못하여 폐로 청기를 올려 주지 못하여 폐위로 인하여 오장육부에 생화할 수 있는 청양이 부족하게 된다. 예를 들자면 밥솥에 쌀을 넣고 아궁이에 불을 넣지 않은 것과 같은 상태라 밥이 되지 않아 설사 시에는 소화되지 않은 변이 나오고, 중기가 냉하여 음식을 먹고 싶은 생각이 나지 않으며 몸 전체가 영양부족이 일어나 비위가 냉하여 생기는 모든 병이 여기서 시작된다. 음식으로 먹은 곡기가 위로 들어와 명문화의 작용으로 소화가 되어 영양이 폐로 상승이 일어나면 폐는 올라온 청기를 활동하는 곳에 사용하고, 여분의 영양은 신으로 보내어 저장 하여 정과 혈로 만들어 진다. 혈의 순환으로 영양이 전신에 공급이 되니 오장육부는 수곡정미를 얻어 살아난다. 이것이 이중의 의미다. 만약 찬물과 찬 기운이 서로 엉겨 있어 소화가 되지 않을 때 부자를 가해 비와 신을 따뜻하게 하면 명문이 살아나 전신이 온후하게 되고 비위와 심장의 기능도 살아난다. 이중탕을 적용하기 위한 몸의 상태를 보면 위상유한(胃上有寒)이라 하여 배를 만져보면 차고, 배를 따뜻하게 하면 기분이 좋고 배를 만져주는 것을 좋아한다. 찬 음식을 먹게 되면 뱃속이 불편하거나 설사를 하고 여름철에 배를 덮고 자지 않으면 설사를 하는 사람도 위냉(胃冷)이며, 어제청락이라 하여 엄지손가락 아래(손바닥 쪽)에 파란 핏줄이 보이는 것으로 이것이 위가 냉하다는 것을 눈으로 확인하는 것이다. 기침을 오래하는 사람에게 아무리 약을 써도 효과가 없는 자는 위냉(胃冷)을 확인하여 보는 것도 좋다. 기침뿐만 아니라 어느 상태든지 배를 만져보는 것은 어려운 상황일 수 있으니 어제청락을 꼭 확인하여 질병으로 고생하는 불쌍한 사람들을 구제해 줘야 하는 게 우리의 도리다. 토하거나 설사하는데 열이 있어 갈증이 있으면 오령산으로 대처하고, 열이 없어 갈증이 없는 경우는 본방을 사용한다.

계지가작약탕, 계지가대황탕 「傷寒論」

本太陽病 醫反下之 因而腹滿時痛者 屬太陰也 桂枝加芍藥湯主之 大實痛者,
桂枝加大黃湯主之
본태양병 의반하지 인이복만시통자 속태음야 계지가작약탕주지
대실통자 계지가대황탕주지

태양병을 하(下-설사)하여 이부의 진액이 소모되면 뱃속이 냉해지고 시시로 아파지는
것인데, 복부가 허만(虛滿)하여 만지면 물렁물렁하여 풍선을 만지는 것처럼 느껴진다.
체하여 소화가 잘 되지 않고 배가 아프거나 위염 등으로 속 쓰림이 있을 때 적용하며,
간의 기운을 깎아내어 비위를 살려주는 의미로 소건중이라 한다, 여기에 교이를 넣은
것은 소건중탕이다. 단독으로 사용하는 경우는 가끔이며, 시호제나 육미 팔미 등과 함
께 사용하는 경우가 많다. 배가 부른 것은 태음이나 양명의 병에서 볼 수 있는 증상이
며 병의 위치는 같으나 그의 치료법은 다르다. 태음은 주로 나가는 것인데, 태음병은
하리로 인하여 이부의 정기가 부족하여 부숙된 음식이 배출되는 것이 순조롭지 못하
여 배가 부르고(허만) 시시때때로 아파지는 것이다.
양명병은 주로 안에서 일어나는 것으로, 부숙된 음식이 수분을 빼앗겨 말라버려 움직
이지 못해서(변비) 대실통이 일어난다. 대실통은 양명병에서 나타나는 것이며 태음병에
서는 나타나지 않는다. 함부로 설사를 시키면 반드시 위기를 상하게 되는데 위기가 허
하면 양사가 음을 엄습하여 태음으로 바뀌게 된다. 위의 진액이 마르게 되면 양명으로
바뀌게 된다. 태음으로 바뀌면 복만이 되어 때때로 아프지만 실하지는 않은 것은 음이
허하기 때문이다. 양명에 속하게 되면 배가 대실통이 된다. 양이 실하기 때문이다. 배
가 불러지고 때로 아픈 것은 하리가 날 현상이며, 대실통은 변비가 있는 것이다. 비록
변비가 있으면 대시호탕에 계지가작약을 해도 무방하다. 본방은 배가 아플 때 조건 없
이 사용해도 무방한 약이다. 작약이 약력을 배 쪽으로 끌고 가서 간을 수렴하고 계지
가 가스를 제거하게 하여 허만을 가라앉히고 복통을 잡는 약이다.

지실작약산 「傷寒論」

産後腹痛 煩滿不得臥 本方主之
산후복통 번만부득와 본방주지
출산 후에 배가 아프고 헛배가 부르고 답답해서 누울 수 없는 것이다.

194

지실 작약 등분

1회4g씩 1일3회 복용

본방의 복통은 하복에 있는 것이고, 하복에 혈이 응체하여 번만하여 눕지를 못한다. 산후에 뱃가죽이 빳빳하고 당기며 배가 가득차고 통증이 있는 것을 치료한다.

당귀건중탕 「傷寒論」

金匱曰 治婦人産後 虛贏不足 腹中刺痛不止 吸吸少氣 或苦 少腹中急攣 痛引 腰背 不能飲食 産後一月 日得服四五劑爲善 今人强壯

금궤왈 치부인산후 허리부족 복중자통부지 흡흡소기 혹고 소복중급급련 통인요배 불능음식 산후일월 일득복사오제위선 금인강장

출산 후에 기운이 없고 마르고 초췌한데 배 아픈 것이 멈추지 않아 숨을 들이쉬기가 어렵고 아랫배가 갑자기 아파 괴롭고, 복통이 등까지 당기면서 아파 음식을 먹지 못한다. 출산 후 한 달 동안 하루4~5를 먹으면 건강해진다.

不能飲食-먹고 싶어도 못 먹는 것
不欲飲食-배가 고파도 먹기가 싫은 것

당귀8 계지 대조 생강6 작약12 감초4 (계지가작약탕 + 당귀)

당귀가 약력을 자궁으로 인경하여 자궁의 허를 채운다. 대허자(大虛者)는 진액의 빠른 공급을 위해 교이12를 가한다. 출혈과다자 빈혈자는 신음(腎陰)을 채우고 혈을 보하기 위해 지황12 아교4를 가한다. 산후조리약으로 사용할 때는 + 당귀작약산한다. 당귀의 윤장작용과 유간작용으로 변비치료약으로 사용한다. 당귀건중과 황기건중을 합하면 귀기건중탕으로 되어 빈혈치료제로 사용한다. 가미귀비 + 육미 + 귀기건중하여 투여하면 설사가 날수도 있는데 이럴 때는 + 이진탕이나, 곽향정기를 가하여 사용한다.

– 복통의 임상
  향사평위 + 소화효소제 + 진경제 = 식적복통에 투여하며, 통증이 심한 경우에 사용
  대시호 + 소건중, 또는 소시호 + 소건중 = 복통에 사용
  소건중 + 이중탕 = 건리통에 사용

안중산 + 계령 = 생리 시 복통

12) 위염, 위궤양, 위하수, 위암

공복에 속이 쓰리고 신물이 넘어오며 음식을 먹으면 통증이 좀 가라앉는 것은 위염이
며, 새벽에 아픈 것은 주로 위궤양이다. 이의 원인은 간화가 위장으로 침범하여 비위를 조
절하지 못하여 발생한다. 간의 화가 위장으로 침범하면 속 쓰림이나 가스, 소화불량이 발
생하며 신허나 스트레스 등이 간의 기능을 조절하지 못하여 발생한다. 위장은 표로 생각하
고 표의 허를 채우는 황기건중탕에 팔미와 시호제를 사용한다. 역류성 식도염은 가슴이 타
는 듯한 통증이 오는데 용담사간과 소건중을 쓰던가, 소시호와 소건중을 합하여 사용한다.
역상을 잡는 맥문동탕과 가슴통증을 잡는 시함탕을 합하여도 좋은 효과가 난다. 쓴물이 넘
어오는 경우는 용담사간탕에 팔미를 합하여 주고 담즙이 역류되지 않도록 간장약을 함께
투여하는 것이 좋다. 위하수는 위가 힘이 없어 늘어진 것으로 소화가 잘 되지 않고 트림이
나 가스가 많이 생기며 봉장의 힘이 약해서 발생하므로 가미보중익기탕에 팔미나 육미를
같이 쓰면서 향사평위산을 힘께 쓰면 좋다.

가미보중익기탕1　「韓方秘錄」

위궤양 위하수

황기밀구 백출토초 20 당귀8 인삼4 시호 진피 감초 백급2 승마0.8 생강3

하루 2번 복용

위암은 비위의 기능이 상실되어 발생한다. 증상은 위가 단단하고 덩어리가 만져지며
음식을 잘 먹지 못하고 소화가 되지 않는다. 가미보중익기탕을 쓴다.

가미보중익기탕2　「韓方秘錄」

황기 백출20 당귀6 인삼4 반하 진피 감초 시호2 승마0.8 생강3

하루 2번 복용한다.

(1) 위염, 위궤양의 임상

– 식도염 : 시함탕 + 소건중 + 맥문동탕(팔미 + 보중)

196

– 역류성식도염 : 팔미 + 맥문동탕 + 시함탕

– 심번 : 시함탕 + 팔미 + 소건중

– 쓴물이 넘어온다 : 육미 + 용담 + 간장약

– 위하수 : 팔미 + 보중 + 향사평위 + 소건중

– 위염 : 소시호 + 소건중

– 위산과다 : 반하사심 + 이중탕 + 팔미

13) 수토불복

신장과 비위가 서로 조화가 일어나지 않아서 발생하는 증상인데. 한 곳에 정착하지 못하고 떠돌아다니며, 잠을 자는 곳도 일정하지 못하고. 음식도 일정하지 못하여 과음을 하거나 과식을 하는 경우가 있으며, 음식의 부절제, 많은 스트레스와 과로 등은 신허를 유발하고, 이로 인해 비위가 약해져 신과 간과 비위의 조화가 깨지게 된다. 비위가 약하여 담음이 발생하고 담음의 정체와 하주 상역 등으로 잘 토하거나 설사를 하며, 기침을 하며 농(膿) 같은 가래를 토출하고, 몸이 잘 붓거나 살이 많이 찌며 항상 피로를 느끼는 것이 수토불복의 증상이다. 곽향정기산, 불환금정기산, 평위산 등을 쓴다.

곽향정기산 「古今名醫方論」

外受 四時不正之氣 內停飮食 頭痛 寒熱 或霍亂吐泄

외수 사시부정지기 내정음식 두통 한열 혹곽란토사

외부로 부터 사시(四時)의 나쁜 기를 받아 두통과 한열이 생기고 위내에 음식이 머물러 숙식이 발생하고, 곽란으로 토하고 설사하는 것을 치료한다.

> 곽향 길경 자소 백지 후박 대복피 반하 복령 진피 감초

수토불복(水土不伏)의 대표적인 방제로, 수토불복이라 함은 일정하지 않은 식사나 생냉(生冷)한 음식으로 인해 비위기능이 약해지고 그로 인해 숙식이 발생하여 소화기계에 이상으로 설사나 구역질 등이 오고, 숙식으로 인한 담음이 발생하여 가래나 기침이 나오고 기육에 정체된 담음으로 인해 몸이 불어나 뚱뚱해지고 피로를 호소하게 된다. 그리고 과로나 스트레스 등으로 신의 기능이 약해져 비위를 조절할 명문화도 약하고, 몸의 항상성이 떨어져 여러 가지 신허 증상으로 오는 병이 발생하고 상열하냉(上熱下冷) 현상도 생기게 된다. 이 처방은 뚱뚱한 자에게 가장 널리 사용되는 약이며, 몸이 허

하거나 마른 사람, 그리고 출혈의 경향이 있는 사람은 사용해서는 안 된다. 사시의 사기(邪氣)는 코로 유입이 되지만 표에 머물지 않고 이부(裏部)로 들어가 비위를 약하게 하는 것으로 땀을 내어 해(解)하는 것이 아니고 기를 조절하는 이기제를 사용하여 담음을 뽑아내어 조(燥)하게 하는 약이다. 소엽 백지 진피 대복피 후박 길경은 모두 이기제이다. 복령 반하 진피는 이진탕으로 담음을 빼내준다. 만약 태양병이 존재해도 이탕을 주는 것은 아무런 상관이 없다. 상한으로 맥이 침하고 발열하거나 원기가 허한 자와 음허(陰虛)로 발열하는 자는 주의해야 한다. 몸을 조(燥)하게 하는 약이므로 음허(陰虛)한 자는 더욱 음허가 심해지기 때문에 출혈을 유발 할 수 있기 때문이다. 그래서 출혈의 경향이 있는 자도 절대로 사용해서는 안 된다. 본방을 적용할 사람은 의외로 많다. 뚱뚱한 사람이 피곤하다하면 그냥 줘도 상관없다. 비만한 사람은 습이 많이 정체된 것으로 해서 몸이 무겁고 피로를 호소하게 된다. 그리고 토하고 설사하는 곽란에 이중탕증인지 오령산증인지 애매하거나, 환자의 상태를 모를 때 본방을 하루 이틀 사용한다. 비만자의 만성병에 타약에 꼭 같이 합방하여 사용하면 효과가 좋다.

불환금정기산　「韓方秘錄」

水土不伏 四方居趾不同 人移去他邦 因飲食傷胃 不習新水 疾病必生也
수토불복 사방거지부동 인이거타방 인음식상위 불습신수 질병필생야

멀리 출타하여 그 지방의 풍토병이나 기후에 적응이 되지 않아서 비위와 신허를 유발하여 수토불복이 발생하여 토사(吐瀉)와 하리(下利)하는 자를 치료한다.

평위산 加반하 곽향

– 수토불복의 임상 : 팔미 + 보중익기 + 자감초 + 곽향정기를 사용하고 간화가 있으면 시호제를 함께 투여한다. 설사를 잘 하는 사람은 위령탕을 합한다.

14) 식궐

식궐의 증상은 갑자기 어지러워 졸도하여 입을 다물고 말을 못하며 사람을 알아보지 못하고 사지를 가누지 못하는 증상이다. 이 원인은 과식을 하여서 가슴에 음식이 정체하여 기가 통하지 못하여 오는 것이므로 급히 토하게 한 후 가미육군자탕, 성향정기산을 쓴다.

가미육군자탕　「韓方秘錄」

향부자6 백출 복령 진피 반하4 인삼2.8 목향 사인2 감초1.2 생강3 대조 소엽2

성향정기산　「韓方秘錄」

남성 목향 당귀 방풍

15) 구토(嘔吐)

구(嘔)라 하는 것은 소리를 내며 먹은 음식물이 역(逆)으로 나오는 것이며, 토(吐)라는 것은 음식물이 나오기는 하나 소리가 나지 않는 것이다. 그리고 흘(吃)은 딸꾹질이며, 소리는 나지만 음식물은 나오지 않는 것을 말한다. 구, 토, 흘은 비장(脾臟)의 기운이 허약하고 위가 냉하거나 식체(食滯)로 인해서 발생한다. 구토는 먹은 음식을 토해 내는 것으로 냉(冷)구토와 열(熱)구토 두 가지가 있다. 냉구토는 얼굴이 푸르고 수족이 차갑고 음식을 먹고 소화가 되지 않아 오래 머물고 있다가 토하는 것이며, 정향안위탕을 쓰고, 열구토는 얼굴이 붉고 손발이 뜨겁고 음식을 먹으면 바로 토하는 것인데 이때는 보중탕을 쓴다. 울렁거려 헛구역질을 하면서 토하려 해도 토해지지 않으며 음식 생각이 전혀 없는 비위가 약하고 담음이 있고 소화력이 약해서 오는 것이므로 이진탕에 백두구 향부자 사인을 가하여 사용한다.

소반하탕　「傷寒論」

嘔家本渴 渴者爲欲解 今反不渴 下有支飮故也 諸嘔吐 穀不得下者
구가본갈 갈자위욕해 금반불갈 하유지음고야 제구토 곡불득하자

구(嘔)는 항상 갈증이 있는 것으로, 갈증이 있는 것은 위내(胃內)의 물이 하강하여 위내의 수분이 감소하여 풀리려고 하는 것이다. 반대로 갈증을 없으면 심하(心下)에 지음(支飮)이 있어서 그런데, 갈증이 없다는 것은 위내에 담음(痰飮)이 생겼기 때문이다. 구토증이 있으면 음식물이 소화가 되지 않는다.

반하20 생강16

위가 허한(虛寒)하여 중초에 담음이 있고 위기가 상역하여 구토가 발생한 것이다.

소반하가복령탕　「傷寒論」

辛嘔吐 心下痞悶 膈悶有水 眩悸者

졸구토 심하비민 격간유수 현계자

갑자기 구토를 하고 심하(心下)가 답답한 자는 격간(심하부)에 물이 있는 것이고, 그로 인해
어지럽고 심장이 뛴다. 이것을 치료한다.

> 반하20 생강10 복령12

외대복령음　「韓方秘錄」

心胸中 有痰飮宿水 自吐出水 復心胸間 虛氣滿不能食 消痰氣 今能食

심흉중 유담음숙수 자토출수 부심흉간 허기만불능식 소담기 금능식

심흉 중에 담음과 오래된 물이 있어 물을 토하고 다시 심흉 간에 허기로 가득 차 먹지를 못
하고, 담음의 기운이 없어지면 그때야 먹을 수 있다.

> 복령 인삼 백출各12 지실8 귤피10 생강16

통상 구토(嘔吐)라 하여 위(胃)의 내용물이 나오며, 소리도 나는 것으로 통칭하고 구
(嘔)라고 말한 것도 구토로 생각한다. 본방의 구토증은 위내(胃內)의 수분이 정체하여
물이 토해지는 수역증이 아니고 위(胃)가 허해 비위에 음식이 정체되어 물과 탁기가 역
상(逆上)하는 상태를 다스리는 것이다. 구토는 담음이 위에서 정체되어 있다가 위의 기
역(氣逆)으로 용솟음치듯 분출이 되어 나오는 것이다. 구토가 멎고 나면 위속의 담음이
내려가거나 배출이 되어 몸속의 진액이 부족한 상태가 되어 갈증이 생기는 것이 정상
이다. 그래서 갈증이 생기면 위중의 담음이 모두 없어진 것으로 생각한다. 반대로 갈증
이 없는 것은, 위중에 완고한 담음(痰飮)이 없어지지 않고 고여 있는 것이다. 위중에 담
음이 넘쳐 심장으로 들어가면 반드시 동계가 생기게 된다. 복령은 혈중의 나쁜 수분을
골라 뽑아내고 신장의 나쁜 기운을 제거하므로 심장이 안정을 찾게 된다. 외대복령음
은 복령음에 인삼 지실 귤피를 가한 것인데, 상초와 중초의 기가 약해 물을 마셔 위내
(胃內)로 들어와도 비위가 약하여 물을 흡수하여 폐로 올려 줄 수 없고, 폐도 약하여 통
조수도의 작용이 약하여 수분이 위에 정체되어 쌓여 담음이 된다. 이것이 숙수다. 토하
는 것은 내려가야 할 기가 거꾸로 치솟는 것으로 이것은 기가 허하여 발생되며, 헛배가
불러 음식을 먹을 수 없게 되니 중초의 기를 조절하여 비위가 살아나게 해야한다.

생강반하탕 「傷寒論」

病人 胸中似喘非喘 似嘔不嘔 似吃不吃 徹心中 憒憒然 無可奈可者

병인 흉중사천비천 사구불구 사흘불흘 철심중 궤궤연 무가나가자

환자가 호흡이 곤란한 것 같으나 아니며, 구역질이 나올 것 같으나 안 나오며, 딸꾹질이 날 것 같기도 하지만 아니어서 어찌 할 바를 모르는 것을 치료한다.

> 반하12 생강즙80

반하를 먼저 달이다가 나중에 생강즙을 넣고 더 달인다. 따뜻하게 4회에 나누어 먹는데 낮에 3회 밤에 1회 복용하고, 불쾌감이 없어지면 복용을 중지한다.

소반하탕과 차이는 생강대신 생강즙을 넣는 것인데, 즙이 담음을 제거하고 토를 진정시키는 힘이 강하기 때문이다.

반하건강산 「傷寒論」

乾嘔吐逆 吐涎沫

건구토역 토연말

건구역질을 하며 침과 거품을 토하는 것을 다스린다.

> 반하말 건강말

8g을 물에 달여 천천히 복용한다.

구역질로 괴롭고 위액이나 침을 뱉고 심하게 구(嘔)하면서 그치지 않는 것을 치료한다.

건강인삼반하환 「傷寒論」

姙娠 嘔吐不止

임부 구토부지

여러 진토제(鎭吐劑)를 복용하여도 구토가 그치지 않는 것을 치료한다.

> 건강2 인삼2 반하4

가루로 하여 생강즙을 넣어 밀환 오자대로 만들어 10환씩 3번 복용한다.

열이 없고 갈증도 없고 심장이 두근거리지도 않고 음허(陰虛)로 심하가 답답하고 오심(惡心), 구토하는 것을 다스린다.

오사심탕 「古今名醫方論」

반하사심탕

傷寒五六日 嘔而發熱 柴胡症俱 而以他藥下之 但滿而不痛 此爲痞

상한오륙일 구이발열 시호증구 이이타약하지 단만이불통 차위비

상한으로 5~6일 지나고 구역질과 열이 나는 시호증이 갖춰져 있는데 이것을 엉뚱한 약으로 하(下)를 시켜 단지 가득 찬 느낌만 있고 아프지 않은 것이 비이다. 반하사심탕으로 처치한다.

> 반하12 황금 건강 인삼 감초 대조各6 황련2

此小柴胡去柴胡 而加 乾薑 黃連

차소시호거시호 이가 건강 황련

차방은 소시호탕에 시호를 빼고 건강과 황련을 가한 것이다.

대황황련사심탕

傷寒大下後 復發汗 心下痞 惡寒者 表未解也 不可攻痞
當先解表 表解 乃可攻痞
解表宜 桂枝湯 攻痞宜 大黃黃連瀉心湯
心下痞 按之濡 其脈關上浮者 大黃黃連瀉心湯

상한대하후 부발한 심하비 오한자 표미해야 불가공비

당선해표 표해 내가공비

해표의 계지탕 공비의 대황황련사심탕

심하비 안지유 기맥관상부자 대황황련사심탕

상한병을 크게 설사를 시키고 다시 발한을 시켰는데 심하(心下)가 답답하고 오한이 나는 것은 표가 아직 완전히 풀린 것이 아니다. 이때 비(痞)를 공격하면 안된다. 당연히 표를 먼저 풀고, 표가 풀리면 비(痞)를 치료할 수 있다. 해표(解表)에는 계지탕으로 하고, 비(痞)를 공격하는 데는 대황황련사심탕으로 한다. 심하(心下)가 답답하고 만지면 부드러우며, 관맥이 부(浮)한 자는 대황황련사심탕으로 치료한다.

> 대황8 황련4

뜨거운 물 2승에 잠깐 담았다가 거재한 후 복용한다.

부자사심탕

心下痞 而復惡寒 汗出者 附子瀉心湯

심하비 이부오한 한출자 부자사심탕

심하가 답답한 사람이 오한이 있고 땀이 나는 자는 부자사심탕으로 치료한다.

> 대황8 황련 황금4 부자

부자 1매를 삶아 즙을 취한다. 뜨거운 물 2승에 3미를 잠깐 담궜다 거재한 후 부자즙을 넣고 혼화한 후 먹는다.

생강사심탕

傷寒 汗出解之後 胃中不和 心下痞硬 乾吃食臭

脇下有水氣 腹中雷鳴 下利 生薑瀉心湯主之

상한 한출해지후 위중불화 심하비경 건흘식취

협하유수기 복중뇌명 하리 생강사심탕주지

상한에 땀을 내고 풀렸으나 위가 불편하고 심하(心下)가 답답하며 마른 딸꾹질나 나는데 음식 냄새가 올라오고, 옆구리에 수기(水氣)가 있어 뱃속에서 천둥소리가 나며 설사를 하는 것은 생강사심탕으로 치료한다.

> 생강4냥 감초 인삼各3냥 건강1냥 황련1냥 황금3냥 반하반승 대조12매

감초사심탕

傷寒中風 醫反下之 其人下利 日數十行 穀不化 腹中雷鳴 心下痞硬而滿 乾嘔
心煩不得安 醫見心下痞 謂病不盡 復下之 其痞益甚 此非結熱 但以胃中虛
客氣上逆 故使硬也 甘草瀉心湯主之

상한중풍 의반하지 기인하리 일수십행 곡불화 복중뇌명 심하비경이경만 건구

심번부득안 의견심하비 위병부진 부하지 기비익심 차비결열 단이위중허

객기상역 고사경야 감초사심탕주지

상한으로 감기가 걸렸는데 의자(醫者)가 설사가 나도록 투약하여 하리(下利)를 하루 수십 번씩 하고 뱃속에서 천둥소리가 나고 심하가 답답하고 가득하며 건구역질과 심번으로 안정을 찾지 못한다. 심하비(心下痞)만 보고 병이 아직 덜 풀렸다고 다시 설사를 시키니 그 답답

함이 더 심해진 것이다. 이것은 열이 뭉쳐진 것이 아니고 단지 위(胃)가 허하고 객기(客氣)가 역으로 올라와 단단하게 뭉쳐 발생된 것이다. 감초사심탕으로 치료한다.

> 감초8 황금 건강 대조各6 반하12 황련2

심하(心下痞)를 풀어주는 처방들로서 그 차이가 무엇인가를 알고 잘 구별하여 사용하여야 한다. 음병인 것을 역으로 설사를 시키면 비(痞)가 발생한다. 이외에 비(痞)가 만들어지는 원인은 감기를 발산(發散)대신 설사를 시켜 발생되는데, 땀을 내어 풀린 후에 비(痞)가 된 것과, 설사 후 다시 땀을 내어 비(痞)가 된 것, 땀이 나지 않고 설사 후 비(痞)가 된 것 등이 있다. 중요한 것은 결흉(結胸)은 실(實)에 속하고 비(痞)는 허에 속하는데, 결흉은 열이 들어온 것이며 비는 열이 들어오지 않은 것이다. 오사심탕에 들어가는 약이 같은 것과 다른 것이 있다. 동일한 약은 황련 건강 황금 대조인데 처방은 달라도 같이 들어가는 약이다. 인삼 부자 대황 반하 감초 생강은 같은 사심탕에 다르게 들어가는 약이다. 비증(痞症)에는 구역이 따라오니 반하를 군(君)으로 하면 반하의 신(辛)이 뭉쳐진 것을 풀어주니 이 방에 주약이 되는 것이다. 땀이 나고 풀린 뒤이므로 상한증은 없다. 위(胃)는 진액을 주제하는데 발한으로 진액이 없어져 위가 불화(不和)한 상태이다. 심하(心下)가 단단하고 가득 찬 것은 비(痞)의 징후다. 속으로 들어온 비를 봐야한다. 만지면 부드러운 것은 것이 아직 비가 아니다. 위(胃)는 심하(心下)에 있는데 심하비(心下痞)는 위(胃)의 비(痞)이다. 적절하게 사용하는 목표증을 보면, 우선 반하사심탕은 심하부위가 막혀 음식이 내려가지 않아 심하가 답답하고 울렁거리며 복중에 뇌명(꾸룩꾸룩 소리가 나는 것)이 있을 때 사용한다. 황련 황금이 심하의 비를 풀고, 반하와 건강이 구(嘔)를 잡고, 인삼 감초 건강이 위를 정상화시키는 처방이다.

감초사심탕은 반하사심탕에 감초만 약간 증량하여 흥분성을 완화시키는 처방이다. 심하비경에 구이장명(嘔以腸鳴)은 반사와 같은 증이나, 신경의 이상 흥분상태를 진정시키는 작용을 가지고 있어 신경성으로 오는 위장병이나 음식냄새를 싫어하고 음식 먹기도 싫다고 하는 사람에게 사용한다.

호혹지병이라 하여 여우에게 홀린 병에 쓴다고 하지만 어떤 내용인지 알 수 없고, 얼굴이 갑자기 붉었다 검었다 희었다하는 사람에게 쓴다.

생강사심탕은 반하사심탕에 생강을 가한 처방이며, 위속의 이상 발효로 인하여 반사의 증에 트림이 많을 때 사용한다. 부자사심탕은 삼황사심탕에 부자를 가하여 사심탕증과 부자증을 치료하는 처방이다. 심하비(心下痞)가 있으면서 오한(惡寒)하며 땀이 나는 사람에게 사용한다. 여기서 오한하며 땀이 나는 것은 표증으로 오는 것이 아니고, 표의 양기가 모두 없어져 몸이 냉하여 단지 춥기만 하는 오한하고. 땀구멍을 조밀하게 할 수 없어 땀이 나는 것이다.

대황황련사심탕은 대황과 황련만 사용하여 끓는 물에 담갔다가 복용하는 약으로 황금이 없으므로 심하가 답답하긴 해도 단단하지는 않은 상태에 사용한다. 황련의 증은 흉부에 열이 모여 얼굴이 붉게 되고 약간의 흥분성 상태인 것이다. 그래서 얼굴이 화끈거리고 가슴이 답답하다고 하면 이방을 준다. 약을 먹고 (한약이든 양약이든) 체했다고 하면서 답답해 할 때 사용하면 즉시 효과가 난다.

황련탕 「傷寒論」

傷寒胸中有熱 胃中有邪氣 腹中痛 欲嘔吐者

상한흉중유열 위중유사기 복중통 욕구토자

상한으로 흉중에 열이 있고 위중에도 열독과 수독이 있어 배가 아프고 구토를 하려하는 자를 치료한다.

> 황련 감초 계지 건강 대조各4 인삼3 반하10

반하사심탕과 비슷한 조성인데 반하사심탕에 황금을 빼고 계지를 넣은 것이다. 반하사심탕은 황금과 황련으로 심하에 열을 사하여 구역과 심하비를 치하는 처방인 반면에 본방은 계지와 황련으로 심하(心下)보다 윗부분인 가슴부위의 열로 복통과 구토가 있는 것을 치료하는 방제이다.

열이 흉중에 있게 되면 번조와 번민의 증상이 생기게 되고, 반대로 한사(寒邪)가 아래쪽으로 침범하면 위중(胃中)에 한사와 수독이 있는 것이다. 본방의 증은 한사와 열사가 동시에 있는 것으로 대청룡탕의 한열과 비교해 볼 때 한층 더 속으로 들어온 것이다. 그래서 표증과 이증은 보이지 않고 다만 상초와 하초 사이의 증만 보이게 된다. 배가 아픈 것은 한사가 위중에 있어 영양을 상초로 올려주지 못하여 발생하는 것이며, 구토를 하려는 것은 열이 흉중에 있어 양기가 아래로 내려가지 못하고 위로 치밀기 때문이다. 이것은 상하(上下)가 서로 가로 가로막고 있어서 치법 역시 한과 열을 병행하여 제거해야 한다. 정상적인 몸의 상태도 하초는 따뜻하고 상초는 서늘해야 하지만 여기서는 사기가 들어와서 허열이 발생한 것과 한사가 흉중에 있는 상태를 말하는 것이다. 반하사심탕은 복통과 구토가 나타나더라도 어느 한쪽만 강하게 일어나지만, 본방은 <u>복통과 구토</u>

205

가 동시에 강하게 나타나는 것이 반사와 구별하여 사용할 수 있는 목표증이다.

오수유탕　「傷寒論」

嘔以胸滿 厥陰病乾嘔 吐涎沫 頭痛者

少陰症吐利 手足厥冷 煩躁欲死者

陽明食穀欲嘔者

구이흉만 궐음병건구 토연말 두통자

소음증토리 수족궐냉 번조욕사자

양명식곡욕구자

궐음병으로 건구역질을 하며 거품 같은 침을 토하고 머리가 아픈자, 소음병으로 구토와 설사를 하며 손발이 궐냉하고 조급증으로 괴로워 죽고 싶은 자, 양명병에 음식을 먹고 나면 토하려고 하는 자를 치료한다.

> 오수유8 인삼 대조6 생강12

흉격(胸膈) 부위에 한사(寒邪)가 뭉쳐있어 구토와 두통이 있는 것을 다스리는 방제다. 음식을 먹고 나면 울렁거리고 두통이 함께 나타나는 것을 목표증으로 사용한다. 이증을 가진 사람은 항상 아프다고 찡그리고 있으며 얼굴색이 검은 사람이 많고 대체적으로 몸이 냉한 사람들이다. 자주 보이지는 않으나 숙지하고 있어야 할 내용들이 많다. 양(陽)을 생성하는 모든 방(方)들은, 소음병에는 사역탕에 생강과 부자를 필히 사용하고, 통맥사역탕에는 건강을 더 가하고 부자는 생용(生用)한다. 부자탕에서 생부자를 더 가해 사용한다. 양(陽)을 왕성하게 하여 외부 표로 나가게 하기 위함이며, 혹시 허양(虛陽)이 떠는 것을 반대로 내부(內部)로 끌어들이기 위함이다. 소음(少陰-腎)에 생명의 근본인 진양(眞陽)을 존재하게 하여 원양(元陽)을 근본에서부터 살아나게 하여 빠르게 양(陽)이 회복되게 하는 것이다. 궐음병의 치료에 있어 본방은 당귀사역탕의 모든 약을 빼고 오수유에 인삼 생강 대조만 사용하였다. 궐음 부위에 한사의 울결(鬱結)이 있어 본방을 사용하여 구토를 치료하고 한사(寒邪)를 흩어버리게 하는 것이다.

정향안위탕　「韓方秘錄」

嘔吐 吃逆 胃寒所致

구토 흘역 위한소치

206

구토와 딸꾹질은 위(胃)가 냉하여 발생한다.

> 황기8 오수유 초두구 인삼 창출4 정향 시호 승마 당귀 진피 炙감초2 황백0.8

보충탕 「韓方秘錄」

因痰火致 嘔吐 不下飮食

인담화치 구토 불하음식

담음과 열이 위에 머물러 있어 토하며 음식을 삼키지 못하는 것을 치료한다.

> 백출土炒8 황금土炒 황련土炒 곽향 치자薑炒4 반하 진피 적복령3.2
> 사인炒1.2 감초0.8 생강3

달여 차게 하여 자주 마신다.

가미이진탕 「韓方秘錄」

欲吐不吐 見飮食則心便惡

욕토불토 견음식즉심편오

토하려 해도 토해지지 않고 음식을 보면 다시 울렁거린다.

> 이진탕 加백두구 향부자 사인

육물황금탕 「韓方秘錄」

乾嘔下利

건구하리

> 황금 인삼 건강 대조6 계지4 반하10

건구역질을 하고, 설사 후 항문부위가 개운하지 못하고 거북한 것을 치료한다.

– 구토의 임상

향사평위 + 시호제 + 팔미 = 먹기만 하면 체하고 울렁거리며 가슴이 답답할 때 장기복용

향사평위 + 대시호 + 트리메부틴 = 체해서 오는 구역질에 사용

오령산 = 수역증에 사용-갈증이 있어 물을 먹으면 바로 토하는 증상

이중탕 = 수역증에 사용-갈증은 없고 물을 먹고 토하는 증상

곽향정기 = 수역증에 사용-오령증인 이중증인지 모르겠고 물을 먹고 토하는 증상

사시통용

16) 식비

식후에 명치가 은근히 아파서 견디기가 어렵고 토해 버리면 통증이 없어지는 증상이다. 이 원인은 위기(胃氣)의 역상이 심하고 아래로 내려가는 기운이 없어서 생긴다. 평위산, 복령반하탕으로 조리한다.

복령반하탕 「韓方秘錄」

痰飮停胃 嘔吐不止

담음정위 구토부지

담음이 위내에 정체되어 구토가 끊이지 않는 것을 치료한다.

> 반하8 적복령 진피 창출 후박4 곽향3.2 사인 건강 灸감초2 생강3

(1) 식비의 임상

– 구역이 심하고 소화가 되지 않을 때 : 향사평위 + 대시호 + 돔페리돈액

– 구역질이 나고 위가 쓰리고 명치가 답답할 때 : 반하사심 + 제산제 + 트리메부틴

– 울렁거리며 통증이 심할 때 : 향사평위 + 트리메부틴 + 진경제

17) 삼양결(열격=噎膈)

약국에서 접하기 어려운 증상이므로 상세한 설명은 하지 않는다. 삼양에 열이 뭉쳐지면 대소변이 불통(不通)되어 그 열이 역상(逆上)하여 음식이 내려가지 못하면서 다시 토해지는 것이다. 상초열격, 중초열격, 하초열격이 있다. 반위(反胃)증이라 하여 아침에 먹은 것은 저녁에 토하고 저녁에 먹은 것은 아침에 토하는 증상이며 위가 상하여 소화가 되지 않고 숙식이 내려가지 않는 것을 말한다.

신기산 「韓方秘錄」

噎膈反胃 血虛有火 三陽枯渴

열격반위 혈허유화 삼양고갈

반위로 혈이 부족하고 열이 있고 삼양이 고갈된 상태다.

> 당귀 천궁 백작약 생지황酒炒 진피 사인 반하 복령 백출土炒 향부자 지실 오매 매육 곽향 적복령 병랑 목통 저령 황금炒 황백炒 지모炒 적작약 천문 맥문 감초2

지유탕 「韓方秘錄」

朝食暮吐 暮食朝吐

아침에 먹은 것은 저녁에 토하고, 저녁에 먹은 것은 아침에 토하는 증상을 치료한다.

> 산수유120 숙지황80 물5碗(주발) 煎至2碗 和(섞다) 육계末4g

1일 1제 10일복용

증상이 치료된 뒤 팔미원1~2제를 복용한다.

대반하탕 「傷寒論」

反胃嘔吐者 反胃不受食 食入卽吐 治嘔 心下痞硬者

반위구토자 반위불수식 식입즉토 치구 심하비경자

반위로 구토하는 사람은 증상이 아주 심하다. 위의 거부 반응으로 음식을 먹으면 바로 토하여 먹지 못한다. 본방은 구토와 심하가 단단한 것을 치료한다.

> 반하20 인삼3 백밀40

18) 곽란(癨亂)

외감(外感-육음)의 침입과 내상(內傷-소화기 이상)이 원인이다. 비위의 허한으로 육음의 공격을 막아내지 못하여 중초에 한사(寒邪)가 들어오면 위가 냉해져 유동운동이 멈추어 발생하고, 육음 중 한사(寒邪)가 하초인 간과 신에 침범하면 근과 건, 뼈에 영양을 공급하지 못하여 전근이라 하는 힘줄이 당기는 증상이 나타난다. 곽란은 찬 음식을 먹거나, 감기 기운이 있거나 혹 굶거나, 몹시 스트레스를 받았거나 과음이나 차나 배를 타서 위가 흔들리게 되어 양(陽)이 상승하지 못하고 음(陰)이 하강하지 못하여 토하고 설사를 하는 것인데, 모든 것이 음식조절을 못하여 생긴 것이다. 곽란은 배가 많이 아프고 토하고 설사를 하여 음과 양이 모두 허해져 춥고 열이 난다. 두통이 있고 가슴이 아프면 먼저 토하게 되고, 배가 먼저 아프면 설사를 토(吐)보다 먼저 한다. 가슴과 배가 동시에 아프면 토(吐)하면서 설사를 하게 되고, 토사(吐瀉)가 심하면 양기와 진액의 손상으로 전근이 되어 힘줄이 당기게 된다. 건곽란과 습곽란이 있다.

(1) 건곽란

먹은 음식이 체하여 위중(胃中)에 정체되어 있는데 토(吐)해지지도 않고 설사도 나지 않아 안절부절 못하며 답답하고 괴로운 것이다. 급히 소금물을 마시고 토하게 하는 것이 좋다. 이중탕 + 귤홍하여 쓰거나 곽향정기산 + 관계 적복 지각 모과하여 쓰기도 하며, 사향소합원을 쓴다.

염조탕 「韓方秘錄」

식염40 猪牙조각자4

水煎服 卽吐乃愈(달여 먹으면 즉시 토하고 낫게 된다.)

(2) 습곽란

토하면서 설사도 같이 나는 증상이다. 열이 나면서 토사가 있고 갈증으로 물을 마시려하면 오령산을 돈복하고, 토사가 있는데 열이 없고 물을 찾지 않는 경우는 이중탕을 쓴다. 사시통용으로 곽향정기산을 쓴다. 토사가 심하여 진음과 진양이 고갈되어 사지가 궐냉하고 정신이 혼미해지면 남성末12g 대조 3g 생강2g하여 달여서 뜨겁게 먹으면 효과있다.

(3) 전근(轉筋)

토사로 인해서 체내의 진액이 고갈되면 근(筋)을 자양하지 못하여 양 다리가 당기고 심하면 전신의 근육이 전근이 되어 결국 뱃속까지 들어가고, 이로 인해 수족이 냉해지면 생명에 지장이 온다. 응급의료가 필요한 상황이다.

(4) 곽란번갈

토사 후에 갈증이 나서 물을 찾는 것은 진액이 고갈된 것이다. 토사가 있을 때는 음식을 먹게 하지 말고 술을 마시면 아주 나쁘다. 곽란이 그친 뒤에도 바로 음식을 먹지 못하게 하고 3~4시간 지난 후에 유동식을 묽게 조금씩 먹어야 한다. 콜레라와 흑사병도 곽란의 병인데 극심한 토사가 나고 복통도 극심하다. 발생이 되면 몸의 진액이 급속히 고갈되어 바로 전근이 되어 손발이 차갑고 혼수에 빠지게 된다. 우리가 접하기는 어려우므로 상세한 설명은 하지 않는다.

19) 결흉(結胸)

감기에 걸려 표가 다 풀리지 않은 상태에서 하리를 시켜 표열(表熱)이 흉부로 들어가 가슴 아래나 흉부이하에 뭉쳐져 결흉 및 흉비(胸痞)로 나타나는 것이다. 결흉이 발생하면 가슴이 조이고 아프며 답답하고 물도 마실 수 없다. 허리를 펼 수는 있어도 구부리지 못한다. 이것을 유치라 하며 함흉제를 쓰고, 뒷목의 근육이 굳어져 이를 악물고 굽히지 못하는 강치와는 구별이 된다. 강치증은 갈근탕으로 발한하여 치유한다. 사기가 심하에 있고 몸의 저항도 그 위치에서 일어나 흉협고만과 왕한열열, 시호맥이 있으면 시호제를 사용하고, 심하비로 나타난 것은 반하사심탕으로 치료하는데, 심하비는 눌러도 아프지 않고 단지 답답함만 있으며, 결흉은 누르면 많이 아프다. 결흉증은 8가지가 있으며 주로 소결흉과 대결흉이 있다.

(1) 대결흉

가슴과 제복이 단단하고 통증이 심하여 손을 대지 못하게 한다 대변이 나오지 않고 저녁에 열이 난다 대함흉탕을 쓴다.

대함흉탕　「傷寒論」

表未解者 醫反下之 動數變遲 隔內拒痛 胃中空虛 客氣動隔 短氣煩燥
心中懊憹 陽氣內結 心下因硬 則爲結胸
主治傷寒發熱 不發汗而反下之 表熱乘虛入于胸中
與不得爲汗之 水氣結而不散 令心下至小服硬滿 而痛不可近
其人身無大熱 但頭汗出 或潮熱燥渴 脈沈緊者
如水腫 腸癖初起 形氣俱實者 不可用

結胸者 項亦强 如柔症狀 下之則愈 大陷胸丸主之

표미해자 의반하지 동삭변지 격내거통 위중공허 객기동격 단기번조

신중오농 양기내결 심하인경 즉위결흉

주치상한발열 불발한이반하지 금심하지소복경만 이통불가근

기인신무대열 단두한출 혹조열번갈 맥침긴자

여수종 장벽초기 형기구실자 불가용

결흉자 항역강 여유증상 하지즉유 대함흉환주지

상한으로 열이 나서 발한제를 주어 땀을 냈지만 아직 전부 풀리지 않은 상태에서 급하게 설사를 시켰더니 덜 풀린 표열(表熱)이 허해진 흉중에 편승하여 들어와 땀이 나지 않고 수기(水氣)와 뭉쳐 흩어지지 않아 심하(心下)에서 소복까지 딱딱하게 돌처럼 뭉쳐 답답하고(滿), 통증이 심하여 가까이 오지도 못하게 한다. 몸에는 열이 없고 이열(裏熱)은 있어 단지 머리에서만 땀이 나고 혹 조열과 조갈이 생기며 맥이 침긴하다. 수종과 같은 장벽의 초기에 형과 기가 모두 실하면 쓸 수 없다. 목덜미가 뻣뻣해진 것은 설사를 시키면 된다. 대함흉환으로 치료한다.

> 대황12 망초24 감수2(대함흉탕) 대황16 정력자10 망초12 행인10 감수2(대함흉환)

5미 중 먼저 대황과 행인 정력을 삶아 거재한 후 망초를 넣고 다시 끓여 감수말을 넣는다. 따뜻하게 복용하여 쾌리(快利)가 된 뒤 음식을 먹는다. 이렇게 해도 심하게 설사가 나지 않는 자는 꿀 3합을 가해 탄알크기의 환으로 만들어 일환을 물에 다려 복용한다. 하루 밤을 지나도 설사가 나지 않으면 다시 복용한다.

태양병인 상태에서 태양의 증상이 다 풀리기 전에 하(下)하게 되면 열이 속으로 들어가서 흉중에 뭉쳐지게 되어 결흉이 된다. 음병을 하(下)하면 심하비(心下痞)가 생긴다. 결흉은 태양병을 너무 빨리 하해서 오는 것과, 표의 사기가 이부로 들어와 발생한다. 소함흉탕과 비교하면 그 증상이 심하고 뭉쳐진 범위도 더 넓다. 열이 뭉쳐 흉협에 뭉친 것은 대시호탕으로 풀고, 물과 열이 뭉쳐 흉협에 있으면 대함흉탕으로 치료하는데 그 구분은 통증과 뭉쳐진 정도(心下石硬과 痞硬)로 하면 된다. 물이 흉중에 열과 함께 뭉쳐지면 진액이 가로막혀 내려가지 못해 장위(腸胃)를 자윤하지 못하여 대변이 조(燥)해진다. 방광으로도 수분이 내려가지 못하여 소변이 잘 통하지 않는다. 방광으로 수정(水精)이 내려가지 못해 방광이 기능을 발휘하지 못하므로 열이 수도를 방해하지 못하도록 해야 한다. 흉중에 결흉이 오면 목덜미가 역학적으로 뻣뻣해 지게 되는데, 흉중에 수결(水結)을 풀어주면 목덜미도 풀리게 되어 꼽추병에도 적용이 되는 약이다.

212

실제로 명치에 힘을 주면 당연히 어깨가 수그려지게 된다. 심하가 단단하게 굳어 어깨가 굽은 자는 심하를 풀어 어깨를 펴게 하는 것이다.

(2) 소결흉(小結胸)

소결흉은 눌러야 아픈 것이며, 심하 중앙을 손가락 하나로 누르면 아프다고 한다. 소함흉탕을 쓴다.

소함흉탕 「傷寒論」

治心下痞 小結胸者 正在心下 按之則痛 脈浮滑者

치심하비 소결흉자 정재심하 안지즉통 맥부활자

심하가 답답하고 만지면 즉시 아프고 맥이 부(浮)하고 활(滑)한 것을 치료한다.

> 황련3 반하15 과루인12

본방은 소결흉에 사용하는 방제로 결흉은 만지지 않아도 아픈 것이며, 비경(痞硬)은 만져도 아프지 않은 것을 말한다. 소결흉이란, 이 증상들의 중간 정도 되는 것으로 만지면 비로소 아프다고 하는 증상이다. 검상돌기 바로아래 부분을 손가락으로 살짝 누르면 아프다고 소리를 지른다.

단독으로 사용하는 경우보다 시호제와 합하여 사용하는 경우가 많다. 특히 기침을 하면 가슴이 아프다고 하는 사람은 시함탕과 다른 선폐약을 합하여 사용한다. 열이 뭉쳐 심하에 있는 것으로 그다지 깊은 곳에 있지 않은 상태이며, 대결흉탕과 비교하면 통증이나 범위가 깊지 않고 좁다.

(3) 한실결흉(寒實結胸)

열이 없고 갈증도 없고 가슴이 부르고 단단하고 아프다. 지실이중환을 쓴다.

지실이중환 「韓方秘錄」

> 지실炒 인삼 백출 복령 건강炮 구감초 등분 밀환 오자대

10환씩 4번 복용

(4) 열실결흉(熱實結胸)

심하가 단단하며 오농(懊憹)이 있어 번조하며 갈증이 있는 것이다. 가미함흉탕을 쓴다.

가미함흉탕　「韓方秘錄」

반하 지각6 황금 황련 과루인 맥문4 생강3

(5) 수결흉(水結胸)

물을 과다하게 마셔 물이 가슴에 뭉쳐 물소리가 나며 열은 없고 두한출(頭汗出)이 조금 있다. 반하복령탕을 쓴다.

반하복령탕　「韓方秘錄」

반하 적복8 진피 인삼 천궁 백미4 생강3

(6) 부인결흉(婦人結胸)

혈결흉이 많으며 가슴과 배가 아프고 허리와 옆구리가 상하로 찌르는 듯 아프고 심하면 손을 꼭 쥐게 된다. 현호색산을 쓴다.

현호색산　「韓方秘錄」

현호색炒 당귀 포황炒 적작 관계4 유향 몰약 목향2.8 灸감초2 생강4

(7) 음양이독결흉(陰陽二毒結胸)

음과 양의 두 가지 독이 결흉된 것으로 대소변이 불리(不利)하거나 자리(自利)하는데 위중한 것이다.

(8) 지결흉(支結胸)

상한으로 가슴이 답답하거나 가득하지도 않고 단단하지도 않은 증상이다. 계지인삼탕을 쓴다

214

계지인삼탕　「傷寒論」

太陽病 外症未除 而數下之 遂協熱而利 利下不止 心下痞硬 表裏不解者

태양병 외증미제 이삭하지 수협열이리 이하부지 심하비경 표리불해자

태양병으로 열이 있는데 열을 내리는 약을 먹고 열이 다 제거되지 않은 상태에서 자주 설사를 시켜 열이 있는 채 설사가 나며, 하리가 그치지 않고 심하가 답답하고 단단한 것은 표와 이가 덜 풀린 것으로 이를 치료한다.

> 계지 감초8 백출 인삼 건강6

16. 담음(痰飮)

담(痰)은 진액의 변형이다. 진액은 인체의 기육을 윤택하게 해준다. 진액에 화가 합쳐지면 담이 만들어지므로 담의 형태는 찐득하고 탁하다. 음(飮)은 섭취한 물이 흡수나 분산이 되지 않아 모여서 만들어진 것으로 그 형상은 맑고 묽다. 담음의 증상은 와잠이 부어서 긴잠의 형태로 나타나고 구역질, 현훈, 동계, 두통, 두중 등의 증상으로 나타나며, 괴병에는 담으로 인한 것이 많아 병이 오래 경과되어도 몸의 형체는 별로 변하지 않고 증상의 발작과 회복을 반복하며, 손바닥 발바닥 전음 후음 액하 등에 분비물이 많거나 얼굴에 기름기가 많아 번들거리게 된다. 이런 사람은 기름지고 후미한 음식을 별로 좋아하지 않고, 담백하고 바삭바삭한 것을 즐겨 먹는다. 얼굴빛은 불에 그을린 듯한 회흑색으로 나타나는 경우가 많다. 담음의 통치방은 이진탕으로 위에서 만들어지는 담음을 제거한다. 담의 발생은 신장에서부터 시작하며 신이 허하면 체내의 물을 조절하는 힘이 약해지고 비위를 생할 수 있는 힘이 없어 담음이 생성된다. 위내에 담음이 있으면 위내정수, 오심, 구토와 담이 기육에 정체하여 몸이 무거워지고 살이 찌거나 마르며, 담이 폐로 올라가면 기침, 가래, 숨참이 일어나고 기허로 인하여 얼굴이 창백해진다. 이 현상에 열이 작용을 하고, 오래 경과되면 얼굴빛이 검게 된다.

신과 비위의 부조화로 담음이 발생하여 역상하면 가래로 나오고, 하주하면 설사가 난다. 주거와 식생활이 일정하지 못한 사람들이 신허를 발생시켜 담음의 발생이 많아져서 살이 찌거나 몹시 피곤해하며 가래를 많이 배출하며 설사를 자주하게 된다. 이진탕은 단독으로 사용은 잘 하지 않으며, 조성은 반하 진피 복령 생강 감초로 구성되어 강역과, 습담을 제거하고, 비위의 기능을 좋게한다. 이진탕이 배합된 처방은 곽란에 사용하는 곽향정기산, 심담허겁에 사용하는 가미온담탕, 위의 습담이 머리로 상승하여 두훈과 두통에 사용하는

반하백출천마탕, 습담의 역상으로 가래와 기침이 있을 때 사용하는 삼소음, 매핵기에 사용하는 반하후박탕이 있다. 음의 종류는 7가지가 있고, 담의 종류는 9가지가 있다.

1) 飮의 종류 「韓方秘錄」

(1) 유음

물이 심하에 모이면 등이 손바닥만큼 차게 되고, 무력해지며 갈증이 생기고 사지에 통증이 생기며, 오래되면 관절이 굵어지고 간질이 생기기 쉽다. 도담탕이나 가미궁하탕을 쓴다.

도담탕

> 반하8 남성 귤피 지각 적복 감초4 생강3

가미궁하탕

> 천궁 반하 적복4 진피청피 지각2 백출 감초1 생강3

(2) 벽음(癖飮)

물이 양 갈비뼈 아래 뭉쳐져 움직이면 물소리가 나는 것이다 삼화신우환을 쓴다.

삼화신우환

一切水濕腫滿

일체수습종만

일체의 수독으로 오는 부종과 창만을 치료한다.

> 흑축말80 대황40 완화 대극 감수20

작환 소두대하여 5환을 먹는다. 설사가 너무 심하면 식은 죽을 마신다.

(3) 담음

장간(腸間)으로 수분이 돌아다녀 물이 주룩주룩 떨어지는 소리가 나며, 살이 많이 찌거나 많이 수척해지는 것도 담음의 원인이다. 가미이진탕을 쓴다.

가미이진탕

이진탕 加창출 백출

(4) 일음

물이 배출되지 못하고 기육과 사지에 정체하면 몸이 무겁고 통증이 나타난다. 소청룡탕을 쓴다.

소청룡탕

傷寒 表不解 心下有水氣 乾嘔氣逆 發熱咳喘

病溢飮者 當發其汗 咳逆倚息 不得臥

상한 표불해 심하유수기 건구기역 발열해천

병일음자 당발기한 해역기식 부득와

감기가 다 풀리지 않아 심하에 담음이 있어 기의 상역으로 구역질이 나고 열과 기침 가래가 있다. 일음이 있는 사람은 기대어 숨을 쉬며 눕지를 못하는 것은 땀을 내야 치료된다.

마황 작약 오미자 반하6 세신 건강 감초4

(5) 현음

마신 물이 흡수되지 않고 옆구리에 모이면 움직이면 역력(瀝瀝-꼬로록 소리)소리가 나고 기침과 가래가 나오고 기침 시 통증이 생긴다. 십조탕, 삼화신우환을 쓴다.

십조탕 「傷寒論」

治太陽中風 表解後裏氣不和 下利 嘔逆 心下至脇 痞滿硬痛 汗出

短氣 頭痛 不惡寒者 此治水之急方也

치태양중풍 표해후이기불화 하리 구역 심하지협 비만경통 한출

단기 두통 불오한자 차치수지급방야

풍에 노출되어 태양병인 상태에서 표를 풀린 후에 이기가 불화하여 하리, 구역, 심하에서 옆

구리까지 딱딱하며 가득 찬 느낌과 통증이 있어 땀이 나고 두통이 있으나 오한은 없는 것을 치료한다. 이방은 물을 빼내는 급방(急方)이다.

> 대조10매 감수 대극 원화熬 各等分

현음(懸飮)을 치료하는 방제로 복용하면 아주 강한 설사가 나는 방제이다. 현음이란 가슴에서 심하 또는 그 이하까지 수음이 뭉쳐서 돌처럼 굳어 있는 것이다. 손으로 만져보면 심하에서 아랫배에 걸쳐 각목 내지는 불규칙하게 길쭉한 돌이 들어 있는 것처럼 촉지된다. 이것은 수음이 뭉쳐진 것이며 현음이라 한다.

몸속의 여분의 수독은 복령과 백출, 담음은 이진으로 빼내며 수독이 뱃속에서 뭉쳐진 것을 푸는 약으로는 덩어리가 형성되어 있는 것은 지실을 이용하여 풀고, 돌덩이처럼 굳어 만지면 통증이 있는 수독은 원화 대극 감수로 풀어 뽑아내야 한다. 이약을 먹고 설사가 그치지 않으면 식은 죽을 먹으면 그치게 된다.

예전에 몇 번 사용하여 봤는데 요즘은 만나기가 어렵다. 설령 만난다 해도 본방보다 팔미로 풀어내면 된다. 현음 역시 신허로 발생하기 때문이다. 본방은 가장 강한 것으로 이수보다는 하수(下水)시킨다고 보는 것이 좋다. 수독으로 인한 질환을 보면 기침, 동계, 목메임, 구토, 설사, 무한 등의 증상이 생기고 수음이 한곳에 머물지 않으면서 피모로 빠지게 되면 땀으로 나오며, 위 인후로 올라가면 구역질이 생기게 되고, 장위로 들어가면 설사 등 수음이 흘러넘치는 것을 막을 수가 없다. 또 두통, 숨참, 심하에서 옆구리까지 결리고 가득한 느낌이 있고 딱딱하면서 아픈 것은 수음이 항상 뱃속에 머물면서 굳어진 것으로, 삼초를 오르내리는 기가 흉격에서 가로 막혀 기의 통행이 어렵게 되어 발생한다.

감수 원화 대극은 모두 쓰고 차며 성질이 최고로 맹렬한 것인데 함께 사용하면 그 기운이 더욱 강해져 수음이 뭉쳐진 곳으로 가서 사(邪)를 풀어낸다. 심한 설사가 나면서 한 번의 처치로 수기로 인한 질환을 치료할 수 있다. 한약을 배우고 얼마 되지 않은 시기에 원화와 대극 감수를 전부 갈아서 가져다 달라고 하면서 부자 좋은 것으로 달라고 했더니 원화와 대극 감수를 쓰는 사람이 부자를 무서워 하느냐 하여 웃은 적이 있다. 선무당이 사람 잡는다고 아무것도 모르면 용감해 지는가 보다.

(6) 복음

기침을 하며 숨이 차고 구역질을 하며 발열과 오한이 나고 등이 아프고 눈물이 흐른다.

삼화신우환, 지미복령음을 쓴다.

지미복령음 「韓方秘錄」

中焦停痰 伏飮

중초정담 복음

중초에 담음이 정체된 것을 치료한다.

> 반하制80 복령40 풍화초12 지각20 右四味, 薑汁糊爲丸.

담음이 생성되는 것은 비와 신의 허로 인해서 이며, 이의 치료는 신을 보하고 비위를 키워 정상적으로 움직이게 하여 담음이 만들어지는 원인을 없애는 것이 가장 기본적인 치료법이다. 쉽게 접할 수 있는 거담제는 어떻게 보면 오히려 더 많은 담음을 만들게 하는 원인이 될 수 있다. 보통 가래를 치료하는데 비위를 말하면 이상하다는 듯 이해를 못하지만 그 원인이 바로 비위인 것을 모르기 때문이다. 담음의 본(本)은 전부 물이다. 물이 위(胃)로 들어오면 영양이 생성되어 폐로 보내지고 스스로 양이 음에 들어간다. 비기(脾氣)의 정(精)이 폐로 들어가는 것이 지기(地氣)의 상승이다. 상승된 영양은 폐의 통조수조(通調水道) 작용으로 영양이 방광으로 보내지는 것은 천기의 하강이다. 수정(水精)이 사지로 산포되면 오경(五經)에도 같이 산포가 되고, 이 수(水)가 경(經)으로 들어가면 혈이 만들어 진다. 만약 음양이 화합하지 못하면 청탁(淸濁)이 서로 막혀 위기가 중초(中焦)에서 정체되고 비기(脾氣)가 상승하기 어려워지며, 폐기(肺氣)도 하강하는 것이 막혀 담음(痰飮)이 만들어진다.

담(痰)과 음(飮)은 근원이 같고 음양이 있음으로 해서 구별이 된다. 양이 성하고 음이 허하면 수기(水氣)는 응체(凝滯)하여 담이 되고, 음이 성하고 양이 허하면 수기(水氣)는 넘치게 되니 음(飮)이 된다.

담을 제거하는데 강기(降氣)하고 청화(淸火)하는 것은 표만 치료하는 것이고, 보음이수(補陰 利水)하는 것이 담을 치료하는 근본이다.

음(飮)을 씻어내고 강기하고 습을 마르게 하는 것은 표증만 치료하는 것이고, 온신(溫腎)하고 이수(利水)하는 것이 근본적으로 치료하는 것이다. 차방은 담과 음을 겸해서 치료하는데, 습을 말리고, 빼내며 굳어있는 것을 부드럽게 하고, 이기(利氣)하여 위를 편안하게 하는 방제이다.

(7) 지음

딸꾹질을 하며, 누우면 숨이 더 가빠져 눕지 못하고 기대서 숨을 몰아쉬는 현상으로 얼굴이 부어 푸석푸석하다. 소청룡탕이나 복령오미자탕을 쓴다.

복령오미자탕　「韓方秘錄」

手足冷痺 多唾 小腹氣上衝 胸咽面熱如醉 時復眩冒

수족냉비 다타 소복기상충 흉인면열여취 시부현모

수족이 차고 마비감이 있으며 침이 많이 나오고 소복의 기가 상충하여 가슴과 인후 얼굴이 술에 취한 듯 열이 나고 가끔 어지러워진다.

> 적복8 계심 감초6 오미자4.8

腹滿喜嘔者(가스가 차고 구역질을 하면) 加반하한다.

2) 痰의 종류
(1) 풍담

몸의 한쪽을 못 쓰거나 기이한 증세가 생기며 현기증이 생기며 손을 떨기도 하는데, 도담탕을 쓴다.

도담탕　「韓方秘錄」

風痰 多癱瘓奇症 頭風 眼眩 暗風悶亂

풍담 다탄탄기증 두풍 안현 암풍민란

풍담으로 다리가 원인 없이 아프고 머리에 바람이 나고 어지러우며 정신이 혼란하고 마음이 심란한 것을 치료한다.

> 반하8 남성 귤피 지각 적복 감초4 생강3

(2) 한담

냉담이며, 뼈마디가 저리고 사지를 쓰지 못하고 찌르는 듯 아프며 번열은 없고 몸이 차다. 온중화담환이나 화중이진탕을 쓴다.

온중화담환 「韓方秘錄」

寒痰 嘔吃惡心

한담 건흘오심

한담으로 딸꾹질과 매스꺼움을 치료한다.

> 청피 진피 양강 건강등분 糊丸

米飮下 50丸

화중이진탕 「韓方秘錄」

胃寒生痰 惡心 嘔吐 噯氣

위한생담 오심 구토 애기

위가 냉하여 담음이 만들어져 매슥거리고 또는 토하기도 하고 트림이 많은 것을 치료한다.

> 건강炒8 진피 반하 복령6 구감초2.8 사인2

(3) 습담

몸이 무겁고 권태롭고 피로가 심한 것이다. 이진탕에 창출 백출을 넣어 쓴다.

(4) 열담

화담(火痰)이며 번열이 심하고 머리와 얼굴에 열이 오르고 눈이 짓무르며 목이 막히며 가슴이 답답하고 두근거리며 안절부절 못하는 것으로, 청기화담환을 쓴다.

청기화담환 「韓方秘錄」

> 반하80 진피 적복60 반하 황금 연교 치자 길경 감초40 박하 형개20 糊丸

生薑湯下 50환

(5) 식담

음식이 소화되지 않아 痰(담)이 발생하여 어혈과 뭉쳐져 주머니를 만들고, 적취가 되어 답답한 것이다. 정전가미이진탕을 쓴다.

정전가미이진탕　「韓方秘錄」

산사6 향부자 반하4 천궁 백출 창출3.2 귤홍 복령 신곡2.8 사인 맥아2 감초1.2
생강3 대조2

(6) 기담

칠정(七情)이 울결하여 인후에 뭉쳐져 목 속에 마치 매화 씨가 걸린 듯한 것으로 뱉어도
나오지 않고, 삼켜도 넘어가지 않으며 가슴이 답답한 것이다, 가미사칠탕, 윤조파담탕을
쓴다.

가미사칠탕　「韓方秘錄」

반하 진피 적복령4 신곡 지실 남성2.8 청피 후박 자소엽 병랑 사인2 백두구 익지인
1.2 생강3

윤조파담탕　「韓方秘錄」

梅核氣因　肝氣之甚鬱也

매핵기인 간기지심울야

매핵기의 원인은 간기가 심하게 울체되어 생기는 것이다.

작약40 현삼20 복령 산약12 천화분 백개자8 향부자4 청대2

(7) 울담

이것도 화담(火痰)이며, 담(痰)이 심장과 폐 사이에 있어 답답하고, 오래되면 엉켜 흉격
에 붙어 배출하기가 어렵고 체모가 건조해지고 희게 되며 입과 목이 마르고 해수와 천식이
생기는 것이다. 과루지실탕을 쓴다.

과루지실탕　「韓方秘錄」

과루인 지실 길경 적복 패모초 진피 편금 치자4 당귀2.4 사인 목향2 감초1.2 강즙4

(8) 주담

술을 마신 후 물을 많이 마시면 음식 맛이 없고 신물을 토하는 것을 말한다. 대금음자에 반하 갈근을 넣어 쓴다.

대금음자 「韓方秘錄」

> 진피12 후박 창출 감초2.8 생강3

(9) 경담

심하게 놀라 담이 뭉쳐 덩어리가 되어 가슴과 배가 아프고 간질이 되기도 하는데 부인에게 많이 생긴다.

(10) 담궐

속이 허해서 찬 기운이 들어오면 담기가 막혀 수족이 궐냉해지고 마비가 되어 쓰러진다. 청화화담탕을 쓴다.

청화화담탕 「韓方秘錄」

> 반하 진피 적복령4 길경 지각 과루인2.8 황련 황금 치자 패모 소자 상백피 행인 망초2 목향 감초 1.2 생강3

3) 담음방제

이진탕

肥盛之人 濕痰爲患 喘嗽 脹滿

비성지인 습담위환 천수 창만

살이 많이 찐 사람이 습담의 질환인 숨참, 기침, 헛배부름 등이 생기는 것을 치료한다. 담음의 통치방으로 기육에 정체되든 폐로 상승하든 비위에 정체가 되는 몸속의 담음을 치료하는 성약이다.

> 반하12 복령12 진피12去白 감초4 생강3

비위는 생담(生痰)의 근원이고, 폐는 담을 저장하는 기관이다. 그리고 담음은 수에 해당하며 수를 주제하는 곳은 신장이다. 먼저 살이 찌는 것은 몸이 냉하면 지방을 피부에 쌓는 것인데, 한방적인 개념으로 생각할 때 몸이 냉한 것은 명문화의 부족으로 비위를 살릴 수 없어 냉한 상태이며, 비위가 냉하여 숙식이 발생하고, 숙식으로 인해 습과 열이 발생한다. 숙식에는 청기와 탁기와 그리고 수분이 포함되어 있고 위속에 머문 수분이 담음이다. 이 담음이 기육에 정체가 되어 살이 찌는 것으로 본다. 이진탕은 담을 치료하는 묘방으로 상하좌우 어느 곳이나 담이 나타나는 것을 치료하고 없애주기는 하지만 담의 본(本)을 치료할 수는 없다. 담의 근본은 비와 신에 있다. 명문화 부족으로 비위가 소화와 생화를 할 수 없어 숙식이 생기고, 숙식은 습을 발생한다. 그리고 몸의 물을 다스리는 주는 신장이다. 담음을 치료하기 위해서는 반드시 신장을 보하여 신정을 채우는 것이 우선이다.

곽향정기산
수토불복에서 설명하였으므로 생략한다.

가미온담탕　「韓方秘錄」
熱嘔吐苦　虛煩　驚悸　不眠　痰氣上逆
열구토고　허번　경계　불면　담기상역

열이 나며 구토를 하는데 쓴맛의 구토를 하며, 심장과 담이 허하여 겁이 많아 잘 놀라고, 놀라고 나서는 심장이 두근거려 안정이 되지 않고, 꿈이 뒤숭숭하여 숙면이 되지 않아 피로하고 번조한 것은 담기(痰氣)가 상역한 것으로 이 증상을 치료한다.

반하8 감초 진피 생강 복령6 죽여 지실 산조인 오미자 원지 인삼 숙지황 대조4

겁이 많아 잘 놀라고 일이 다가오면 초조하고 안절부절 못하는 주로 청심원을 찾는 사람들이 대부분이다. 이런 사람들에게 온담탕이 적당하며 여기에 안신을 더 강화하기 위해 귀비탕을 합하여 주고, 위에서 설명한 대로 명문화를 살리는 팔미나 육미를 꼭 같이 줘야 한다.

반하백출천마탕　「韓方秘錄」

반하 진피 맥아6 복령 황기 인삼 택사 창출 천마4 신곡 백출3 황백 건강2

224

비위의 허약으로 위내에 담음이 만들어지고 외감과 내상 등의 원인으로 수기가 상역하여 현훈과 두중(頭重)을 동반하여 두통이 오며, 미릉골 부위와 백회에 걸쳐 심한 통증이 온다.

반하후박탕 「韓方秘錄」「傷寒論」

胸滿 心下堅 咽中帖帖 如有炙肉 吐之不出 呑之不下 (매핵기)

흉만 심하견 인중첩첩 여유자육 토지불토 탄지불하

가슴이 답답하고 심하가 단단하며 목안에 마치 구운 고기조각이 붙어있는 것 같고, 뱉어내도 나오지 않고, 삼켜도 넘어가지 않는다.

> 반하20 후박6 복령8 생강10 소엽4

방풍통성산 「古今名醫方論」

風熱壅盛 表裏三焦皆實者

풍열옹성 표리삼초개실자

풍열이 발산되지 못하고 막혀 성하고 겉과 속, 삼초 모두 실한 사람을 치료한다.

> 방풍 천궁 당귀 작약 대황 박하 마황 연교 망초20 황금 석고 길경40 활석12 감초8 형개 백출 치자6 생강3 每服3돈

외부에서 침입한 풍사나 열사, 또는 체내에서 발생된 풍열이 전부 막혀 몸속에 정체가되고 울체되어 겉과 속 삼초가 사기로 가득차서 몸은 뜨겁고 변비와, 소변도 시원하지 못하고 뒷목도 당기고 가슴도 답답하여 숨쉬기도 어렵고, 얼굴이 붉고 다혈질의 성격을 나타내는 사람에게 사용한다. 나가야 할 것이 못나가서 답답하고 흥분성의 증상에 사용한다. 방풍과 마황은 풍열이 피부에 정체된 것을 땀으로 빠지게 하고, 형개와 박하는 상초의 실열을 내리게 하며, 풍열이 정수리에 있으면 코로 배설시킨다. 대황과 망초는 이부를 통하게 하는 약으로 풍열이 장위에 있는 것을 대변으로 빼낸다. 활석과 치자는 물길을 조리해 주는 약으로 풍열이 방광에 있는 것을 소변으로 배출시킨다. 석고와 길경으로 폐와 위의 열을 내려 주어 시원하게 하며, 연교와 황금은 경락에 떠도는 화를 흩어 열을 내린다. 천궁 당귀 작약으로 간혈을 화하여 간을 달래주고, 감초와 백출로서 위기(胃氣)를 살려주어 비(脾)를 건강하게 한다. 이 방(方)에서 망초와 대

황을 빼면 쌍해산이 된다. 해표에 방풍 마황 박하 형개 천궁이 있고, 해리(解裏)약으로 석고 황금 치자 연교가 있으며, 다시 당귀와 천궁으로 화혈(和血)하고 백출 감초로서 위기(胃氣)를 조리하면 표리가 모두 통하고 안정이 되므로 표리쌍해라 한다. 싸우고 난 뒤 얼굴이 붉고 심장도 뛰고 혈압이 올라가 뒷골도 아프고 아주 흥분되어 있는 사람에게 사용하면 좋다. 피부염에 사용할 때가 있다. 여기서 좀 더 약을 가하여 만든 것이 거풍지보단인데 함부로 중풍환자에게 줄 약이 아니다. 장기간 사용하는 것은 체력의 손상이 올 수 있으니 오래 사용은 하지 않는 것도 좋다.

계지거작약가마황부자세신탕　「傷寒論」

水飮在氣分 心下堅 大如盤 邊如旋杯 水飮所作

수음재기분 심하견 대여반 변여선배 수음소작

담음이 기분에 있어, 심하가 딱딱하고 크기가 마치 쟁반 같고 주변이 잔을 엎어 놓은 것 같은 것을 치료한다.

> 계지 생강 대조6 마황 세신 감초4 부자2

기분(氣分)이란 기(氣)는 음기(陰氣)와 양기(陽氣)로 되어있어 어떤 원인으로 분리(分離)가 되어 음기와 양기가 서로 화합하지 못하고 따로 놀아서 심하(心下)에 기운이 뭉쳐 크기가 쟁반만하고 그 주변이 잔을 엎어놓은 듯한 것은 물이 엉겨 만들어진 것이다. 기가 분리되는 원인은 하기싫은 일을 하거나 안 좋은 일이 있어 속을 끓이는 것으로 인해 발생하며, 그런 원인으로 인해 요통이 발생한다든지, 배가 아파진다든지, 갑자기 무릎이 아파지는 등의 증상이 생길 수 있다. 소위 말하는 신경성 질환과 흡사하다. 집에서 활동을 하면 아무런 증상이 없다가 사무실이나 근무처에 나가기만 하면 아파지는 것은 이 탕의 증으로 생각하면 된다. 마음속에서 내키지 않는 일을 억지로 하는 것은 기의 분리를 초래할 수 있기 때문이다. 심하에 수기가 딱딱하게 뭉쳐있고 크기가 마치 쟁반만 한 것은 오장의 양(陽)이 모두 없어진 것이다. 그 주변이 술잔을 엎어 놓은 듯한 증세는 미세한 양이 있는 것으로 생각한다. 양의 기를 만들어 땀을 나오게 하며, 위(胃)의 힘을 좋게 하여 심하의 수음(水飮)을 피모를 통하여 외부로 내 보낸다. 이때의 현상은 마치 피부 속에서 벌레가 움직이는 듯한 느낌이 온다. 이렇게 하여 쟁반같이 뭉쳐진 수음이 풀리기 시작한다. 이 방의 증상은 상한의 결흉증과 같으나 병은 같지 않다. 결흉은 상한을 잘못 하하여 사기가 안으로 들어와 열과 수기가 뭉친 것이 원인인데, 양이 음을 울체(鬱滯)하게 하여 물이 통하지 못하여 생기는 것이며, 이 방은 한사(寒邪)가 내(內)에서 뭉친 것으로 양이 쇠약하여 기가 제대로 기능을 발휘 못하는 것이다. 소위 스스로 상(傷)한 것이고 기가 약해져 있는 것이다.

영계출감탕　「傷寒論」

若吐 若下後 心下逆滿 氣上衝胸 起則頭眩 發汗則動經 身爲振振搖者

治心下有痰飮 胸脇支滿 目眩

短氣有微飮 當從小便去之 茯桂朮甘湯主之 腎氣丸亦主之

약토 약하후 심하역만 기상충흉 기즉두현 발한즉동경 신위진진요자

치심하유담음 흉협지만 목현

단기유미음 당종소변거지 영계출감탕주지 신기환역주지

심하, 즉 위중에 담음이 있어 가슴과 옆구리가 가득 찬 느낌이 있고 기상충으로 수기가 올라와 어지러운 자를 치료한다. 숨이 차는 것은 위중의 담음이 폐로 올라와 호흡을 방해하여 발생하는 것으로 당연히 소변으로 빼내면 되는데, 영계출감탕으로 치료하고, 신기환(팔미환)도 역시 가능하다. 들숨보다 날숨이 어려워지는데 이것은 폐에 이상이 온 것이다.

복령8 계지6 백출 감초4

소변이 잘 나오면 치료가 된 것이다. 본방은 심하에 담음으로 인해서 호흡이 촉박하거나 어지러워지는 것을 치료하는 약으로 오치로 잘못 발한하여 수기가 심포경으로 들어가 몸이 흔들리거나 심하가 허만해지고, 기가 상충하여 일어서면 어지러워지는 것이다. 어지러움이 생기는 것은 심하의 담음이 흉중의 기가 상충하면서 머리로 끌려 올라가 생기는 것이며, 또 폐로 전입된 수독이 폐의 기능을 약하게 하여 수분이 산포되지 못하고 통조수도작용의 저하로 폐 중의 담이 호흡을 방해하여 호흡이 빨라지게 된다. 심하에 담음이 많으면 수기가 심장으로 들어가 심계항진이 발생하고, 적으면 폐로 들어가 호흡을 방해하게 된다. 내쉬는 숨이 가쁜 것을 복령과 백출은 양기를 통하게 해서 수기가 가볍고 맑게 하여 소변으로 쉽게 나가게 해 준다. 들숨이 가쁜 것에는 팔미환을 사용하여 신의 기를 통하게 하여 신의 관문이 열리게 하고 아래로 가라앉은 수음을 소변으로 쉽게 빠지게 한다. 실제로 환자를 대하다 보면 가끔 어지럽다고 하면서 오는 사람이 있다. 이런 사람들은 보통 병원을 전전긍긍하다가 혹시나 하는 마음으로 우리를 찾아오는 사람들이다. 심한 사람들은 일어설 수도 없을 정도의 어지러움으로

응급실에 실려 가는 경우도 있다. 우선 어지럽다고 하면 사람들은 빈혈인가 아니면 무서운 중풍이 아닐까하는 마음으로 병원부터 찾는 경우가 많다. 이때는 간경락의 열을 생각하고 담음을 잡는 약을 줘야 한다. 보통 시호제에 오령산이나 영계출감을 주는 경우가 많고, 만성적이고 완고한 어지럼증에는 여기에 팔미와 삼황사심을 합하여 신을 통하게 해야 할 것이다.

청비음 「韓方秘錄」

痰積成虐

담적성학

담음이 누적되어 열이 오르락내리락하는 것을 치료한다.

> 청피 후박 초과 반하 시호 백출 감초 복령 황금4g

비위가 허한(虛寒)하여 소화가 안 되어 숙식이 생기고, 이것이 오랫동안 쌓이게 되면 열로 변하여 학질과 같은 증상이 나타난다. 왕래한열은 육경으로 나누어 치료할 때 소양병에 해당이 된다. 사기(邪氣)가 소양(小陽)부위에 머물러 학질이 발생하는 것은, 선과 후가 있고 허와 실이 있다. 비위가 제 기능을 발휘하면 담이 생기지도 않고 담이 없으면 학도 생기지 않고 쌓이는 것이 없으면 학을 만들지도 못한다. 비는 생담지원으로 비위기능이 정상적이지 못해 생성된 숙식과 담이 없어지지 않으면 그로 인해 비가 운화하는 힘이 없어진다. 위(胃)는 음식을 받아들이는 기관이고, 비(脾)는 음식을 소화하여 영양을 생성하는 장이며, 위는 비의 표다. 비의 기능을 정상적으로 움직이게 하려면 먼저 위를 편안하고 고르게 해야한다. 여기 조합된 약은 방향성이고 위를 움직이게 하는 약으로 이 약들은 양명의 위에 도달하여 소화를 시켜 생성된 영양을 비에 보내주어 비를 바로 잡는다. 한(寒)으로 인해 적취가 된 것도 담으로 인해 열이 발생되는 것이니 한열왕래는 표증이며, 실제로 그 원인은 담이 쌓여 온 것이다. 반드시 복령으로 담음을 빼내고, 시호와 황금을 가해 청열하여 치료하는 것이다. 한열왕래가 있고 소화가 잘 되지 않는 경우로 어려울 것 없이 시호제에 향사평위산이나 경우에 따라 곽향정기, 불환금정기, 팔미 등을 적절히 배합하여 사용하면 된다.

보기화담탕 「韓方秘錄」

治肥滿(비만에 사용)

228

> 인삼40 의인인20 복령 반하 신곡12 진피 감초4 백자인2

가미이진탕　「韓方秘錄」

項强 不能回顧 動則微痛

항강 불능회고 동즉미통

목덜미 통증으로 고개를 돌리지 못하는 증상을 치료한다.

> 반하8 진피 생강 감초 황금酒炒 강활 홍화4

2첩을 먹으면 치료된다.

회수산　「韓方秘錄」

頭項强急筋急 或挫枕 轉項不得者

두항강급근급 혹좌침 전항부득자

자고나서 목이 결려 돌리지 못하는 증상을 치료한다.

> 마황 진피 오약6 천궁 백지 백강잠 지각 길경 독활 모과 강활4 건강2 감초1.2 생강3 대조2

소풍활담탕　「韓方秘錄」

頸項强急 動則微痛 右爲甚者 痰熱也

경항강급 동즉미통 우위심자 담열야

목덜미가 결리고 아프며 움직이면 약간 아픈데 오른쪽 목덜미가 더 아픈 것은 담열로 인한 것이다.

> 황금酒炒 강활 홍화 반하 진피 복령 감초 독활 방풍 백지 갈근 시호 승마4 생강3

소풍자혈탕　「韓方秘錄」

頸項强急 左爲甚者 此血虛客邪也 腎氣上故 項背不能轉側者

경항강급 좌위심자 차혈허객사야 신기상고 항배불능전측자

좌측 목덜미가 더 심하게 아픈 자는 혈이 허하여 객기가 침입하여 발생한 것이며, 신허로 신정의 상승이 부족하여 목덜미와 등이 아파 몸을 돌릴 수 없는 자를 치료한다.

> 사물탕 加강활 독활 홍화 우슬 방풍 백지 갈근 승마 감초 시호 도인4 생강3

화기음 「韓方秘錄」

項强 久不愈

항강 구불유

목덜미 통증이 오래도록 낫지 않는 자에 적용한다.

> 창출 갈근 길경 당귀 복령 백지 지각 감초 진피 작약4

삼합탕 「韓方秘錄」

背心一點痛

배심일점통

등의 담 걸림에 효과가 좋다.

> 오약순기산 + 이진탕 + 향소산 加강활 창출(한약의 진통제)

통기방풍탕 「韓方秘錄」

肩背痛 不可忍

견배통 불가인

목덜미와 등의 통증이 극심한 것에 사용한다.

> 황기 승마 시호4 방풍 강활 진피 인삼 감초2 청피1.2 백두구 황백0.4

윤하탕 「韓方秘錄」

背骨痛 乃腎水衰耗 不能上潤於腦 乾澁而難行 故作痛也

배골통 내신수쇠모 불능상윤어뇌 건삽이난행 고작통야

등뼈가 아픈 것은 신수가 쇠하여 척추를 타고 상승하지 못하여 뇌에 영양을 공급하지 못하여 통증이 발생한다. 관절에 영양 말라 움직이기 어렵고 아픈 것을 치료한다.

230

> 황기 숙지황40 백출 방풍20 산수유16 복령12 맥문8 오미자4 부자2

4) 담음의 임상

– 등의 담 결림 : 오약순기 + 이진탕(또는 오적산) + 생약진통제(또는 양약의 진통소염제)

– 가슴 쪽의 담 결림, 돌아다니는 담 : 오약순기 + 오적 + 생약진통제(또는 양약의 진통소염제)

– 좌섬요통(허리를 삐끗한 것) : 소건중탕 대량요법, 또는 시호제 + 쌍화탕 + 소건중탕

– 등줄기의 통증 : 팔미3 + 소건중5 + 삼칠3 (+ 양약의 진통소염제)

– 근육뭉침 : 쌍화탕 + 오령산

– 터질 듯한 두통 : 소시호 + 삼사(+ 진통제)

– 종아리통증 : 팔미 + 쌍화 + 시호제 + 오약순기

– 종아리 시림 : 팔미 + 쌍화 + 시호제

– 어지러움 : 소시호 + 오령산 + 삼사

– 매핵기 : 맥문 + 자감초(+ 육미)

– 목쉼 : 소시호 + 반하후박 + 육미, 또는 소시호 + 향사파적환(+ 육미)

– 기립성 현훈 : 당작 + 소시호 + 삼사

17. 설사(泄瀉)

장시간 여행을 하거나 운전을 하거나 행사에 참여할 때 가장 고통스러운 것이 뱃속의 불편함이 아닐까 한다. 몸에서는 식은땀이 흐르고 초조해지고 마음이 불안해진다. 항문을 아무리 조이고 조여도 향기롭지 못한 것이 내밀면 거의 초죽음이 된다.

설사는 생냉(生冷)한 음식의 과식으로 위와 장이 냉해져 오는 경우와, 고량후미의 과식이나 자극이 심한 음식을 먹어 위장의 과부하를 주어 청탁의 분별이 일어나지 않아 청기가 하강하여 발생한다.

신의 명문화 부족으로 칠충문을 조절하는 봉장의 힘이 약해져 오는 설사는 만성설사와 식후설사, 오경설이 있고, 간화와 명문의 부족이 동시에 대장에 작용하여 개합의 균형이 깨지고, 간화로 인해 통증이 왕래(往來)하며, 설사가 나는 경우와, 변비가 지속되는 경우, 변비와 설사가 교대하는 증상이 나타나는데 이 증상은 과민성대장증상이다.

설사의 종류는 많고 증상도 다양하지만 그 원인은 비위와 간과 신장이 거의 전부다. 이

세 장부만 잘 조리해줘도 장의 기능은 원활해진다. 여기서 요즘에 문제가 되는 것은, 정보의 홍수시대에 사는 현대인들은 누구나가 의사다. 어디가 나쁘면 무얼 먹어라 어디에는 뭐가 좋다는 식으로 누구나 박사들이다. 하지만 손톱 밑에 가시 든 것은 알아도 심장에 쉬 쓰는 것은 모른다는 것과 같다.

일례로 유산균에 대해서 말하자면, 위에 좋은 유산균, 간에 좋은 유산균, 장에 좋은 유산균 등등 그것만 먹으면 모든 것을 다 고칠 수 있는 듯이 말한다. 이런 단편적인 지식이 요즘 사람들을 다 반 똑똑이로 만들어 버린다. 결론부터 말하면 유산균은 장기간 먹는 것이 아니다. 외부에서 들어온 균은 잠시 우리 몸속에 번식을 하다가 사멸한다. 그래서 매일매일 보충을 해야 한다. 잠시 동안은 외부 유산균은 내 몸속에서 살면서 정상발효를 일으켜 변을 좋게하고 장을 편안하게 합하지만 외부(外部)에서 들어온 균은 내 몸의 균까지 번식을 방해하여 약하게 만든다. 그래서 주인은 점점 힘이 약해지고, 손님이 집안에 들끓게 되면 주인은 지치고 결국 손을 놓게 된다. 주인이 없는 집에 손님은 주인처럼 집을 지키지 못한다. 집이 허술하니 좀도둑이 들어오고 도둑들은 나중엔 집을 차지해 버린다. 이 현상이 균교대현상으로 장이 아주 망가지는 것이다.

몇 개월 유산균을 먹고 찾아오는 사람들 중에는 후회를 많이 하는 사람이 있다. 장이 좋지 못할 때 며칠 먹고 속이 편안해지면 더 먹지 말기를 권해야한다. 주인은 비바람이 몰아치거나 벽이 허물어지거나 홍수가 나도 수리하고 집을 지키려 하는 힘이 있다. 손님과 도둑은 불편하거나 이익이 없으면 그냥 떠나버린다. 주인에게 잘 살 수 있는 환경을 만들어 주는 것이 장을 좋게 하는 최고의 방법이다. 설사의 색이 백색이면 한으로 인한 것이며, 청, 적 홍 황, 흑색의 설사는 열로 인한 것이다. 오색(五色)으로 나오는 이질은 비위(脾胃)의 식적(食積)과 사기(四氣-寒 熱 濕 風)가 합해져 나타나며 오색리(五色痢)라 한다. 설사의 종류는 20여 가지가 있고 이질의 종류는 18가지가 있다. 자주 나타나는 설사의 증 몇 가지와 이질의 몇 종류만 설명한다.

1) 비설(脾泄)
비위에 습(濕)이 많아 사지와 몸이 무겁고 소화가 되지 않으며 복통이 있고 얼굴빛이 누렇고 가스가 찬다. 위령탕, 향사육군자탕을 쓴다.

2) 위설(胃泄)
소화가 되지 않고, 위(胃)에 수독(水毒)이 많아 배가 아프고, 설사의 빛이 검은 듯 누렇

232

다. 위풍탕을 쓴다.

위풍탕 「韓方秘錄」

腸胃濕毒 腹痛泄瀉 下如黑豆汁 或下瘀血

장위습독 복통설사 하여흑두즙 혹하어혈

장과 위에 습(濕)이 많아 배가 아프고 설사를 하는데 그 빛이 검은 콩의 즙과 같다. 혹 어혈(瘀血)을 하(下)하는 경우도 있다.

> 인삼 백출 적복 당귀 천궁 백작 계피 감초4 율미8

3) 대장설(大腸泄)

음식을 먹고 나면 바로 설사를 하며, 색이 희고 장명과 복통이 심하다. 꾸룩꾸룩 소리가 나고 물만 설사하는 경우도 있다. 이것은 습설(濕泄)이라 한다. 허한(虛寒)하고 피곤하여 봉장의 힘이 없어 발생한다. 대장이 한(寒)하여 오는 설사로 오령산과 팔미, 삼령백출을 합하여 사용하면 좋다.

4) 소장설(小腸泄)

대변과 고름을 반죽한 듯한 설사가 나고 아랫배가 많이 아프다. 농혈하리와 같은 의미며 열로 인한 것이다. 작약탕을 쓴다.

작약탕 「韓方秘錄」

> 백작 당귀120 나복자40 지각 병랑 차전자 감초12

1제면 그치고, 2제를 먹으면 전부 치료된다.

5) 대하설(大瘕泄)

배가 아파 변을 보면 조금 나오고 뒤가 무거운 이급후중의 설사를 말한다. 도체탕, 황금탕을 쓴다.

도체탕 「韓方秘錄」

膿血痢 裏急後重 腹痛作渴

농혈리 이급후중 복통작갈

피고름 같은 설사를 하고 이급후중이 있으며 배가 아프고 갈증이 난다.

> 백작8 당귀 황금 황련4 대황2.8 계심 목향 병랑 감초1.2

6) 식적설(食積泄)

배가 몹시 아파 설사를 하고, 설사 후에 통증이 사라지는 것이다. 향사형위산과 오령산, 그리고 삼령백출을 합하여 사용한다.

7) 적백리(赤白痢)

냉(冷)과 열(熱)이 조화가 일어나지 않아 생기며, 적리(赤痢)는 소장에 습과 열이 있어 생기며 체기가 있는 것이고, 백리(白痢)는 체하여 대장에 습열(濕熱)이 있어 나타난다.

8) 휴식리(休息痢)

가끔 이질이 생겼다 그쳤다하여 오랫동안 낫지를 않는 것으로 기혈이 허해져 그치지 않는 것이다. 가미팔물탕을 쓴다.

가미팔물탕 「韓方秘錄」

> 사물 + 사군자 加진피 아교 황금 황련3

9) 신설(腎泄)

오경설이라고도 하며 신의 명문화가 약하고 음기가 성해서 발생한다. 비(脾)와 신(腎)이 허한(虛寒)하여 새벽마다 설사를 하는 것이다. 팔미와 위령탕, 삼령백출을 쓴다.

10) 오색리(五色痢)

설사의 빛이 오색(五色)으로 나타나는 것으로 식적과 비위에 사기(邪氣)가 침범하여 발생한다. 비전양장탕을 쓴다.

234

비전양장탕　「韓方秘錄」

> 앵속각밀초6 진피 지각 황련 목향 오매 후박 행인 구감초2.8 흑두30립 대조2

앵속은 마약에 속하여 사용하기가 어렵다.

향사평위와 삼령백출, 또는 황금탕을 쓰고 통증이 있으면 계지가작약을 합한다.

11) 과민성대장증상(過敏性大腸症狀)

간화와 명문화의 부족이 동시에 대장에 작용하여 개합의 추가 무너져, 간화로 통증이 나타나며 변비나 설사가 나타나거나 교대되는 현상이 나타난다. 이 현상이 오래 지속되면 대장폴립이 발생한다. 팔미 + 시호제로 개합을 조절하고 통증이 있으면 계지가작약을 합하고, 설사가 심하면 위령탕, 변비가 심하면 대시호를 사용한다. 폴립의 경우에는 배농산급탕과 탁리소독음을 합하여 사용한다.

12) 설사의 방제

온비탕　「古今名醫方論」

主治錮冷在腸胃間 泄瀉腹痛 宜先取去 然後調治 不可畏虛以養病也(錮-막을 고)

주치고냉재장위간 설사복통 의선취거 연후조치 불가외허이양병야

숙식이 차게 되어 장과 위 사이에 존재하면 설사와 복통이 발생한다. 먼저 이것을 제거하고 다른 증상이 있는 것은 그 후에 조리하여 치료한다. 몸이 더 허해지고 병을 더 키우는 것을 두려워 할 필요가 없다.

> 후박 건강 감초 계심 부자각8 대황16

장에 숙변이 정체되어 있는 것을 조리하는 것이다. 비위가 허한하여 숙식이 발생하고 그 숙식이 장으로 내려가 정체되어 장의 수분흡수가 방해되어 하박(下拍)하는 것이다. 장위(腸胃)의 허한을 치료하여 숙식을 제거하는 방법이지만, 팔미로서 명문화를 살려주는 것이 더 필요하다.

진무탕　「傷寒論」

少陰水氣爲病 腹痛下利 四肢沈重疼痛 小便不利 其人或咳 或嘔 或小便利而

下利者 用此加減

太陽病 發汗 汗出不解 其人仍發熱 心下悸 頭眩 身瞤動 振振欲擗地者

(振-떨 진, 擗-가슴 칠 벽)

소음수기위병 복통하리 사지침중동통 소변불리 기인혹해 혹구 혹소변리이하리자 용차가감

태양병 발한 한출불해 기인잉발열 심하계 두현 신순동 진진욕벽지자

소음병의 수기(水氣)로 인한 병을 치료하는데 복통과 설사, 팔다리가 무겁고 아프며 소변이 시원하게 나오지 않는 자를 치료한다. 만약 기침을 하거나 구역질이 있거나 소변은 잘 나오는데 설사를 하는 자는 가감하여 사용한다. 감기에 발한제를 먹고 땀이 났지만 풀리지 않고 열이 지속해서 나고 심장이 두근거리고 어지럽고 몸이 흔들리며, 몸을 와들와들 떨면서 쓰러지려하는 사람에게 사용한다.

백출8 복령 백작各6 부자2 생강4

5미를 물 8승으로 다려 거재한 후 3승을 취하여 따뜻하게 하루 3번 7합씩 먹는다

소음병의 수증(水症)을 치료하는 방제인데, 몸의 수독이 신허로 인하여 빠지지 못하여 팔다리에 정체되어 몸이 무겁고 아프며 설사를 하는 사람이나, 어지럽고 몸이 흔들리며 땅에 쓰러질 것 같은 사람이나, 몸이 와들와들 떨며 춥다고 하는 자에게 사용한다.

소음병이라 워낙 몸이 겉과 속이 모두 냉(冷)한 상태에 수독(水毒)이 정체되어 있으니 추위를 많이 타며, 체내 양기가 부족하여 물의 흐름이 비정상적이다.

상초는 양(陽)에 속하며 심과 폐가 주이며, 하초는 음(陰)에 속하며 간과 신이 주이다. 간은 음혈(陰血)을 저장하고, 신장은 수와 화를 간직하고 있다. 진무탕은 신장에서 물을 움직이게 하는 기전은 백복령 백작약 백출을 사용하여 물을 관리하고 제어하여 신장의 사(邪)를 몰아내고 이수(利水)가 잘되게 하며, 작약은 간을 기운을 약화시켜주어 물이 잘 소통하게 해준다. 인체 모든 물을 조절하는 곳은 비(脾)이며, 물이 움직이게 하는 곳은 신(腎)이다. 신장은 위의 관문이며 물과 그 종류를 모아 나가게 한다. 신장에 양이 없으면 비가 비록 물의 중추라 해도 신장이 관문을 열지 못하면, 물이 움직이고자 해도 움직일 수가 없는 것이다. 그래서 물의 중추를 신장으로 보면 된다.

오령산은 여분의 편재된 물을 움직이게 하고, 진무탕은 부족한 물을 채워 주어 움직이게 하니 이 두 방은 물을 조절하는 좋은 방제이다. 총괄적으로 비와 신이 같이 허하면 물을 제어할 힘이 없어 물이 망행(妄行)하여 흘러 넘쳐 나면 신(腎)중의 양을 크게 보하는 것이 아니라 중토(中土)의 기를 살려 물을 조절해야 하는 것이다. 신장이 기능을

잃어버려 하초가 허한해지면 물을 제어할 힘이 없어지게 된다. 만약 기침을 하는 것은 수기가 폐로 쏠린 것이다. 오미자 세신 건강을 가한다. 부자와 작약 백출은 진무탕의 중요한 성분이며, 만약 하나라도 빼버리면 진무가 아니다. 방 중의 4가지 약제는 물을 움직이고 음을 수렴하여 토를 높여주고 양이 돌아오게 하는 제제로 음양이 쇠한 것을 수습할 수 있다. 사람 몸의 양은 음에 뿌리를 두고 있다. 진양이 생기게 하려면 빨리 진음을 채워서 양을 포함하게 해야 한다.

백두옹탕 「傷寒論」

厥陰熱利 下重 渴欲飲水者

궐음하리 하중 갈욕음수자

궐음병의 열성하리로 배변 후에 뒤가 무겁고 갈증으로 물을 마시려하는 자를 치료한다.

> 백두옹6 황련 황백 진피(秦皮) 各4

열성하리의 증상은 설사를 한 후에 항문주위가 화끈화끈해 지는 것이다. 배변을 한 후에도 뒤가 무거운 것은 열사가 장에 적체되어 있으면서 항문부위를 압박하기 때문이다. 본방은 백두옹의 독성으로 잘 사용하지 않는다. 열성하리는 독한 술을 마시거나 장을 뜨겁게 하는 약이나 음식을 먹고 발생하는 경우가 있으나 본방 이외의 처방으로 처치해도 될 것 같다. 황금탕이나 계지가작약탕에 황련해독을 합하여 사용하고, 신허나 간열의 증상이 있으면 적절하게 합방을 하면 된다. 설사를 하면서 갈증이 없는 것은 태음에 속하며, 장이 차가워서 생기는 것이고, 설사하면서 갈증이 있는 것은 소음에 속하며, 하초가 허한하여 비위의 영양생성이 부족하여 진액이 상승하지 못해 물을 찾는 것이고, 오직 궐음 하리만 열에 속하며, 궐음의 주는 간이며, 간에 열이 울체하여 왕성해지면 간기가 상부의 심장을 치게 되고, 열이 성하면 그 열이 장으로 침범하여 설사를 하면서 뒤가 무거워 지는데, 습열이 기를 따라 대장으로 내려치면 항문주위에 무겁게 정체되어 배출이 어려워진다. 황제내경에서 말하는 폭주하박(暴注下迫)이 이것이다.

황금탕 「傷寒論」

太陽病合少陽病 自下利者

태양병합소양병 자하리자

황금 대조6 작약 감초4

설사 후에 뒤가 무겁고, 배가 사르르 아프고 점액의 설사가 조금 나오고, 조금 뒤 다시 배가 아프고 설사가 나려는 증상을 치료한다. 세균성 설사에 주로 이용한다.

적석지우여량탕　「傷寒論」

主治久利不止 大腸虛脫 服理中丸而利益甚者

주치구리부지 대장허탈 복이중환이리익심자

오랫동안 설사가 멎지 않고 대장의 허탈로 이중환을 먹으면 설사가 더 심해지는 자를 치료한다.

적석지 우여량 各60

같이 부수어 가루로 한다. 2미를 물 6승으로 다려 침전물을 버리고 2승을 취하여 따뜻하게 3번 먹는다.

설사가 오랫동안 낫지 않을 때 사용하는 방제이나 사용하기는 어렵다.우여량은 갯벌의 흙으로 복용하면 설사는 잡을 수 있기는 하겠지만 다른 위장장애를 발생시킬 수 있어 사용을 하지 않는다.본방의 설사는 비위의 허로 인한 설사가 아니고 신장의 허로 인한 설사이기 때문에 명문화를 살려 설사를 잡는 것이 좋다.설사의 원인이 하초의 명문화 부족에 있으면 이중의 제제로 중초를 따뜻하게 해도 효과를 얻지 못한다.대장이 약한 것은 위의 책임이고, 관문이 닫히지 않는 것은 비와 신의 문제이다.

사신환　「古今名醫方論」

脾腎兩虛 子後作瀉 不思食 不化食

비신양허 자후작사 불사식 불화식

비와 신장이 허하여 자시 이후에 설사가 나고, 먹고 싶은 생각도 없고 먹어도 소화가 되지 않는 것을 치료한다.

육두구8 파고지炒4 오미자3 오수유5

이신환 「古今名醫方論」

食後卽泄瀉 此服 脾腎交通則 水穀能運化

식후즉설사 차복 비신교통즉 수곡능운화

> 육두구4 파고지炒8 (사신환去 오수유 오미자)

오자대의 환으로 만들어 30~50환을 공복에 소금무로 먹는다.

오미자산 「古今名醫方論」

> 오미자6 오수유10 (사신환去 육두구 파고지)

신의 명문화가 약하고 비위가 약하여 설사를 하는 경우에 사용하는 방제로 명문의 화가 약하면 비위는 수곡을 소화시킬 수 없고 신장이 제 기능을 발휘하지 못하면 그 봉장의 힘을 얻기가 어렵다. 간의 기도 아주 약한 상태이며, 비록 간기가 비위를 침범하더라도 실제로는 신의 명문화 부족으로 비위를 허하게 만든다. 신정(腎精)은 자시부터 생성 저장되므로 명문화가 미약한 상태에서 약해진 비위에 힘을 작용하지 못하여 봉장을 지켜낼 수 없으므로 자정 이후에 설사가 나게 되는 것이다. 설사는 배(腹)의 질환으로, 배는 3음이 모이는 곳으로 하나의 장이 탈이 나더라도 설사를 할 수 있다.

태음으로 뱃속이 냉하여 오는 설사에는 이중탕과 사역탕, 궐음으로 전신이 냉하여 오는 것은 오매환, 백두옹탕, 소음인 신허로 물의 움직임을 억제하지 못하여 오는 설사는 도화탕, 진무탕, 저령탕, 저부탕, 사역탕산, 백통탕, 통맥사역탕 등의 방제가 있어 병의 상태에 따라 쓸 수 있다. 그러나 오랫동안 낫지 않는 설사에 하나의 장을 위한 약을 사용하여 그 약효가 미치지 못하는 것은 오경에 설사하는 중 하나만 보더라도 3장이 서로 연관되어 있기 때문이다. 새벽은 음중에 양이 조금 있는 상태이며, 양기가 충분하면 양허의 병증은 생기지 않는데 양기가 부족하여 허하고 사기가 오랫동안 몸속에 머물게 되면 여명에 설사를 하게 되는 것이다.

오경설이 오는 원인에는 4가지가 있다. 비가 허하여 물을 제어할 수 없는 것과, 신이 허하여 행수(行水)할 수 없는 것, 명문의 화가 쇠하여 토를 생할 수 없는 것, 소양 간의 기가 허하여 비위를 억제하지 못하기 때문이다. 간의 기가 무작정 비위를 핍박하는 것으로만 아는 것은 잘못이다. 비위가 항진되는 것을 간이 적절하게 조절하는 의미도 알고 있어야 할 것이다. 이 네 가지는 병의 원인이 비록 다르더라도 보이는 증은 같고 모두 물이 조절되지 못하여 발생되는 병이다. 이신환은 본을 받쳐주는 제제이며, 오미자산은 생화의 제제이다. 두 방이 다스리는 것은 같지 않으나 사용되는 병증은 동일하다. 그래서 호용(互用)이 가능하고 함께 사용하면 효과가 상승, 비위의 기능을 정상화시키고 명문화도 살아난다.

두 방을 합한 것이 사신환이며, 이것은 제생지제(制生之劑)이며, 제생이라 함은 소화며 비위가 정상화 되어 오래된 설사가 저절로 낫게 되는 것을 나타낸다. 오경설이나 설사의 증상에 우선적으로 해야 할 것은 명문을 살려 주는 것이고 다음이 비위를 정상화시키는 것, 그리고 간을 다스려줘야 하는 것이다.

오령산　「傷寒論」

小便不利 熱微 消渴者 發汗已 脈浮數 煩渴者 中風發熱 六七日不解而煩 有
表裏症 渴欲飮水 水入則吐者
癨亂 頭痛發熱 身疼痛 熱多欲飮水者

소변불리 열미 소갈자 발한이 맥부삭 번갈자

중풍발열 육칠일불해이번 유표리증 갈욕음수 수입즉토자

곽란 두통발열 신동통 열다욕음수자

소변이 불리하고 미열이 있고 갈증이 있는 자를 치료한다. 미열이라 한 것은 표에는 특별하게 열이 없지만 안에 차있는 열을 말한다. 땀을 내어 표증을 풀었는데 오히려 맥이 부삭하면서 번조와 갈증이 있는 자, 감기로 열이 남고 육칠일이 지나도 풀리지 않고 번조하면서 표증(열)과 이증(설사)이 있으며 갈증으로 물을 마시려 하고 물을 먹자마자 토하는 자를 치료한다. 곽란으로 두통오가 열이 나고 몸이 아픈데 열이 많아 물을 마시려 하는 자를 치료한다.

> 복령 저령 백출 택사10 계지4

몸의 내부든 외부든 수분의 편재가 있다고 판단이 되는 경우에 사용하는 방이다. 수분의 편재란 골고루 분포되어 있어야 할 수분이 어느 한곳에 쏠려 있는 경우를 말하며, 본방을 사용하여 편재된 수분을 잘 산포하여 다시 진액으로 이용하게 하는 것이다. 상한론에 기재된 오령산의 조문을 보면 이렇다. 맥이 부한 태양병의 증상이 있는데 소변이 불리하고 속에 잠재된 열로 인해 갈증이 있는 자는 오령산으로 주지한다. 토하고 설사하며 두통 발열 신체통의 감기증상도 있으면서 열이 많아 물을 마시려 하는자, 마른 사람이 배꼽아래가 뛰는 것을 느끼고 거품을 토하며 어지러워 정신을 잃어버리는 것은 물로 인한 병으로 오령산으로 치료한다.

태양병으로 땀을 내어 표증을 풀었는데 땀을 과다하게 흘려 위중의 진액이 말라 번조하여 잠을 자지 못하고 물을 마시려 하는 사람이 맥이 부하고 소변이 잘 나오지 않고 속의 열로 갈증이 생기면 오령산으로 하고, 상한으로 땀을 낸 후에 갈증이 있으면 본방으로 주지한다. 열이 나면서 설사를 하고 갈증이 있어 물을 마시면 먹자마자 토하는 것은 수역증이라 하며 오령산으로 주지한다.

표사가 방광으로 들어오면 이것은 신을 침범하는 것이다. 그렇게 되면 그 사람은 반드시 갈증이 생기게 되고 소변이 잘 나오지 않게 되는데 이것은 물이 어느 한 부위에 쏠려 있는 것이므로 당연히 물을 잘 흩어주어야 한다.

방광은 진액을 주관하는 장부로서 만약 열이 들어오게 되면 나가야 할 물이 기화되지 못해 쌓이게 되어 소변불리가 오게 된다. 수기(水氣)에 열이 끼여 함께 상승하여 위중에 편재되면 물을 거부하는 상태에 빠지게 된다. 이때 다른 부위는 수분이 부족하여 목이 마르고 물을 찾게 되는데 물을 마시면 즉시 토하게 된다. 여기에 오령산을 사용하여 물과 열이 엉킨 것을 열어 수분이 흩어지게 한다. 그렇게 하면 물이 뭉쳐 머물러 있지 못하고 진신으로 산포되고 사열(邪熱)도 소변을 따라 배출된다. 만약 표에는 열 증상이 없고 속에 남아있는 열로 인해 갈증이 생기는 것은, 열이 방광으로 들어온 것이다. 그렇게 되면 진액이 부족한 현상이 발생하여 갈증을 느끼게 되는 것이다. 방광에 쌓여 있는 사수(邪水)가 없는데 오령산을 사용하면 방광의 기가 상승하여 기화를 도와 수분의 정체를 풀어주면 갈증도 멎고 병도 치유된다. 한쪽으로는 편재된 물에 물길을 열어 물을 산포하는 작용과, 다른 쪽으로는 방광의 기화를 도와 수분의 정체를 막아주어 태양병이 본(신장)을 침범하여 발생한 수분의 대사이상을 치료하는 것이다. 오령산은 방광의 수를 움직이게 하여 내외의 수음(水飮)을 몰아내는 으뜸 방제이다. 오령산과 진무탕을 비교하면 오령은 어느 곳에 정체한 수분으로 남아도는 객수를 움직이게 하여 산포하게 하는 것이고, 진무는 객수를 보존하지 못하여 부족하여 기운이 없는 것을 빠져나가지 못하게 보호하는 방이다. 두 방 모두 물을 조절하는 약이므로 모르면 안 된다. 수분이 하초 방광으로 들어가면 삼초가 이것을 조절하여 방광이 기화를 하게하여 폐가 고르게 발산과 숙강을 시켜 산포시킨다.

비토(脾土)가 부지런히 물과 영양을 폐로 올려 주고 신장이 방광의 문을 잘 관리하면 소변은 편안히 배출된다. 중초가 움직이지 않아 폐기가 약해지면 발산과 숙강이 일어나지 못하여 수의 흐름이 결핍되고 신양이 부족하게 되므로, 그로 인해 수는 얼어붙어 쌓이게 된다. 그래서 물은 나오지 못하게 된다. 물이 정체되어 고이는 것은 신의 기화가 일어나지 않는 것이며 신이 허하면 물은 움직일 수 없다. 오령산에 인진을 가하면 인진오령산이 되는데 식적, 주적이 되어 황달이 된 것을 치료한다. 대개 비위가 허하면 습을 발생하는데, 습열이 비를 거쳐 표로 나오면 황색을 나타낸다. 인진은 비위의 습열을 다스리고 발황(發黃)된 자는 필히 사용해야 된다. 이처럼 오령산의 설명은 수분이 어느 한곳에 정체되어 나타나는 것을 치료하는데, 우리가 흔히 접할 수 있는 것은 열이 나면서 토하는 경우와, 어지럽다고 하는 사람에게 시호제와 합방하여 사용하는 것, 입술포진이나 대상포진 등에 황기건중과 오약순기를 합하여 응용하는 경우, 설사에 평위산과 합하여 사용하는 것, 부종에 응용하는 것이 대부분 이다.

삼령백출산　「韓方秘錄」

사군자탕 加산약 의이인 백편두 원육 길경 사인

약을 먹고 설사를 하거나 임신오저, 단식 후나, 금식 후 위장의 기능을 회복시킬 때, 환자식을 먹는 사람에게 투여하면 좋다. 비위의 기능을 살려주는 처방이므로 만성설사나 급성설사, 비위의 기능이 무력하여 소화력이 약한 사람에게 사용한다.

13) 설사의 임상

－세균성 설사

　배가 아파 변을 보면 조금만 나오고 점액 같은 변이 나오고 잠시 후 다시 같은 증상이 반복된다. 이정이나 이질이나 같은 의미다.

　황금탕 + 트리메부틴 + 진경제,

　계지가작약탕 + 황련해독 + 트리메부틴

－물 같은 설사 : 흔하게 접하는 증상으로 설사가 물 같이 나오고 가스도 함께 배출된다. 배가 아픈 경우도 있고 아프지 않을 때도 있다. 통상적으로 설사를 나타낸다.

－보편적인 설사 : 위령탕 + 삼령백출 + 트리메부틴, 위령탕 + 지사제 + 유산균제

－배가 냉하면서 설사가 나면 : 위령탕 + 이중탕 + 트리메부틴

－설사가 나면서 토할 것 같은 것은 : 위령탕 + 반하사심 + 트리메부틴

– 몸살과 열이 있고 설사가 나는 경우 : 갈근탕 + 트리메부틴

– 열이 있고 갈증이 있어 물을 찾으며 설사를 하는 경우

　오령산 + 트리메부틴

　통증이 있을 때는 모두 진경제를 함께 투여한다.

– 만성설사 : 팔미 + 위령 + 장나환

– 오경설(새벽설사) : 팔미 + 위령 + 이중탕

– 과민성 대장증상 : 팔미 + 시호제 + 계지가작약탕

18. 변비(便秘)

대장에 열이 있어 혈이 고갈되고 진액이 부족하여 발생한다. 이를 위가실(胃家實)이라 하여 위(胃)의 열증으로 나타난 것이며, 폐가 항진되어 수분의 발산이 많아져 대장에 진액이 마르게 되어 생기는 것과, 간의 소설부족으로 칠충문을 여는 힘이 약해져 발생하기도 하며, 노인이나 허약한 사람들은 대장의 힘도 약하여 나타나는 이완성변비가 있다. 상한(傷寒-감기)으로 땀을 과도하게 흘리게 하고 소변을 많이 배출시켜 대장의 진액고갈로 대변이 조해져 오는 경우도 있다. 여기에 대변과 소변을 주관하는 신의 작용이 약한 것도 변비의 원인이 된다. 위가실로 오는 경우는 승기탕류를 쓰고, 폐조로 인한 것은 자감초탕, 간의 소설부족으로 온 것은 대시호탕, 이완성 변비에는 당귀건중탕을 사용하고, 상한으로 온 것은 자감초탕이나 비약환을 쓴다.

신의 기능을 살리는 것은 육미나 팔미를 사용한다. 변비는 어혈이 있는 것으로 보는데 소복구급이 있으면 도핵승기를 합하여 사용한다. 실제 약국에서 변비치료를 할 때는 육미 대시호 자감초 당귀건중를 함께 투여한다. 뱃속에 변이 많이 정체된 경우는 한 번씩 오래된 변을 쓸어내야 하는데(장 청소), 이때는 대시호5g + 한방변비약5g + 소건중5g하여 일주일에 1~2번 사용한다.

대, 소승기탕 　「傷寒論」

① 대승기탕

陽明病潮熱 手足淹然汗出 譫語 汗出多 胃燥 獨語如見怪狀

喘冒不能臥 腹滿痛 脈滑實 又目中不了了 睛不和

又少陰病初得之 口燥咽乾者 自利淸水 色純靑 口燥舌乾者 六七日 腹脹不大

便者

양명병조열 수족엄연한출 섬어 한출다 위조 독어여견괴상

천모부능와 복만통 우목중불료료 정불화

우소양병초득지 구조인건자 자리청수 색순청 구조설건자 육칠일 복창불대변자

양명병으로 열이 밀려오고 손발이 젖을 정도로 땀이 나며 헛소리를 하고 땀이 많이 나서 위(胃)의 조(燥)가 만들어져 혼자말로 이상한 물체(아니면 귀신)가 보인다고 한다. 숨이 차고 답답하여 눕지를 못하고 배가 가득 찬 것 같고 아프며 맥은 활실하다. 눈이 밝게 보이지 않으며 눈동자가 안정이 되지 않는다. 또 소음병의 초기에 입이 마르고 목구멍이 건조하며 설사가 물처럼 나오는데 색이 푸르다. 입과 혀가 건조하며 6~7일이 지나도 대변을 보지 못하는 자를 치료한다.

> 대황12주세 후박24 지실8 망초12

4미를 물 한말에 후박과 지실을 먼저 다려 5승을 취하고 거기에 대황을 넣어 다시 다려 2승을 취한다. 이 탕에 망초를 넣고 약한 불로 다시 다려 2번에 나누어 먹고 설사가 나면 먹기를 중지하고 나중에 먹는다.

② 소승기탕

> 대황12 후박6 지실12

3미를 물4승으로 다려 거재하고 1승2합을 취하여 따뜻하게 3번 나누어 먹는다. 한번 복용하여 대변이 나오면 다시 더 먹을 필요가 없다. 대변이 나오면 먹는 것을 즉시 중지한다.

이 탕의 모든 병은 기에 의해서 발생된 것인데 나가야 할 대변이 나가지 못해서 기가 불순해져서 발생한 것이다. 적취를 공격하는 제제는 반드시 기분(氣分)의 약을 사용해야 하며 여기서 승기라는 이름이 얻어진 것이다. 방명을 大, 小로 나눈 것은 두 가지 의미가 있다. 후박이 대황의 두 배인 즉, 기분의 약이 군(君)으로 이루어진 탕이 대승기탕이고, 기분의 약이 신(臣)의 약으로 만들어진 것이 소승기탕이다. 대승기를 복용하면 약성이 강한 것이 많아 설사가 심하게 난다. 소승기를 복용하면 약성이 느리고 위기(胃氣)를 약하게 화(和)한다.

금궤요략에 실린 조문에 보면, 경련의 병은 가슴이 답답하고 입을 앙다물고 다리가 당겨서 눕기만 하고 앉지를 못하며 반드시 이를 갈게 된다. 뱃속에 열이 극심하여 생긴

증상들이다. 대승기탕으로 설사시켜야 한다고 되어있다. 이를 갈면서 가슴이 답답하고 이를 깨물고 있는 것은 상중하 삼초의 열사가 가득 찬 것을 나타낸다. 하법에 있어 가장 경계해야 할 것은 음(陰)을 상하게 하는 것인데, 다시 하법을 시도할 때는 반드시 음(陰)을 생성되게 하는 방법으로 해야 한다. 위가실로 인하여 뱃속에 열이 차서 변이 굳어 있는 것을 설사시켜야 하는데 극증은 만나기 쉽지 않다. 대부분이 변비로 고생하는 사람을 만나는 정도이다.

변비증이 있을 때 단지 변비 한 가지 병만 있는 것이 아니고 간의 소설부족으로 인해 간화와 겸해져 나타나고 어혈이나 신허도 같이 보이게 된다. 간의 소설로는 시호제 중에도 승기탕의 의미가 합쳐져 있는 대시호탕으로 사용하고 당귀건중, 육미, 그리고 구어혈제를 함께 사용하면 근본적인 치료를 할 수 있다.

조위승기탕　「傷寒論」

發汗後 不惡寒 但熱者 實也 胃氣不和 譫語者 陽明病 不吐不下 心煩者
발한후 불오한 단열자 실야 위기불화 섭어자 양명병 불토불하 심번자

> 대황8 감초4 망초16

발한 후에 추워하는 것은 양기가 소모되어 몸이 약해진 것이며 오한하지 않고 오히려 더워하는 것은 위의 실증이다. 위실증으로 헛소리를 하는 것과 토하려 해도 토해지지 않고 대변도 나오지 않는 경우는 본방으로 하(下)를 해야 하는 증이다. 위기불화는 대변이 굳고 위가실의 증상이 있는 것을 말하며, 위중불화는 설사를 하여 위가 허한(虛寒)한 증상이다.

비약환　「古今名醫方論」

腸胃燥熱 大便秘結
장위조열 대변비결

장위의 열로 진액이 소모되어 대변이 뭉쳐져 있는 것을 치료한다.

> 마자인 행인600 지실 후박 작약각30 대황600

위의 약들을 가루로 하여 꿀로 환을 만들어 물로 복용한다

위가실의 증상에 사용하는 소승기탕과 비슷하고, 거기에 마인 행인 작약을 가하여 순

조롭게 배변하게 하는 처방이다. 변비란 변이 내려가지 못해 뭉쳐지고 또 굳어진 것이다. 음식이 위(胃)로 들어왔을 때 정기가 위로 작용하면 소화가 되고 영양이 만들어지며, 생성된 영양은 폐로 상승한다. 폐는 통조수도(通調水道)작용으로 수습을 방광으로 보낸다. 폐에서 수와 정을 사지로 퍼지게 하면 오경(五經)에도 병행해서 돌게 된다. 지금 위는 강하고 비가 약하여 진액이 상승되지 못하고 뭉쳐 있으면 사지로는 퍼지지 못하고 단지 방광으로만 보내져서 소변은 자주 보게 되고 대변은 단단해진 것이다. 혈이 마르고 화가 성하면 폐가 열사(熱邪)를 받아 진액이 고갈되고 반드시 폐의 모(母)인 비를 통하여 진액을 끌어 오는데, 폐가 약해져 위기를 조절하지 못해 진액의 손실이 많아 신정을 저장하기 힘들고, 신허가 만들어져 비위가 기능을 상실하여 비는 폐로 진액을 보낼 수 없게 되어 폐는 기능이 상실된다. 음을 채워 화를 내려 기가 움직이면 비가 정상으로 작동하여 진액이 상승하면 폐가 습윤하게 된다. 열이 심하고 몸이 실한 자에게 사용할 수 있고, 비록 열이 심하고 몸은 약하더라도 조하고 마른 변으로 인한 고통을 치료할 수 있다.

갱의환   「古今名醫方論」

津液不足　大便不通

진액부족 대변불통

장의 진액이 부족하여 대변이 통하지 않는 것을 치료한다.

주사5돈研如飛面 노회7돈研細

술을 약간 가하여 환을 만들어 매번 1돈2푼을 술로 복용한다. 주사가 들어가므로 사용을 금한다.

위는 후천의 본이며, 불급(不及)도 병이며 태과(太過)도 역시 병이다. 위뿐만 아니라 모든 오장육부가 다 동일한 것이다. 어느 한쪽으로 치우치는 것과 어떤 상태를 벗어나는 것, 그리고 태과와 불급은 모든 병의 원인이다. 태과한 것은 양이 성한 것과, 음이 허한 것으로 나누어진다. 양이 위중(胃中)에서 성하여 위가실이 된 것을 중경은 삼승기탕으로 설사시켜 치료하였고, 본방에서는 무거운 약으로 변을 아래로 내려 보내는 효과를 얻고자 하는 것이다. 주사를 사용할 수 없으므로 실제로 사용하기 어렵다.

246

비급환 「古今名醫方論」

寒氣 冷食稽留胃中 心腹痛 大便不通者(稽-머무를 계)

한기 냉식계류위중 심복통 대변불통자

찬 기운과 찬 음식, 독성 물질이 위중에 머물러 대변이 나가지 않고 심장과 배가 아픈 것을 치료한다.

대황 건강各40 파두40

먼저 대황을 빼고 건강을 가루로 한 뒤 파두와 합쳐 공이로 천 번을 찧고, 콩 크기의 환을 만들어 기밀 용기에 보관하되 약기운이 새 나가지 못하게 저장하여 급한 증상이 있을 때 급히 사용한다. 먹을 땐 3~4환을 따뜻한 물이나 술로 먹는다. 중초에 나쁜 독성 물질이 들어와 가슴과 배가 터질듯 불러지고 급속히 중독이 되어 입을 꽉 다물고 마치 죽을 것만 같은 자를 치료한다. 머리를 들어 올려 목구멍 아래로 약이 흘러 들어가면 빨리 차도가 있게 된다. 차도가 없으면 다시 3환을 투여하면 당연히 뱃속이 천둥소리가 나며 즉시 토하고 설사를 하여 차도가 있다. 농약이나 독극약을 먹고 중독된 것에 사용하면 되겠으나 약국에서 사용하기는 어렵다. 만약 입을 다물고 벌리지 않는 자는 치아를 깨트려서 약을 주입해야 한다.

당귀용회환 「古今名醫方論」

肝經實火 大便秘結 小便澁滯 或胸膈作痛 陰囊腫脹 凡屬肝經實火 此宜服之

간경실화 대변비결 소변삽체 혹흉격작통 음낭종창 범속간경실화 차의복지

간경의 실화로 대변이 굳어있고 소변도 시원하지 않고, 가끔은 흉열로 가슴도 아프고 간열이 아래로 뻗쳐 음낭도 부어오르는 증상을 치료한다. 모든 간 경락의 실화(實火)에는 이 방을 먹는다.

당귀 용담초 황련 황금 치자인各40 대황 노회 청대各20 목향10 사향0.5

위의 약들을 가루로 하여 초한 신곡을 풀로 만들어 환을 만들어 매번 20환씩 생강 물로 복용한다. 간의 화(火)와 심화(心火)는 사(瀉)하는 것은 있어도 보(補)하는 것은 없다. 간의 화는 청열의 개념이지만, 청열도 크게 보면 사(瀉)로 볼 수 있다. 간기가 울체하면 반드시 토(土)를 누르게 되는데, 이 간의 화가 항진되면 비를 조(燥)하게 하고, 위를 실하게 하게 할 수 있다. 간의 화(火)가 왕성하면 혈은 허하게 된다. 실한 화는 폐를

훈작하므로 열이 원기(元氣)를 상하게 하여 표를 치료하지 못하게 되므로 마땅히 황금과 황련의 예처럼 화를 사함이 적당하다. 조하고 뜨거운 기약을 찬 약 중에 사용하면 화가 내려가며 기도 따라 내려가기 시작하고, 기가 내려가면 화는 다시 올라오지 않는다. 강기(降氣)하면 강화(降火)가 되는 것을 알아야 한다.

마자인환　「傷寒論」

胃氣强 小便數 大便則硬 其脾爲約

위기강 소변삭 대변즉경 기비위약

위기가 실하여 대변이 굳고 소변이 잦은 것은 비약이라 하며 마자인환으로 치료한다.

> 마자인 대황32 작약 지실16 후박 행인20

꿀로 오자대의 환을 만들어 6g씩 3번 먹는다.

선천적으로 허약한 사람이나, 오랜 병으로 몸이 마르고 허약한 사람, 혈액이 부족한 노인들의 이완성 변비에 적용한다.

1) 변비(便秘)의 임상

흉격을 막고 있는 간의 열을 내려주며, 신의 기능을 높여 개합의 기능을 살린 후 장의 연동운동이 살아나게 약을 배합한다.

-장청소용 : 생약변비약2포 + 대시호탕5g + 소건중탕5g(5-7일에 1번복용)

-치료용 : 팔미 + 대시호 + 향사평위 + 당귀건중(장기복용)

-일시적 변비 완화용 : 생약변비약 + 비사코딜제제

양약의 변비약은 오래 먹을수록 대장의 기운이 소모되어 장이 허한(虛寒)해져 장의 운동에 많은 지장을 주어 장의 기능이 점점 약해진다. 그래서 먹을수록 증량을 해야 하므로 장기간 변비약을 먹는 사람에게 주지시켜야 한다.

19. 부종(浮腫)

부종은 비(脾)가 허(虛)하여 습(濕)이 만들어져 수도(水道)가 망행(妄行)하여 전신이 붓고 피부가 얇아져 빛이 나고, 손으로 누르면 손자국이 그대로 나면서 서서히 회복되는 것이다. 섭취한 음식에서 청기는 위로 상승해야 하는데 아래로 흐르면 설사가 일어나고, 탁기는 아래로 내려가야 하는데 위로 가면 흉만이나 복창, 부종이 발생한다. 정상적인 물의 흐름을 보면 섭취한 물은 위에서 흡수되어 수분혈(水分穴-배꼽 위 한 치)에서 나누어지는데, 하나는 방광으로 내려가고 또 하나는 대장으로 흘러간다. 대장에서 흡수된 물은 다시 폐로 올라가서 폐의 통조수도와 백맥으로 통하는 작용에 의해서 피부호흡으로 나가거나 방광으로 내려간다. 방광으로 모여진 물은 방광의 기화작용에 의해 소변으로 배출된다. 정상적인 물의 흐름에서 벗어나 제 길을 잃어버린 물은 수독으로 작용하여 설사나 부종으로 나타난다. 비위의 허한으로 운화기능이 약하면 위내에 정수가 생기고, 대장에서 흡수하는 힘이 약하면 설사가 나며, 폐의 통조수도 작용에 이상이 생기면 습이 기육에 정체하여 부종이 오며, 방광에서 기화작용의 이상이 있으면 부종이 된다. 수분혈에서 방광으로 가는 물이 망행하여 자궁으로 흐르면 물 같은 대하가 된다. 부종의 종류는 양수부종과 음수부종이 있고, 음수부종은 혈허부종과 기허부종, 기혈구허부종이 있다.

1) 양수부종

대부분 외감(外感)에 의해서 발생한다. 비를 맞거나 물속에 오래 있거나 외사(外邪)가 폐에 침범하여 폐의 통조수도작용의 힘을 잃게 만들어 상체가 부우며, 갈증이 생기고 대소변이 수월하지 못하다. 이때는 월비탕을 쓴다.

월비탕, 월비가출탕 「傷寒論」

風水惡風 一身悉腫 脈浮不渴 續自汗出 無大熱者
又治裏水 一身面目黃腫 其脈沈 小便不利 故令病水
假如小便自利 此亡津液 故令渴也 越婢加朮湯主之
풍수오풍 일신실종 맥부불갈 속자한출 무대열자
우치이수 일신면목황종 기맥침 소변불리 고령병수
가여소변자리 차망진액 고령갈야 월비가출탕주지

몸에 수분이 많은 사람이 감기에 걸려 바람이 싫고 몸 전체가 모두 붓고 맥이 부하며 갈증이 없는데 표에는 열이 없고 이부에 복열로 계속해서 땀이 나는 것을 치료한다. 또 이수(裏水)로 온 몸과 얼굴 눈이 누렇게 붓고 맥이 침하고 소변이 잘 나오지 않는 것은 수병(水病)인데 이증상도 치료한다. 만약 소변이 잘 나오면 이것은 진액이 소모되어 갈증이 생기게 된다. 월비가출탕으로 주지한다.

> 마황12 석고16 생강6 대조18 감초4 (+ 백출8하면 월비가출탕)

폐가 외사(外邪)에 노출되어 나타나는 증상 중에 숙강부족으로 오는 상초부위의 실증의 부종을 치료하는 방이다. 실증의 부종은 부운 부위를 손으로 눌렀다 놓을 때 바로 복귀가 되는 것이고, 허증의 부종은 누른 자국이 오랫동안 남아있는 것을 말한다. 숙강부족으로 생긴 병을 가지고 있는 사람은 많은데 선뜻 치료를 맡겨주는 경우가 드물다. 감기만 걸리면 귀에서 진물이 나오는 중이염이 발생하는 사람이나, 코가 막혔는데 코가 목구멍 뒤로 넘어간다는 사람, 자고나니까 얼굴이 부었다고 이뇨제 달라는 사람, 고열이 나면서 몸이 붓고 소변이 잘 안 나오는 급성 신장염도 모두 월비탕이나 월비가출탕의 목표증이다.

월비탕은 발표(發表)하는 방이 아니고 미발산(微發散)하면서 표리를 통하게 하고 조리하는 방이다. 즉 숙강과 발산을 하여 표(表)도 풀고 이부(裏部)의 정체된 수기도 통하게 한다. 표리의 허가 되는 것은 찬 기운이나 뜨거운 기운이 들어와 표리가 서로 통하지 못하고 막히면 발생된다. 5장은 각기 하나씩의 음과 양을 가지고 있는데 유독 비위는 중앙에 있으면서 음양의 모든 기를 한꺼번에 가지고 있다. 그래서 비위는 4기(心肝肺腎)중 하나의 기운만으로 이루어 지지 않으며, 비위 역시 4기가 제대로 작용하여야 작동이 되는 것이다.

명문화의 작용이 있는 것만은 아니다. 비의 기가 약하고, 위의 기가 맑지 못하면 수곡정미가 소화될 수가 없게 된다. 바람 쐬는 것을 싫어하는 자는 양허(陽虛)로 부자를 가해 양을 돋워주고, 몸에 습이 많은 사람은 백출을 가해 피부간에 있는 습과 풍을 제거한다.

2) 음수부종

음수부종은 내상(內傷)에서 시작된다. 술이나 음료를 과다하게 마셨거나 음식에 체하여 오며, 과로를 하였거나 방사과다로 인하여 신이 허해져 내상이 일어나 부종이 되는데, 다리 쪽이 먼저 붓고 몸이 냉하며 설사가 난다. 이때는 갈증도 없고 소변은 붉지 않고 어렵지도 않다. 실비음을 쓴다.

실비음 「韓方秘錄」

> 후박 백출 모과 초과 대복자 부자 백복령4 목향 건강 감초2 생강3 대조2

3) 혈허부종

아침에는 붓지 않다가 저녁만 되면 붓는 것이다.

4) 기허부종

저녁에는 괜찮다가 아침이 되면 붓는 것이다.

5) 기혈구허부종

아침저녁 구별 없이 붓는 것이다.

6) 기분수기

물을 마시면 가슴이 답답하고 배에서 물소리가 나며 뼈마디가 아프고 설사가 나는 것이다. 계출탕을 쓴다.

계출탕 「韓方秘錄」

> 계지6 백출 마황 세신 감초2.8 생강3

7) 혈분수기

피가 용해되어 사지가 벌겋게 붓는 것을 말한다. 이는 계령탕을 쓴다.

계령탕 「韓方秘錄」

> 계지 적복령 당귀 천궁 적작약 봉출 삼릉 상백피 빈랑 창출 대복피 앵맥 청피 진피 감초2 정력 대황1 생강3

부종은 대체로 음식으로 비위(脾胃)가 상해서 발생한 것이 대부분이다. 이수하는 약만 사용하면 비위가 허냉(虛冷)해 지고 쇠약해지므로 먼저 건비를 하고 이수를 해야한다. 음수부종은 이수(利水)만 해서는 반드시 다시 부종이 생긴다. 이수하는 약을 많이 써도 소변이 시원하지 않은 것은 하초가 너무 냉하여 온다. 신이 허하면 하초의 수도(水道)가 불통되어 부종이 다리에서부터 발생한다. 만성으로 이행되며 전신부종으로 나타나기도 한다. 발목부위가 현저하며, 요슬산연 음낭의 습냉(濕冷)도 발생한다.

이때는 인삼 부자 등의 뜨거운 열을 사용하여 하초를 덥혀주어야 하며, 팔미도 좋다.

부종의 치료는 양수부종은 월비탕에 오령산을 합하여 쓰고, 음수부종은 가미위령탕에 팔미를 합하여 사용하거나, 오피음에 오령산을 합하기도 한다.

가미위령탕 「韓方秘錄」

通治浮腫

통치부종

부종의 통치방으로 사용한다.

> 창출6 진피 택사 백출 복령 모과4 후박 저령 신곡 병랑3.2 산사 사인2.8
> 향부자 대복피 2.4 감초1.2 생강3 등심30

오피음 「韓方秘錄」

> 대복피 복령피6 생강피 상백피 진피

방기복령탕 「傷寒論」

皮水爲病 四肢腫 水氣在皮膚中 四肢聶聶動者

피수위병 사지종 수기재피부중 사지섭섭동자

사지가 붓고 수분이 피부 내에 있어 피부가 꿈틀꿈틀 움직이는 것은 피하에 수기가 있는 증상이다. 동요성 수독 현상이다. (섭섭동(聶聶動)-피부가 꿈틀거리며 떨리는 현상)

> 방기 황기 계지6 복령12 감초4

방기황기탕 「傷寒論」

表無他病 病者但下重 從腰以上爲和 腰以下當從及陰 難以屈身

표무타병 병자단하중 종요이상위화 요이하당종급음 난이굴신

표증은 없고 환자는 단지 몸이 무거우며 허리이상은 병증이 없으며 허리이하는 부종이 오는데 음부까지 붓는다. 굴신하기가 어렵다.

> 방기4 감초4 백출6 황기9 생강 대조6

표와 이에 수독이 있는 사람을 치료하며 음낭수종이나 비만에 사용한다.

마황감초탕 「韓方秘錄」

腰上浮腫 又治 氣促積久不着 遂成水腫 服此卽效

요상부종 우치 기촉적구불착 수성수종 차복즉효

허리의 위부분이 붓는 것을 치료하며 숨이 가쁜 것이 오래도록 낫지 않고 쌓여 수종이 된 것을 이 약을 복용하면 즉시 효과가 난다.

마황6 감초4

따뜻하게 달여 복용하고 이불을 뒤집어쓰고 땀을 내본다. 땀이 나지 않으면 다시 복용하여 땀을 낸다. 효가가 아주 묘하다.

8) 부종의 임상

– 상체부종 : 월비탕 + 오령산

– 하체부종 : 팔미 + 향사평위산 + 오령산

– 전신부종 : 팔미 + 월비탕 + 향사평위산 + 오령산

20. 창만(脹滿)

이 증상은 배에 가스가 많아 차서 배가 빵빵한 것을 나타낸다. 음식을 먹거나 먹지 않거나 항상 배가 부른 것으로 칠정이나 육음이 비위를 침범하여 비위의 기능이 떨어져 청탁의 혼재하여 습과 열이 발생하여 나타난다. 창만증은 7가지로 구별이 되는데 곡창, 수창, 기창, 혈창, 한창, 열창, 그리고 고창이 있다. 이 증상은 머리나 눈 그리고 사지는 붓지 않고 배만 불러지고 속이 텅 빈 북같이 된다.

1) 곡창

이 증상은 굶거나 과식으로 인해서 비위의 기능이 실조되어 발생하는데, 아침 식사는 할 수 있으나 저녁은 제대로 먹을 수 없다. 이 현상은 비위가 상하여 아침에는 양기가 성하고 음기가 약하므로 위내에 산이 정체되어 있어 아침은 먹어도 소화가 되지만, 저녁은 음기가 강하고 양기가 쇠약하므로 소화가 되지 않는 것이다. 대이공산을 쓴다.

대이공산 「韓方秘錄」

> 삼릉 봉출 청피 진피 곽향 반하 신곡 길경 당귀 향부자 지각4 감초1 생강3 대조2

2) 수창

비위의 습이 장과 위에 적체되어 피부로 넘쳐 꼬록꼬록 소리가 나며, 잘 놀라거나 천식이 나타나며 입이나 혀가 건조한 현상이 나타난다. 방기초력환을 쓴다.

방기초력환 「韓方秘錄」

> 방기 초목(椒目) 정력자炒 대황40

밀환 오자대하여 19丸씩 1일 3번복용

3) 기창

오래도록 속을 끓여 칠정이 울결하여 기도가 막혀 상하로 유통되지 못하여 몸이 붓고 사지는 마르고 대소변이 시원하지 않다. 삼화탕을 쓴다.

삼화탕 「韓方秘錄」

> 백출 진피 후박4 병랑 자소엽3 목통 대복피 복령 지각 해금사 감초2 생강3 대조2

4) 혈창

번조하여 입이 마르지만 물을 마시지 아니하고 양치하는 정도로 입을 축이며, 정신없이 중얼거리고 노래도 하며, 미친 짓을 하고 아파서 견디지 못하고 구역질을 하며 소변은 양이 적고 대변은 검게 나온다. 부인의 혈도증이 변하여 오는 경우가 많다. 인삼궁귀탕을 쓴다.

인삼궁귀탕 「韓方秘錄」

> 천궁8 당귀 반하6 봉출 목향 사인 오약 감초4 인삼 계지 오령지2 생강5 대조2 자소엽1

5) 한창

토하고 설사하여 이부(裏部)의 진액이 고갈되어 사지기 궐냉하게 되는 것으로 대소변이 나오지 않을 수 있다. 심복이 찌르듯이 파고 얼굴이 누렇고 비위의 기가 약하여 설사를 할 때는 순기목향산을 쓰는데 살이 찐 사람이 많고, 대소변이 나오지 않으면 중만분소탕을 쓴다.

순기목향산　「韓方秘錄」

> 사인 정향피 양강 건강 육계 진피 후박 길경 회향炒 창출4 감초2 생강3 대조2

중만분소탕　「韓方秘錄」

> 익지인 반하 목향 적복령 승마3 천궁 인삼 청피 당귀 시호 건강 필발 황련 생강 황기 오수유 초두구 후박2

6) 열창

억울한 일을 당했거나 열 받을 일이 있어 내열이 치성하여 창만이 생긴 것이다. 외부의 열에 오래 노출되어도 발생하며 음식은 먹을 수 있다. 마른 사람에 많다. 칠물후박탕으로 치료한다.

칠물후박탕　「韓方秘錄」

> 후박12 지실6 대황 감초4 계심2 생강5 대조2

7) 고창

배가 북처럼 팽팽하지만 사지는 많이 붓지 않는다. 향사화중탕, 보중행습탕, 소창음자 등을 쓴다.

향사화중탕　「韓方秘錄」

鼓脹初期 此服 能消食 補脾消炎行氣

고창초기 차복 능소식 보비소담행기

고창의 초기에 이 약을 먹으면 소화가 잘 되고 비를 보하며 염증이 사라지고 기순환이 잘 일어난다.

> 곽향 사인5 백출炒 창출炒6 후박 진피 반하薑炒 백복령 지실 청피 신곡炒 산사4
> 감초1.2

보중행습탕 「韓方秘錄」

> 후박 택사 맥문 황금 대복피 반하 진피 백출 복령 인삼6

뚱뚱한 사람은 습평위산하고, 마른 사람은 加향부자 황련3 한다.

소창음자 「韓方秘錄」

> 저령 택사 인삼 백출 복령 반하 진피 청피 후박 자소엽 향부자 사인 목향 병랑 대복피
> 목통 나복자 감초2 생강5 대조2

그리고 모든 창만증에 사용하는 방제는 반하후박탕을 쓴다.

반하후박탕 「韓方秘錄」

通治 脹滿諸症

통치 창만제증

> 반하4 후박3.2 신곡2.4 소목 홍화2 삼릉 당귀 저령 승마1.6 육계 창출 복령
> 택사 시호 진피 황금 초두구 감초1.2 목향 청피0.8 오수유 황련 건강0.5 도인0.4

음식을 먹은 직후 가슴과 배가 가득 찬 것은 비기(脾氣)가 약해서 오는 것인데 신의 명
문화가 약하여 비위를 온후(溫厚)하게 하지 못하는 것이 원인이다. 온토탕을 쓴다.

온토탕 「韓方秘錄」

> 흠인 산약20 백출 복령 의이인 맥아12 인삼 나복자4 육계 1.2

3제를 먹으면 치료된다.

8) 창만의 임상

비위의 기능을 살리는 것은 명문화임을 생각하여 창만증을 치료할 때 항상 팔미를 합하여 투여한다. 이런저런 창만증을 모두 다루기는 어렵지만 가스가 많이 차서 음식을 먹지 못하거나 방귀의 배출이 잦은 사람을 치료하는 정도로만 해도 된다.

- 가스차고 음식생각이 없다 : 팔미 + 향사평위 + 소건중
- 방귀가 잦다 : 대시호(소시호) + 소건중(+ 팔미)

21. 소갈(消渴=당뇨)

내경에 소갈증은 이양(二陽)의 결이라 하여 위(胃)와 대장(大腸)이 뜨거워 음식이 완전 분해가 일어나지 않아 전분이 방광으로 내려가 소변이 달게 되는 것이다라고 했다. 음식을 먹으면 위가 뜨거워서 빨리 삭게 만들고 신기(腎氣)가 허하여 완전한 분해가 안 된 전분이 방광으로 빠지는 것이다. 신이 왕성하면 완전분해가 일어나 혈과 육을 생성하고 뼈와 골수로 영양이 전달된다. 소변으로 당이 나오지 않는다고 결코 치료된 것은 아니다. 인슐린의 주사는 비장의 기능을 완전히 상실하게 하는 것이다. 이의 치료근간은 신과 비위의 기능을 살려 주어야 되는 것이다.

영양을 만드는 힘이 저하되므로 혈액의 흐름도 약해져 상처가 나면 잘 아물지 않고, 혈액 중의 노폐물이 동맥에 침착하여 동맥경화가 올 수 있다. 이양(二陽)이란 수양명대장경과 족양명위경을 말하며, 대장(大腸)은 진액을 주재하고 위(胃)는 혈(血)을 주관하는 고로 대장이 열하면 진액이 고갈되고 눈이 누렇게 되고 입이 마르며, 위가 열하면 소곡선기(消穀善飢-먹어도 배가 고픈)가 된다. 소갈증은 3종류가 있는데, 상소라 하여 폐소, 또는 격소라 하며, 중소라 하여 위소며, 하소라 하여 신소를 말한다.

당뇨의 3대 증상은 다식(多食) 다갈(多渴) 다뇨(多尿)이며, 합병증은 신허로 인한 심신의 불교로 고혈압, 신이 허하여 비를 생하지 못하여 위장장애와 음위(陰痿), 신의 허열이 눈으로 들어가 백내장, 신이 허하면 폐를 자양하지 못하여 폐위(肺痿)가 발생하여 다리에 힘이 약하고 마비와 저림이 생기며, 풍한습의 침범을 저항하는 힘이 약해져 신경통이 생기며, 폐결핵, 피부화농이 되고, 신이 허하여 뼈가 약해지며 잇몸도 약해지므로 치조농루가 발생한다. 이 현상의 주된 원인은 비괴신패(脾壞腎敗)라하여 비장이 깨지고 신이 약해져서 발생한다.

1) 상소(上消)=격소

갈증이 생겨 물을 많이 마시지만 음식은 조금 먹고 대소변은 이상이 없으며 혀가 붉고 갈라진다. 음식을 잘 먹으며 목이 말라 물을 많이 먹는 사람은 인삼백호탕을 쓰고, 음식을 잘 먹지 못하고 갈증이 있는 사람은 청심연자음을 쓴다.

인삼백호탕　「韓方秘錄」

治上消 舌上赤裂 大渴引飮 能食者 膈消也

치상소 설상적열 대갈인음 능식자 격소야

> 지모12 석고32 감초4 갱미18 인삼6

인삼석고탕　「韓方秘錄」

治膈消-치격소

> 석고16 지모10 인삼7 감초5

죽엽황기탕　「韓方秘錄」

治消渴 氣血虛 胃火盛而作渴

치소갈 기혈허 위화성이작갈

신음의 부족으로 명문화도 약해져 비위를 생(生)할 수 없고, 소모 과다와 혈의 부족으로 진액이 부족하여 위열이 발생하고, 다시 허열이 진액을 태워버리므로 몸은 수분의 고갈현상이 일어나 심한 갈증이 생기게 된다.

> 담죽엽 생지황8 황기 맥문동 당귀 천궁 황금 감초 작약 인삼 반하 석고4

본방은 위열(胃熱)이 심하여 갈증이 생기고 물을 많이 마셔도 소변은 많지 않은 상소증이다. 팔미환에서 보이는 이음일두 소변일두의 것과는 차이가 있다. 위열이 발생되는 원인이 기(氣)도 허하고 혈(血)도 허한 상태라 진액의 부족현상이다. 이 결과로 인해 위(胃)에 열이 발생하여 위에서 생화할 수 있는 영양의 생성도 불충분하여 더욱 진액부족 현상을 초래하여 심한 갈증이 생긴다. 본방은 위화(胃火)가 직성하여 발생하는 갈증을 치료하는 방제이다. 위화가 많아지면 영양의 생성이 부족하여 더욱 기혈이 허해지는 결과가 온다. 이 상황을 치료하는 방법은 보(補)와 사(瀉)를 겸하여 치료하는 것이다. 서늘하게 하는 것은 망양(亡陽)을 초래하지 않으며 따뜻하게 하는 것은 화(火)를 키우지 않는다. 정기를 강하게 해주면 사기는 물러가게 된다. 음이 허하여 위화가 성한 자가 갈증을 일으킬 때 우선적으로 생각해야 할 것은 음은 몸속의 모든 진액을 말하는 것이니 신음과 혈을 보하고, 위의 열을 없애는 것이 가장 적합하다. 육미와 사물, 그리고 백호탕, 이 처방을 서로 합하여 사용하면 갈증도 없어지고, 소갈증의 근본적 원인을 치료할 수도 있는 것이다.

청심연자음 「韓方秘錄」

心火上炎 心中煩燥 思慮過多 煩渴 口乾 小便赤濁 遺精 帶下
심화상염 심중번조 사려과다 번갈 구건 소변적탁 유정 대하

심신불교(心腎不交)로 심화(心火)가 상초로 강하게 올라와 가슴이 번조하고, 근심과 걱정이 많고 입이 말라 번조하고 갈증이 심하며 소변이 붉고 탁하며 유정이나 대하가 있는 것을 치료한다.

> 연육 인삼8 황기 복령6 맥문동 지골피차전자 황금4 감초2

심(心)과 신(腎)의 불교(不交)로 상성하허(上盛下虛)하여 허열이 상충하여 소변이 탁하고 유뇨감이 있으며, 입과 입술이 마르고 점점 심해져 소갈이 되며, 잠을 자거나 누워도 불안한 느낌이 있고 사지가 곤권하며 오심번열(五心煩熱)과 성적(性的)신경쇠약을 치료한다.

생진양혈탕 「韓方秘錄」

治上消－치상소

> 당귀 작약 생지황 맥문동4 천궁 황련3.2 천화분2.8 지모 황백 연육 오매 박하 감초2

2) 중소=위소

음식을 많이 먹지만 살은 빠지며, 대변이 딱딱하게 굳으며 소변은 자주 보게 된다. 조위승기탕을 쓴다. 대장이 열을 위(胃)로 보내면 잘 먹지만 마르고, 또 위가 열을 담(膽)으로 보내도 이 현상이 일어난다. 이것을 식역증(食㑊症)이라 하며 중소와 같이 치료한다.

259

조위승기탕

> 대황8 감초4 망초16

생진감로탕=청량음자 「韓方秘錄」

治中消 能食而瘦 大便燥 小便數

치중소 능식이수 대변조 소변삭

중소를 치료하는 방제인데 많이 먹지만 살은 빠지며 대변이 건조하고 소변이 많은 것이다.

> 석고 용담 황백4 시호 강활 황기 지모 황금 灸감초3.2 당귀신2.4 승마1.6
> 방풍 방기 생지황 감초1.2 행인2 도인1.5 홍화0.5

폐관지갈탕 「韓方秘錄」

> 원삼 맥문동80 숙지황40 석고 靑蒿(파란 쑥)20

20제를 먹으면 전부 치료된다.

3) 하소=신소

소변이 고름처럼 나오고 얼굴이 검어지며 귀가 건조해지고 살이 빠지고 다리와 무릎이 가늘어진다. 육미지황환을 쓴다.

육미지황탕 「韓方秘錄」「古今名醫方論」

主治腎精不足 虛火炎上 腰膝酸軟 骨熱痿疼 足跟痛 小便淋秘或不禁 遺精夢
泄 水泛爲痰 自汗盜汗 亡血 消渴 頭目眩暈 耳聾 齒搖 尺脈虛大者

주치신정부족 허화염상 요슬산연 골열위동 족퇴통 소변임비혹불금
유정몽설 수핍위담 자한도한 망혈 소갈 두목현훈 이롱 치요 척맥허대자

신정부족으로 허화가 발생하고 하초의 신정부족으로 허리와 무릎이 약하여 부자연스럽고
골증열로 시고 뻐근하며 발꿈치가 아프고, 소변이 자주 나오거나 참지를 못하고 꿈을 꾸면
서 소변을 배출하고 몽정을 하며, 물을 관리할 힘의 부족으로 폐로 범람으로 가래가 생기고
허열로 자한 도한 빈혈 소갈증, 뇌수부족으로 머리와 눈이 어지럽고 귀가 멍하며 뼈를 자양

할 영양이 부족하여 치아가 흔들리고 척맥이 허대한 모든 증상을 치료한다.

> 숙지황10 산수유 백복령 산약各8 목단피 택사6

신의 음허에 적용하여 신정을 채워주는 약으로 우선 신이 허하게 되는 원인을 보면, 나이를 먹으면서 저절로 약해지며, 잠을 자야할 시간에 활동을 하여 신정을 채우지 못하는 것과, 술을 많이 마시는 것, 사려과다, 오래 앉아있거나 오래 누워 있는 것, 과로, 생활의 부절제 등으로 발생이 되고, 살아가는 것 자체가 신을 허하게 하는 것이다.

신이 허하여 나타나는 증상은 발바닥이 화끈거리거나 열이 많이 나는데 오히려 발등은 시린 경우가 많고, 열감이 없는 경우는 발바닥이 빨간 경우가 많으며 신경이 예민하고, 오래 서있거나 누워있으면 허리가 아파지며 소화가 잘 되지 않고, 결벽증이나 의처증, 잠이 쉽게 들지 않는 증상과, 시력이 감퇴하여 침침하게 보이며 무릎이 시큰거리는 증상과 야간에 잠을 자다가 일어나 소변을 보는 횟수가 늘어나고, 흑색의 가래가 나오고, 음위와 부종 등이 나타난다. 신이 허하여 정을 저장하지 못하면 신장의 허화(虛火)는 머물 곳이 없어 망행하며, 하초는 신정의 부족으로 영양을 받을 수 없어 약해지고 허열이 발생하게 되며, 상초의 폐는 신정을 받지 못하여 그 힘을 잃게 된다. 정은 음수(陰水)며 고요하며 움직이지 않고, 신(腎)에 머물러 있다.

소변은 양수며, 움직이되 머물지 않으며, 움직일 때는 신장의 힘이 필요하다. 신은 5액을 주관하는데 만약 음수를 채워 저장하지 못하면 진수가 부족되며, 양수가 흐르지 못하면 어수로 변하여 역행하므로, 지황과 택사로 막힌 수도를 소통시킨다. 신이 허해도 폐를 보하지 못하는 것은 신이 허하면 힘이 폐로 도달되지도 않을뿐더러 봉장을 튼튼하게 유지하지 못하기 때문이다.

산약은 신장의 음정을 키우고, 복령은 소변을 인도하여 맑게 빼내고, 산수유는 소양의 화를 수렴하고, 궐음의 血을 생성하며, 목단피는 소음의 화를 맑게 한다. 장수(將水)하여 화(火)를 제어하는 것은 신정을 채워서 허화(虛火)를 바로 잡는 방법이다.

인용탕 「韓方秘錄」

治下消 - 치하소

> 현삼120 맥문동40 산수유20 육계12 오미자4

3제면 전유(全愈)한다.

넝불탕 「韓方秘錄」

治下消 – 치하소

> 맥문동 산수유120 복령40

15일 복용하면 낫는다.

-당뇨의 임상

팔미 + 소건중탕 + 크롬제제

갈증이 있으면 백호가인삼탕을 합하여 장기간 복용한다.

22. 황달(黃疸)

황달은 소변과 얼굴, 눈, 치아, 그리고 전신이 황금빛과 같이 되며 열이 폐에 머물러 있어 먹어도 배가 자주 고프고 기운이 없어 눕기를 좋한다. 이때는 인진오령산이나 인진삼물탕을 사용한다. 황달의 원인은 체로 인해 숙식이 생기고 그로 인해 습과 열이 발생하여 표에 정체하여 발생하며 이것을 식로황이라 한다. 모든 황달은 소변불리가 발생하나 어혈로 인한 황달은 소변이 순조롭다. 열이 하초에 모이면 진액을 마르게 하므로 소변이 불리하게 되는 것이며, 피가 하초에 모이면 열은 혈을 마르게 할뿐 진액의 손상은 없으므로 소변은 이상이 없는 것이다.

1) 주달

술을 많이 마셔 신과 비위가 약해져 음식은 조금만 먹는데 속이 불안하여 토하고 싶으며 코가 건조해지고 발에 열이 난다. 이때는 당귀백출탕, 왕담소주탕을 쓰고, 음주 후에 색을 가까이하여 생긴 황달은 진사묘향산을 쓰는데 진사가 들어있어 사용하기 어렵다.

2) 곡달

위가 열을 발생하여 허기가 져서 과식하여 체하면 습열이 발생하여 발생한다. 먹기만 하면 어지럽고 뱃속이 불안해 진다. 인진호탕, 분탁산을 쓴다.

3) 음황

몸과 얼굴이 노랗고 사지가 무거우며 몸이 차고 가슴이 답답하며 단단하고 땀을 흘리며 소변은 순조롭다. 이것은 차고 서늘한 것이 과도해서 양이 변해 음이 된 것이다. 가미이중탕, 인진귤피탕이나 인진복령탕을 쓴다.

4) 여로달

몸이 많이 피곤할 때나 몹시 더울 때 과도한 여색으로 발생하며, 이마 위가 검어지고 땀이 조금 나는 것으로 수족장심에 열이 있고 한열증이 생기며 아랫배가 많이 불러진다. 이것을 신달이라 고도 한다. 진교음자나 신달탕, 양수탕을 쓴다.

5) 폐달

폐달은 폐기가 허하여 코가 막히며 얼굴과 머리가 모두 노랗고 구내염과 목이 마르고 소변이 불리한 것이다. 양폐이습탕을 쓴다.

6) 심달

번조하고 갈증이 심하며 물을 마시면 심하(心下)에 정체하여 가슴에서 물소리가 나며 땀이 비 오듯 하고 피부 전체가 노랗게 된다. 오직 양 눈은 희다. 이 원인은 심중에 허열로 생긴다.

7) 간달

양 눈이 모두 노랗고 전신이 황색으로 나타나지만 눈은 그다지 심하지 않다. 기가 수족으로 역상하여 냉한(冷汗)이 나서 그치지 않지만 몸통에는 땀이 나지 않는다. 이것은 간기가 울체하여 습열이 뭉쳐져 흩어지지 않아서 발생한다.

8) 비달

脾疸 身黃如秋葵之色 汗粘 衣服皆成黃色 兼之涕唾亦黃 不欲聞人言 小便不利 此脾陰之虛也

비달 신황여추규지색 한점 의복개성황색 겸지체타역황 불욕문인언 소변불리 차비음지허야

몸의 빛이 가을 해바라기 같고 땀은 끈적하며 의복이 모두 노랗게 물든다. 눈물과 타액도 역시 노랗게 나온다. 사람의 말을 들으려 하지 않고 소변불리가 온다. 이것은 비음(脾陰)이 허하여 발생한다. 보비이수탕을 쓴다.

9) 황한

黃汗 以汗出時 入浴得之 其症身腫 發熱 汗出而渴 汗出而染衣黃色 如黃栢汁

황한 이한출시 입욕득지 기증신종 발열 한출이갈 한출이염의황색 여황백즙

땀이 날 때 물속에 들어가 목욕을 하여 발생한다. 몸이 붓고 열이 생겨 땀이 나며 전신이 노랗게 되고 옷이 황백 즙으로 염색한 듯 노랗게 된다. 기진탕이나 계지황기탕을 쓴다.

10) 황달의 방제

인진오령산 「傷寒論」

治濕熱黃疸-치습열황달

> 오령산습인진호40

오령산으로 표를 풀고 위내의 습을 제거하며 소변을 잘 통하게 하고, 인진호로 뭉친 열을 흩어버린다. 황달의 경증에 사용한다.

인진삼물탕 「韓方秘錄」

治黃疸 小便不利

치황달 소변불리

> 인진12 치자 황련8

인진산 「韓方秘錄」

諸黃疸如神 女勞疸亦妙

제황달여신 여로달역묘

모든 황달에 효과가 좋고, 여로달에도 효과가 좋다.

> 인진호 치자 적복령 택사 창출 지실 황련 후박 활석4 등심3

건비행기탕 「韓方秘錄」

治黃疸 內傷之症 外感者 利水則愈

치황달 내상지증 외감자 이수즉유

264

내상으로 온 황달에 감기가 겸해있으면 수분을 잘 배출하면 낫는다.

> 백출 복령 의이인40 인진 흑치자12 진피2

당귀백출탕 「韓方秘錄」

治酒疸 有飮癖 心膈堅滿 不進飮食 小便黃赤

치주달 유음벽 소격견만 부진음식 소변황적

주달로 음식이 적체되어 심하가 단단하고 답답하며 음식을 먹지 못하고 소변이 적황색으로
나오는 것을 치료한다.

> 적복령6 창출 지실 행인 전호 갈근 감초4 반하3 당귀 황금 인진2 생강3

왕담소주탕 「韓方秘錄」

治酒疸 心中時時懊憹 熱不能食 欲吐嘔 胸腹作滿 此酒濕而作疸也

喜飮者 由於疸氣之旺也

치주달 심중시시오농 열불능식 욕토구 흉복작만 차주습이작달야

희음자 유어달기지왕야

주달로 심중이 때때로 괴롭고 열로 인하여 먹을 수 없고 토하거나 구역질을 하는 것은 술로
인하여 위내(胃內) 습열이 생겨 황달을 만드는 것이다. 술을 즐기는 사람은 위내에 황달을
만들 수 있는 습열이 많아 오기가 쉽다.

> 작약40 柞木枝(떡갈나무가지) 상백피 백복령12 치자 택사8 죽엽4

인진호탕 「韓方秘錄」

身黃如橘子色 小便不利 腹微滿者

寒熱不食 食則頭眩 心胸不安 久久發黃 爲穀疸

신황여귤자색 소변불리 복미만자

한열불식 식즉두현 심흉불안 구구발황 위곡달

몸의 색이 귤처럼 노랗고 소변이 시원하지 않고 배가 꽉 찬 것 같은 사람이나, 열과 한(寒)이
새겨 먹지 못하고, 먹으면 바로 어지러워지며, 가슴이 불안한데 이 증상이 오래되면 황달이

발생한다. 이것을 곡달이라 한다.

> 인진호12 치자4 대황4

분탁산 「韓方秘錄」

治穀疸 胸中易飢 食則難飽 多用飮食則又發煩 頭眩 小便難澁 身如黃金之色
치곡달 흉중이기 식즉난포 다용음식즉우발번 두현 소변난삽 신여황금지색

빨리 허기가 져서 많이 먹게 되고, 음식을 먹고 곧 번조해지며 어지럽고 소변이 어렵고 몸이 황금색으로 변하는 곡달을 치료한다.

> 복령40 차전자 저령 치자12 인진4 10劑全愈

당귀백출탕 「韓方秘錄」

> 적복6 창출 지실 행인 전호 갈근 감초4 반하3 당귀 황금 인진2 생강3

가미이중탕 「韓方秘錄」

> 인삼 백출 건강 감초6 인진12 복령4 습육미 또는 팔미

인진귤피탕 「韓方秘錄」

陰黃 煩燥 喘嘔 不渴
음황 번조 천구 불갈

음황으로 번조하고 숨이 차며 구역질을 하는데 갈증은 없다.

> 인진12 진피 백출 생강 반하 복령4

인진복령탕 「韓方秘錄」

陰黃 小便不利 煩燥而渴
음황 소변불리 번조이갈

음황으로 소변이 시원하지 않고 갈증이 나며 변조하다.

> 인진12 복령 저령 활석 당귀 관계4

인진사역탕 「韓方秘錄」

陰黃 指體逆冷 自汗不止

음황 지체궐냉 자한부지

음황으로 팔다리가 아주 차고 땀이 그치지 않는다.

> 인진12 부자 건강 감초4

인진부자탕 「韓方秘錄」

陰黃 遍身冷

음황 편신냉

음황으로 온 몸이 모두 찬 것이다.

> 인진12 부자 감초4

진교음자 「韓方秘錄」

> 진교 당귀 작약 백출 계지 적복령 진피 숙지황 천궁 소초4 반하 감초2 생강5

신달탕 「韓方秘錄」

腎疸 目黃 尿赤

신달 목황 뇨적

신달로 눈이 노랗고 소변이 붉은 것을 치료한다.

> 창출4 승마 강활 방풍 고본 독활 시호 갈근 백출2 저령1.6 택사 신곡 인삼 감초1.2 황백 황금0.8

양수탕 「韓方秘錄」

腎疸 身體面目具黃 小便不利 不思飮食 不得臥 此腎寒故也

신달 신체면목구황 소변불리 불사음식 부득와 차신한고야

신달로 전신과 눈 얼굴이 모두 노랗고 소변이 불리하며 먹고 싶은 생각이 없으며 눕지를 못한 것은 신이 한(寒)하여 생긴 것이다

백출80 복령 산약 의이인40 흠인20 육계12 인진4

양폐이습탕 「韓方秘錄」

鼻塞不通 頭面俱黃 口炎 咽乾 小便不利 此肺氣之虛也

비색불통 두면구황 구염 인건 소변불리 차폐기지허야

폐기가 허하여 코가 막히며 얼굴과 머리가 모두 노랗고 구내염과 목이 마르고 소변이 불리한 것이다.

백출 황금 복령20 길경 상백피 인진12 천화분 저령8

보간생심탕 「韓方秘錄」

心疸 煩渴引飮 水卽停於心之下 時作水聲 胸前時多汗出 皮膚盡黃 唯兩目獨白 此心中虛熱而成之也

심달 번갈인음 수즉정어심지하 시작수성 흉전시다한출 피부진황 유양목독백 차심중허열이성지야

번조하고 갈증이 생겨 물을 마시는데, 먹은 물이 심하에 정체하여 수시로 물소리가 나고, 땀을 많이 흘리며 전신이 노랗게 된다. 오직 양쪽 눈만 하얗다. 이것은 심달이며, 심중에 허열로 인하여 발생한다.

작약40 복령 백출20 인진 炒치자12 목통 원지4

이간분수산 「韓方秘錄」

肝疸 兩目盡黃 身體四肢 亦現黃色 但不知眼黃之甚 氣逆手足 發冷汗出不止 然止在腰以上 腰以下無汗也 此肝氣之鬱 濕熱団結 而不散也

268

간달 양목진황 신체사지 역현황색 단부지안황지십 기역수족 발냉한출부지

연지재요이상 요이하무한야 차간기지을 습열단결 이불산야

양 눈과 사지와 전신이 모두 노랗게 나타나지만 눈은 심해지지 않는다. 기가 수족으로 역상하여 식은땀이 그치지 않는데 허리이하는 땀이 없고 그 위쪽만 나는 것으로, 이것은 간기가 울체하여 습열이 뭉쳐 없어지지 않아 발생한 간달이다.

> 복령40 감국20인진 저령 차전자 백질여12 용담8 시호4

보비이수탕 「韓方秘錄」

> 복령40 백출120 부자 인진 반하12 인삼4

기진탕 「韓方秘錄」

> 석고8 황기 적작 인진 맥문 두시4 감초2 생강5

계지황기탕 「韓方秘錄」

> 황기10 계지 작약6 감초4

물과 술을 합쳐 달인다.

23. 후음(後陰-항문)

항문을 백문이라 하며 횡장이라고도 하며 대장의 제일 끝 부분인데, 직장과 항문을 통틀어 지칭한다. 소장에 열이 있으면 치질이 발생하고, 대장에 열이 있으면 혈변(血便)이 된다. 이것이 장풍(腸風)이며 장독(腸毒)이다. 양혈지황탕, 당귀화혈탕, 승양제습이혈탕을 쓴다. 치질은 밝히기가 쑥스럽고 난처한 질병 중 하나가 아닌가 생각한다. 치질은 배변 시 통증이 심하고 걸어 다니거나 앉아있을 때도 불편하다. 항문에 혹 같은 것이 불쑥 튀어나오고 단단하면서 아프다.

대변을 볼 때 피가 나오기도 하는데, 탈항과 치질을 통상 치질이라 하는데 발생 원인은

차이가 있다. 그리고 항문 주위에 종기 같은 것이 나서 오래되면 터지고 지속적으로 농(膿-고름)이 나오며, 항생제를 먹어도 잘 치료되지 않고 수술을 해야 하는 것은 치루다.

먼저 탈항 부터 말하자면 이것은 항문이 밑으로 빠지는 현상이다. 통증과 출혈이 동반되기도 하며 일상생활에 많은 불편을 준다. 통상적으로 치질이라고 말하는 사람의 대부분이 이 증상이다. 왜 항문이 빠지는가하면 대장과 항문 쪽의 장이 힘이 없어 아래로 쳐지는 하수현상이다. 설사를 오래하거나 과로를 하여 폐와 대장이 허해지면 제 위치를 지키는 힘즉 봉방의 힘이 약해져 발생한다. 그리고 치질은 간의 열이 항문 쪽으로 뻗쳐 항문에 옹(癰-염증)이 생긴 것이다. 옹이 생긴 곳은 궤사가 되어 농이 발생되고 통증도 수반한다. 치질과 탈항을 직접 눈으로 확인하기는 의료기관(병원)이 아닌 이상 확인하기가 힘들다. 그래서 치료를 할 때는 두 질환을 한꺼번에 잡는 약으로 투약을 한다. 약을 일주일정도 복용하면 가라앉는데 재발할 수는 있다. 아주 고질적인 것으로 만성화된 것은 기간이 좀 더 걸리기도 한다. 치루는 몸이 허하고 혈행(血行)이 좋지 못하여 발생하는데 항문 옆에 종기가 나서 내부로 뚫고 들어가는 것이다. 결국에는 장에 구멍을 뚫는 경우도 생겨 대변이 그곳으로 나오기도 한다. 새살을 빨리 생기게 하고 염증을 속에서 겉으로 밀어내는 약을 먹어야 하는데 기간이 좀 오래 걸린다. 약으로 잘 되지 않으면 수술로 그 염증 부위를 잘라내야 한다.

1) 장치(腸痔)

항문 내에 덩어리가 생겨 한열이 왕래하며 대변을 보면 탈항(脫肛)이 된다. 신과 폐가 허하고 중기하함으로 발생한다. 삼기탕을 쓴다.

2) 맥치(脈痔)

항문에 도톨도톨한 것이 생겨 아프고 가려운 증상이 있다. 괴각환을 쓴다.

3) 혈치(血痔)

배변 때마다 맑은 피가 나와 그치지 않는 것이다. 장풍(腸風), 장독(腸毒)이라 한다. 피가 탁하고 검은 것은 장독으로 해독탕을 쓰고, 피가 맑고 선명한 것은 장풍으로 패독산을 쓴다.

4) 기치(氣痔)

속을 태우거나 노하거나 무서워 할 때마다 발생하여 붓고 아픈 것이다. 가미향소산을 쓴다.

270

5) 주치(酒痔)

술을 마시면 바로 하혈을 한다. 건갈탕을 쓴다.

6) 빈치(牝痔)=암치질

　治牝痔 濕熱風燥 腸頭成壞者 濕熱也 大痛者 風也 大便秘結者 燥也

　치빈치 습열풍조 장두성괴자 습열야 대통자 풍야 대변비결자 조야

항문에 종기가 생겨 붓고 튀어나오며 하루에도 여러 개가 터져 고름이 나온다. 습열과 간혈의 부족으로 발생하는데, 튀어나온 부위가 헐은 자는 습열(濕熱)로 인한 것이며 많이 아픈 것은 간화(肝火)로 오는 것이고, 변비가 있는 자는 진액부족으로 인한 것이다.

모치(牡痔-숫치질)와 같은 약을 쓴다. 진교창출탕을 쓴다.

7) 루치(瘻痔)=痔漏

　痔漏 因風熱燥而成故也

　치루 인풍열조이성고야

루치(치루)는 간혈부족으로 인한 열로 생기는 것으로, 오래되면 세균의 감염으로 장을 파고 들어가며 농이 나오는 것이며, 종래에는 장에 구멍이 뚫린다.

양혈음, 진교당귀탕, 진교강활탕을 쓴다.

8) 탈항

탈항은 폐와 신이 모두 허하여 생기며 중기하함이 있거나 오랜 설사나 이질로 생기기도 한다. 삼기탕을 쓰며 오래된 것은 육미를 합하여 사용한다.

9) 치질의 방제

양혈지황탕　「韓方秘錄」

　腸僻射血

　장벽사혈

장벽으로 배변 시 피가 쏘듯이 뻗어 나온다.

지모 황백6 숙지황 당귀 괴화炒 청피2.8

물로 달여 먹는다. 효과가 좋은 약이다.

당귀화혈탕　「韓方秘錄」

腸風射血 血及濕毒下血

장풍사혈 혈급습독하혈

장풍으로 피가 뻗치듯 나오는 것은 혈과 습독이 함께 빠지는 것이다.

> 당귀 승마6 괴화炒 청피 형개 백출 숙지황2.8 천궁2

승양제습이혈탕　「韓方秘錄」

腸僻 下血作派 其血嘲出 有力而達 射四散如篩 腹中大痛是也

(嘲-물 댈 즐, 篩-체 사)

장벽 하혈작파 기혈즐출 유력이달 사사산여사 복중대통시야

장벽으로 변을 보면 하혈이 힘 있게 뿜어져 나와 사방으로 흩어지며 배가 심하게 아프다.

> 작약6 황기 灸감초4 진피 승마2.8 생지황 목단피 생감초2 당귀 숙지황 창출 진교 육계1.2

달여 공복에 먹으면 효과가 즉시 난다.

삼기탕　「韓方秘錄」

肛門虛寒脫出 肺腎虛者多有 此症宜昇之

항문허한탈출 폐신허자다유 차증의승지

항문이 힘없이 빠지는 것은 폐와 신이 허한 사람에게 잘 온다. 이 증상은 삼기탕으로 기를 올려 줘야한다.

> 인삼 황기蜜灸 당귀 생지황 작약酒炒 복령 백출8 승마 길경 진피 건강2 구감초1.2

괴각환　「韓方秘錄」

治脈痔 五痔及諸痔

치맥치 오치급제치

맥치와 기타 오치의 모든 치질을 치료한다.

> 괴각160 지유 황금 방풍 당귀 지각80

272

술과 밀가루 죽으로 환을 만들어 공복에 50~70丸씩 미음으로 먹는다.

해독탕 「韓方秘錄」

> 황련 황백 치자 연교 괴화초4 세신 감초2

패독산 「韓方秘錄」

下血 必在糞前 是名近血 色清而鮮

하혈 필재분전 시명근혈 색청이선

대변을 보기 전에 하혈부터 나는 것으로 피의 색이 맑고 선명한다. 이것을 근혈이라 한다.

> 강활 독활 시호 전호 길경 천궁 적복령 인삼 감초4

가미향소산 「韓方秘錄」

> 진피 지각 천궁 괴화4 자소엽경 병랑 목향 도인 향부자 감초2 생강3 대조2

건갈탕 「韓方秘錄」

> 건갈 지각 반하 적복령 생지황 행인4 조금 감초2 흑두100개 白梅100개

진교창출탕 「韓方秘錄」

> 진교 조각燒末 도인末4 창출 방풍2.8 황백酒洗2 당귀酒洗 택사 병랑1.2 대황0.8

공복에 따뜻하게 먹으면 효과가 좋다.

양혈음 「韓方秘錄」

> 인삼 황기 황련 생지황 당귀 천궁 괴각 조금 지각 승마4

진교당귀탕 「韓方秘錄」

治痔漏 大便結燥 疼痛者

치치루 대변결조 동통자

치루로 대변이 단단하고 건조하며 배변 시 많이 아픈 것을 치료한다.

> 대황煨16 진교 지실4 택사 당귀 조각燒 백출2 홍화0.8 도인20개

진교강활탕 「韓方秘錄」

治痔漏 下膿血 虛者服之神效 治痔之聖藥也

치치루 하농혈 허자복지신효 치치지성약야

치루로 고름과 혈이 나오는 것으로, 몸이 허약한 사람이 복용하면 효과가 좋다. 치질치료의 성약이다.

> 강활6 진교 황기4 방풍2.8 승마 마황 시호 구감초2 고본1.2 세신 홍화0.8

10) 치질과 탈항의 임상

신장의 기능을 살리는 팔미와 간화를 내리는 시호제, 중기하함을 고치는 보중익기, 염증을 제거하는 배농산급 + 탁리소독음(이것을 배탁이라 함)을 합하여 준다. (팔미 + 보기(보중익기 슴 자감초) + 시호제 + 배탁) 통증이 심하면 + 대황목단피를 함께 준다. 치질에 을자탕이라는 개념을 버려야 한다. 을자탕은 어혈을 간으로 옮겨주는 작용을 한다. 혈행을 좋게 하기 위해 은행엽제제도 투여한다. 그리고 외부에 도포할 수 있는 연고제나 좌제도 필요하다.

24. 적취 징가 현벽

이 모든 증상은 모두 같은 원인으로 발생한다. 담음과 식적과 어혈로 발생한다. 진기(정기)가 실하고 위기가 강하면 적(積)은 스스로 없어진다. 다시 말하면 음식과 색을 잘 조절하고 마음을 잘 다스려 편안하면 신허나 비위의 허나 어혈(瘀血)은 생기지 않으므로 적(積)이 만들어 질 수 없다. 항상 음식을 맑게 섭취하고 주색(酒色)을 절도 있게 하며 심하게 노하거나 많은 생각이나 근심을 하지 않으면 발생하지 않는다. 오적(五積), 육취(六聚), 징가(癥瘕)는 모두 비위가 허약하고 기혈이 쇠약해서 발생하는 것으로 음식을 먹을 수 없고 피곤한 생태가 된다. 보중익기탕에 삼릉 봉출 청피 향부자 길경 곽향 익지인 육계를 가

하여 쓰면 제 증상이 좋아진다. (가미보중익탕으로 위암에도 효과가 있다.) 열이 울체되면 담(痰)이 만들어지고 담이 울체되면 벽(癖)이 되며, 혈이 울체되면 하(瘕)가 발생하며, 음식이 울체되면 비만(痞滿)이 되는 것이다. 기(氣),습(濕), 열(熱), 담(痰), 혈(血), 식(食)이 육울(六鬱)이다. 이증의 초기엔 육울탕을 쓴다.

1) 기울(氣盫)

기울은 칠정(七情)으로 인해서 생기는 것으로 가슴이 답답하고 협통(脇痛)이 발생한다. 협통이 있으면 목향조기산을 쓰고, 자통(刺痛)이 있으면 해울조기탕을 쓴다.

2) 습울(濕盫)

周身關節走痛 頭如物蒙足重 遇陰寒便發者是也(蒙-덮어씌울 몽)

주신관절주통 두여물몽족중 우음한편발자시야

전신의 관절이 옮겨 다니며 아픈 것이며 머리가 무겁고 다리가 무거우며 날씨가 차고 습기가 많을 때 발생한다. 삼습탕을 쓴다.

3) 열울(熱鬱)

눈이 침침하고 입이 마르고 건조하며 소변이 붉고 탁하다. 승양산화탕을 쓴다.

4) 담울(痰鬱)

가슴이 답답하고 움직이면 숨이 차고 호흡이 가빠지고 눕기가 어려운 것이다. 승발이진탕을 쓴다.

5) 혈울(血鬱)

血鬱 能食 四肢無力 小便淋 大便紅者是也

혈울 능식 사지무력 소변림 대변홍자시야

사지에 힘이 없고 먹기는 하지만 소변이 조금씩 나오며 대변이 붉게 나오는 것이다. 당귀활혈탕을 쓴다.

6) 식울(食鬱)

食鬱 呃酸惡食 黃疸 鼓脹 痞塊者是也(呃-딸꾹질 애)

식울 애산오식 황달 고창 비괴자시야

신트림이 나오고 입맛이 없으며 가스가 차고 얼굴이 누렇게 되고 가슴이 답답한 증상이 생긴다. 향사평위산을 쓴다.

7) 울증의 방제

육울탕 「韓方秘錄」

氣濕熱痰血食 此六鬱 而鬱者病 結不散也

기습열담혈식 차육울 이울자병 결불산야

기습열담혈식 6가지가 울체되어 생겨 흩어지지 않아 발생한 병이다.

향부자8 천궁 창출6 진피 반하4 적복령 치자2.8 사인 감초2 생강3

기울(氣鬱)-加목향 병랑 오약 시호 자소엽

습울(濕鬱)-加백출 강활 방기

열울(熱鬱)-加황련 연교

담울(痰鬱)-加남성 과루인 해분

혈울(血鬱)-加도인 목단피

식울(食鬱)-加산사자 신곡 맥아

목향조기산 「韓方秘錄」

氣鬱胸滿

기울흉만

오약 향부자 지각 진피 청피 후박 창출4 목향 사인2 계지 감초1.2 생강3

해울조기탕 「韓方秘錄」

氣分之火壅於中 時作刺痛 皆悲怒憂思慮勞心所致也

기분지화옹어중 시작자통 개비노우사려노심소치야

기분의 열이 중초에 옹체되어 시시로 찌르듯 아프다. 모두가 슬픔, 화냄, 근심, 많은 생각으로 심(心)이 약해져 발생한 것이다.

> 치자鹽水炒 당귀酒洗5 백출 진피 백복령4 적작약酒浸2

삼습탕 「韓方秘錄」

> 적복령 건강8 창출 백출 감초4 귤홍 계지 후박2 생강3 대조2

승양산화탕 「韓方秘錄」

> 승마 갈근 강활 독활 작약 인삼4 시호 감초2.4 방풍2 구감초1.6

승발이진탕 「韓方秘錄」

> 반하8 진피 천궁 복령6 시호 방풍 승마 감초4 생강3

당귀활혈탕 「韓方秘錄」

> 당귀 적작약 천궁 도인4 목단피 향부자 오약 지각 청피3.2 홍화2 계지 건강 감초1.2 생강3

향사평위산 「韓方秘錄」

> 창출 후박 진피 향부자4 산사 지각 맥아 신곡 건강 목향2 구감초0.8 생강3 나복자1撮

8) 적취(積聚)

적(積)이라 하는 것은 오장(五臟)에서 생기는 병이므로 그 시작이 일정해서 아픈 위치가 고정되어 움직이지 않는다. 오장 오적이 있으며 음식으로 인한 적은 10적이 있다. 간적은 비종대증이며, 폐적은 간장염이고, 심적은 위염 위경련을 말하고, 신적은 산증이고 분돈증이며, 비적은 위종대증을 말한다. 10적은 식적(食積), 주적(酒積), 면적(麵積), 어해적(魚蟹積), 과채적(果菜積), 다적(茶積), 수적(水積), 혈적(血積), 충적(蟲積) 육적(肉積)이며, 취(聚)는 육부에서 발생하는데 그 시작의 근원이 없어 상하좌우 돌아다니며 아프다.

9) 징가(癥瘕)

징이라 하는 것은 복부에 단단하고 한 곳에 모여 있으며 만지면 잡힌다. 가는 복중이 단단하나 별안간 생겼다가 없어졌다 하는 것이다.

10) 현벽(痃癖)

현(痃)은 제하에 좌우로 각각 한줄기 힘줄과 같으며, 몹시 아프면 팔과 손가락 같고 줄 같은 것이다. 벽(癖)은 한쪽으로 치우쳐 양쪽 갈비사이가 시시때때로 아픈 것이다. 적취와 현벽은 냉하면 모두 통증이 발생한다.

11) 징가, 현벽의 방제

화견탕 「韓方秘錄」

治五積六聚 癥瘕 痃癖 食積 死血成塊

치오적육취 징가 현벽 식적 사혈성괴

오적과 육취, 그리고 징가와 현벽, 식적, 죽은 피가 만든 덩어리를 치료한다.

> 백출 복령 당귀 향부자炒 산사 진피 반하 도인 홍화 봉출6

대칠기탕 「韓方秘錄」

治五積六聚 心腹痛脹 二便不利 或好食 米土灰 茶酸辣者

치오적육취 심복통창 이변불리 혹호식 미토회 다산랄자

오적과 육취를 치료하는데, 심복이 창통하며, 대소변이 순조롭지 못한 것, 혹은 생쌀이나 숯, 아주 신 식초나 매운 것을 기호로 먹는 사람을 치료한다.

> 삼릉 봉출 진피 청피 길경 곽향 익지인 향부자 육계 대황 병랑 감초4 생강3 대조2

관중환 「韓方秘錄」

治積聚 癥瘕 痃癖 痞與痃癖 胸膈病 聚肚腹內疾 多有男子(肚–배 두)

十癥與瘕 臍下病 當得婦人

치적취 징가 현벽 비여현벽 흉격병 취두복내질 다유남자

십징여가 제하병 당득부인

비증과 현벽은 흉격에 생기는 병으로 뱃속에 적취가 된 병으로 남자에 많고, 징가의 병은 배꼽아래 자궁에 혈이 적취된 것으로 부인이 걸린다.

> 창출炒 오약 향부자80 삼릉 봉출倂醋炒 청피 진피薑炒 양강 회향炒 신곡炒 맥아40

복량환   「韓方秘錄」

治心積-치심적(위염 위경련)

> 황련60 후박 인삼20 황금 계지 복신 단삼4 건강 창포 파두 천오2 홍두구0.8

비기환(肥氣丸) 「韓方秘錄」

治肝積 名曰肥氣

치간적 명왈비기(비장종대증)

> 시호40 황련28 후박20 천초16 감초12 봉출 인삼 곤포10 조각 복령6 건강 파두2 천오0.8

비기환(痞氣丸) 「韓方秘錄」

治脾積 名曰痞氣

치비적 명왈비기(위염 위종대증)

> 황련32 후박16 오수유12 황금8 사인 인진 건강6 복령 인삼 택사4 천오 천초2 계지 파두1.6 백출0.8

위의 약을 가루로 하여 꿀로 오자대의 환을 만들어 먹는다.

식분환   「韓方秘錄」

治肺積 名曰息賁

치폐적 명왈식분(간장염)

> 황련52 후박32 천오 길경 백두구 진피 삼릉 천문 인삼8 건강 복령 천초 자완6 청피 파두상2

꿀로 환을 만들어 생강탕으로 먹는다.

279

분돈환 「韓方秘錄」

治腎積 名曰奔豚

치신적 명왈분돈(하복에서 위로 기상충이 심하게 일어나는 것)

> 후박28 황련20 천련자12 복령 택사 창포8 현호색6 전충 부자 독활4
> 천오 전향 파두상2 육계0.8

꿀로 오자대의 환을 만들어 소금물로 먹는다.

가미오적산 「韓方秘錄」

腎積疝症

신적산증(아랫배와 생식기가 붓고 아픈 것)

> 오적산 去백출 倍육계

25. 매핵기(梅核氣)

매핵기라 함은 목 안에 매화 씨 같은 것이 걸려 있는 느낌으로 뱉어도 나오지 않고 삼켜도 삼켜지지 않는 것을 말한다. 사람마다 나타는 증상은 다른데 목 전체에 솜뭉치가 가득 들어있는 느낌도 있고가는 실이 걸려 있는 느낌도 있으며, 목구멍에 깁스를 한 것 같다는 말을 하는 사람도 있다.

어떤 경우든 목 속의 이물감, 간질간질한 느낌이다. 이 증상이 잘 나타나는 사람은 근심과 걱정이 많고 생각이 많은 내성적인 경우에 많이 나타난다. 억지로 켁켁거려 뱉어 내려고 하면 작고 찐득한 노란 덩어리가 튀어나오는 경우도 있다. 그것의 냄새를 맡아보면(불결하지만…) 고약하고 역겹다. 항상 헛기침을 잘하며 가래 뱉는 소리로 주위 사람들에게 불쾌함을 주기도 한다. 증상이 호전과 악화를 반복하기도 하며 치료를 해보면 잘 낫지 않는다.

약은 사칠탕(=반하후박탕)을 주로 주는데 이것은 치료가 어렵다. 왜 그런가 하면, 사칠탕은 위장의 문제로 올라오는 습(가래)을 제거하고, 뭉쳐진 기를 풀리게 하는 성분(理氣)으로 구성 되어있다. 약을 복용할 때는 조금 좋아지는 것 같다가 다시 나타난다. 그 이유는 질병의 발생 원인을 잘못 알고 있기 때문이다.

매핵기의 주원인은 폐조(肺燥)에 있는데 폐조는 폐가 건조한 것을 말한다. 습을 제거하고 이기하는 약을 먹는 것은, 감기에 소화제를 먹는 것과 같은 것이다. 결국 이런 방법으로는 이 증상을 치료할 수 없는 것이다. 폐조가 오는 것은 과로나 사려과다(이 생각 저 생각 쓸데없는 생각)근심, 날 밤 새는 것 등으로 폐에 진액이 말라 버린 것이다. 치료방법은 폐에 수분(영양)을 충분히 채워주면 이 증상을 잡을 수 있다. 걱정하던 일이 순조롭게 잘 풀려도 스스로 없어질 때도 있다. 약의 복용도 좀 길게 잡아야 한다. 보통 육미 + 자감초 + 황기건중이 기본처방이다. 다른 증이 더 보이면 추가해도 된다.

26. 육(肉)

비장은 우리 몸의 살을 만든다. 사기가 비위에 있으면 몸과 살이 아프고, 혈이 실하고 기가 허하면 살이 찌고, 반대로 기가 실하고 혈이 허하면 살이 빠진다. 대장이 열을 위로 보내면 먹기는 잘하나 몸은 마른다. 또 위(胃)가 열을 담(膽)으로 보내도 먹기는 잘해도 살이 빠지는데 이것을 식역증(食㑊症)이라한다. 식역증에는 삼령환을 쓴다. 육가증(肉苛症)은 영(榮)은 혈(血)을 나타내고 위(衛)는 기(氣)를 말하는데 영과 위가 화합되지 못하여 기혈(氣血)이 불화(不和)하면 아무리 부드러운 옷을 입어도 마른 풀이 몸에 닿듯 따끔 거리고 편안하지 못하다. 이것을 육가증(肉苛症)이라하고, 전호산을 쓴다.

삼령환 「韓方秘錄」

> 인삼 석창포 원지 적복령 지골피 우슬주침40

꿀로 환을 만들어 미음으로 50丸씩 수시로 복용한다.

전호산 「韓方秘錄」

肉苛症 衣絮近 於身則常苛 不忍是也(絮-솜 서, 苛-연 가)

육가증 의서근 어신즉상가 불인시야

육가증(肉苛症)은 부드러운 옷을 입어도 마른 풀이 몸에 닿듯 따끔거리고 편안하지 못하다.

> 전호 백지 세신 관계 백출 천궁120 오수유포 당귀80 천초12

위의 약들을 묶어 술과 차 3되와 진흙을 섞어 어두운 곳에 하룻밤을 숙성시킨 뒤, 돼지기름 5근을 약과 같이 백지가 황색이 날 정도로 약하게 달인 후 찌꺼기를 버리고 끓여 고를 만들어 병이 있는 곳에 열이 날 정도로 문지른다.

양유환 「韓方秘錄」

虛勞羸瘦-허로이수

몸이 피로하고 잘 먹어도 마르는 것을 치료한다.

> 지골피 진교 시호 산수유 황기蜜灸 지유酒浸

蒸等分 硏末 蜜丸 梔子大 每服 50丸 不拘時 人蔘湯下

같은 용량을 가루로 하여 꿀로 치자크기의 환을 만들어 50환씩 수시로 인삼탕으로 먹는다.

곡령환 「韓方秘錄」

婦人瘦瘁-부인수췌(수췌-파리하고 여윈 상태)

> 황기 인삼 우슬 당귀40 포부자10 숙지황 복령20 두충 창출 백출 육계 구기자12

술과 밀가루 풀로 환을 만들어 인삼탕으로 먹는다.

삼포환 「韓方秘錄」

食積 胃中結熱 消穀善飢 不生肌肉

식적 위중결열 소곡선기 불생기육

식적은 위중에 열이 뭉쳐있어 먹어도 먹고 싶고 살이 찌지 않는 것이다.

> 인삼 창포 적복령 원지 지골피 우슬酒浸40

모두 곱게 갈아서 뜨거운 꿀로 오자대의 환을 만들어 미음으로 3～5g을 먹는다.

27. 얼굴(面)

얼굴로 양명에 속한다. 얼굴이 붉고 열이 있어 술에 취한 것 같은 것은 위의 열이 얼굴로 올라온 것이다. 승마황련탕을 쓴다. 얼굴이 찬 것은 위가 허한 것으로 위중에 한습이 있으면 발생한다. 승마부자탕을 쓴다. 안면에 나타나는 피부질환은 좀 복잡하다. 특히 지루성 안면 피부염은 병원에서는 거의 손을 놓고 있는 실정이며 많은 환자들이 고통에 시달리고 있지만 정작 제대로 된 치료법을 아는 곳은 별로 없다. 얼굴은 민감한 곳이며 나를 타인에게 나타내는 중요한 부분이다. 그래서 얼굴은 매일 같이 세수를 하고 머리를 다듬고 화장을 하고 단정하고 아름답게 꾸민다. 얼굴에 트러블이 있거나 붉게 달아오르고 뾰루지나 여드름이 생기면 신경이 많이 쓰이고 심중의 변화도 일어나게 된다. 창피해서 외부로 나가고 싶거나 누구를 만나고 싶은 생각도 없어지고 의기소침해 진다. 얼굴에 나타나는 질환으로는 여드름, 코끝이 붉어지는 것, 지루성피부염이 대부분이다.

안면은 눈썹을 경계로 그 위쪽은 신장에 속하며 안(顔)이라 하고, 그 이하는 위장에 속하며 면(面)이라 하고, 合하여 안면(顔面)이라 한다 단, 코 부위는 폐에 속한다. 눈 아래 부위 즉 하안검(다크서클이 나타나는 곳)과 입술주위는 임맥(任脈)의 통로로 자궁과 연결되어 어혈이 있거나 자궁기능에 이상이 있으면 그 부위가 검게 변하게 되고 입술이 마르고 화장이 잘 받지 않게 된다. 그리고 얼굴의 트러블이 생겨 여드름이 생기고 곪게 되며 흉터가 남는다. 지루성과 구별이 되는 것은 얼굴이 많이 붉지 않으며 많이 조금 가렵기도 하며 가끔 얼굴이 확 달아오르는 경우가 있다. 여드름은 남녀가 좀 다른데 공통적인 것은 모두가 간의 열이며 그 열로 인해 화농(化膿-염증)이 되는 것이다. 여자의 경우는 자궁이 냉하거나 어혈이 있으면 더 심해지며 어혈이 심한 경우는 여드름이 까맣게 변하고 냉하고 수독이 많으면 흰색으로 나타난다.

1) 여드름

이 여드름은 간 기능이 왕성해지고 스트레스나 과로, 잠을 자지 않으면서 공부에 심혈을 쏟는 청소년기에 많이 나타난다. 청소년기에는 호르몬의 변화나 활동이 많아 간에 열이 많아져서 오는 것이지만, 나이를 먹고도 나는 것은 자궁이 좋지 못한 여자들이나 열이 심한 남자들에게 나타나기도 한다. 여드름의 치료는 간에 열이 쌓인 것은 풀어주고, 간에 열이 생기는 몸의 상태를 잡아주고 염증을 없애주는 약을 먹게 되면 치료가 되고, 여자들의 경우는 자궁의 기능 살려줘야 한다. 육미와 소시호 배탁 그리고 온경탕 등을 사용한다. 청춘의 심벌이라는 여드름은 이렇게 조리를 하면 좋아지니 큰 걱정은 없다.

2) 주사비, 폐풍창

이제 마음의 갈등과 고민과 대인관계에 가장 큰 영향을 주는 질환이 안면 지루성피부염이나, 코끝이 붉은 것으로 생각되는데, 먼저 코끝이 붉어지는 것을 통상 딸기코 내지는 주사비라 하는데 한의학에서는 두 가지로 나누어 치료한다. 병원에서도 그냥 주사라고 하지만 술을 많이 마시는 사람에게 온 것을 주사비라 하고, 술은 먹지 않았는데 온 것을 폐풍창이라 한다. 병명에 관계없이 그곳이 붉어지는 것은 열(熱)이며, 처음에 말한 대로 코는 폐에 속하여 있고 폐에 열이 차면 발생한다. 이 증상이 오래되고 열이 심하면 뾰루지가 생기고 곪기도 하며 점차 코 옆의 얼굴까지 붉게 변하기도 한다. 치료는 폐에 열을 내려주는 것으로 치료하는데 비교적 쉽게 치료가 된다. (통상 3개월 정도) 주사비에는 청혈사물탕을 쓰고, 폐풍창에는 승마탕을 쓴다.

3) 안면 지루성피부염

가장 말도 많고 약도 많고 불만도 많은 것이 안면지루성피부염이다. 이 증상은 이 질환을 갖고 있는 사람들의 마음처럼 좀 복잡한데 하나하나 풀어보면 안면지루성은 주로 얼굴(面)에 많이 나타난다. 그 곳은 위장에 속하고 위장에 열이 쌓이면 그 열은 위의 경락을 타고 열이 빠지는데 위장이 주관하는 곳은 얼굴, 사지, 살(肌肉),치아, 입으로 전신이다. 발생한 열은 머물려 하지 않고 외부로 빠지려고 하고, 피부로 나온 열은 머무는 특징이 있다. 쉽게 설명을 드리면 음식을 먹고 알러지(두드러기)가 발생하면 발적이 되고 가려워지는 부위가 온몸으로 나타나는데, 음식 알러지의 원인은 특정음식이 위속에서 열을 발생시켜 발생한다. 위는 진액을 주제하고 대장은 혈을 주제한다. 위는 소화기관의 총칭(위 비 소장)이며 대장은 수분의 흡수와 분변의 배설작용을 한다. 위는 내부와 외부로 나누어 보는데, 위의 외부는 기분이라 하고, 이곳에 열이 발생하는 원인은 과로나 육체적으로 힘든 일을 하여 진액이 고갈되면 나타나고 주로 치통이나 잇몸염증, 입에서 단내가 나는 것으로 나타난다. 간혹 이 열이 폐를 훈작하면 다리에 힘이 없는 경우도 발생한다. 열이 심하게 되면 기분열성이라 하여 변비가 나타난다. 그리고 위의 내부에 열이 발생하는 것은 음식으로 오는데, 섭취한 음식이 위에 오래 머물면서 부숙되어 습과 열을 발생한다. 그렇게 되면 위는 뜨거워지고 이 열은 경락을 통하여 외부로 빠져나가 겉에서 머물게 된다. 열과 습이 어느 쪽으로 빠지느냐에 따라 병의 발생부위도 다르게 나타나는데 입으로 나오면 입에서 심한 냄새가 나며, 치아로 빠지면 이빨이 누렇게 변한다. 더 위쪽으로 올라가면 얼굴로 나타나 얼굴이 따가워지고 붉어지고 가려워진다. 열이 더 지속적으로 올라오면 창(瘡)이 발생하는데 뾰루지나 여드름처럼 돋기도 하고 좁쌀 같은 형태로도 나타난다. 처음에는 좁은 부위가 불규칙한 붉은 반점으로 나타나다가 점점 확대되어 얼굴 전체가 지루성으로 바뀌게 된다. 열의 특징은 처음에는 가렵고 따가운 것에서 더 심해지면 아파지고 결국에는 헐게 되어 진물이 흐르고 가피가 형성되는 것이다. 불 옆에 오래 있으면 나타나는 증상들이 우리 피부에 그대로 나타나는 것이다. 습열이 발생되는 원인인 음식이 들어와서 소화되지 않고 오래 머무는 이유는 무엇일까? 위장에 관여하는 몸의 장기는 신장과 간이 아주 밀접하게 연결되

284

어 있다. 위장이 움직이고 소화를 시키는 힘은 신장의 기운이 있어야 원활하게 작동이 되며, 신장이 약하면 위가 무기력해져 음식이 내려가지 못하고 정체가 되는 것이다. 그리고 간의 작용은 위의 기능을 조절하는 것인데 간에 열이 쌓여 위장을 조절하는 힘이 부족하면 이 또한 음식의 위내정체를 유발한다. (봉장과 소설의 작용이 어긋나 있는 것이다.) 간과 신장의 기능이 나빠지는 원인은 스트레스, 음주과다, 흡연, 수면부족, 오래 눕거나 앉아 있는 것, 과로, 사려과다(많은 생각) 등이 있고, 위에 음식이 오래 머무는 것들로는 닭고기, 면으로 된 음식, 술, 생선 등이며, 위를 뜨겁게 하는 음식으로는 마늘, 양파, 후추, 파, 그리고 인삼제품, 옻닭 등이 있고, 인스턴트 음식은 지루성 피부염에 가장 나쁜 음식인데 그 이유는 그런 음식들은 식품을 오래 부패되지 않게 첨가제(방부제)를 넣게 되고, 첨가제를 중화해독할 때는 몸속의 칼슘을 많이 소비하게 된다. 칼슘이 많이 빠지면 뼈가 약해지고, 뼈가 약해지면 신장은 뼈를 강화시키기 위해 많은 신정을 소모하여 신장이 약해져 위장에 힘을 줄 수 없게 된다.

신장이 약해지면 신경이 예민해지고, 겁도 많아지고, 의심도 많아지며 심화(心火), 즉 심장의 열을 제어하지 못하게 되어 열은 위(上)로 상승하여 지루성을 더 악화시킨다. 안면 지루성이 있는 사람들은 신경이 매우 예민하고 신경질적이며 잘 믿기도 하지만 인내력이 부족하여 쉽게 포기하고 의심도 많이 하기도 한다. 이 현상들은 모두 신장이 약해서 오는 것이다. 과식을 하거나 스트레스를 받거나 위에 말한 음식들을 먹게 되면 더 심해지는 경향은 이러한 이유로 발생하는 것이다. 위(胃)에서 생성된 습열이 발바닥으로 빠지면 무좀과 발 냄새가 심해지고, 손바닥으로 빠지면 손에 땀이 많이 나거나 물집이 잡히고, 주부습진도 발생한다. 얼굴 이외의 피부로 빠지면 은진, 담마진(蕁麻疹)으로 나타나는 것이다. 병원에서는 면역력 부족질환으로 말하는 경우가 있고, 자율신경 실조현상으로 말하는 경우가 많은데 우리 몸의 면역력이나 자율신경은 간과 신장에서 조절한다는 것을 모르고 있다. 안면지루성 치료나 아토피 치료는 지금까지 말한 대로 각각의 원인을 제거하면 된다. 아무리 증상이 복잡하고 많더라도 그 원인이 되는 것은 3-4가지뿐이다. 잎이 무성하고 큰 나무를 죽이는 가장 간단한 방법은 뿌리를 잘라 버리는 것이다. 팔미와 향사평위산 인진호탕 황련해독으로 투여한다. 습이 많은 경우는 인진오령으로 한다. 얼굴이 붉고 몸에 열이 많은 사람이 변비가 있으면 방풍통성으로 체내의 열을 쳐내는 것도 효과가 빠르다. 변비가 없으면 방풍통성산에 망초를 빼고 청열제를 더하여 가미쌍해산으로 처방하면 내부의 열을 잘 내릴 수 있다.

지루성피부염은 습열로 인한 것이며, 또 다른 피부질환으로 건선 내지 아토피가 있는데 이 증상은 위장의 습열과 다른 것이다. 주로 노인이나 허약한 사람에게 많이 나타나며 혈허로 인한 피부자양부족이다. 혈허가 오는 원인은 신정의 부족이나 위장기능의 저하로 인한 영양의 흡수불량, 간 기능의 저하이다. 혈허로 오는 피부질환은 음이 허하면 허열이 발생하고 열은 피부로 빠지며, 빠진 열은 겉에 머물면서 가려움이 수반되고 피부를 조하게 만들어 긁으면 흰 가루가 일어나고 긁은 자국이 빨갛게 나타나며 심하게 긁으면 피가 난다. 봄이나 여름에는 땀이 나서 건조함이 덜해 가려움이 없고, 가을이나 겨울철 건조할 때 더욱 심하게 나타난다. 추운데 있다가 갑자기 따뜻한 곳에 들어가면 가려워지기도 한다. 혈허로 발생하는 건선은 주로 경계가 뚜렷하게 나타나며 원형의 형태로 나타난다. 신을 보하고 청열을 하며 간화가 있을 때는 시호제를 합하여 사용한다. 위장이 약하면 소중을 합한다. 육미 당귀음자 황련해독 시호제가 주약이다. 이 약을 먹으면 더 심하게 가려워질 수 있다. 건선이나 비듬에 사용하는 거풍환기환을 추가해도 좋다.

4) 얼굴에 사용하는 방제

승마황련탕　「韓方秘錄」

治面熱-치면열

> 승마 갈근4 백지2.8 작약 감초2 황련酒炒1.6 천궁 형개 박하1.2

식후에 먹는데 술과 면류와 매운 음식을 피한다.

승마부자탕　「韓方秘錄」

治面寒 先用 附子理中湯 以後 用此方

치면한 선용 부자이중탕 이후 용차방

얼굴이 찬 면한증에 먼저 부자이중탕을 먹고 이후에 본방을 사용한다.

> 승마 부자 갈근 백지 황기밀구2.8 인삼 초두구 구감초2 익지인1.2

연수총백(連鬚蔥白)3莖

청혈사물탕　「韓方秘錄」

酒齄鼻 卽鼻頭紅也 甚則紫黑 酒客多有之 血熱入肺 鬱久則 血凝濁而色赤

주사비 즉비두홍야 심즉자흑 주객다유지 혈열입폐 울구즉 혈응탁이색적

286

주사비는 콧등이 붉은 것을 말하는데 심하면 자흑색으로 나타난다. 술을 자주 먹는 사람에게 많다. 술을 많이 먹어서 신이 허해져 활혈이 되지 못하여 혈열이 발생하여 폐에 오래도록 울체되면 혈이 응기고 탁해져 붉게 나타난다.

청궁 당귀 적작약 생지황 편금酒炒 홍화 적복령 진피4 감초2 생강3 오령지4

승마탕 「韓方秘錄」

肺風瘡 不飮酒 鼻頭紅者 爲之肺風瘡

폐풍창 불음주 비두홍자 위지폐풍창

과로나 에너지의 소비가 많아 폐에 영양이 부족하면 폐에 열이 뭉쳐 코끝이 붉게 변한 것이다.

진피 감초4 창출 갈근 길경 승마2.8 적작약 대황酒蒸2 적복령 백지 당귀1.2
지각 건강0.8 생강3 등심一撮

삼선탕 「韓方秘錄」

遍身發癢 以針刺之 少已再癢 以刀割之 快甚少頃 又癢甚 以刀割之疼 必流血
以石灰止之 又癢 此乃寃魂索命之報也

편신발양 이침자지 소이재양 이도할지 쾌십소경 우양심 이도할지동 필유혈
이석회지지 우양 차내원혼삭명지보야

전신에 가려움이 발생하여 긁으면 처음엔 침으로 찌르는 듯 아프며, 잠시 괜찮다가 다시 가려워 지는데 칼로 베듯 하며, 이것도 잠시 쉬었다가 다시 더 가려워지는데 칼로 도려내는 듯한 통증이 오며 반드시 피가 흐른다. 피부가 변하여 굳어지면 가려움이 멈추나 다시 또 가려워진다. 이 증상은 원혼삭명지보 때문이다.

인삼40(대신 황기80도 무방) 당귀120 형개12

혈허로 오는 건선, 노인성 소양증에 사용한다.

거풍환기환 「韓方秘錄」

白屑風 及紫白癜風 頑癬 濕熱瘡疥 一切諸瘡 瘙痒無度 日久不絶 或愈後發者

백설풍 급자백전풍 완선 습열창개 일절제창 소양무도 일구부절 혹유후재발자

백설풍, 자백전풍, 완선, 습열 피부염 등 모든 피부염에 사용하고 가려움증이 심하고 오랫동

안 끊이지 않는 사람이나, 치료 후에 다시 재발한 자에게 사용한다.

> 호마(참깨) 창출초 석창포 고삼 우슬주세 하수오 천화분 위령선80
> 당귀신 천궁 감초40 위말 작주첩환(作酒疊丸)(疊-겹칠 첩) 녹두대 매복8g 숙탕송하

금해야할 음식 ; 우육(牛肉), 화주(火酒), 계무(鷄鶩-닭과 앵무새 즉 날짐승고기), 양, 어성물 등(魚腥物-생선류). 이 처방은 혈허성으로 오는 건조성피부염, 아토피에 응용한다.

구완탕 「韓方秘錄」

久生惡瘡 或左右手足 或胸背 或頭面 終年經歲而不愈 臭腐不堪 百藥無效(堪 -견딜 감)

此乃氣血之不和也(악성습진)

구생악창 혹좌우수족 혹흉배 혹두면 종년경세이불유 취부불감 백약무효

차내기혈지불화야

좌우 수족이나 가슴이나 등, 얼굴, 머리에 악창이 생겨 세월이 지나도 치료되지 않고 심한 냄새가 나며 아무리 약을 써도 낫지 않는 것은 기혈이 불화하여 생긴 것이다.

> 당귀 황기 백출 숙지황 맥문동40 산수유 복령20 반하8 시호 방풍 연교4 부자1

水煎服 二劑而 瘡口必然發腫 斷不可攉 從前無效 今服藥發腫 乃藥助氣血 與 瘡相戰也

乃連愈之 其再服二劑 不痛而癢矣 再服二劑 不再發 神效(攉-제거할 탁)

구전복 이제이 창구필연발종 단불가탁 종전무효 금복약발종 내약조기혈 여창구상전야

내연유지 기재복이재 불통이양의 재복삼제 불재발 신효

두 제를 먹으면 헐은 곳에 반드시 종이 생기지만 약효가 없다고 약을 끊으면 안된다. 약을 먹고 발종이 되는 것은 약력이 기혈을 돋워서 창과 서로 다투기 때문이다. 연복하면 치료가 되는데 두 제를 더 먹게 되면 가렵거나 아픈 것이 없어지고, 다시 두 제를 더 먹게 되면 다시는 재발되지 않는 신효한 약이다.

이 약은 습열형, 지루성 피부염에 사용한다. 처방을 잘 살펴보면 당귀보혈탕과 육미, 시호제, 발산약으로 구성되어 있다. 과립으로 하려면, 팔미 + 보중익기 + 자감초 + 시호제 + 황련해독으로 바꿔도 된다.

소라탕(掃癩湯) 「韓方秘錄」

遍身發癩 皮厚而生瘡 血出而如疥 或痛 或癢 或乾 或濕 如蟲非蟲 是氣血不
能 週到滋潤也

此藥 用索澤症 卽 鞏皮症 最妙

편신발라 피후이생창 혈출이여개 혹통 혹양 혹건 혹습 여충비충 시기혈불능 주도자윤야

차약 용색택증 즉 공피증 최묘

피부에 병이 생겨 피부가 두꺼워지고 헐고 출혈이 있고 아프거나 가렵기도 하고 건조하기
도 하고 진물이 나기도 하며, 벌레 같기도 하나 벌레는 아닌 것이다. 이것은 기혈이 약하여
피부를 자양하는 힘이 약하여 발생한 것이다. 이 약은 색택증, 공피증에 효과가 좋다.

> 황기60 당귀 금은화40 복령 백출 맥문동 작약 숙지황 현삼20 산수유 천궁10
> 감초 형개 천화분6 방풍4 수전복

사제즉 피부윤 우복 사제이 건조해 연복이십제 무불전유

네 제를 먹으면 피부가 윤택해지고 다시 네 제를 먹으면 건조한 것이 없어진다. 연속하여 이
십 제를 먹으면 모두 낫게 된다. 과립으로는 팔미와 보중 + 자감초 + 황기건중 + 배탁을 사
용해도 될 것 같다.

방풍통성산 「韓方秘錄」

諸風熱 或中風不語 暴瘖語 聲不出 或洗頭風 破傷 諸般風縮

小兒驚風 積熱 或傷寒疫癘 不能辨明

或風熱瘡疹 或頭生白屑 或鼻面生赤紫 風刺 癮疹 肺風瘡 大風瘡

火火鬱甚 爲腹滿 澁痛 煩渴喘悶 或熱極生風 爲舌强口噤 筋惕肉瞤

或大小瘡腫 惡毒 或熱結 大小便不通 併解酒傷熱毒

能治 風熱燥 三症.

제풍열 혹중풍불어 폭음어 성불출 혹세두풍 파상 제반풍축

소아경풍 적열 혹상한역려 불능변명

혹풍열창진 혹두생백설 혹비면생적자 풍자 폐풍창 대풍창

화화울심 위복만 삽통 번갈천민 혹열극생풍 위설강구금 근척육순

혹대소창종 악독 혹열결 대소변불통 병해주상열독

능치 풍열조 삼증

모든 풍열을 조리하는 것으로 중풍으로 갑자기말을 못한다든지 벙어리가 되든지 하여 말을

못하는 것과, 찬 기운을 받아 두풍이 생기거나 파상풍이 생긴 것 등과, 풍으로 인하여 생기는 소아경풍, 열이 체내에 뭉쳐진 것, 상한으로 온 역려(유행성 병)로 사고능력의 저하와, 풍열로 발생한 창진, 머리 비듬, 코와 얼굴이 적자색으로 변하는 주사, 풍자, 두드러기, 폐풍창, 대풍창 등을 치료하며, 화가 울체하여 배가 불러지고 번갈과 숨참, 번민, 삽통을 조리하며, 열이 극심하여 풍이 발생하여 혀가 굳고 입을 열지 못하고 근육이 경련을 일키는 것, 크고 작은 창종, 악창, 열이뭉쳐 대소변의 배출이 어려운 것을 치료한다. 술로 인한 열독도 풀 수 있다. 본 방은 풍(風),열(熱),조(燥) 3증을 능히 치료할 수 있다.

> 활석6.8 감초4.8 석고 황금 길경2.8 방풍 천궁 당귀 적작 대황 마황 박하 연교 망초각 2 형개 백출 치자1.4 생강1

화순탕 「韓方秘錄」

憂思不已加之 飮食失節 面色黎黑不澤 環脣尤甚 此陰陽之相逆也(기미)

우사불이가지 음식실조 면색칠흑불택 환순우심 차음양지상역야

근심과 걱정이 끊이지 않아 비가 상하여 음식을 먹을 수 없고 영양의 흡수가 불량하고 신허가 발생하면 활혈에 문제가 생겨 얼굴색이 검어지고 윤기가 없어진다. 입술주위가 더 심해지는데 음양이 상역하여 발생한다.

> 황기 작약 복신12 백출20 인삼8 승마 포강2 방풍 백지 감초1.2

창이탕 「韓方秘錄」

백전풍(白癜風=어루러기), 백박(白駁)

> 창이자40 방풍12 황기120

연교탕 「韓方秘錄」

頭面 穀嘴瘡 俗名 粉刺

두면 곡취창 속명 분자(=여드름)

머리와 얼굴에 나타나는 곡취창, 즉 여드름에 사용한다.

> 연교 천궁 백지 편금 황련 사삼 형개 상백피 치자 패모 감초2.8

水煎 食後服

5) 얼굴의 임상

– 여드름 : 육미 + 시호제 + 배탁 + 계령

– 안면홍조 : 백호가인삼 + 황련해독 + 시호제

– 지루성 피부염 : 팔미 + 향평 + 인진호탕 + 황련해독 + 가미쌍해환

28. 재양증(載陽症)

얼굴이나 뺨이 붉으며 열은 없다. 얼굴이 붉다고 혈색이 좋아 그런 것이 아니다. 이 원인은 하초가 허한(虛寒)하여 허열(虛熱)이 얼굴로 떠서 상충하여 발생한다. 통맥사역탕을 쓴다.

사역탕 「傷寒論」

自利不渴 屬太陰 以其臟有寒故也 治脈沈 厥逆證

자리불갈 속태음 이기장유한고야 치맥침 궐역증

갈증은 없고 설사를 잘 하는 태음병은 장에 찬 기운이 있어서 발생한다. 맥이 침하고 사지가 싸늘한 증에 사용한다.

> 炙감초6 건강4.5 부자2

통맥사역탕 「傷寒論」

治少陰 下利清穀 裏寒外熱 手足厥逆 脈微欲絶 身反不惡寒 其人面赤色

或腹痛 或乾嘔 或咽痛 或利, 脈不出者

厥陰下利清穀 裏寒外熱 汗出而厥者 亦主之

치소음 하리청곡 이한외열 수족궐역 맥미욕절 신반불오한 기인면적색

혹복통 혹건구 혹인통 혹리 맥불출자

궐음하리청곡 이한외열 한출이궐자 역주지

소음병으로 소화가 덜된 설사가 나며 속은 차고 겉은 열이 있으며 손발은 궐냉하고, 맥이 미하여 끊어 질듯하고 몸은 오한을 느끼지 못하며 얼굴색이 붉은 사람, 복통이나 건구역질이나 인후통이 있으며, 설사는 멎었는데 맥이 느껴지지 않는 사람을 치료한다. 궐음병으로 청곡하리를 하며 속은 차고 외는 열이 있고 땀이 나며 사지가 냉한자도 역시 치료한다.

> 건강9 감초6 부자3

사역탕이나 통맥사역은 허한의 증상이며, 통맥사역은 사역탕증이 더 심해져 허열이 발생하는 것을 치료한다. 냉한 부위는 표와 리, 그리고 표리 동시에 있는 경우가 있고 어떤 상황이라도 수족이 궐냉한 증상은 항상 나타나는 증상이다. 표에 한증이 나타날 때는 허열(虛熱)의 증상이 나타나며, 얼굴이나 뺨, 코 등 한 부분이 추워지면 더 붉어지고 따뜻하면 없어지는 증상이 있는데 통맥사역탕으로 치료한다. 이부에 한(寒)이 있을 때는 청곡하리가 발생한다. 수족이 냉하면서 맥도 끊어질듯 한데 몸은 추위를 느끼지 못하는 경우는 몸이 너무 냉해져 추위를 느낄 신경이 마비된 것으로 생각하거나, 허열로 인하여 추위를 느끼지 못하는 것으로 생각된다. 이럴 때 통맥사역을 복용하면 추위를 느끼다가 치유된다. 이렇게 전신이 냉하여진 상태는 빨리 본방을 복용하여 몸을 따뜻하게 해줘야 한다. 사역탕과 통맥사역탕 2方은 신장의 화(火)를 살려 위장(胃腸)을 따뜻하게 한다. 두 방에 사용되는 약은 같으나 량이 다르며, 주치 또한 구별이 있다. 사역탕은 맥이 침하며 양기가 없는 상태로 양이 미미하여 전신을 따뜻하게 못하지만 진양(眞陽)은 모두 소진된 것은 아니다. 내부의 양이 미약하여 표 부위의 한이 심하므로 속의 양을 키워 양기가 외부로 잘 전달되게 하는 것이다. 통맥사역탕은 이부(裏部)는 냉하지만 표는 열이 있는 것으로 진한가열의 상황이다. 신(腎)중에 양이 없어 음한이 외부의 표로 빠져나온 것으로, 이부의 양이 미약하면 사역으로 주지하고, 한이 외부로 나와 가열이 된 것은 통맥사역탕으로 주지한다.

29. 탑시(搭顋)

턱에 종기가 나거나 턱과 뺨 그리고 치아와 입술이 모두 부어서 피가 흐르는 것인데 모두 풍열이나 고량진미를 먹어 식적이 되어 위에 열이 쌓여 발생한다. 가미소독음을 쓴다.

형개 방풍 우방자 감초 연교 강활4

30. 위풍(胃風)

얼굴에 종기가 나는 것으로 얼굴이 마목(麻木)되어 뻣뻣하고 이가 오므라들며 눈이 경련이 일어나는것은 풍허(風虛)로 인한 것이며, 콧등이 아프고, 혹 마목되어 불안하거나 입술 입 협차 그리고 잇몸 전체가 부어 입을 벌릴 수 없고, 볼을 만지면 아픈 것은 양명 풍열독이다. 승마위풍탕을 쓴다.

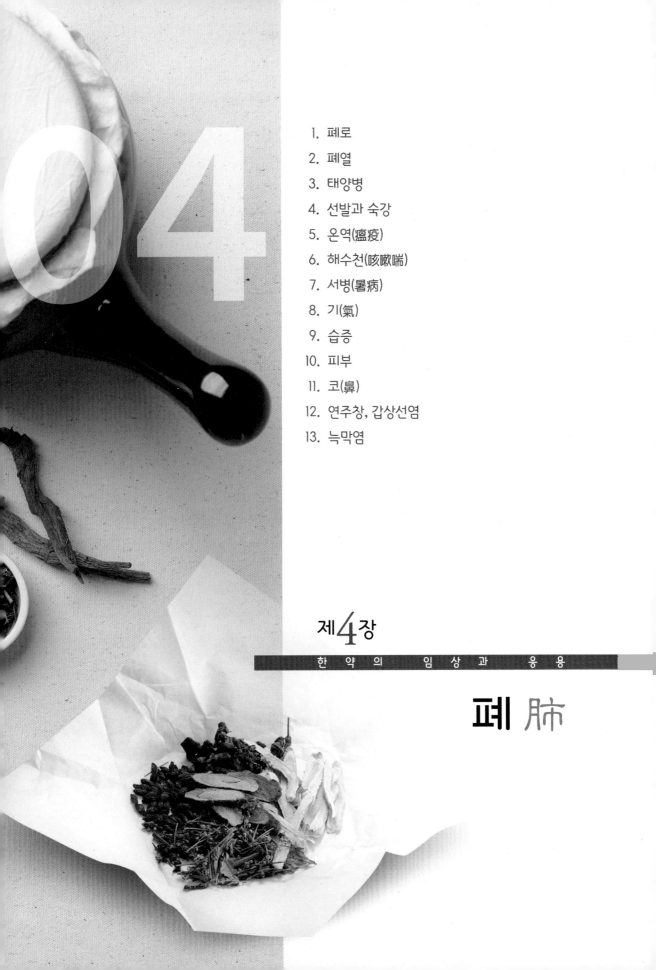

제4장
한 약 의 임 상 과 응 용

폐 肺

제4장
폐(肺)

　폐는 오행으로는 금(金)으로 표현하고 체내에서 토생금 화극금 금승화 금생수 금극목의 작용을 수행하여 오장육부의 기능이 일어난다. 폐의 기능은 기와 호흡을 주재하고, 선발과 숙강을 관할하여 수분과 소변을 원활하게 배설하고, 코로 규(窺)가 열려 코와 호흡기를 관리하며, 대장과 표리가 되고 폐의 기능과 상태는 체표로 나타내기 때문에 그 기능의 이상 여부는 피모의 이상으로 발현한다. 폐는 비감(悲感)와 성(聲)을 주재하므로 폐의 기능에 이상이 오면 감정의 변화와 목소리의 이상이 온다. 폐는 호흡을 주관하고 음식물의 정기와, 폐에서 흡입된 청기가 결합하여 종기가 생성되는데 이는 폐의 호흡작용을 추진하고 혈이 운행하도록 밀어주는 작용을 한다. 인체의 조직은 반드시 폐가 산포하는 영양물질에 의해서만이 정상적인 기능 활동을 유지할 수 있다.

　만일 폐기가 허약하면 땀이 저절로 나거나 몸이 권태롭고 힘이 없는 등 원기부족의 증상이 나타난다. 현대의 모든 우울증이나 무기력증은 대부분 폐의 이상으로 생각한다. 부정맥이나 맥결대(脈結代)는, 폐의 분배부족으로 영양의 분배가 일정하지 못하면 몸의 항상성 때문에 심장에 과부하가 걸린 상태로 되여 나타나는 현상이다. 그리고 폐의 작용 중 선발과 숙강, 통조수도가 있는데, 선발(宣發)은 진액을 전신에 퍼지게 하여 오장육부와 기육, 피모에 이르게 하는 것이며, 숙강(肅降)은 폐기가 아래로 내려가는 것이며, 통조수도(通調水道)는 선발과 숙강으로 이뤄지며 몸의 물길을 터주어 방광으로 습기를 내려 보내는 작용을 말한다. 폐의 이런 작용이 부족하면 기침이나 천식 가슴이 답답하고 가래가 끓으며 얼굴이 붓는 증상이 나타난다.

303

1. 폐로(肺勞)

기운이 없는 것이며 얼굴이 붓고 냄새를 맡지 못하며, 기침과 가래가 발생하고 가슴이 아프고 숨이 차며 입이 마르는 것이라 소모의 과다로 인해 발생한다. 인삼황기산을 사용한다.

2. 폐열(肺熱)

저녁 해질 무렵에 심해지는데 목이 아프고 무릎도 아프고 기침을 심하게 하고 숨이 차며 더웠다 추웠다한다. 콧속이 헐기도 하고 코가 부어올라 아프며 누런 콧물이 흐른다. 가벼운 것은 사백산을 쓰고 심한 것은 백호탕을 쓴다. 폐허(肺虛)하면 호흡이 원활치 못하고 소변이 자주 나오며 폐옹 폐위증이 생기는데 보폐탕을 쓴다.

인삼황기산　「韓方秘錄」

肺虛勞 客熱 潮熱 盜汗 痰嗽唾膿血

폐허로 객열 조열 도한 담수타농혈

폐로로 허열과 조열이 나고 가래와 타액에 농이나 혈이 나오는 것을 치료한다.

> 별갑酒灸6 천문동4 진교 시호 지골피 건지황2.8 상백피 반하 지모 자완 황기 적작 감초2 인삼 복령 길경1.2

사백산　「韓方秘錄」

治肺熱 右頰先赤 寒熱咳嗽 喘悶壯熱 飮水日西甚

치폐열 우협선적 한열해수 천민장열 음수일서심

폐열로 오른 뺨이 먼저 붉어지고 춥다가 덥거나하며 기침을 하고, 숨이 차서 괴롭다. 속열로 인하여 물을 먹는데 해질 무렵에 더 심한 것을 치료한다.

> 상백피 지골피8 감초4 지모 패모 길경 치자 맥문동 생지황3

백호탕

> 석고32 지모12 감초4 갱미18

보폐탕 「韓方秘錄」

아교8 우방자 유미(糯米-찹쌀)炒4.8 마두령炒2.8 감초 행인2

3. 태양병

傷寒論曰 太陽之爲病 脈浮 頭元強痛而惡寒

太陽病 發熱惡寒 惡風脈浮弱者 名爲中風

太陽病 或已發熱 或未發熱 必惡寒 身體痛 無汗 名爲傷寒也

상한론왈 태양지위병 맥부 두항강통이오한

태양병 발열오한 오풍맥부약자 명위중풍

태양병 혹이발열 혹미발열 필오한 신체통 무한 명위상한야

태양병은 맥이 부(浮)하고 머리와 목덜미가 뻣뻣하고 아프며 오한이 난다. 열이 나며 오한과 오풍(惡風)의 증상이 나타나는데 맥이 부하고 약하며 땀이 나는 경우는 중풍(中風=傷風)이라 하고, 태양병으로 열이 났거나 아직 열이 나지 않으면서 오한하며 땀이 나지 않는 것을 상한(傷寒)이라 한다. 외사(外邪)가 표에 침범하여 몸의 저항현상으로 나타나는 모든 증상이 태양병이다. 표에 한이 침범하면 몸은 열로써 저항을 한다. 저항이 심할수록 열도 심하고 저항의 강약에 따라 나타나는 열도 동일하게 나타난다. 일단 한이 표에 침범을 하면 주리를 닫아 한의 침입을 막고 땀구멍이 막힘으로 하여 피부로 나가야할 수분이 몸에 정체한다. 나가지 못한 수분은 몸을 무겁게 하고 정체된 물이 침입한 한과 만나면 통증이 발생한다. 찬 기운이 침범하여 폐가 위축되면 그 기능이 정상적으로 일어나지 않아 축수(畜水)로 인한 기침, 부종 등의 증상도 나타난다. 태양병은 체내의 수분대사에 이상을 가져와 통증, 소변이상, 부종, 기침, 가래 등의 감기의 제 증상을 일으킨다. 표에 정체된 수분을 배출하기 위해 땀을 내야하고 폐의 기능이 저하되어 일어나는 숙강 부족이나 방광의 기화작용이 저하된 것을 선폐하여 숙강과 기화가 잘 일어나게 하여 축적된 수분을 발산하고 소변이 잘 나가게 해야 한다. 외사(外邪)가 침범하더라도 몸의 저항력이 강하면 감기에 걸리지 않으며, 영기(榮氣)가 허하면 표기도 허해져 사(邪)의 침범에 저항하기 어려워진다. 영기가 허해지는 원인은 비위의 허로 인한 영양의 부족으로 기혈의 생성에 영향을 끼쳐 장부의 기능이 저하되고 전신의 자양부족이 일어나 표허(表虛)의 상태가 만들어진다. 비위의 기능은 간

과 신의 작용이 필요한데 스트레스나 과로, 수면부족 등으로 간과 신이 제 기능이 약해지면 비위의 기능도 저하된다. 이처럼 비위와 간과 신의 기능이 약해지면 폐를 자양하는 기능이 약해져 폐의 허로 인해 위기(衛氣)를 강하게 유지하기가 어려워 폐가 외사의 침범에 쉽게 노출이 된다. 이 현상이 태양병의 발생 원인이다.

1) 상한

상한은 정상한과 유사상한이 있으며, 정상한은 겨울의 찬 기운이 직접 몸에 접촉되어 바로 발병되는 것이며, 유사상한은 겨울동안 한사가 피부에 접촉되었어도 즉시 발병되지 않고 피부에 잠재해 있다가 봄의 온기와 합해지면 발생하는 것으로 온병이라 하고, 여름의 열기와 접촉되어 발생하는 것을 열병이라 한다. 온병이나 열병도 발생되는 원인은 한사의 침입으로 발생하는 것으로 통틀어 상한이라 한다. 비교적 증세가 가볍고 땀이 나며 두통, 발열이 있는 것은 상풍 또는 감모라 하며, 땀이 나지 않고 신체통, 발열, 오한, 기침 등의 증상이 심한 것을 상한, 이보다 더 극히 심하여 별안간 졸도하고 인사불성이 되어 입을 다물고 뻣뻣해지며 몹시 아픈 것을 중한(中寒)이라 한다. 상풍에는 계지탕, 상한에는 마황탕, 갈근탕, 중한에는 부자이중탕을 쓴다. 발열 오한이 있고 맥이 부대하면 상한으로 땀을 내야 하는 경우에 겨울철에는 마황탕, 갈근탕, 그 외의 계절에는 구미강활탕을 쓰고, 땀이 날 때는 방풍충화탕을 쓴다. 표증인지 이증인지 구별이 곤란한 경우는 곽향정기산을 쓴다. 상한음증에 몸은 몹시 더운데 옷을 더 입으려고 하는 것은 내한외열(內寒外熱)이니 통맥사역탕, 음단탕을 쓴다. 몸은 차더라도 옷을 벗어 버리려 하는 것은 표한이열(表寒裏熱)이므로 대시호탕, 백호탕, 양단탕을 쓴다.

한사가 몸에 침범을 하면 전경을 하는데 육경의 경락을 따라 사(邪)가 이동을 하며 나타나는 증상도 각각 다르게 나타난다. 처음은 족태양방광경에 나타나는데 두통과 항강통, 전신통이 나타나며, 그 후 족양명위경으로 옮겨가면 발열과 목통(目痛), 코가 마르고 수면의 이상이 온다. 다음은 족소양담경으로 전이되면 가슴이 아프고 귀가 먹먹해지고 입이 쓰다. 이렇게 삼양경에 사(邪)가 들어온 것은 장(臟)까지 침입된 상태가 아니므로 땀을 낼 수 있다. 담경에서 저항하던 힘이 약해지면 사가 장으로 들어오기 시작하는데, 족태음비경으로 전입하여 배가 불러지고 목이 마르며, 다음은 족소음신경으로 가서 입이 마르고 갈증이 생기고, 다음은 족궐음간경으로 들어가 가슴이 답답하고 음경이 당기게 된다. 삼양과 삼음이 모두 사를 받게 되면 영위(榮衛)가 불순하게 되어 오장이 서로 불통하여 병이 위중해지며 양감상한이 되던지 체력이 남아있는 사람은 점차 누그러진다. 보통 감기는 육일이면 저절

306

로 낫는 경우가 이 경우이다. 이 전경이 지나면 태양병은 점차 약해져 두통이 가라앉고 다음은 양명병이 약해져 신열이 내리며, 그리고 소양병이 누그러져 귀가 잘 들리게 되며, 다음으로 태음병이 호전되어 배부른 증상이 없어지므로 음식을 먹을 수 있고, 그 후에 소음병이 차차 없어져 갈증이 줄어들고, 마지막으로 궐음병이 나아져 고환이 내려오고 정신이 명료해지며 차차 치료가 된다. 외부의 사기가 육경을 전부 돌고 나면 병이 치료되는데 감기가 걸려 12일 지나면 모두 낫는 것은 이런 현상이다.

계지탕 「傷寒論」

治風寒在表 脈浮弱 自汗出 頭痛 發熱 惡風 惡寒 鼻鳴 乾嘔等症 雜症 自汗 盜汗 虛虐 虛利最宜 若脈浮緊 汗不出者 禁用

酒客病風寒 而汗自出 亦不可與之

치풍한재표 맥부약 자한출 두통 발열 오풍 오한 비명 건구등증

잡증 자한 도한 허학 허리최의 약맥부긴 한불출자 금용

주객병풍한 이한자출 역불가여지

풍사나 한사가 표에 침범하여 맥이 부약하고 땀이 나며 두통, 발열, 오한, 코가 찍찍하고 헛구역질이 나는 증상을 치료한다. 잡증으로 자한, 도한, 허학이나 허하여 나는 설사에 좋으나, 맥이 부긴하고, 땀이 나지 않는 자에겐 사용을 금한다. 술을 많이 먹는 자가 감기에 걸려 땀이 나는 증상에도 주지 말아야 한다.

> 계지 작약 대조 생강各6 감초4

감기에 가장 기본이 되는 처방으로 자주 사용되지는 않지만 반드시 이해해야 하는 방이다. 영기를 보하여 양기를 키워주며, 발한하여 표를 풀어주어 영과 위를 조화롭게 조리해주는 제일방이다. 중풍이나 상한, 그리고 어떤 잡증에도 맥이 부약하고 땀이 저절로 나면서 춥고 신체통이 있는 상풍증이 있으면 계지탕으로 주지하고 기타 한두 증상이 있어 모든 증상이 모두 갖춰져 있지 않아도 즉시 쓸 수 있다. 계지탕의 계지는 내(內)로는 심장을 도와 양기가 생성되게 하여 땀이 나게 하며, 마황탕이나 갈근탕, 소청룡탕 등의 발한제 중에서는 양을 줄여서 사용한다. 계지탕에는 마황을 사용하지 않으며, 마황탕 중에는 계지를 쓰지 않을 수 없다. 계지탕증은 자한출(自汗出)이며, 마황과 계지를 함께 사용할 경우 강발한으로 망양이 되거나 진액고갈로 인하여 경련성 질환이 생길 수 있기 때문이다. 기타 처방들은 땀이 나지 않을 때 사용하는 처방들이

고, 마황에 계지를 가하여 땀구멍을 열어 표를 발산시키는 것이다.

작약은 음(陰)을 더해주고 혈을 수렴하여 내부의 영기를 돋워 위기를 강하게 키워 능히 땀을 그치게 한다. 땀이 없는 자는 계지탕을 못쓰게 한 것은 작약의 지한작용 때문이다. 내로는 번조를 없애며 땀도 그치게 하고 동계도 안정을 시킨다. 본방에 작약을 배가하면 소건중이 되는데 이것은 더 이상 발한지제가 아니다. 생강은 계지를 도와 해기하고, 대조는 작약을 도와 화리(和裏)한다. 감초는 내(內)를 편안하게 하여 영을 키워 외를 능히 물리칠 수 있고, 기혈을 조화롭게 만들어 표리를 조절해준다. 묽은 죽을 뜨겁게 먹는 것은 약력을 돕기 위함이며 양기를 내(內)에 보충하여 사기가 다시 들어오지 못하게 하는 의미다. 대개 곡기가 내에 충만하면 사기가 다시 들어오지 못한다. 약을 끊고 난 뒤 죽을 먹는 것은 사를 제거하고 더 이상 머물지 못하게 하기 위함이다.

본방의 요지는 오로지 표허를 치료하는 것으로 땀을 발산해서 표를 해기하며 피모를 조절하여 표부의 사를 나가게 한다. 고로 땀이 나지 않는 사람은 마황탕증이고, 맥부긴도 마황의 맥이다. 그래서 이런 사람에겐 계지탕을 쓰지 않는다. 초기에 무한하면 당연히 마황탕으로 발한하며 땀이 나고 풀린 다음, 다시 번조하고 맥이 부삭하면 다시 마황탕을 주지 말고 계지탕을 주어야 한다. 설사 후에 맥이 부하고, 설사는 멎고 기상충이 있고 몸이 아픈 자는 표를 풀어줘야 하는데, 그것은 표가 풀리지 않아 보이지만 주리는 이미 소통되어 사가 피모에 있지 않고 기육에 있기 때문이다. 맥증은 마황탕과 같으나 주치는 계지탕으로 한다.

마황탕　「傷寒論」

太陽風寒在表 頭項强痛 發熱 身疼 腰痛 骨節痛 惡風寒 無汗 胸滿而喘
其脈浮緊 或浮數者 此用發汗
如若脈浮而弱 汗自出 或尺中脈微與之者 俱不可用
風寒濕成痺 冷風哮最宜
태양풍한재표 두항강통 발열 신동 요통 골절통 오풍한 무한 흉만이천
기맥부긴 혹부삭자 차용발한
여약맥부이약 한자출 혹척중맥미여지자 구불가용
풍한습성비 냉풍효최의
태양병으로 풍과 한이 표에 있어 머리와 목덜미가 아프고, 열이 나며 몸이 뻐근하며 요통,

골절통, 바람이나 찬 것이 싫고 땀이 나지 않고, 가슴이 답답하면서 기침을 하는 것, 만약 맥이 부약하면 땀이 나는자, 척맥이 미약한 자는 사용하지 않는다. 풍한습으로 몸이 불편한 자와 찬바람으로 인해 기침을 하는데 효과가 좋다.

> 마황6 계지4 감초2 행인6

발한하여 표를 발산하는 방중에서 가장 강력한 발한작용으로 잘못 사용하거나 오랫동안 사용하는 경우에는 망양을 일으키거나 다른 부작용이 발생할 수 있다. 그러나 제대로 증을 맞춰 사용하면 한 번에 병을 몰아낼 수 있는 효과 좋은 약이다. 실제로 이탕을 쓸 기회는 많지 않지만 작용의 기전은 충분히 이해하고 있어야 하는 방제이다. 본 방은 표를 강하게 열어 한사를 몰아내는 발한의 준제이다. 마황은 피부부터 골절까지 완전히 풍한을 몰아낼 수 있는 표발산의 제일품이다. 계지는 종횡으로 경락을 따라 심으로 들어가 경락을 통하게 하고 땀을 나게한다.

영분(營分)의 풍한을 풀어주는 제일품이다. 행인은 심장을 따뜻하게 하고 한을 풀어준다. 심장으로 들어가 강기시켜 사를 몰아내어 기침을 멎게 하는 제일품이다. 감초는 외부의 풍한을 막고 내로는 기혈을 화(和)한다. 이(裏)를 안정시키고 외사를 물리치는 제일품이다. 음식이 위로 들어와 영양을 신장으로 보내면 신은 정을 만들어 피모에 정을 공급한다. 표와 맥에 정이 충만하면 땀이 진진하게 나와 표에 있던 사가 머물지 못하고 모두 제거되어, 통증이 멎고 기침도 멎고 한열이 물러나 죽을 먹어 양기를 도와주지 않아도 땀이 나게 된다. 마황탕에 생강 대조를 사용하지 않는 것은 생강의 성질은 표를 횡산하는 작용이 있어 마황의 작용을 방해한다. 대조는 행인의 빠른 강역을 방해한다. 한 번의 투약으로 발한을 했는데 병이 풀리지 않으면 더 이상 투여하지 않는다. 땀이 난 후에도 풀리지 않으면 계지탕으로 대신하여 투약한다. 오히려 피모에 사기가 아직 머물러 있어 가려움이 발생하면 계마각반 또는 마일계이탕, 그리고 얼굴이 붉게 달아오르며 가려운 경우는 계지이월비일탕을 쓴다. 만약 폐부에 양이 성하여 폐열(肺熱)증이 있고 땀이 없는 자는 마행감석을 사용한다. 마황과 계지가 만나면 강발한하여 표의 정체된 수분을 땀으로 배출하고, 마황과 행인으로 선폐하여 기침을 멎고 통증을 사라지게 한다.

발열과 오한이 있고 땀이 없고 기침을 하며 뒷목이 뻣뻣한 경우는 갈근탕으로 사용하고, 표증은 심하지 않고 기침과 가래가 있다면 소청룡탕과 삼소음을 배합하여 사용하며, 표증은 없고 기침만 심한 경우는 영계미감탕이나 소청룡탕, 맥문동탕, 삼소음 등을 처방하는 것이 좋다.

갈근탕　　「傷寒論」

頭項强痛 背亦强 牽引几几然 脈浮 無汗 惡風

併治風寒在表 而自下利者

두항강통 배역강 견인궤궤연 맥부 무한 오풍

병치풍한재표 이자하리자

머리와 목덜미가 아프고 등도 결리고 당기는데 맥이 부하고 땀이 없고 바람이 싫다. 겸하여 풍과 한사가 표에 있어 설사하는 자에게 사용한다.

> 갈근12 마황 생강 대조6 계지 작약 감초4

몸살에 가장 많이 적용이 되고, 누구나 아는 탕이다. 하지만 쉽게 사용한다고 감기도 쉽게 낫는 것은 아니며 정확한 탕의 이해와 적용의 증을 잘 알아서 사용해야 하는 것이다. 땀을 내어 표한증을 풀고 땀이 나지 않아 대사성으로 설사를 하는 경우도 갈근탕을 사용한다. 그리고 치통에도 적용이 되고 삼차신경통에도 적용이 된다. 갈근탕증은 신불동(身不疼), 요불통(腰不痛), 골절불동(骨節不疼), 불오한(不惡寒)한 것으로 보아 뼈까지는 아직 한이 침범하지 않은 것이다. 머리와 목덜미 그리고 그 아래로 연결된 등까지 뻣뻣하게 결리고 당겨서 움직이기가 불편한 것은 근육이 풍에 상한 것이다.

기침도 하지 않고 구역질 등의 이증은 없다. 오직 땀이 없고 오풍 오한하는 것은 병사가 표에 있는 것이다. 만약 표증이 있는데 하리가 겸해지는 것은 표실이허증(表實裏虛症)이다. 갈근은 진액을 만들어 땀을 만들게 하고, 주리를 열어 표를 풀어준다. 생강이 표를 열면 마황은 계지를 도와 표의 사를 쉽게 내보내고, 대조는 감초를 돕고, 작약과 함께 중을 조절해 준다. 표의 사를 치료하면 표에 머문 사기는 스스로 풀리게 되어 하리도 저절로 멎게 되니 설사한다고 이부가 허한 것으로 생각하여 이부를 따로 치료할 필요는 없다. 표가 실하고 이가 허한 자에게 아주 적당한 약이다.

위가실자에게 적당하지 않은 것은 장위를 더욱 조하게 만들 수 있기 때문이다. 금궤요략에 태양병으로 무한 소변반소 기상충흉 구금부득어하는 것은 강치를 일으키는 것이다라고 했다. 병사가 태양과 양명의 경계부위에 있어 갈근탕을 쓸 수 있는 증이 있는 자는 양경에 열이 흉중으로 들어가 폐의 맑은 기가 반드시 상하게 되어 통조수도의 기능을 상실하여 소변량이 적어지고, 진액이 산포되지 못하여 땀이 나지 않게 되는 것이다. 양명의 경락은 위의 입구에서 시작하여 흉중을 거쳐 겉으로 나와 인영(갑상선 아래쪽)혈을 지나 입을 돌게 된다.

양명에 열이 같이 발생하면 양명에 속하는 근육과 맥이 당기고 결려 입을 다물고 말을 하지 못하게 된다. 이것을 강치라 한다. 강치는 땀이 없는 것으로 땀을 내면 반드시 풀리며, 하물며 습사가 속에서 울체할 때 땀을 내면 반드시 풀리므로 갈근탕을 사용하여 양경의 습열을 제거한다.

부자이중탕　「韓方秘錄」

中寒 口禁 身强直 卒然昏迷 不知人

중한 구금 신강직 졸연혼미 부지인

중한으로 입을 악다물고 몸이 뻣뻣해지며 갑자기 정신을 잃고 사람을 알아보지 못한다.

> 부자 인삼 백출 건강 炙감초4 심한 자는 혹 가 오수유 육계 당귀 진피 후박3

구미강활탕　「韓方秘錄」

治不問四時 但有頭痛 骨節痛 發熱惡寒 無汗

치불문사시 단유두통 골절통 발열오한 무한

일년중 어느 때든 열이 나고 오한하지만 땀이 나지 않고 단지 두통과 골절통이 있다.

> 강활 방풍6 창출 천궁 백지 황금 생지황4.8 세신 감초2 생강3 대조2 총백2

방풍충화탕　「韓方秘錄」

治春夏秋感冒 風寒頭身痛 發熱惡寒

치춘하추감모 풍한두신통 발열오한

겨울을 제외한 계절에 오는 감기를 치료하며, 풍한으로 열이 나고 오한하며 두통과 신체통이 있다.

> 강활 방풍6 백출 천궁 백지 생지황 황금4 세신 감초2 생강3 총백2

곽향정기산 「韓方秘錄」

傷寒陰症 頭痛身疼 如不分表裏 此導引經絡 不致變動

상한음증 두통신동 여불분표리 차도인경락 불치변동

한사가 내부로 들어와 두통과 신체통이 있으나 표증과 이증이 불분명한 것을 조리한다. 즉 열이 나며 설사가 나거나 토하는 증상이 함께 나타나는 것이다. 이 약은 약력을 내외로 이끌어 도달하지 않는 곳이 없다.

> 곽향6 자완4 백지 대복피 복령 후박 백출 진피 반하 길경 감초2 생강3 대조2

대시호탕 「韓方秘錄」

傷寒症 身熱不惡寒 反惡熱 大便硬 小便赤 譫語 腹脹 潮熱

상한증 신열불오한 반발열 대변경 소변적 섬어 복창 조열

한사가 소양 부위로 들어와 몸에 열은 있으나 춥지 않고 오히려 열이 싫다. 진액의 손실로 폐가 조해져 대변이 굳어져 배변이 어렵고 소변은 진하게 나오며, 심하면 헛소리를 하고 배가 북처럼 빵빵해지고 시시로 열이 파도처럼 밀려 온다.

> 시호12 황금 작약6 대황8 지실6 반하4 생강3 대조2

백호탕 「韓方秘錄」

陽明病 汗多煩渴 脈洪大

양명병 한다번갈 맥홍대

한사가 양명으로 들어와 갈증이 신하고 땀을 많이 흘린다. 맥은 홍대하다.

> 석고20 지모8 감초2.8 갱미18

양단탕 「韓方秘錄」

傷寒陽症 身大寒 反不欲近衣 此表寒裏熱 屬陽症也

상한양증 신대한 반불욕근의 차표한이열 속양증야.

상한양증으로 그 증상은 몸은 싸늘하지만 옷을 입으려 하지 않는 것은 표는 차고 내부에 열이 있는 증상으로 양증에 속한다.

312

> 계지 작약12 황금8 감초4 생강3 대조2

음단탕 「韓方秘錄」

傷寒陰症 身大熱 反欲近衣 此爲內寒外熱也

상한음증 신대열 반욕근의 차위내한외열야

양단탕의 반대 개념으로 음증의 감기로 몸에 열은 심하지만 옷을 껴입으려 하는 것으로 이 것은 내부는 차고 외부에 열이 있는 증상이다.

> 계지8 황금 건강6 반하 작약 감초4 대조2

2) 태양병증

太陽病 發熱惡寒 熱多寒少 脈微弱者 此無陽也 不可發汗

太陽病 似瘧 身不痒 桂婢各半湯主之

太陽病 如瘧狀 熱多寒少 其人不嘔 淸便欲自下 一日二三度發

以其不能得小汗出 其身痒

태양병 발열오한 열다한소 맥미약자 차무양야 불가발한

태양병 사학 신불양 계비각반탕주지

태양병 여학상 열다한소 기인불구 청변욕자하 일일이삼도발

이기불능득소한출 기신양

태양병은 머리가 아프고 목과 어깨와 허리가 뻣뻣해지는 증상으로 표증이라 한다. 발열 오한 맥이 부한 증상은 태양병으로 맥이 부완하고 땀이 나며 바람과 찬 것을 싫어 하면 상풍이다. 맥이 부긴하고 두통 발열 신체통이 있고 오풍과 땀이 나지 않는 것은 상한이다. 상풍에는 계지탕, 상한에는 마황탕으로 치료한다. 태양병에 열이 올랐다 내 렸다하며 오한이 나는데 열이 많고 추운 증상이 약하며 몸이 가렵지 않은 사람은 계비 각반탕을 쓰고, 땀이 나지 않고 몸이 가려운 자는 계마각반탕을 쓴다.

계비각반탕(계지이월비일탕) 「傷寒論」

> 계지 작약 마황 감초4 생강7 대조5 석고4

계마각반탕(계지이마황일탕) 「傷寒論」

계지6 작약 감초 생강 마황 대조 행인4

3) 태양축혈증

太陽病 表症仍在 脈微而沈 其人發狂者 裏熱在下焦 小腹當硬滿 小便自利 下
血乃愈

男子 膀胱滿急 有瘀血者 抵當湯主之

태양병 표증잉재 맥미이침 기인발광자 이열재하초 소복당경만 소변자리 하혈내유

남자 방광만급 유어혈자 저당탕주지

태양병으로 맥이 미하고 침하지만 발열오한이 있다. 이것은 열이 하초에 있어 오는 것으로 미친 것처럼 변하고 소복이 딱딱하고 불러진다. 소변이 잘 나오게 하고 하혈이 되면 치료된다. 남자가 하복이 단단하고 불러지는 것은 어혈이 있어서 오는 것이다.

저당탕 「傷寒論」

수질3.6 맹충4 도인2 대황6

4) 양명증

외사가 비위로 들어와 이부에 열이 극성한 것이다. 열이 표에 있으면 눈이 아프고 잠을 못자며 약간 추우며 열이 날 때는 갈근해기탕을 쓰고, 갈증이 나고 땀이 나면 백호탕을 쓴다. 땀이 나고 대변이 굳고 소변은 붉고 손발에 열이 나며 맥이 홍삭하고 헛소리를 하면 반드시 조변(燥便)이 위에 있는 것이므로 조위승기탕을 쓴다. 양명병으로 상초에 열이 있으면 맥이 부하고 열이 나며, 중초에 열이 있으면 갈증이 나고, 하초에 열이 있으면 소변불리가 온다. 이 세 가지 열은 소변으로 빼내는 것이 좋은데 저령탕을 쓴다. 양명의 비약증은 소변이 잦고 대변이 나오지 않는 것인데 비약환을 쓴다.

양명병에 음식을 먹지 못하는 자는 열이 있어도 땀을 내지 못하는데 땀을 내면 딸꾹질을 하는데 위가 허냉하여 발생한다.

백호탕 「傷寒論」

陽明病 熱多寒少 煩渴 脈洪大

三陽合病 腹滿身重 難以轉側 口不仁 面垢 譫語遺尿 自汗出者

治陽明症 汗出 渴欲飲水 脈洪大浮滑 不惡寒 反惡熱

양명병 열다한소 번갈 맥홍대

삼양합병 복만신중 난이전측 구불인 면구 섬어유뇨 자한출자

치양명증 한출 갈욕음수 맥홍대부활 불오한 반발열

양명병은 열이 많고 한이 적은 것이다. 그래서 번조하고 갈증이 생기며 맥이 홍대하다. 삼양 (태양, 소양, 양명)의 합병으로 배가 부르고 몸이 무거우며 돌아 눕기가 힘들며, 입의 상태가 이상한 것과 얼굴에 때가 낀 듯하고, 헛소리를 하며 오줌을 지리고 땀이 저절로 난다. 양명 병으로 땀이 많이 나고 갈증이 있어 물을 많이 마시며 맥이 부하고 대활하며 추운 것은 전혀 없고 열이 있는 것을 싫어한다.

> 석고32 지모12 감초4 갱미18

양명병의 3대증상은 맥홍대 대한 대갈인데 맥이 홍대하고 갈증이 있는 증상은 많은데 대한의 증상은 의외로 나타나지 않는 경우가 많다.

땀은 열을 식히기 위해 피부로 나오는 수분으로, 땀 이외에 피부 어느 한부분에 진물 이 지속해서 나오는 것도 땀으로 생각한다. 그리고 위의 증상은 느끼지 못하더라도 양 명의 경락을 따라 열이 외월(外越)하는 경우에도 백호탕을 적용한다. 불면증이라든지 치통, 삼차신경통, 이를 가는 것, 감기로 인한 고열, 인후통, 코막힘 등의 증상도 석고 를 사용할 수 있는 증상이다. 장위(腸胃)에 열이 차서 땀으로 진액의 손실이 생겨 갈증 을 느낄 때 뜨거운 것은 절대로 좋아하지 않고 시원하거나 얼음을 띄운 물을 좋아 한 다. 그리고 한 겨울에도 냉수를 먹어야 하고, 잠을 잘 때도 배를 덮고 잘 수 없고, 손발 은 차더라도 찬 것을 마시거나 찬 것을 만지는 것이 좋다고 하면 이것도 석고증이다. 석고는 감한(甘寒)하여 찬 기운이 능히 열을 끌 수 있고, 단맛은 비(脾)로 들어가므로 비위에 진액을 보충하여 폐로 올려 폐의 열도 끄면서 숙강을 도와준다. 백색은 폐를 통하게 하고 무겁고 진액을 함유하고 있어 폐로 하여 진액을 만들 수 있게 해 준다. 지 모는 차고 내려가는 성질이라 폐의 화를 몰아낸다. 감초는 주즙의 작용으로 중토의 화 를 사한다. 찬 약을 성질을 누그려 트리면 가라앉는 성질로 바뀌게 된다. 갱미는 기미 가 온화하여 비위를 손상하지 않고 사용할 수 있어 좌약으로 삼는다.

갈근해기탕 「韓方秘錄」

三陽合病 目痛 鼻乾 不眠

삼양합병 목통 비건 불면

삼양이 합병하여 눈이 아프고 코가 마르고 잠을 자지 못한다.

> 갈근 시호 황금 작약 강활 석고 승마 백지 길경4 감초2 생강3 대조2

조위승기탕 「傷寒論」

傷寒裏症 大便硬 小便赤 譫語潮熱

상한이증 대변경 소변적 섬어조열

상한이증으로 대변이 굳고 소변이 붉으며 열이 밀려오고 헛소리를 한다

> 대황8 감초4 망초16

저령탕 「傷寒論」

治陽明病脈浮 發熱 渴欲飮水

小陰病下利六七日 咳而口渴 心煩不得眠者

치양명병맥부 발열 갈욕음수

소음병하리육칠일 해이구갈 심번부득면

맥이 부대하고 열이 심하며 갈증이 나는 양명병을 치료한다. 소음병으로 6~7일간 설사를 하며 기침을 하고 입이 마르고 번조하여 잠을 못자는 것을 치료한다.

> 저령 복령 택사 활석 아교6

소변의 이상배출을 치료하는 약으로 소변이 뿌옇게 나온다든지 붉게 나오는 경우나 배뇨 시 통증이 있는 경우도 있다. 병원에서 소변 검사에 적혈구가 섞여 나온다는 경우에도 사용한다. 이렇게 신장의 여과기능의 이상이 왔을 때 사용하면 효과가 좋은데, 만성적인 혈뇨나 단백뇨 같은 경우는 신허를 같이 잡아줘야 한다. 저령탕은 음(陰)을 생성하여 양명과 소음의 2경에 잘 빠지지 않는 수열(水熱)을 움직이게 하여 잘 배출되도록 했다. 망음(亡陰)이 된 자는 신(腎) 중의 음도 소진되고 위의 진액도 마른 것으로, 음이 허한 자는 대변도 함부로 내보 내지 말고 소변도 억지로 내보내서는 안 된다. 음

허한 상태에 갑자기 소변을 강제로 배설을 시키면 진액의 과다소모로 음의 부족상태가 더 심해지므로 몸을 자양할 수 없게 된다. 태양병으로 수독이 정체된 것의 이수에는 오령산을 쓰는데 차가운 물을 데우고, 신을 따뜻하게 하여 물을 움직이게 한다. 양명과 소음에는 저령탕을 사용하는데, 2경의 진액을 아교와 활석으로 채우고, 무형의 기를 왕성하게 하여 물을 움직이게 한다. 이수(利水)하는 것은 비록 같으나 한과 온이 서로 다르다. 소변이 이상하게 하얗다 뿌옇다 발갛다 잘 안 나온다 등의 증상이 있을 때 사용한다.

비약환 「古今名醫方論」

治腸胃燥熱 大便秘結

치양명조열 대변비결

위에 열이 많아 조해져 대변이 뭉쳐 나오지 않는 양명병에 사용한다.

'변비'에 설명이 있다.

소시호탕 「傷寒論」「韓方秘錄」「古今名醫方論」

治小陽症 耳聾 脇痛 寒熱往來 咽乾 口苦 目眩 能治

半表半裏 寒熱往來 治傷寒之王道也

치소양증 이롱 협통 한열왕래 건구 구고 목현 능치

반표반이 한열왕래 치상한지왕도야

소양병증인 이롱, 협통, 한열왕래, 인건, 구고, 목현을 능히 치료한다. 사기가 반표반이에 있어 한열이 교차하는 모든 증상을 치료하는 상한의 왕도다.

> 시호 반하12 황금 인삼 대조 감초 생강6

간(肝) 편에 상세한 설명이 있다.

황금탕 「傷寒論」

太陽與小陽合病 表症少裏症多 自下利者

태양여소양합병 표증소이증다 자하리자

> 황금 대조6 작약 감초4

317

6) 태음증

소양에서 저항하는 힘이 약해져 사기가 이부로 들어와 뱃속이 냉하게 만든 경우이며, 배가 부르고 아프며 목이 마르지 않으며 소변은 자리하고 수족이 냉하면 태음증으로 변한 것이다. 삼양병의 마지막이며, 삼음병의 초기가 되는 것이다. 이때는 토하거나 사하지 말고 따뜻하게 해야한다. 상한으로 배가 아프면 먼저 소건중탕을 쓰고 낫지 않으면 소시호탕을 쓴다. 태양병을 잘못알고 사(瀉)를 시켜 배가 부르고 아픈 것은 계지가작약탕을 쓰고, 대변이 불통하는 자는 계지가대황탕을 쓴다. 태음병에 땀을 내면 반드시 배가 창만(脹滿)해지므로 후박반하탕을 쓴다.

소건중탕   「傷寒論」

傷寒 腹中急痛 先與小建中湯 不着者 與小柴胡湯

상한 복중급통 선여소건중탕 불착자 여소시호탕

상한으로 배가 갑자기 아프면 먼저 소건중을 쓰고, 효과가 없으면 소시호탕을 쓴다. 실제 임상에서는 같이 합방하여 사용한다.

> 계지 감초 생강 대조6 작약12 교이40

계지가작약탕   「傷寒論」

本太陽病 醫反下之 因爾腹滿時痛者 屬太陰也

본태양병 의반하지 인이복만시통자 속태음야

태양병을 약을 잘못주어 설사가 나서 사가 내부로 들어와 배가 부르고 아파지는데, 이것은 속에 열이 없어져 발생한다. 태음에 속하는 증상이다.

> 계지 대조 생강6 감초4 작약12

계지가대황탕   「傷寒論」

本太陽病 醫反下之 因爾腹滿時痛者 屬太陰也 大實痛者 桂枝加大黃湯

본태양병 의반하지 인이복만시통자 속태음야 대실통자 계지가대황탕

계지가작약탕증상과 같은 원인으로 발생하였는데, 배가 많이 아픈 증상에는 본방을 쓴다.

318

> 계지 대조 생강6 감초4 작약12 대황8

후박반하탕 「韓方秘錄」

傷寒 發汗後 腹脹滿

상한 발한후 복창만

감기에 걸려 땀을 낸 후 배가 불러 진 증상에 사용한다.

> 후박12 인삼 반하6 감초3 생강7

7) 소음증

소음병은 기운이 없어 자려고 한다. 찬 것을 싫어하고 토하려 해도 나오지 않고 복통이 있으며, 대소변이 희고 헛구역질을 하며 목이 아프고 누우려고 하는 것은 사기가 내장깊이 들어온 것이다. 설사를 하면서 맥이 끊어질 듯하거나 미약한 것, 설사만 나고 수족이 궐냉하며, 맥이 미약하고 추워하지는 않지만 얼굴이 붉은 자는 통맥사역탕을 쓴다. 배가 부르고 아프며 설사를 하는데 소변은 순조롭고 구역질을 하면 진무탕을 쓴다. 소음병으로 사역증이 되면 사지가 궐냉해 지는데, 사기가 속으로 깊이 들어가면 수족이 점차 냉해지므로 열궐이다. 보기에는 음증 같으나 음증이 아니므로 사역산을 쓴다. 열궐과 한궐의 구별은 찬 것을 좋아하는 가의 여부로 결정한다. 수족이 궐냉하고 추워하며 몸이 아프고 찬 것을 싫어하면 사역탕을 쓴다. 소음병이 2-3일이 지나 인후통이 있으면 길경탕이나 반하탕을 쓴다.

사역탕 「古今名醫方論」

四肢厥冷 脈微遲 身痛 脈沈 厥逆等證

사지궐냉 맥미지 신통 맥침 궐역등증

사지가 싸늘하고 맥이 미하고 느리며 몸이 아프다. 맥이 침한 모든 궐역증에 사용한다.

> 감초炙6 건강4.5 부자2

통맥사역탕 「古今名醫方論」

治少陰下利淸穀 裏寒外熱 手足厥逆 脈微欲絶 身反不惡寒

其人面赤色 或腹痛 或乾嘔 或咽痛 或利止 脈不出者

厥陰下利淸穀 裏寒外熱 汗出而厥者 亦主之

치소음하리청곡 이한외열 수족궐역 맥미욕절 신반불오한

기인면적색 혹복통 혹건구 혹인통 혹이지 맥불출자

궐음하리청곡 이한외열 한출이궐자 역주지

중복되는 설명이지만 그때그때 기술한다. 소화가 덜 된 설사를 하며 내부는 냉하고 외부는 허열이 있지만 손발은 냉한 소음병에 적용한다. 맥이 끊어질 듯 하고 몸은 춥지 않다. 얼굴이 붉고 배가 아프거나 구역질을 하거나 목이 아프거나 설사를 하는데 맥이 촉지되지 않는 사람에게 사용한다. 궐음병으로 설사를 하고 이한외열하여 식은땀이 나고 몸이 차거운 것도 가능하다.

건강9 감초炙6 부자3

사역탕이나 통맥사역은 허한의 증상이며, 통맥사역은 사역탕증이 더 심해져 허열이 발생하는 것을 치료한다. 냉한 부위는 표와 리, 그리고 표리 동시에 있는 경우가 있고 어떤 상황이라도 수족이 궐냉한 증상은 항상 나타나는 증상이다. 표에 한증이 나타날 때는 허열의 증상이 나타나서 얼굴이나 뺨, 코 등 한 부분이 추워지면 더 붉어지고 따뜻하면 없어지는 증상이 생기는데 통맥사역탕으로 주지한다. 이부에 있을 때는 청곡하리가 발생한다. 수족이 냉하면서 맥도 끊어질듯 한데 몸은 추위를 느끼지 못하는 경우는 몸이 너무 냉해져 추위를 느낄 신경이 마비된 경우와 허열로 인한 것이다. 이때 통맥사역을 복용하면 추위를 느끼다가 치료가 된다. 이렇게 몸이 냉하여 전신이 냉하여진 상태는 본방을 복용하여 몸을 따뜻하게 해야 한다. 진무탕은 신장의 화(火)가 살아나게 한다. 사역탕과 통맥사역탕 2방은 신장의 화를 살려 위장도 따뜻하게 한다. 두 방에 사용되는 약은 같으나 량이 다르며, 주치 또한 구별이 있다. 사역탕은 맥이 침하며 양기가 없는 상태로 양이 미미하여 전신을 따뜻하게는 못하지만 진양이 모두 소진된 것은 아니다. 자감초는 미약한 양을 따뜻하게 키워주고, 건강과 부자는 관절을 통하여 사지에 전달하게 한다. 이렇게 하는 것은 내부의 양이 미약하여 표부의 한이 심하므로 속의 양을 키워 양기가 외로 잘 전달되게 하는 것이다. 통맥사역탕은 이부는 냉하지만 표는 열이 있는 것으로 진한가열의 상황이다. 신(腎) 중

에 양이 없어 음한(陰寒)이 외부의 표로 빠져나온 것으로, 건강을 사용하여 위장을 따뜻하게 하여 살리고, 감초를 쓰고 다시 원양(元陽)을 크게 키울 수 있는 부자를 사용하여 건강, 감초, 부자 공히 외부의 열을 내부로 끌고 들어오게 하는 것이다. 이부의 양이 미약하면 사역으로 주지하고, 한이 외부로 나와 가열이 된 것은 통맥사역으로 주지한다.

진무탕　「古今名醫方論」

治少陰水氣爲患 腹痛下利 四肢沈重疼痛 小便不利

其人或咳 或嘔 或小便利而下利者 用此加減.

치소음수기위환 복통하리 사지침중동통 소변불리

기인혹해 혹구 혹소변리이하리자 용차가감

소음병의 수병의 질환으로 배가 아프고 설사를 하며 사지가 무겁고 아프며 소변이 잘 나오자 않는 것을 치료한다. 기침을 하거나 구역질을 하거나, 설사를 하는데 소변은 잘 나오는 자는 수증 가감한다.

> 복령 백작약 생강6 백출4 부자2

소음병의 수증을 치료하는 방제인데, 몸의 수독이 신허로 인하여 빠져나가지 못하여 팔다리에 정체되어 몸이 무겁고 아프며 설사를 하는 사람이나, 어지럽고 몸이 흔들리며 땅에 쓰러질 것 같은 사람이나 몸이 와들와들 떨며 춥다고 하는 자에게 사용한다.

사역산　「韓方秘錄」

傷寒 手足自熱 而至溫從 溫而至厥 此轉經也

상한 수족자열 이지온종 온이지궐 차전경야

감기에 걸려 손발은 열이 나고, 열이 지속적으로 나서 결국 따뜻하던 것이 차게 되는데 이것은 감기가 전경된 것이다.

> 시호 작약 지실 감초 등분

가루로 하여 8g을 미음에 잘 섞어 하루 2번 복용한다.

길경탕

少陰 客熱相搏 咽痛

소음 객열상박 인통

열사가 인후부에 있어 정사가 서로 싸워 목이 아픈 것에 사용한다.

> 감초14 길경10

반하탕

少陰 客寒 咽痛

소음 객한 인통

한사가 인후부에서 정기와 싸워 목이 아픈 것에 사용한다.

> 반하 계지 감초8 水煎 小小下

8) 궐음증

심포락이 표가 되고 간이 본이 되므로 남자는 고환이 오그라들고, 여자는 유방이 오그라들며 입술이 푸르고 혀가 수축되며 가슴이 답답하고 막히는 느낌이 온다. 수족은 궐냉하며 아랫배가 아프며 남자의 고환이 수축되고 맥이 미약하면 당귀사역탕을 쓴다. 수족이 궐냉하고 더운 줄을 모르는 자는 음경(陰經)에 사기가 침범한 것이니 사역탕으로 따뜻하게 해야한다.

당귀사역가오수유생강탕

手足厥冷 脈細欲絶者主之

若其人内有久寒 加吳茱萸4 生薑16

수족궐냉 맥세욕절자주지

약기인내유구한 가오수유4 생강16

손발이 아주 차고 맥은 가늘고 끊어질 듯한 증상에 사용한다. 몸속에 오래된 찬 기운이 있으면 오수유를 가한다. 이는 당사오탕이다.

322

당귀 계지 작약 세신各6 감초 목통各4 대조12

이 방은 표가 냉하여 추위를 많이 타고, 혈액의 순환이 방해를 받아 손발이 궐냉하고 맥이 끊어질듯 가는 사람을 목표로 사용한다. 본방에 오수유와 생강을 가하면 당사오가 되는데 몸속에 오래된 한이 있을 때 사용한다. 계지탕에 당귀 세신 목통을 가한 것 같으나 당귀건중탕에 목통 세신을 가한 것으로 보는 것이다. 수족궐냉은 타각적으로 손발이 찬 것을 말하며, 수족궐한은 본인 스스로 차다는 것을 알고 있다. 환자의 손을 손바닥 끝 쪽으로 쓸어내려 가면 손바닥 부위보다 손끝으로 갈수록 더 차다는 것을 알 수 있다. 보통 여자의 맥이 약하면 무조건 사용할 수 있는 방이다. 이런 사람들은 여름철에도 바람이 조금만 불어도 춥다고 하는 사람이 많다. 특히 겨울철에는 찬물에 손을 넣지를 못하며, 찬 것에 닿으면 알레르기가 발생하는 사람도 있다. 궐음의 상태에서 한에 상하면 맥이 미하고 궐하다. 궐음은 양음(兩陰-血과 精)이 모두 소진된 상태이며 다른 말로 하면 양이 없는 음이라고 한다. 우선 한에 상하면 음양의 기가 서로 순조롭게 이어지지 않아서 궐이 된다. 궐(厥)이란 수족이 역냉(逆冷)한 것을 말한다. 상화가 궐음에 머물게 되면, 경락은 생혈하고 익기하여 기혈이 흐르게 하여 간을 조리하면 태음(비위)이 영기를 얻게 되어 맥은 절대로 끊어지지 않고, 표를 따뜻하게 하여 사를 몰아 내면 사지 말단까지 표기가 흐르게 한다. 이렇게 하면 수족이 저절로 따뜻해진다. 소음의 주는 기(氣)며, 이때 나타나는 수족의 냉은 한이며, 당연히 신으로 기가 들어오게 하여 명문을 살려 줘야 한다. 궐음의 주는 혈이며, 이때 나타나는 수족의 냉은 허하여 나타나는 것으로 당연히 영을 키워 경락을 따뜻하게 해줘야 한다.

9) 상한합병

태양병에서 양병만 합쳐져 나타나는 증상인데, 이양증에는 태양과 양명의 합병이 있고, 태양과 소양의 합이 있으며, 삼양의 합병에는 태양 소양 양명의 합인데 표리가 모두 열이 심하고 땀이 나며 갈증이 있고 두통과 신체통 등의 증상이 심한 독감으로 생각하면 된다. 이양의 합병증에는 방풍충화탕을 쓰고, 삼양의 합병에는 백호탕을 쓴다. 약국에서는 보통 이양의 합병에는 소시호탕에 갈근탕을 합하여 사용하고, 삼양의 합병에는 소시호 갈근탕 백호가인삼탕을 합하여 사용한다.

방풍충화탕　「韓方秘錄」

治春夏秋感冒 風寒頭身痛 發熱惡寒

치춘하추감모 풍한두신통 발열오한

봄, 여름, 가을에 온 감기에 적용하는데, 풍한으로 머리와 몸이 아프고 열나며 오한하는 증상에 사용한다.

> 강활 방풍6 백출 천궁 백지 생지황 황금4 세신 감초2 생강3 총백2

10) 상한병병

상한합병과 증상이 비슷하게 오는데, 태양병의 증상이 가시기 전에 양명의 증상이 오는 것을 말하며 상한합병에 준하여 약을 사용한다.

11) 상한번조

가슴이 답답하여 토하려고 하는 현상은 심장에 열이 차서 오는 것으로 번(煩)이라 하며, 손발을 가만히 두지 못하고 지속해서 움직이며 좌불안석하는 증상은 신음(腎陰)의 고갈로 인한 것으로 조(燥)라 한다. 번은 조금 약한 증상이며 조는 심한 것이다. 황련아교탕이나 치자후박탕을 쓴다.

황련아교탕　「傷寒論」

少陰病 二三日 欲寢 心中煩 不得臥

소음병 이삼일 욕침 심중번 부득와

소음병으로 기운이 없어 누우려고만 하는데 가슴이 답답하여 눕지를 못한다.

> 황련8 황금 작약4 아교3 난황1개

치자후박탕　「傷寒論」

傷寒下後 心煩腹滿 臥起不安者

상한하후 심번복만 와기불안자

감기를 설사시켜 가슴이 답답하고 배가 불러 누우나 서나 불안 것을 치료한다.

치자4 후박12 지실8

12) 상한동계

심장이 별안간 뛰어서 손을 깍지를 끼고 심장부위를 누르고자 하며 심하면 몸을 부들부들 떨게 된다. 이때는 계지감초탕을 쓰고, 땀을 낸 후 배꼽아래가 뛰면서 위로 치밀어 오르는 분돈현상을 일으키려 하면 복령감초탕을 쓴다.

계지감초탕 「傷寒論」

因發汗過多 其人叉手自冒心 心下悸 欲得按者

인발한과다 기인차수자모심 심하계 욕득안자

땀을 과도하게 내어 심장이 뛰어 손을 교차하여 누르고, 다른 사람이 눌러 주기를 원한다.

계지8 감초4

복령감초탕 「傷寒論」

發汗後 臍下悸 欲作奔豚

발한후 제하계 욕작분돈

발한 후에 배꼽아래가 뛰고 기가 상충하려는 것을 치료한다.

복령 계지4 감초2 생강6

13) 상한결흉

상한으로 표증이 아직 다 풀리지 않았는데 설사를 시키게 되면 열이 속으로 들어와 가슴 밑에 뭉치게 된다. 손을 대지 못할 정도로 아픈 것을 대결흉이라 하고, 가슴 아래 검상돌기 바로 아래를 손가락으로 누르면 아프다고 하는 것은 소결흉이다. 대결흉에 갈증이 있고 변비가 있으며 헛소리를 하면 대함흉탕에 지각 길경을 합하여 사한다.

대함흉탕　「傷寒論」

太陽病 醫反下之 膈內拒痛 胃中空虛 客氣動膈 短氣煩燥 心中懊憹

태양병 의반하지 격내거통 위중공허 객기동격 단기번조 심중오농

> 대황12 망초24 감수말2

소함흉탕　「傷寒論」

正在心下 按之卽痛

정재심하 안지즉통

> 황련3 반하15 과루인12

14) 노복 식복 여로복

　감기가 완전히 낫지 않은 상태나, 원기를 완전히 회복하지 못한 상태에서 과로를 하거나 과식을 하여 체하거나 범방을 하여 감기가 다시 발병하는 것으로 노복에는 익기양신탕, 식복에는 치시지황탕, 여로복에는 인삼소요산을 쓴다.

익기양신탕　「韓方秘錄」

傷寒 氣血未充 思慮動作過多 其病復如初者

상한 기혈미충 사려동작과다 기병부여초자

감기를 앓고 난 뒤 기혈이 아직 회복되지 않았는데 속을 썩이거나 일을 많이 하여 다시 감기가 된 증상을 치료한다.

> 인삼 당귀 작약 맥문동 지모 치자초4 복신 전호2.8 진피2 승마 감초1.2 대조2

치시지황탕　「韓方秘錄」

食復發熱

식후발열

> 치자 지각 시호4 두시20 대황12

복창이 있으면 加후박하고, 고기를 먹고 체했을 때는 加산사하고, 면에 상했으면 加신 곡한다.

인삼소요산 「韓方秘錄」

女勞復

여로복

> 인삼 당귀8 시호6 백출 복령 작약4

15) 망양증

상한에 땀을 과도하게 내어 표허로 인하여 땀이 그치지 않고 줄줄 나오는 것을 말한다. 어지럽고 몸을 떨며 살이 흔들리게 된다. 이런 경우는 온경익기탕이나 계지가부자탕을 쓴다. 양허해도 땀이 전혀 나지 않는데 이것도 망양이라 한다. 이때는 도씨재조산을 쓴다.

온경익기탕 「韓方秘錄」

發汗過多 衛虛亡陽以致 頭眩身慄 筋惕肉瞤

발한과다 위허망양이치 두현신율 근척육순

땀을 과도하게 나는 것은 위기가 허하여 망양이 된 소치다. 어지럽고 전율이 생기고 살과 근육이 저절로 경련이 일어난다.

> 숙지황 인삼 백출 황기 당귀 건지황 복령 진피 감초4 계지 부자2 생강3 대조2
> 유미一撮

계지가부자탕 「傷寒論」

太陽病 發汗遂漏不止 其人惡風 小便難 四肢微急 難以屈伸者

태양병 발한수루부지 기인오한 소변난 사지미급 난이굴신자

태양병으로 땀이 쉬지 않고 나와 망양이 되어 바람 쐬는 것을 싫어하고 진액의 부족으로 소변이 생기지 않아 잘 나오지 않으며 팔다리가 음의 고갈로 인해 당기고 결려서 굽혔다 펴는 것이 어려운 자는 본방으로 주지한다.

> 계지 작약 대조 생강 감초6 부자3

땀이 물 새듯이 줄줄 나오며 멎지 않고 바람을 싫어하는 것은 망양으로 인해 표의 양기가 없어져 음증으로 변해가기 때문이다. 소변이 시원하게 나오지 않는 것은 음의 손실로 인한 것이며 사지가 결리고 아픈 것도 근육의 진액이 소모되었기 때문에 연급이 일어나는 것이다. 표증도 남아있는데 음허로 변한 것이므로 계지탕으로 표증을 풀고 부자로 양을 살려 음증을 치료한다. 땀이 심하게 나는데 표의 양기가 남아있지 않으면 땀은 반드시 그치지 않게 된다. 땀의 과다로 인해 표의 양기가 모두 없어지고 이부의 영양도 모두 손실이 되어 주리를 조절하지 못하여 발생한다. 망양으로 음증으로 빠지기 때문에 다시 오풍하게 된다. 몸의 진액이 모두 빠져나가 하초로 보내지는 수분도 없어 소변이 어렵게 되는 것이다. 팔다리는 모든 양기가 뻗어 나오는 곳으로 양기가 충만하면 근육에 힘을 줄 수 있고, 양기 부족으로 주리를 개합하는 힘이 약해지면 찬 기운이 따라 들어와 근육을 움츠려 들게 하여 굴신하기 불편해 진다. 심장의 양기가 약해지면 혈을 수렴하기 어려워지므로 계지탕을 사용하여 심장의 양을 보하고 양기가 성해지면 줄줄 나오는 땀은 저절로 그치게 되고 오풍도 저절로 없어진다. 백호가인삼탕과 본방은 땀이 비 오듯 하며 그치지 않는 대한출의 증상은 같은데 그 발생된 이유는 다르다. 계지탕을 복용 후 대한출이 있고 대변갈(갈증)이 있는 것은 양이 이부로 함입된 것으로 백호가인삼을 사용하여 급히 음을 채워 열을 식혀준다. 마황탕을 먹고 땀이 줄줄 나오며 그치지 않는 것은 표의 양기가 전부 없어진 것으로 계지가부자탕을 사용하여 급히 양기를 돋워주어 표를 고정하는 것이다. 발한을 시키는 방제는 잘 알고 써야 하는데, 계지탕을 잘못 사용하면 양기가 이부로 함입되고, 마황탕을 잘못 사용하면 표에서 양기가 모두 없어지게 된다. 그 이유는 계지탕에는 작약이 있어 음을 수렴하는 작용이 있기 때문이고, 마황탕에는 작약이 없어 수렴을 할 수 없기 때문이다. 비록 땀이 많이 나오더라도 신의 양기가 살아있으면 수렴할 수 있기 때문에 망양으로는 이르지 않게 된다.

도씨재조산 「韓方秘錄」

陽虛 不得汗 亦曰亡陽

양허 부득한 역왈망양

양허인데 땀이 나지 않는 것도 역시 망양이라 한다.

인삼 황기 계지 부자 세신 강활 방풍 천궁 감초 炒작약4 생강3 대조2

16) 기타 감기에 사용하는 방제

마황부자세신탕 「傷寒論」

治少陰病始得之 發熱 脈沈 無裏證者

치소음병시득지 발열 맥침 무이증자

마황 세신4 부자2

몸이 허약하여 냉한 사람이 감기에 걸려 추워하는 증상에 사용하는 방제이다. 주로 호소하는 증상은 머리에서 찬바람이 난다, 숨을 쉬면 콧속으로 찬바람이 들어오는 것 같으면서 머리가 아파진다, 머리카락만 만져도 머리가 아프다는 말을 한다. 열은 나더라도 맥은 침하다.

본방의 조성 중 마황은 마황탕의 뜻을 대표하면서 표증을 풀고, 부자는 부자탕의 의미를 대표하며 이한증을 잡아준다. 세신은 가슴속의 수독과 한을 제거하여 기침과 가래, 콧물을 잡아준다. 소음병은 속도 냉하고 겉도 냉한 상태라 발열 신체통 등의 표증은 나타내지 않는다. 처음 한사가 침범을 하면 열이 나는데 이부에는 열이 없는 태양병과 비슷하지만, 소음에 속하는 사람은 크게 아프지 않고 기운이 없어 단지 누우려고만 한다. 소음과 태양을 놓고 볼 때 소음은 태양의 雌(자-암컷)이며, 큰 의미로 보면 음과 양이며, 작은 의미로는 부부로 볼 수 있어 이 둘은 항상 따라 다닌다. 태양병으로 양이 허하면 외부를 주제하지 못해 내부의 진음지기를 상하게 하여 소음병에 노출하게 한다. 소음병에 음이 허하면 내부를 주제하지 못해 외부의 태양지기를 상하게 하여 태양병의 모습을 나타내게 된다. 이 둘은 음양 표리 자웅(雌雄)으로 서로 병을 주고 받는다. 찬 기운이 침범하여 소음이 영양을 저장하고 있지 못하면, 신기(腎氣)는 전신을 온후하게 할 수 없어 비록 몸에는 열이 나더라도 맥은 침하다. 태양병증인데 맥이 반대로 침하고 열이 없으면 사역탕을 사용하여 급히 이(裏)를 따뜻하게 해야한다. 여기서는 소음병이지만 표에 열이 있어 표발산약에 부자를 가하여 이를 덥혀 이부의 병을 예방한다. 표에 미열이 있는 것은 한사도 가볍게 받았다는 것으로 세신을 감초로 바꾸어 약하게 땀을 낸다. 이것은 마황부자감초탕이다. 발산제를 먹고 발한과다로 갑자기 춥다고 하면 본방을 주어 양을 보충해 주는 것이 좋다.

가끔은 소양병처럼 열이 올랐다 내렸다하며 춥다고 하는 사람도 있는데, 많이 추워하면 본방을 준다. 나이가 많은 노인들에게 많이 나타난다고 하지만 꼭 그런 것만은 아니다.

구미강활탕 「韓方秘錄」

四時發散之通劑

사시발산지통제

모든 시기에 오는 감기의 발산시키는 약이다.

> 강활 방풍 천궁 백지 세신 창출 황금 감초 생지황6 생강三片 총백三莖 水煎服.

활인패독산 「古今名醫方論」

治傷寒 溫疫 風濕 風眩 拘蜷 風痰 頭痛 目眩 四肢痛 憎寒壯熱 項强 睛疼

(蜷 - 구부릴 권)

老人 小兒皆可服 煩熱 口乾 加黃芩

치상한 온역 풍습 풍현 구권 풍담 두통 목현 사지통 증한장열 항강 정동

노인 소아개가복 번갈 구건 가황금

> 강활 독활 전호 시호 천궁 지각 복령 길경 인삼8 감초2 생강3

강활과 방풍, 강활과 독활을 배합하여 근육의 뭉침이나 피부에 정체된 수독을 땀으로 배출하여 통증이나 열을 제거하는 것이다. 강활과 방풍의 합은 어떤 경우든 표의 수독을 제거하여 통증을 풀어주는 제제로 이용이 되고, 강활과 독활의 합은 수독을 땀으로 배출하여 열을 식히고 통증을 잡아주는 제제이다. 만물이 성장과 생장을 멈춘 겨울철에도 혹한에 노출이 되어도 표의 기가 고밀하면 감기에 걸리지 않으며, 감기에 걸리는 것은 표기가 약하기 때문이다. 모든 감기는 외사가 폐를 침범하여 발생하고 외사가 치료되지 않고 이부로 들어와 병이 전이가 된다. 직접 이부로 들어오는 경우는 직중이라 한다. 한에 노출이 되어 상한의 상태가 오는 것의 원인은 원기가 약하여 주리를 고밀하게 유지하지 못한 틈을 타고 들어온다.

사가 표를 침범하면 폐가 가장 먼저 손상을 입어 땀이 나지 않거나 자한이 있고 열이 나며 신체통이 온다. 상한의 상태는 물길이 막혀 나타나는 증상으로 땀을 내어 물길

330

이 잘 통하게 되면 치유가 된다. 땀은 양이 표로 빠져 나오는 것이며 땀의 원천은 몸속의 진액이다. 그래서 양기가 허하여 표리가 조화롭지 못하면 땀이 날 수 없다. 영기가 너무 강하여 주리를 닫아 버리거나 진액고갈로 땀이 없는 경우도 있다. 이런 상황에 표만 공격하면 이부의 진액부족이 더욱 심해질 수 있다. 땀이 나지 않으면 패독산이나 강활탕을 쓴다. 강활 독활 시호 전호 천궁 창출 세신 백지 이 약들은 신온(辛溫)하여 발산을 하게한다. 비위가 정상적이면 인삼 생지황의 보기작용이나 진액을 채우는 약의 힘이 없어도 된다. 몸이 허한 자는 반드시 망양하게 된다. 혈이 허한데 발열이 생기면 반드시 망음이 되고, 고질병으로 변할 수 있게 된다. 패독산의 인삼, 강활탕의 생지황은 인체에 기를 살려 주거나 진액을 보충해 주는데 이부의 영을 보하여 사를 몰아내는 탁리지법(托里之法)으로 보인다. 기혈이 모두 허한 자는 표를 조리하는 힘이 약하기 때문에 풍한사를 쉽게 받는다. 구미강활탕은 한사가 영을 상하게 한 것에 주로 사용된다.

그래서 발표제에 천궁과 지황을 합하여 혈을 채워 영의 기운을 조리하여 총백과 생강이 몸에 땀을 나게 해 준다. 패독산은 풍사가 표에 침범하여 열이 나는 것을 치료하는데 발표제 중에 인삼 복령 지각 길경의 약력을 표로 끌고 간다. 감기뿐만 아니라 어느 질환을 치료할 때도 나타나는 증상만을 치료하는 것은 다시 병을 악화 시킬 수 있는 상태가 만들어 질 수 있다 항상 중기를 보하고 진액이 소모되지 않는 처방을 사용하여 원하던 병은 못 고칠지언정 다른 병을 더 만드는 오류를 범해서는 안 된다.

작약감초부자탕 「傷寒論」

發汗病解 反惡寒者 虛故也 此方主之

발한병해 반오한자 허고야 차방주지

발한을 하여 병이 풀렸는데 다시 추워지는 것은 허하여 발생한다.

> 작약 감초6 부자2

발한 후에 오히려 추워하는 증상이 나타나는데 사지미급이나 심동계가 없고 단지 추워하는 것이다. 발한제를 복용하고 오히려 추워서 오들오들 떠는 것은, 발한하여 표의 양기가 모두 없어진 상태를 나타내는데 이 방은 표에 양기를 급하게 넣어주는 약이다. 본방 대신 마황부자세신탕을 사용해도 된다. 발한 후에 병이 풀리고 다시 추워지는 것은 땀을 조금 내야하는 것을 너무 과다하게 땀을 내어 양기가 모두 없어진 것 때문이다. 태양과 소음은 표리의 관계로, 태양의 병이 오는 원인은 소음신이 허해져 정을 저장하지 못하여 상승하지 못하여 병문화가 약해져 병에 대한 저항력이 약해졌기 때문이다. 발한 후 병이 나은 뒤 다시 추워하는 것은 한사(寒邪)는 땀을 따라 나가버려 치료는 되었지만 태양인 표가 양기가 없어지고 허해져서 표를 감싸지 못하는 것이니, 오한한다고 하여 다시 계지탕으로 표를 공격하게 되면 양을 키우는 것이 아니고 오히려 망양이 되게 하는 것이다. 뜨거운 물을 식히려고 얼음을 넣었는데 얼음의 량이 많이 들어가서 물이 냉해진 것이거나, 물이 그다지 뜨겁지 않았는데 얼음을 넣어 과하게 식혀버린 것과 같은 것이므로, 물을 조금 더 따뜻하게 하려면 다시 뜨거운 물을 더 넣어주는 것과 같은 것이다.

승마갈근탕 「古今名醫方論」

治陽明表熱下利 兼治痘疹初發

치양명표열하리 겸치두진초기

양명병에 설사를 하면서 열이 나는 것과, 홍역 초기에도 사용한다.

> 승마 갈근 작약 감초炙6

우리가 가장 흔하게 접할 수 있는 증상이 감기일 것이다. 감기는 쉽고도 어려운 병이다. 나타나는 증상도 여러 가지이며 환자마다 호소하는 증상도 각양각색이다. 그러나 감기의 기본적인 몸의 상태를 이해하고 있다면 아무리 복잡한 증상이라도 몇 가지로 압축이 된다. 이 처방은 표리를 함께 치료하는 것이다. 원래 양명의 본증은 몸에 대열이 나면서 땀도 많이 나고 열이 있어도 오한하지 않고 오히려 더운 것을 싫어하는 것이다. 진액의 손실이 많기 때문에 갈증도 심하게 날 수 있다. 본 처방에서 마황과 계지를 사용하지 않는 것은 두 약을 함께 사용하면 땀구멍을 열어 표를 발산하는 힘이 너무 강하여 땀이 과다하게 나서 기육과 표를 상하기 때문이다. 본방을 사용하기 위한 목표는 표열이 있으면서(고열) 설사를 하고, 신체통이 있는 사람인데 갈근탕을 먹고 취한을 하는 것도 좋다. 열이 있고 설사를 하는데 신체통이 없는 경우는 본방이나 갈근탕의 증상이 아니다. 오령산을 사용한다.

대청룡탕 「傷寒論」

頭項强痛 脈浮緊 發熱惡寒 身疼痛 不汗出而煩燥 無小陰症者 用此發汗清火

若脈浮弱 自汗出者 不可服 服之必厥逆 筋惕肉振也

두항강통 맥부긴 발열오한 신동통 불한출이번조 무소음증자 용차발한청화

약맥부약 자한출자 불가복 복지필궐역 근척육진야

목덜미와 머리가 뻣뻣하고 아프며 맥이 부긴하고 발열과 오한이 있고 신체가 아픈 것을 땀이 나는 약을 먹고도 땀이 나지 않아 번조한 증상에 사용하며, 소음병증은 없는 자에게 땀을 나게 하여 열을 식혀준다. 만약 맥이 부약하고 저절로 땀이 나는 사람에게는 사용을 금한다. 먹게 되면 반드시 진액이 없어져 궐증으로 되어 근육이 떨리게 된다.

> 마황12 계지 감초 대조4 행인10 생강6 석고24

이 방은 마황탕증이 극해진 것으로 마황탕에 가미를 해서 치료를 한다. 증이 마황탕과 비슷하나 천(喘)이 없고 번조가 있어 마황탕과 구별이 된다. 천은 기에 한이 울체된 것으로 승강이 되지 않는 상태다. 행인을 많이 써서 그 기를 배설시킨다. 번조한 자는 열이 기를 상한 것으로 진액이 없어 땀을 만들 수 없기 때문에 석고를 가해서 진액을 만들게 한다. 마황탕은 열이 표에 있고, 계지탕은 자한, 대청룡은 번조증과 이열이 겸해 있다는 것이다.

과루계지탕 「傷寒論」

治太陽症備 身體强几几 然脈反沈遲 此爲痙 此湯主之

치태양증비 신체강궤궤 연맥반침지 차위경 차탕주지

태양병증인 맥부하고 발열 오한 신체통 등의 증이 모두 갖춰져 신체가 뻣뻣한데 (계지가갈근탕증) 맥은 반대로 침하고 지(遲)하다. 이것은 몸속의 진액이 모두 빠진 현상으로, 경련성 질병으로 이환되는 현상이다. 과루계지탕으로 주지하여 태양병증을 치료하고, 진액을 보충하여 경련을 없애준다.

> 과루근 감초4 계지 작약 생강 대조6

감기의 증상으로 발열하며 오한하고 신체통이 있으면 갈근탕이나 계지탕으로 처치를 해야 하나 근육이 뻣뻣해지고 당기는 듯한 증상이 발생하는 것은 몸의 진액이 빠져 경련성 질환으로 변해가는 현상이다. 본방은 음을 보충하면서 태양증을 치료하는 처방이다. 상한론의 처방 중에 항배강궤궤를 치료하는 것은 땀이 나지 않을 때는 갈근탕, 땀이 있는 경우는 계지가갈근탕으로 치료하는 방법이 있다. 땀이 나면서 오풍하는 것

은 병사가 표에 있는 것이며 태양병증이다. 근육이 뻣뻣해지고 당기는 듯한 증상은 흔하게 접할 수 있는 증상으로 운동을 무리하게 한 후나, 사우나 등으로 땀을 너무 흘린 뒤에 나타나는 근육의 경련 등이 여기에 속하는 것이다. 근육에 진액의 부족으로 연급이 온 것으로 음을 보충하여 근육을 풀어주면 된다. 쉽게 사용할 수 있는 처방이 쌍화탕이 있다. 태양병증이 있고 연급이 올 때 갈근탕이나 계지탕 등의 처방에 쌍화탕을 합하여 사용해도 된다.

계지탕거계가복령백출탕　　「古今名醫方論」「傷寒論」

服桂枝湯 或下之 仍頭項强痛 翕翕發熱 無汗 心下滿微痛 小便不利者 本方主之 小便利則癒

복계지탕 혹하지 잉두항강통 흡흡발열 무한 심하만미통 소변불리자 본방주지
소변리즉유

계지탕을 먹거나 하리를 시켰는데 아직 머리와 목덜미가 아프며 열이 나고 땀은 나지 않는다. 심하가 약간 답답하며 아프고 소변이 불리한 자에게 사용한다. 소변이 시원하게 나가면 치료가 된다.

작약 생강 대조 복령 백출6 감초4

본방은 방광의 기화작용과 폐의 숙강작용을 설명한 방제이다. 임상에서 자주 사용하는 방제는 아니지만 감기로 인한 수분의 대사가 어떻게 이루어지고 수분의 대사가 잘 일어나지 않으면 어떻게 되는가를 알아 볼 수 있는 표본을 제시한 방제로 생각이 든다. 수기가 중초에 뭉쳐져 있으면 소변으로 배출하는 것은 가능하나 발산으로는 불가능하다. 즉 위내 정수를 제거하는데 소청룡의 발산의 법과 오령산의 이수의 법은 같지 않다. 단지 방광에 기화되지 못하여 머물러 있는 물이 어떤 방법으로든 제거가 되기만 하면 태양표리지증(太陽表裏之症)이 모두 없어지게 된다. 방광을 살려 주는 것이 또 신장을 살려 주는 것과 같은 의미로 여기서 말하는 것은 병을 치료하는 방법 중 가장 좋은 것은 본을 구하는 것이다. 혈과 땀은 이름이 다를 뿐 동류이다. 방광의 진액은 기화 후에 배출이 가능하다. 땀은 혈이 변하여 생기고, 소변은 기화에 의해 생성된다. 땀을 내고도 풀리지 않고 소변도 잘 나오지 않는 사람에게 적용하면 된다.

삼호삼백탕 「古今名醫方論」

治汗下後 虛微小氣 發熱 口燥 去柴胡 名人蔘三白湯

치한하후 허미소기 발열 구조 거시호 명월인삼삼백탕

땀을 내고 설사시켜 숨이 차고 열이 나며 입이 마르는 증상에 사용한다. 시호를 빼면 인삼삼백탕이다.

> 인삼 시호 백출 백작 복령 생강 대조6

대병 후에 땀을 많이 흘리고 또는 설사나 음식을 제대로 먹지 못해 기혈정이 모두 부족한 것을 조리하는 약이다. 기혈정이 부족한 상태에서 허열이 나거나 기운이 없는 것을 진액을 채우고 허열을 내려주는 약이다. 기혈정이 부족한 것을 채우는 약으로 보기혈정탕도 있고, 육미 자감초 보중에 소양의 열이 있으면 소시호를 가하고, 갈증과 번열이 심하면 백호가인삼, 진액부족의 상태가 심하면 소건중을 가하여 사용한다. 발한과 설사로 표와 이가 모두 허해지면 당연히 3음을 구해야 하고, 표에 열이 다시 나는 것은 진액의 부족으로 나타나는 것은 허열로 태양 소양 양명의 책임이다.

소양은 활혈의 부족으로 울화의 현상으로 열이 발생하고, 양명은 위장의 진액부족으로 열이 발생하지만 태양의 발열은 감기로 인한 열인데, 여기서 다시 상한이나 상풍의 상태가 아니라면 태양은 빼는 것이 좋다. 3양은 소양이 중추인데, 소양의 대표적 방은 소시호탕이다. 3음은 소음이 중추인데, 그 대표적인 방은 진무탕, 부자탕이다.

그래서 소시호나 부자탕에 공통적으로 들어간 인삼을 필히 사용한다. 그러나 여기서 열이 나는 것은 소양의 혈이 허해서 나는 것으로 부득이 화를 식혀주는 약을 배합해야 하는데, 시호탕 중에 황금을 빼고, 입은 마르나 구역질이 없기 때문에 반하도 빼고, 숨이 가쁜데 반대로 감초를 뺀 것은 흉격의 열이 없어져 영양이 아래 소음으로 들어 가게하기 위함이다. 큰 병을 앓고 난 뒤에 조리하는 성약이다. 만약 표리가 서로 화합하지 못하여 기운이 없고 추워하면 시호를 빼고 계지를 사용한다. 입이 마르고 갈증이 있으며 심장이 두근거리고 번조하면 폐의 진액이 부족하여 영양의 산포가 부족된 것으로 맥문동과 오미자를 가하여 폐를 적셔주어 인삼이 진액을 생성하여 전신에 영양이 전달되면 갈증이 멎게 된다. 표에 열이 없으면 시호를 뺀다. 그러면 이름이 인삼삼백탕이 된다. 몸이 피로하고 권태롭고 허열이 발생할 때 무엇보다 주요한 것은 빨리 몸속의 진액을 채워 주는 것이다. 생약의 영양수액제라 할 수 있는 소건중탕을 먹는 것이 진액을 채우는데 따라올 것이 없다. 진액이 채워지면 허열도 사라진다. 그리고 다른 병증이 있을 때 수증에 의한 방제를 선택하면 된다.

마황가출탕　「傷寒論」

治濕家自煩疼 可與本方 發其汗爲宜 愼不可以火攻之
치습가자번동 가여본방 발기한위의 신불가이화공지

습이 많은 자가 몸이 괴로울 정도로 아플 때는 본방으로 습을 빼야한다. 뜨겁게 하여 땀을 내는 것은 신중해야 한다.

> 마황6 계지 감초4 행인6 백출8

계지가부자탕　「傷寒論」

主治傷寒八九日 風濕相搏 身體疼煩 不能轉側 不嘔不渴 脈浮虛而澁者
주치상한팔구일 풍습상박 신체동번 불능전측 불구불갈 맥부허이삽자

감기에 걸려 8~9일이 되어 풍과 습이 서로 다투어 신체가 아프고 불편하여 몸을 돌리지 못한다. 구역이나 갈증은 없고 맥이 부허한 것에 사용한다.

> 계지8 부자2 감초4 생강 대조6

한사와 습을 동시에 제거하려면 땀을 조금 내면 풀리게 된다. 습이 많은 사람의 병은 온몸이 모두 아프면서 열이 나고, 몸의 색이 불에 그을린 것처럼 검은 듯 누른빛이 난다. 습이 표에 정체되어 있는데 열로 인해 피부색이 변한 것이다. 마황가출탕은 뚱뚱한 자의 표를 발산하는 처방이다. 몸이 아픈 것은 습이 정체됐기 때문이고, 몸이 번조한 것은 이열 때문이다. 마황탕 중에 백출을 가한 것은 습을 제거하는 것을 돕고 너무 과다한 발산이 되는 것을 막아주고 습과 한사를 동시에 발산하는 것으로, 이 방이 습을 치료하는 방법이다. 발산제 중에 백출을 가하는 것은 습을 제거하여 피부의 불결한 색을 깨끗하게 하는 것이다. 류마티즘 관절염의 초기나 급성신장염에 사용한다. 원래 몸에 습이 많은 사람이 감기에 걸리게 되면 풍과 습이 서로 부닥치게 되어 병이 발생한다. 습이 관절에 유입되면 몸이 많이 아프고 무겁게 된다. 그러나 두통과 구역과 갈증의 소양병이나 양명병은 없다. 양이 허하면 습이 움직이지 않는데, 경을 따뜻하게 하여 양을 도와 습을 흩어 버리게 한다. 계지가부자탕은 관절이 붓고 아픈 것은 풍한습의 정체로 나타나는데 행비, 통비, 착비의 삼비이며 풍한습을 잡는 방제가 계지가영

출부탕이다. 갈근탕에 진무탕을 합하여 사용해도 같은 효과가 난다.

시호계지탕 「傷寒論」

傷寒六七日 發熱 微惡寒 肢節煩疼 微嘔 心下支結

此太陽 少陽病倂也 柴胡桂枝湯主之

상한육칠일 발열 미오한 지절번동 미구 심하지결

차태양 소양병병야 시호계지탕주지

감기가 6~7일 경과되어 열이나고 약간 오한하며 관절이 쑤시고 아프다. 약간 울렁거리고 심하지결이 있는 사람에게 사용한다. 본방은 태양과 소양의 합병증상이다.

> 시호 반하8 황금 인삼 생강 작약 계지 대조6 감초4

소시호탕과 계지탕을 양을 줄여 합쳐놓은 처방으로 계지증과 시호증이 합쳐진 즉 태양병과 소양병이 함께 나타나는 증상에 사용한다. 두 양병이 합쳐지면 태양병증인 발열과 오한과 신체통이 나타나면서 소양병증인 입이 쓰고 열이 올랐다 내렸다하고 목도 아프고 속이 울렁거리는 증상이 나타난다.

가장 흔히 만나는 증상은 팔다리가 아프고 입이 쓴 것이다. 땀을 낸 후에 정신을 잃고 헛소리를 하는 경우도 있는데, 양명병의 위가실로 나타나는 것이 아니므로 변비와 복만은 없는 허증의 섬어이다. 이 증상은 발한으로 원기가 모두 소비가 되어 허열로 인해 뇌신경을 자극하여 나타나는 것으로 시호계지 또는 소시호로 흉부의 열을 끄고 상하로 진액이 잘 통하게 되면 영위가 화합되고 열도 식어 치료가 된다. 태양병과 소양병이 합병된 증상에 갈근탕과 소시호탕을 합방하여 사용해도 좋다. 소시호탕과 계지탕은 모두 표와 이를 조리하게 하는 조화지제(調和之劑)이다. 계지탕은 해표를 위주로 하고 약하게 청리하는 작용이 겸해있고, 소시호탕은 이를 조리하는 작용이 주이며 약하게 표를 발산하는 작용이 겸해있다. 계지탕은 본디 태양병의 표사를 설명하고 있지만 모든 경락의 표증을 조리하는데도 역시 사용가능하다. 소시호탕은 소양병의 반표반이를 치료하기 위해 만들어졌지만 역시 삼양의 반표증을 조리하는데도 사용가능하다. 감기 몸살로 인하여 열이 나며 전신이 아프고 땀도 나면서 콧물, 인후통, 기침 등 온갖 감기의 증상을 다 가지고 찾아오는 사람이 있다. 방을 선택하기가 쉽지 않은 상태는 삼양의 합병으로 보고 양병의 대표적 방제를 하나씩 선택하여 합방하면 된다. 몸살이 심한 경우 태양병은 갈근탕, 소양병은 소시호탕, 양명병은 백호탕으로 하고, 기침이 심한 경우는 백호탕 대신 마행감석탕으로 바꾼다. 그리고 태양과 양명이 합쳐져 나타나는 현상은 설사인데 고열이 나면서 설사가 나는 상테로 갈근탕을 적용하면 된다.

감기몸살 통치방

> 강활 방풍 창출 숙지황 천궁6g 백지 계지 작약4 황금 감초 마황2 구기자 하수오1

17) 감기의 임상

– 몸살(발열 신체통 인후통 오한) : 소시호탕 + 갈근탕 + 해열진통제

– 몸살과 콧물 코막힘 : 소시호 + 갈근 + 콧물약, 또는 소시호 + 소청룡 + 해열진통제

– 독감(아주 심한 감기)

　통증이 심하면 : 소시호탕 + 갈근탕 + 백호가인삼 + 진통제

　기침이 심하면 : 소시호 + 갈근 + 마행감석 + 진해제

– 열이 나면서 목이 아프다 : 소시호 + 은교산 + 해열진통제

– 기침 나고 열나며 목이 아프다 : 소시호 + 소청룡 + 해열진통제

4. 선발과 숙강

폐주통조수도(肺主通調水道)하므로 폐는 물길을 조절하는 기관이다. 폐에서 수분의 조절에 이상이 오는 경우는 대부분이 외인이며 섭수(涉水), 즉 물속에서 일을 하거나 비를 맞거나 풍 한 서 습에 감촉되어 얼굴이나 상체가 붓게 된다. 열이 있고 갈증이 있으며 소변과 대변이 순조롭지 못하게 된다. 상초가 붓는 것을 양수부종이라 한다. 음수부종은 대부분 과음이나 과로 방로 등으로 신과 비의 작용이 나빠져 발생하며 하초부터 허리, 배, 다리가 붓고, 몸이 냉하며 대변은 순조로운 것이다. 인체 물의 대사는 비 폐 신 3장의 작용으로 이루어지며, 비위의 기능이 이상에 있으면 습이 발생하고 습이 망행하면 부종이나 설사 대하가 발생한다. 폐의 통조수도작용의 작용이 불충분해서 숙강이 일어나지 않으면 얼굴의 부종이나 삼출성 중이염 비염 등이 발생한다. 그리고 신장은 폐와 비위의 기능을 조절한다. 신주수(腎主水)이므로 수의 의미는 인체 체액의 총칭이다. 진액(津液) 혈(血) 땀 정(精) 침(唾) 등 모든 수액을 말 한다. 몸의 일부에 수분이 정체하는 것이나 하주하는 것, 편재하는 것은 모두 비, 폐, 신의 작용이 어긋나서 발생한다.

수분혈(水分穴)에 장애가 생기면 복수가 발생하고, 대장에서 수분의 대사에 이상이 오

면 설사가 발생하며, 방광의 이상으로 물의 배출에 이상이 오면 소변을 참지 못하거나 하초부종이 발생한다. 물의 대사이상은 수분의 편재와 같은 의미이다. 수분의 편재는 오령산을 사용하며, 편재된 부위에 따라 인경하는 약을 함께 사용한다.

오령산 「古今名醫方論」

治脈浮 小便不利 熱微 消渴者 發汗已 脈浮數 煩渴者 中風發熱 六七日不解 而煩 有表裏症 渴欲飲水 水入則吐者

치맥부 소변불리 열미 소갈자 발한이 맥부수 번갈자 중풍발열 육칠일불해이번 유표리증 갈욕음수 수입칙토자

복령 저령 백출6 택사10 계지4

몸의 내부든 외부든 수분의 편재가 있다고 판단이 되는 경우에 사용하는 방제이다. 수분의 편재란 골고루 분포되어 있어야 할 수분이 어느 한곳에 쏠려 있는 경우를 말하며 본방을 사용하여 편재된 수분을 잘 산포하여 다시 진액으로 이용하게 하는 것이다. 상한론에 기재된 오령산의 조문은 이렇다. 맥이 부하고 태양병의 증상이 있는데 소변이 불리하고 속에 잠재한 열로 인해 갈증이 있는 자는 오령산으로 주지한다. 곽란 즉 토하고 설사하며 두통 발열 신체통의 감기증상도 있으면서 열이 많아 물을 마시려 하는 자, 마른 사람이 배꼽아래가 뛰는 것을 느끼고 거품을 토하며 어지러워 정신을 잃어버리는 것은 물로 인한 병이다. 오령산으로 주지한다. 태양병으로 땀을 내어 표증을 풀었는데 땀을 과다하게 흘려 위중의 진액이 말라 번조하여 잠을 자지 못하고 물을 마시려 하는 사람이 맥이 부하고 소변이 잘 나오지 않고 속의 열로 갈증이 생기면 오령산으로 주지한다. 상한으로 땀을 낸 후에 갈증이 있으면 본방으로 주지한다. 열이 나면서 설사를 하고 갈증이 있어 물을 마시면 먹자마자 토하는 것은 수역증이라 하며 오령산으로 주지한다. 한쪽으로는 편재된 물에 물길을 열어 물을 산포하는 작용과, 다른 쪽으로는 방광의 기화를 도와 수분의 정체를 막아주어 태양병이 신장을 침범하여 발생한 수분의 대사이상을 치료하는 것이다. 증이 맥부삭하며 번조하고 갈증이 있으면 백호증을 생각할 수 있으나, 맥증이 부하고 빠른 것은 표증를 나타내는 것이므로 양명의 이증은 아님을 알 수 있다. 태양의 증상이니 오령산으로 주지한다. 오령산은 수분이 어느 한곳에 정체되어 나타나는 것을 치료하는데 흔히 접할 수 있는 것은 열이 나며서 토하는 경우와, 어지럽다고 하는 사람에게 시호제

와 합방하여 사용하는 것, 입술포진이나 대상포진 등에 황기건중과 오약순기를 합하여 응용하는 경우, 설사에 평위산과 합하여 사용하는 것, 부종에 응용하는 것이 대부분이다.

저령탕 「傷寒論」

治陽明病 脈浮 發熱 渴欲飮水 小陰病 下利六七日 咳而口渴 心煩不得眠者

치양명병 맥부 발열 갈욕음수 소음병 하리육칠일 해이구갈 심번부득면자

> 저령 복령 택사 활석 아교6

소변의 이상배출을 치료하는 약으로 소변이 뿌옇게 나온다든지 붉게 나오는 경우에 사용한다. 배뇨 시 통증이 있는 경우도 있다. 신장의 여과기능의 이상이 왔을 때 사용하면 효과가 좋다. 만성적인 혈뇨나 단백뇨 같은 경우는 신허를 필히 같이 잡아야 한다. 소변이 이상하게 나오는 하얗다 뿌옇다 발갛다 잘 안 나온다 등의 증상이 있을 때 사용한다.

가미인삼패독산 「韓方秘錄」

治陽水浮腫 多外因 涉水 冒雨 感風寒暑濕 其症先腫上體 肩背 手臂 熱渴而
二便閉結也

치양수부종 다외인 섭수 모우 감풍한서습 기증선종상체 견배 수비 열갈이이변폐결야

양수부종을 치료하는데, 물속을 걷거나 비를 맞거나 풍한 서습에 노출되어 발생한다. 얼굴이 먼저 붓고 어깨와 등, 팔둑으로 내려 오며 붓는다. 열이 나고 갈증이 있으며 대소변이 잘 나오지 않는다.

> 강활 독활 시호 전호 지각 길경 천궁 복령 인삼 감초4 생강3 가마황 방풍 황금 치자4

보중치습탕

通治水病 補中行濕

통치수병 보중행습

수병을 통치하는데 비위를 보하여 습을 제거하는 것이다.(신장염)

> 인삼 백출4 창출 진피 적복령 맥문 목통 당귀2.8 황금2 후박 승마1.2

가감위령탕

通治浮腫

통치부종(신장염)

> 창출6 진피 택사 백출 적복령 모과4 후박 저령 신곡 병랑3.2 산사 사인2.8
> 향부자 대복피2.4 구감초1.2 생강3 등심1단

방기복령탕　「傷寒論」

皮水病 四肢浮腫 水氣在皮膚中 四肢聶聶動者

피수병 사지부종 수기재피부중 사지섭섭동자

표에만 수독이 있어 동요성수독(피부가 파르르 떨리는 증상)을 일으키는 증상을 치료한다.

> 방기 황기 계지6 복령12 감초4

마황감초탕　「傷寒論」

腰上浮腫 又治 氣促積久 不着遂成水腫 服此則效

요상부종 우치 기촉적구 불착수성수종 복차즉효

상초부종을 치료하며, 기침이 오래되어 폐위로 숙강 부족으로 부종이 된 것을 치료한다

> 마황12 감초8

따뜻하게 복용하고 이불을 덮고 땀을 낸다. 땀이 나지 않으면 다시 복용하여 취한한다.

월비탕, 월비가출탕　「傷寒論」

腰上浮腫 咳喘

治風水惡風 一身悉腫 脈浮不渴 續自汗出 無大熱者

又治裏水 一身面目黃腫 其脈沈 小便不利 故令病水

假如小便自利 此亡津液 故令渴也 越婢加朮湯主之

요상부종 해천

341

치풍수오풍 일신실종 맥부불갈 속자한출 무대열자

우치이수 일신면목황종 기맥침 소변불리 고령병수

가여소변자리 차망진액 고령갈야 월비가출탕주지

> 마황12 석고16 생강6 감초4 대조8 加창출8

외사에 노출되어 나타나는 증상 중에서 숙강부족으로 오는 상초부위의 실증의 부종을 치료하는 방으로, 실증의 부종은 부운 부위를 손으로 눌렀다 놓을 때 바로 복귀가 되는 것이고, 허증의 부종은 누른 자국이 오랫동안 남아있는 것을 말한다.

숙강 부족으로 생긴 병을 가지고 있는 사람은 많은데 선뜻 치료를 맡겨주는 경우가 드물다. 감기만 걸리면 귀에서 진물이 나오는 중이염이 발생하는 사람이나, 코가 막혔는데 코가 목 뒤로 넘어간다는 사람, 자고나면 얼굴이 부었다고 하는 사람, 고열이 나면서 몸이 붓고 소변이 잘 안 나오는 급성 신장염도 모두 월비탕이나 월비가출탕의 목표증이다.

어느 부위로 숙강되지 못한 수음(水飮)이 나오느냐에 따라 적절하게 약을 배합하여 사용하면 빠른 약효를 기대할 수 있다.

1) 숙강부족의 임상

– 삼출성 중이염(통증이 없다) : 육미 + 월비탕 + 오령산(+ 소건중)

– 중이염이 염증성일 때(통증이 있다) : 월비탕 + 소시호 + 배탁

– 눈이 튀어나올 것 같은 심한 기침 : 월비탕 + 맥문동탕(+ 소청룡)

– 얼굴부종 : 월비탕 + 오령산

– 콧물이 넘어간다 : 월비탕 + 갈천신(또는 오령산)

5. 온역(瘟疫)

온역이라 하는 것은 유행병인데 겨울에 춥지 않고 더우면 반드시 봄에 온역이 유행하게 되며, 봄이 따뜻하지 않고 서늘하면 여름이 되어 조역이 유행하고, 여름이 덥지 않고 차면 가을에 반드시 한역(寒疫)이 유행하고, 가을에 서늘하지 않고 습하면 겨울에 습역이 유행하게 된다. 이처럼 때에 따른 기후에 순행하지 않고 어긋난 기후에 접촉이 되면 남녀노소가 병이 발생하는 것으로 이것을 시행온역 또는 천행온역이라 하는데 요즘 말하는 유행성 독감이나 장티푸스 콜레라 등과 같은 것이다. 봄에 온역이 발행하면 열이 나며 허리가 아

프고 다리가 오그라들고 종아리가 많이 아프며 눈으로 열이 나며 오한으로 떨다가 열이 나는 것으로 갈근해기탕을 쓴다. 여름에 발병하는 조역은 몸이 떨려 가누지 못하고 입이 마르고 혀가 갈라지며 인후폐색감이 생기며 목이 쉬는 것으로 조중탕을 쓴다. 가을에 발병하는 한역은 두중감과 목이 뻣뻣하고 피부와 근육이 결리고 감각이 없어지고 인후나 뒷목에 덩어리가 생기는 것이다 창출백호탕을 쓴다. 겨울에 발생하는 습역은 갑자기 열이 났다가 갑자기 추웠다 하며 기침과 가래와 구역이 발생하고 발열이 나며 반점이 생기고 심한 기침을 한다. 감길탕을 쓰며, 변비가 있으면 대시호탕, 왕래한열이 심하면 소시호탕, 발진이 되면 가미패독산을 쓴다.

갈근해기탕 「韓方秘錄」

春發溫疫 發熱而渴

춘발온역 발열이갈

봄에 발생하는 온역으로 열이 나고 갈증이 있다.

> 갈근12 마황 황금8 작약6 계지4 감초3.2 생강3 대조2

조중탕 「韓方秘錄」

夏發溫疫 口乾咽塞

하발온역 구건인색

여름에 발생하는 온역으로 입이 마르고 목구멍이 막힌다.

> 대황6 황금 작약 갈근 길경 적작약 고본 백출 감초4

창출백호탕 「韓方秘錄」

秋發寒疫–추발한역

가을에 발생하는 한역에 사용한다.

> 석고20 지모8 감초2.8 갱미18 창출4

감길탕　「韓方秘錄」

冬發濕疫　乍寒乍熱　咳嗽喉痺

동발습역　시한시열　해수후비

겨울에 발생하는 습역으로 추웠다가 갑자기 열이 나며 기침과 가래가 있고 목이 아프다.

> 길경14 감초6 수전 서서복

가미패독산　「韓方秘錄」

溫疫及發斑

온역급발반

온역이나 반진에 사용한다.

> 강활 독활 전호 시호 천궁 지각 길경 적복령 인삼 방풍 형개 창출 백출
> 적작 당귀 생지황3 박하 감초1.2 생강3 대조2

축온탕　「韓方秘錄」

溫疫如神

온역여신

모든 온역에 사용하며 효과가 좋다.

> 현삼20 대황 맥문 작약 활석 천화분12 석고8 시호 형개4

신해정전탕　「韓方秘錄」

時行運氣初　痛三四日　用二三貼　如神

시행운기초　통삼사일　용이삼첩　여신

유행성으로 오는 감기 초기에 사용하며 3~4일 아플 때 2~3첩이면 치료된다.

> 백지 천궁 강활5 반하 소엽 마황 계지4 창출 세신 황백3.2 생강3
> 음주 자는 加갈근4, 가래가 많으면 천화분8, 해수가 있으면 가상백피4 지모3.2

구미강활탕　「韓方秘錄」

四時溫疫　初痛一二日　服之如神　不問四時　但有頭痛　骨節痛　發熱　惡寒　無汗

사시온역 초통일이일 복지여신 불문사시 단유두통 골절통 발열 오한 무한

일 년 어느 때든 온역으로 하루이틀 되어 아플 때 먹으면 신효하다. 계절에 관계없이 두통, 골절통, 발열하나 땀이 없을 때 통용한다.

> 강활 방풍6 창출 턴궁 백지 황금 생지황5 세신 감초2 생강3 대조2 총백2

6. 해수천 「韓方秘錄」

비위생담지원 폐위저담지기(脾爲生痰之源 肺爲貯痰之器)라 하여 가래는 비위에서 생기고 기침은 폐를 통해서 나오는 것이니 위에서 생한 담음이 폐로 올라가면 가래가 호흡을 방해하여 기침을 유발하는 것이다. 기침(咳)은 폐기가 움직이면 소리가 나는 것이며, 가래(嗽)는 비의 습이 움직이면 나오는 객담으로 비와 폐가 같이 작용되면 해수(咳嗽)가 된다. 찬 곳에 오래 노출이 되거나 찬 음식을 먹거나 공기가 탁한 곳이나 심한 악취가 나는 곳에 있게 되면 폐가 위축되어 기침을 하게 되고, 위와 같은 상황에 놓이면 비위가 약해져 담음이 만들어져 가래도 함께 나오며 한사의 침범으로 몸도 아프게 되는 것이다. 가래가 없고 소리만 나는 것을 기침(해)이라 하고, 소리는 나지 않고 가래만 나오는 것을 수(嗽)라고 한다. 그래서 해수는 폐가 위축되고 비의 습이 동하여 발생한다. 해수의 종류는 66종류가 있다고 하지만 전부 알 수는 없다. 너무 종류가 많아 알고도 죽는 병이 해수병이라 한다. 오장육부의 해(咳)를 보면, 폐해(肺咳)라 하여 기침을 하며 숨이 차고 침에 피가 섞이는 것으로 마황탕을 쓰고, 심해(心咳)는 기침을 하면 가슴이 아프고 인후에 가래소리가 나고 심하면 목이 붓는 것이니 길경탕을 쓰고, 간해(肝咳)는 기침을 하면 양 가슴아래가 아프며 돌아눕지 못하는 것으로 소시호탕을 쓰고, 비해(脾咳)는 기침을 하면 우측 갈비뼈 아래가 아프고 어깨와 등이 당기며 심하면 움직이지 못하는 것으로 승마갈근탕을 쓰며, 신해(腎咳)는 기침을 하면 허리와 등이 당기고 심하면 기침을 해도 침이 나노는 것으로 마부신탕을 쓴다. 비해가 오래되면 위해(胃咳)로 변하는데 기침을 하면 구역질이 나는 것으로 오매환을 쓴다. 간해가 오래되면 담해(膽咳)로 변하여 기침을 하면 노란 쓴 물이 넘어오는데 황금탕을 쓴다. 폐해가 오래 경과하면 대장해(大腸咳_로 변하여 기침 시 대변을 지리게 되는데 적석지우여량탕을 쓰고, 심해가 오래되어 소장해(小腸咳)가 되면 기침을 하면 기운이 빠지게 되는 것으로 작약감초탕을 쓰며, 신해가 지속되어 방광해(膀胱咳)가 되면 기침을 하면 소변을 지리게 되는 것으로 복령감초탕을 쓰고, 기침을 오래 하면 삼초가 기침을 하는데 배가 부르고 음식을 먹지 못한다. 이공산을 쓴다. 다음으로 수(嗽)의 종류를 보면, 풍수(風嗽)

라 하여 감기에 걸려 춥고 열이 나며 땀이 나고 오풍하며 입이 마르고 답답하며 맑은 콧물이 나오며 말을 하면 기침을 하는 것으로 신출탕을 쓴다. 한수(寒嗽)는 찬 기운에 폐가 위축되어 기침을 하면 가슴이 뻐근하고 목이 쉬며 오한 무한 번조하나 불갈(不渴)한데 몸이 추워지면 기침과 가래가 나오는 것으로 화개산을 쓴다. 열수(熱嗽)는 더위와 열에 폐가 상하면 기침을 하며 입이 마르고 목이 쉬고 거품을 토하며 목이 잠기고 각혈을 할 때는 삼출조중탕이나 인삼청폐탕을 쓴다. 습수(濕嗽)는 몸이 무겁고 소변불리하고 땀이 나며 관절이 아프다 불환금정기산이나 백출탕을 쓴다. 울수(鬱嗽)는 화수(火咳)라 하기도 하며 마른 기침을 하며 가래가 없다. 신수가 고갈되어 폐조가 생겨 발생하는 것으로 청금강화탕을 쓴다. 노수(勞嗽)는 원기가 허해서 기침을 하는 것으로 도한이 있고 한열이 발생한다. 음이 허하여 화가 발생한 것은 사물탕에 이진탕을 합하고 지모 황백을 가하여 사용한다. 식수(食嗽)는 비위가 약하여 식적으로 가래가 생기는 것으로 가슴이 답답하고 트림이 나며 신물이 넘어온다. 이진탕에 산사 후박 맥아를 가하여 사용한다. 기수(氣嗽)는 칠정이 쌓여 폐가 약해져 발생하는 기침으로 가래가 목에 붙어 뱉어도 삼켜도 없어지지 않아 매핵기라 하는 것이다. 가미반하후박탕을 쓴다. 담수(痰嗽)는 가래만 시원하게 배출되면 멈추는 기침으로 가슴에 가래가 많아서 움직이기만 하면 가래소리가 나는 것으로 이진탕에 지모 작약 오미자 상백피를 넣는다. 한열왕래가 있으면 소시호탕을 함께 쓴다. 건수(乾嗽)는 가래는 없고 기침만 심하게 십여 차례 해야 가래가 조금 나오는 경우와 수십 번 기침을 해도 가래는 없는 경우도 있다. 경옥고를 쓴다. 혈수(血嗽)는 타박이나 외상으로 생기는 기침으로 목에서 비린내가 나거나 침에 피가 섞여 나오는 것이니 사물탕에 대황 목단피를 넣어 쓰거나 당귀음을 쓴다. 주수(酒嗽)는 찬 술을 마시거나 더운 술을 많이 마셔 위가 상하여 습담이 생겨 가래가 기침으로 변하는 것이므로 과루행련환을 쓴다. 구수(久嗽)는 가래가 폐에 쌓여 열로 인하여 진하게 변해 아교같이 끈적하게 변하여 폐의 기가 승강을 못한다 .윤폐제담음을 쓴다. 화수(火嗽)는 가래는 적으나 기침을 하면 얼굴이 붉어지고 갈증이 생겨 물을 많이 마시며 맥이 홍대한 것이다. 청금강화탕이나 이모영수탕을 쓴다. 야수(夜嗽)는 신수가 고갈이 되어 허화가 상승하여 폐조를 유발하여 주로 밤에 기침을 한다. 육미에 지모 황백 패모 천문동 귤홍을 넣어 사용하거나 마황창출탕을 쓴다.

천행해수(天行咳嗽)는 유행성 감기로 기침을 하는 것이다. 인삼음자나 삼소음을 쓴다. 천(喘)은 호흡이 급박한 것이며 효(哮)는 목에서 가래소리가 나는 것을 말한다. 숨이 가빠서 헐떡이는 것은 폐에 화울(火鬱)로 인해서 진한 가래가 목에 걸려 발생한다. 풍한의 사가 폐로 들어와 내울하면 폐위로 역상이 되어 천이 발생하며, 갑자기 찬 기운이 폐로 들어오면 기관지가 좁아져 숨이 가쁘게 되는 것으로 인삼윤폐산이나 인삼정천탕을 쓴다. 폐에 열이 차면 역상하여 기침을 심하게 하며 가래소리가 나고 흉부가 창만하고 숨이 가빠지는 것으로 담천(痰喘)이라 한다. 소엽반하탕을 쓴다. 기천(氣喘)이라는 것은 칠정에 상하면 기관지가 조해져 울결된 기가 상역하여 콧구멍을 확장하여 숨을 쉬며 호흡이 가쁘고 가래 끓는 소리는 나지 않는 자를 치료한다. 가미사칠탕이나 사마탕을 쓴다. 기침과 가래가 나오며 얼굴로 열이 오르며 숨이 차고 갈증이 있고 가슴이 답답한데, 평소에는 편안하다가 움직이면 숨이 가빠 괴로운 것을 화천(火喘)이라 하며 자신환에 백호탕을 합하고 과루인 지각 황금을 가하여 쓴다. 수천(水喘)은 물을 마시면 꾸룩꾸룩 소리가 나며 심장이 두근거리고 숨이 가쁘고 소변불리가 오며 누우면 숨이 더 가빠진다. 소청룡탕이나 신비탕을 쓴다. 위천(胃喘)은 위가 몹시 허하여 영양을 폐로 전달하지 못하여 폐가 약해져 숨이 가쁘고 어깨를 들먹이며 숨을 쉬는 것이다. 생맥산에 행인 진피 백출을 가하여 사용한다. 혈허하면 기가 머물 곳이 없어 제하부터 폐로 상역하여 숨이 가빠지는 것으로 음천(陰喘)이라 하며 사물탕 합 이진탕에 지각 황금 지모 황백을 넣어 사용한다. 숨이 차고 목에서 물닭(뜸북이) 우는 소리가 나며 찬바람을 쐬면 발생하는 것으로 효후(哮吼)라 하며, 삼소온폐탕을 쓴다. 기침을 하면 얼굴이 상기되고 눈이 빠질 것 같은 것을 폐창(肺脹)이라 하며 월비가반하탕을 쓴다. 열이 상초 폐에 있으면 폐위가 발생하여 기침을 하며 숨이 가빠지는데 땀이 나거나 구토, 갈증이 있으며 소변을 자주 보고, 변비에 사하는 약을 많이 먹어 폐에 진액이 고갈되어 발생하는 것으로 생강감초탕을 쓴다. 진해거담제를 오래도록 사용하여도 치료가 안 되는 것은 폐가 허해져 윤폐가 되지 않아서 발생하는 것인데, 폐허를 치유하려면 허즉보기모(虛則補其母)의 법칙으로 비위를 보해야 치료를 할 수 있다. 비위의 문제는 신의 명문화도 지나칠 수 없다. 오래된 기침과 천식의 기본 처방 구성은 육미와 보중익기와 폐의 증상을 치료하는 약으로 해야 할 것을 잊으면 안 된다.

1) 해수천의 방제

길경탕 「傷寒論」

咳而胸滿 咽乾不渴 時出濁水腥臭 久久吐膿如米粥 僞肺癰

해이흉만 인건불갈 시출탁수성취 구구토농여미죽 위폐옹

기침을 하고 가슴이 답답하며, 목이 마르지만 갈증은 없고 수시로 비린 냄새가 나는 탁한 물(가래)을 뱉는다. 이 증상이 오래되면 쌀죽 같은 멀건 가래를 토하는데 이것을 폐옹이라 한다.

> 길경3 감초6

소시호탕 「傷寒論」

耳聾 脇痛 寒熱往來 咽乾口苦 目眩

이롱 협통 한열왕래 인건구고 목현

기침을 하는데 귀가 먹먹하고 양 갈비뼈가 아프며, 열이 올랐다 내렸다하며 목이 마르고 입이 쓰며 어지러운 사람에게 소시호탕을 쓴다.

> 시호 반하12 황금8 인삼 대조 감초 생강6

승마갈근탕 「韓方秘錄」

發熱 頭痛 項强 口乾 眼充血 扁桃炎

발열 두통 항강 구건 안충혈 편도염

열이 나고 두통, 항강통, 입 마름, 안충혈, 편도염에 사용한다.

> 승마12 갈근 작약8 감초4

마부신탕 「傷寒論」

少陰病 反發熱 脈沈者

소음병 반발열 맥침자

소음병인데 열이 나고 맥이 침한 자를 치료한다.

> 마황 세신4 부자2

오매환 「傷寒論」

脈沈微 手足厥寒 其人躁 無暫安時者(躁-조급할 조, 暫-잠깐 잠)

맥침미 수족궐한 기인조 무잠안시자

맥이 침미하고 손발이 싸늘하며 마음이 안정되지 못하여 잠시도 안정을 찾지 못하는 사람에게 사용한다. 회충의 증후가 없어도 흉부에 자통이 있을 때 본방을 쓴다. 료(料)로도 쓴다.

348

오매30개 세신 부자 계지 인삼 황백6 황련16 당귀 촉조4 건강10

황금탕 「傷寒論」

황금 대조6 작약 감초4

적석지우여량탕 「傷寒論」

설사 멎는 약을 먹고도 멎지 않고 더 심해지는 것은 설사가 나는 원인이 하초에 있어서 오는 것이다.

적석지 우여량32

복령감초탕 「傷寒論」

傷寒 汗出不渴者

상한 한출불갈자

감기로 땀이 나며 갈증이 없는 것을 다스린다.

복령 계지4 감초2 생강6

이공산 「古今名醫方論」

脾胃虛弱 飮食不進 心胸痞滿

비위허약 음식부진 심흉비만

비위가 허약하여 음식을 잘 먹지 못하고 심흉이 답답하고 가득한 것을 고친다.

인삼 백출 복령 귤피 목향 감초4 생강3 대조2

신출탕 「傷寒論」

傷風 頭疼 鼻塞 聲重 咳嗽

상한 두동 비색 성중 해수

349

감기로 머리가 맑지 못하고 코가 막히며 목소리가 쉬고 가침 가래가 있는 것이다.

> 창출8 강활 천궁 백지 세신 감초4 생강3 총백2

화개산 「傷寒論」

肺感寒邪 咳嗽上氣 鼻塞聲重

폐감한사 해수상기 비색성중

폐에 찬 기운이 들어와 기침을 할 때 얼굴이 달아오르고 코가 막히고 목이 쉰 것을 치료한다.

> 마황8 적복령 소자 진피 상백피 행인4 감초2 생강3 대조2

삼출조중탕 「韓方秘錄」

熱咳 補氣 突喘 和胃進飮食 止嗽

열해 보기 돌천 화위진음식 지수

본 방은 열성 기침을 치료하는데 기를 보하여 갑자기 나는 기침과 위를 편안히 하여 음식을 먹게 하고 기침을 멈추게 한다.

> 상백피4 황기3.2 인삼 백출 복령 감초2.4 지골피 맥문동 진피1.6 오미자1.5

인삼청폐탕 「韓方秘錄」

勞嗽 久嗽及肺痿 唾血腥臭

노수 구수급폐위 타혈성취

노수로 오래된 기침이나 폐의 위축을 풀어주고 침에 혈이 섞여 비린내가 나는 것을 치료한다.

> 인삼 상백피 지골피 지모 아교 행인 길경 감초4 대조2

대영수탕 「韓方秘錄」

勞嗽神效

노수신효

350

허로로 기침을 하는데 효과가 좋다.

> 반하8 오미자 적복 상백피 자소엽 진피 지각 행인 아교4 세신 감초2 생강3 대조2 매실1개

불환금정기산 「韓方秘錄」

水土不伏 因飮食傷胃 頭身痛 寒熱往來

수토불복 인음식상위 두신통 한열왕래

음식으로 위가 상한 것, 즉 수토불복으로 머리와 몸이 아프고 열이 오르내리는 것을 치료한다.

> 창출8 후박 진피 곽향 반하4 생강3 대조2

백출탕 「韓方秘錄」

濕嗽 痰多 身體重着

습수 담다 신체중착

습수로 가래가 많고 습이 몸에 정체하여 붓는 것을 치료한다.

> 백출12 반하 귤홍 복령 오미자6 생강5

청금강화탕 「韓方秘錄」

熱嗽 能瀉肺 胃之火降則 痰消止咳

열수 능사폐 위지화강즉 담소지해

열수로 폐의 열을 내려주며, 위의 화가 내려가면 가래가 삭고 기침이 멈춘다.

> 진피 행인6 적복 반하 길경 패모 전호 과루인 황금 석고4 지각3.2 감초1.2 생강3

가미반하후박탕 「韓方秘錄」

氣嗽

기수

> 반하8 복령 후박5 복신 자소엽3.2 원지 감초2 창포2 생강7 대조2

경옥고　「古今名醫方論」

乾咳 精補髓 反老環童 白髮環黑 落齒更生 虛勞乾咳

건해 정보수 반노환동 백발환흑 낙치갱생 허로건해

마른기침을 치료하고 정을 보하여 골수가 많이 생기게 하며, 젊어지게 하고 빠진 이가 다시 나게 한다. 허로로 생긴 마른기침을 치료한다.

> 생지황4근 백복령13냥 백밀2근 인삼6냥

지황즙과 백밀을 같이 끓여 명주를 이용하여 여과시킨 뒤, 인삼과 복령의 세말을 같이 넣고 잘 섞은 다음 도자기에 넣고, 면지(棉紙)여러 층과 대나무 껍질을 같이 병 입구를 봉하여 모래를 넣은 냄비 내에 넣고 물을 병목까지 담구어 뽕나무와 시호로 3일 주야간을 달인 다음 꺼내 입구를 다시 바꾸어 봉한 다음 우물 속에 하루를 담근 뒤, 또 반나절을 달인다. 백탕에 조금씩 녹여 먹는다.

당귀음　「韓方秘錄」

打撲損肺氣 咳嗽 吐黑血

타박손폐기 해수 토흑혈

폐를 타박으로 상하여 기침과 가래가 있고 검은 피를 토하는 것을 치료한다.

> 대황 소목 생지황 당귀 적작약炒 等分 爲末 每12g 溫酒下

과루행련환　「韓方秘錄」

治酒痰嗽

치주담수

술을 많이 마셔 생긴 가래와 기침을 치료한다.

> 과루인 행인 황련 等分 爲末 薑汁煎 糊丸 자소엽煎湯下

윤폐제담음 「韓方秘錄」

遠年咳嗽 如神

원년해수 여신

오래된 해수에 효과가 좋다.

> 관동화 자완 마황 진피 석고 길경 반하 상백피 지각 오매 2.8 인삼 행인 박하감초2
> 오미자2

이모영수탕 「韓方秘錄」

傷飲食 胃火上炎 沖逼肺氣 痰嗽 久不愈 一服如神(沖-빌 충, 逼-위협할 핍)

상음식 위화상염 충핍폐기 담수 구불유 일복여신

음식에 상하여 위화가 상염하여 폐가 약해져 가래와 기침이 오래되도록 고쳐지지 않는 것을 본 방을 한 번만 먹어도 효과가 난다.

> 석고8 패모 지모6 치자 황금5 상백피 적복령 과루인 진피4 지실2.8
> 감초2 오미자10개 생강3

마황창출탕 「韓方秘錄」

夜嗽 口苦 胸痞 脇痛 痰唾涎沫 不進食

야수 구고 흉비 협통 담타연말 부진식

야간에 하는 기침으로 입이 쓰고 가슴이 답답하며 옆구리가 결리고 거품이 많은 침을 뱉고 음식을 못 먹는다.

> 마황16 창출10 황기3 초두구1.2 시호 강활1 방풍 당귀 감초0.8
> 구감초 황금0.6 오미자8립

인삼음자 「韓方秘錄」

天行咳嗽 痰盛寒熱

천행해수 담성한열

유행성 기침으로 가래가 많고 열이 오르내린다.

> 인삼 길경 오미자 적복 반하6 지각 감초2.8 생강5

삼소음 「古今名醫方論」

治感冒風寒 咳嗽吐痰 涕唾稠粘 胸膈滿悶 寒熱往來 或頭痛 惡寒 脈弱 無汗

치감모풍한 해수토담 체타조점 흉격만민 한열왕래 혹두통 오한 맥약 무한

> 인삼 소엽 건갈 전호 진피 지각 복령 반하各3.2 길경 목향 감초各2 생강5 대조3

본방은 외감과 내상으로 나타나는 발열과 두통, 그리고 해수에 사용하는 제제이다. 표사를 발산하고, 내상은 이진탕으로 비위를 조리하여 상역하는 가래를 치료한다. 풍한에 감촉되어 기침이 나오고 흉부에 열이 있고 가래가 많으며 발열과 두통 오심, 구토 등의 증상을 목표로 사용한다. 이 방의 해수는 기침소리가 크고 가래가 끈적하게 나오며 위내의 습이 상충하여 눈물과 침이 교대로 흐르는데, 오액(눈물, 콧물, 침, 땀, 가래)이 주관하는 장부가 힘이 약하여 한습(寒濕)이 흉협에 머물러 있고 비위가 약하다는 것을 알 수 있다. 본방에 인삼과 전호를 빼고, 천궁과 시호를 가하면 궁소산이 되는데, 두통과 발열 오한, 무한의 표증에 사용하는 방제가 된다. 이렇게 표를 발산하고 비위를 조절하여 감기로 인한 두통 발열 기침 가래 구역 등을 치료하는 방으로 소청룡탕과 합방하거나 마행감석탕과 합방하여 기침과 몸살을 잡고, 맥문동탕과 합하여 심한 가래를 조리하는 방으로 사용한다.

인삼윤폐산 「韓方秘錄」

感寒咳嗽 喘急 痰壅鼻塞

감한해수 천급 담옹비색

찬 기운으로 기침을 하고 숨이 차며 가래가 있고 코가 막힌다.

> 마황8 패모 행인6 인삼 감초8 길경 아교2 귤홍6 자소엽1

인삼정천탕 「韓方秘錄」

肺感風寒邪 喘急 亦治咳嗽

폐감풍한사 천급 역치해수

폐에 풍한이 침범하여 천식이 생긴 것과, 기침 가래를 치료한다.

> 오미자6 마황 인삼 반하 아교 감초4 상백피2 생강3

소엽반하탕　「韓方秘錄」

喘嗽 痰盛 寒熱往來

천수 담성 한열왕래

천식의 기침으로 가래가 많고 한열왕래 있다.

> 행인6 상백피8 반하 진피 자소엽 오미자 자완4 생강3

가미사칠탕　「韓方秘錄」

氣喘 因七情所傷 鬱結上氣 引息鼻張 呼吸急促 而無痰聲者

기천 인칠정소상 울결상기 인식비창 호흡급촉 이무담성자

칠정손상으로 울결된 기가 상역하여 콧구멍을 확장하여 숨을 쉬며 호흡이 가쁘고, 가래 끓는 소리는 나지 않는 자를 치료한다.

> 반하8 복령 후박5 복신 자소엽3.2 원지 감초2 창포2 생강7 대조2

사마탕　「韓方秘錄」

七情感傷 上氣喘急 妨悶不食 (妨 – 방해할 방)

칠정감상 상기천급 방민불식

칠정에 상하여 역상하면서 기침을 하고 고민으로 음식을 못 먹는 것이다. 인삼 빈랑 침향 오약 위 4가지 약재를 각각 진하게 갈아 그 액을 취하여 공복에 먹는다.

자신환　「古今名醫方論」

治肺痿聲嘶 喉痺 咳血 煩躁(嘶 – 흐느낄 시)

치폐위성시 후비 해혈 번조

> 황백酒炒 지모酒浸炒8 육계4 합 백호탕 加과루인 지각 황금

신음의 고갈로 인하여 폐를 적셔주지 못해 폐가 기능이 저하되고 건조해져 목이 쉬고

기침에 피가 섞여 나오고 상초의 허열로 번조한 것을, 신장을 견고하게 하여 신음을 저장하여 폐를 자윤하게 하는 방제이다.

수가 고갈이 되면 신이 마르고, 신이 마르면 하원에 신정을 모을 수 없고, 이로 인해 상초에 양이 성하여 폐가 말라 말소리가 나오지 않고 가래가 뭉쳐지고 번조증이 발생한다. 화가 강해지면 폐가 상하게 되고, 폐가 상한 즉 폐의 진액이 말라버린다. 폐가 건조해져 목소리가 쉬고 기침하면 피가 나오고 폐가 열로 인해 초췌해 지고 위축된 증상들이 생기게 된다. 이때 육미로서 신을 보해도 신정이 급히 만들어 질 수 없어 폐는 건조함을 면할 수가 없다.

폐위에는 자감초, 신허에는 육미, 허열에는 황련해독하면 폐조를 잡을 수 있고, 폐열이 있을 때 마행감석을 함께 사용하면 좋은 효과가 있다.

소청룡탕　「傷寒論」

治傷寒表不解 心下有水氣 乾嘔 發熱而咳 或渴 或利 或咽 或小便不利 小腹滿 或喘者 及雜病復脹 水腫症 用此發汗而利水

치상한표불해 심하유수기 건구 발열이해 혹갈 혹리 혹인
혹소변불리 소복만 혹천자 급잡병부창 수종증 용차발한이이수

계지 작약 감초 마황 세신 건강 오미자4 반하10

다빈도로 사용되는 처방 중에 하나로 기침이나 콧물, 몸살에 응용이 된다. 호흡기 증상인 기침 가래 천식 등의 증상에 수독의 증상인 콧물과 위내정수 등의 증상이 함께 나타나는 증상에 사용한다. 증상의 완화 및 일시적 진정제로 이용한다. 심하는 화(火-심장)의 위치이며, 그곳에 화와 수가 같이 존재하게 되어 물은 끓어올라 제자리에 잡아둘 수 없게 되며, 올라가야 할 수분이 반대로 내려가 버리니 갈증이나 하리가 생기고, 내려가야 할 수분이 올라가 목이 메여 호흡을 방해하여 숨이 차다. 그리고 수기가 장위(腸胃)에서 흡수되어 기화하거나 숙강으로 내려가야 하는데 오히려 머물게 되면 소변불리가 오고 복만이 생긴다.

대, 소청룡탕은 표증과 이증을 함께 치료하는 양해법으로 소청룡은 이한증이고, 대청룡은 이열증이며, 발표제는 동일하다. 이(裏)를 치료하는 약만 다르다. 오령산의 표불해 심하 유수기는 본방과 비슷한 증상이 오령은 축수되어 위부에서 움직이지 않는 것을 미발한하고 전신으로 잘 산포되게 하여 물을 빼내므로 해서 치료하고, 소청룡은 물

이 움직이며 머물지 않는 것을 신온제로 물을 흩어 버리고 산고미를 병용하여 치료하여 폐를 안정시킨다. 본탕의 증상은 폐한(肺寒)으로 오는 것이므로 나타나는 수독의 증상은 맑은 콧물, 맑은 가래가 나온다.

알레르기성 비염으로 재치기를 하고 맑은 콧물이 나오는 증상에 오령산이나 이중탕 등을 배합하여 급한 증상을 완화시킬 수 있다. 재치기는 호흡기의 증상이며 콧물은 수독의 증상이라 소청룡탕으로 처치가 가능하다. 노랗고 진한 콧물은 폐열(肺熱)증이므로 마행감석탕을 사용한다. 맥문동탕과 배합하여 기관지천식이나 기침에 응용을 하며, 몸살에 기침을 하는 경우는 삼소음과 배합하여 나타나는 증상을 같이 치료한다. 목이 아프면서 콧물과 기침 등의 증상이 있을 때는 소시호탕과 배합한다. 응용의 범위가 넓은 처방중의 하나이다.

신비탕 「韓方秘錄」

治上氣 喘急 不得臥 臥則喘者 水氣逆行 上昇于肺 肺得水而浮 氣不得流通

치상기 천급 부득와 와즉천자 수기역행 상승우폐 폐득수이부 기부득유통

얼굴로 열이 치밀고 숨이 차거 눕지를 못하는 것을 치료한다. 눕게 되면 숨이 더 차게 되는데 누우면 수기가 역행하여 폐로 올라가 폐에 물이 많아져 기를 유통하지 못하여 발생한다.

> 자소엽 귤홍 상백피8 인삼 적복 반하4 목향2 생강5

가미생맥산 「韓方秘錄」

胃虛極則氣上逆 撺肩 而不休 (撺-들 대)

위허극즉기상역 대견 이불휴

위가 많이 약해지면 기가 역상한다. 어깨를 덜먹이며 쉬지 못한다.

> 인삼 맥문동 오미자 加행인 진피 백출

삼소온폐탕 「韓方秘錄」

治喘渴煩 心胸滿 短氣

치천갈번 심흉만 단기

숨이 차고 갈증이 나고 번조하며, 가슴이 답답하여 숨이 가쁜 것을 치료한다.

> 인삼 자소엽 육계 목향 오미자 진피 반하 상백피 백출 복령4 감초2 생강3

필효음 「韓方秘錄」

哮吼神方

효후신방(효후 - 짐승이 어르렁 거리는 소리로, 목안에서 가래 끓는 소리가 심한 것)

> 마황 상백피 관동화12 소자8 행인 황금6 감초 반하4 은행炒21개

월비가반하탕 「傷寒論」

治咳而上氣 此爲肺脹 其人喘 目如脫狀 脈浮大者

치해이상기 차위폐창 기인천 목여탈상 맥부대자

기침을 하면서 상기가 되는 것은 폐창이라 한다. 기침을 하는데 눈이 빠질 듯 하고 맥이 부대한 자를 치료한다.

> 마황12 석고16 생강6 대조8 감초4 반하16

소청룡가석고탕 「傷寒論」

治肺脹 咳而上氣 煩燥而喘 脈浮者 心下有水

치폐창 해이상기 번조이천 맥부자 심하유수

기침하면서 기가 상충하고 숨이 차고 번조한 폐창을 치료한다. 심하에 수기가 있는 것이다.

> 마황 계지 세신 작약 감초 오미자 건강6 반하10 석고8

생강감초탕 「傷寒論」

肺痿 咳唾 涎沫不止 濁唾者 咽燥而渴

폐위 해타 연말부지 탁타자 인조이갈

폐위로 기침과 거품이 많은 침이 계속 나오는 것이다.

> 생강10 인삼6 감초8 대조6

맥문동탕 「傷寒論」

治火喘 大逆上氣 咽喉不利 止逆下氣者

치화천 대역상기 인후불리 지역하기자

> 맥문동15 반하10 인삼 감초4 대조6 갱미9

폐의 진액부족으로 인하여 위축이 되어 심하게 기침이 나는 것을 다스리는데, 폐의 위축이나 폐조를 일으키는 원인으로는 우선 한사의 침범으로 감기에 걸리는 것, 신허로 인한 것, 심장의 열, 과로, 위열, 모든 향기가 그 원인이다. 이 방은 폐가 조한 것을 비위를 살려 영양을 생성, 폐를 자윤시키는 것이다. 인삼 감초 갱미 대조가 비위를 살리고, 반하가 강역하고 맥문동이 폐에 영양을 공급하여 적셔준다. 폐의 병은 위기가 있으면 살아나며, 위기가 없으면 시든다. 위기는 폐를 살아나게 하는 모기(母氣)이다. 화역(火逆)하여 기가 위로 치밀면 인후가 건조한 느낌이나 간질거리는 느낌 등의 증상이 생긴다. 맥문 인삼 감초 대조 갱미로 중기를 보하고 진액이 생기게 하여 중초에 진액이 고여 폐로 상승하면 반하를 넣어 담음을 강역시키고, 위를 열어 진액이 움직이게 하여 윤폐를 돕는다. 대역상기라 하여 심한 기침과 심한 가래를 목표로 본방을 사용하는데 단독보다는 타약과 합방하여 사용하는 경우가 많다.마른 기침에는 자감초와, 심한 가래의 경우는 삼소음과, 딸꾹질에도 응용이 된다.

청조구폐탕 「古今名醫方論」

治諸氣憤郁 諸痿喘嘔

치제기분욱 제위천구

> 상엽6 석고5 감초4 인삼2.8 호마인炒研4 아교3.2 맥문5 행인2.8 비파엽2

폐조가 일어나는 것은 비위의 허로 영양의 상승이 부족하거나 간화, 신음의 부족, 심장의 열, 그리고 모든 향이다. 어떤 원인으로 기가 폐에서 울체되어 폐위가 발생한 상태를 조리하는 방법을 설명한 것으로 기가 분욱된 것을 생각해 보면 거의 폐에 속하고 그로 인해서 폐가 조해져 폐가 위축된 것이다. 가쁜 숨과 구역질은 폐가 위축되어 발생하며 이것도 역시 폐조에 속한다. 지금까지 폐위로 나타나는 구(嘔)의 증상을 양명인 위의 병으로 생각하였고, 천(喘)만 폐에 속하는 것으로 여겨 구를 중초 이하의 병으로 생각하여 폐조를 치료하는 방은 없다고 생각했다. 천이 폐에 속하지만 표를 하하는 것이 아니며, 행기하여 기를 사하는 것도 아니다.

위는 폐의 모인 것으로 위가 살아나 청기가 상승하여 폐를 적셔 주어 폐를 구하게 하는 방이다. 폐가 조해져 있는데 폐를 적셔줄 음은 비위를 살리거나 폐의 진액을 생성하게 하는 약을 사용하면 가능하니 갑자기 고한(苦寒)한 약으로 하기(下氣)를 하면 비위를 상하니 폐는 조해지고 그 기능이 더 약해질 수 있다. 기는 움직이면 울체가 되지 않는다. 행기하고 폐의 음을 채우면 폐의 위축으로 오는 천과 구도 자연스레 없어지게 된다. 기가 울체되어 화화(火化)가 되면 폐기가 반드시 허해진다. 폐열이 폐를 상하게 하는 결과다.

사백산 「古今名醫方論」

治肺氣熱盛 咳嗽而喘 面腫 身熱

치폐기열성 해수이천 면종 신열

폐에 열이 성하여 폐가 약해져 기침과 가래가 있고 얼굴이 붓고 몸에 열이 있다.

> 상백피 지골피 감초

사백산은 폐의 열을 내려주어 폐를 살아나게 하는 처방이다. 폐에 열이 있음으로 하여 폐의 숙강부족으로 상초에 수분이 정체하여 얼굴이 붓고, 폐가 조해져 폐위가 일어나 기침과 진한 가래, 숨참이 생기고, 이것을 다스리는 약이다. 폐가 위축하여 역상을 하는 것은 폐가 어떤 원인으로 상하여 힘든 상태다. 역상이 되는 것은 상초 폐에 열이 뭉쳐져 온 것이고, 기가 울체되면 역상하므로 가래가 나온다. 기가 울체되면 열로 변하여 위기가 돌지 못하고, 뭉쳐짐이 심해지면 폐의 위축과 숙강, 통조수도작용이 약해져 기침과 가래, 그리고 얼굴의 부종과 숨이 가쁜 증상이 생긴다. 사백이라는 말은 역상하는 기를 잘 다스려 몰아내어 폐를 살아나게 하는 것이며, 폐를 강하게 사하는 것이 아니다. 상한으로 열사가 폐를 상하게 하여 폐열의 상태가 오면 마행감석탕으로 처리하고, 열이 표로 나와 번조한 상태가 오면 백호탕으로 번을 제거한다. 이것은 표치이다. 내허 즉 음허로 화가 성해져 음이 부족하여 번조하면 생맥산으로 음을 더해준다. 이것은 치의 본이다. 만약 정기는 상하지 않았는데 화울(火鬱)이 심해져 폐위가 오면 사백산으로 폐를 맑게하여 중초를 조리해야 한다. 이것이 표본 겸치인데 보법 두 방으로는 치료할 수 없다.

인삼청폐탕 「古今名醫方論」

治肺胃虛寒 咳嗽喘急 坐臥不安 併治久年勞嗽 吐血腥臭

치폐위허한 해수천급 좌와불안 병치구년노수 토혈성취

> 인삼 아교 지골피 지모 오매 栗殼 자감초 행인 상피 棗子6

위가 약하여 습이 만들어지고 폐도 약하여 위축이 된 상태라면 역상으로 심한 기침을 하면서 가래도 많이 나온다. 폐에 수분이 정체가 된 상태로 눕거나 앉아 있어도 기침은 좀처럼 가라앉지 않는다. 체내는 비위가 약하여 진액부족이 발생하여 출혈이 생기고, 체력의 소모로 몸의 항상성이 떨어져 비위를 살릴 수 없고 폐도 약하여 선폐를 할 수 없어 기침과 가래가 오래 간다. 이것이 허로로 인한 기침과 가래의 증상이다.

인삼사폐탕 「古今名醫方論」

治肺經積熱上喘 胸膈脹滿 痰多 大便澁

치폐경적열상천 흉격창만 담다 대변삽

폐에 열이 뭉쳐 기침하고 역상하며 흉격이 부풀어 오르고 가래가 많으며 대변이 순조롭지 못하다.

> 인삼 황금 치자 지각 박하 감초 연교 행인 상피 대황 길경6

마행감석탕 「傷寒論」「古今名醫方論」

汗出而喘 無大熱者 溫熱內發 表裏俱熱 頭痛 身疼 不惡寒反惡熱 無汗而喘 大煩 大渴

脈陰陽俱浮者 用此發汗而淸火 若脈浮弱 沈緊 沈細 惡寒 惡風 汗出而不渴者 禁用

한출이천 무대열자 온열내발 표리구열 면통 신동 불오한반오열 무한이천 대번 대갈

맥음양구부자 용차발한이청화 약맥부약 침긴 침세 오한 오풍 한출이불갈자 금용

열이 내부에서 발생하여 표리가 모두 뜨겁고 두통과 신동, 오한은 없고 오열이 있고 자한은

361

없고, 복열로 끈적한 땀이 나고 기침을 하며, 기침할 때 땀이 나며 번조증과 갈증이 심한 자, 음양 맥이 모두 부한 자는 이 방을 사용하여 발한하여 열을 꺼버린다. 만약 맥이 부약하거나 침긴하거나 침세하며 오한과 오풍, 땀이 나며 갈증이 없는 자는 사용하지 못한다.

> 마황8 행인 감초4 석고16

본방은 마황탕에 계지를 빼고 석고를 마황의 두 배를 넣은 처방이다. 그래서 표에는 열이 없어 땀을 낼 필요가 없고 이열 즉 복열로 인한 폐열로 기침을 하는 자를 치료한다. 본방의 기침은 염증성 기침으로 진한 가래가 동반되며 냄새가 심하게 날 수 있다. 마황과 석고를 합하면 숙강작용이 일어나 폐의 물길을 열어 소변으로 수분이 잘 빠지게 하는 작용이 있으며, 마황과 행인 합쳐지면 진통작용과 진해작용이 있다. 마황 계지는 표를 강하게 발산하는 작용이 있는데, 본방에는 계지가 빠져 있으므로 본방의 증을 유추해보면 몸이 아프고 얼굴이 붓고 기침을 하며 진한 가래와 끈적한 땀이 배어 나오는 사람임을 알 수 있다. 그러나 실제 임상에서는 진한 가래와 기침을 목표증으로 사용한다. 몸이 뜨끈뜨끈하고 기침을 하면 땀이 빠져나오는 사람에게 적용한다. 마황과 행인으로 선폐하고 석고로 이열을 끄고 기침과 복열을 잡는 약으로, 독감으로 심한 몸살과 기침이 있을 때 갈근탕과 소시호탕에 본방을 합방하여 사용하며, 가래가 많은 기침을 할 때 삼소음이나 맥문동탕 등과도 합방이 가능하다.

목방기탕 「古今名醫方論」

膈間支飮 其人喘滿 心下痞堅 面色黑
격간지음 기인천만 심하비견 면색흑

> 목방기6 석고24 계지4 인삼8

위장 속에서 만들어진 수독이 위 장관 사이에 있어 꾸룩꾸룩 소리가 나는 것은 담음이라 하여 이진탕으로 주지하고, 물이 뭉쳐 딱딱하게 정체되어 있고 만지면 통증을 일으키는 것은 현음이라 하여 십조탕의 증인데, 팔미환으로 차료가 가능하다. 물이 땀으로 나가지 못하고 기육에 정체되어 몸이 무겁고 붓고 뻐근한 증상을 일으키는 것을 일음이라 하며 소청룡탕, 대청룡탕으로 치료하고, 지음이라 하여 기침이 나와서 눕지를 못하고 비스듬히 기대서 숨을 쉬는 것으로 폐에 물이 고여 호흡을 방해하여 일어나는 현상으로 본방의 설명이 바로 지음인 것이다. 지음이 흉격으로 상입(上入)하면 근처의 심장과 폐를 핍박하여 신장의 기능을 상실하게 만든다. 가슴이 답답하고 기침을 하며 심하가 결리고 딱딱하며 얼굴색이 아주 검고 맥이 침긴하며 병을 얻은 지 수십 일이 지나 의사가 토법이나 하법으로 처치해도 치유가 되지 않으면 목방기탕으로 주지하며, 병이 약하게 발생한 자는 바로 낫고 병이 심한 사람은 3일 후에 다시 재발한다. 다시 토하법으로 해도 낫지 않는 사람은 去석고 加망초 복령한다. 지음이 상입하여 기의 흐름을 막게 되면 그 역상하는 기가 폐 사이를 거슬러 올라 가슴이 답답해지며 기침을 하게 되고, 혈의 흐름을 막게 되면 혈과 지음이 서로 섞여 심하 부위에 막히고 딱딱한 것이 만들어진다.

원삼탕 「韓方秘錄」

治咳嗽 痰喘 如神

치해수 담천 여신

해수와 가래, 숨차는 증상에 효과가 좋다.

> 금은화32 당귀신8 현삼 감초 맥문4 작약3.6

가감패독산

咳嗽第一神方 世少知之者也

해수제일신방 세소지지자야

해수에 제일 좋은 처방이다. 세상에 이것을 아는 사람이 더물다.

> 길경5 천궁 복령 지각 전호 시호 박하 형개 방풍 연교4 인삼 강활2.8 감초 독활2 생강2

기침의 통치방

> 숙지황 당귀 백출 반하 복령6 마황 계지 맥문동4
> 건강 세신 행인 오미자 감초 패모 소자 천문동2 지각1

2) 해수천의 임상

– 기침 가래

소시호(또는 맥문동) + 소청룡 + 진해거담제

흉통이 있으면 시함탕 + 소청룡탕

기침과 콧물이 있으면 소청룡 + 이중탕

– 기침 가래 콧물 : 상동 + 콧물약

– 기침 가래 몸살 콧물 : 삼소음 + 소청룡 + 양약 감기약

– 야간기침이 심할 때 : 소시호 + 소청룡 + 청상보하환

– 진한 가래 기침 : 마행감석 + 소시호 + 진해제

– 기침하면서 목이 아프다 : 소청룡 + 소시호 + 프로폴리스제제

– 오래된 기침 : 맥문동 + 소청룡 + 청상보하환

– 검은 가래 : 육미 + 삼소음 + 소시호

– 가래가 심하다 : 맥문동 + 삼소음

– 목 아프고 가래(기침은 약간) : 소시호 + 삼소음

– 목이 쉬고 아프다 : 육미 + 소시호 + 배탁

– 천식 : 육미 + 보기 + 소청룡 + 맥문동탕 + 황기건중탕

7. 서병 「韓方秘錄」

여름에 상한이 되는 것은 더위를 피해 산 속이나 해변, 에어콘 아래서 오래 지내면서 생냉한 음식이나 얼음 등을 많이 먹고 감기에 걸리는 것이다. 머리가 아프고 몸이 쑤시며 오한과 복통 구토 설사를 하는 것인데 곽향정기산에 백출을 빼고 창출 강활을 가하여 사용한다. 임상응용은 육미 + 보기 + 황련해독을 사용한다.

1) 중서

중서라 하는 것은 외부는 몹시 더워서 더위를 피해 음지에 있다가 음한(陰寒)한 환경에 접촉되어 전신의 양기가 제대로 운행되지 못하여 머리가 아프고 땀이 나며 오한과 사지구급과 팔다리가 아프며 가슴이 답답하고 신열이 나는 것이다. 백호탕이나 육화탕에 강활 천궁 창출을 가하여 사용한다.

육화탕 「韓方秘錄」

治暑傷心脾 嘔吐 泄瀉 或癨亂 轉筋 及浮腫 瘧疾

치서상심비 구토 설사 혹곽란 전근 급부종 학질

더위로 심장과 비를 상하여 구토가 나고 설사를 한다. 혹 곽란으로 근육이 뒤틀리고 부종과

열이 오르내린다.

> 향유 후박6 복령 곽향 백편두 모과4 사인 반하 행인 인삼 감초2 생강3 대조2
> 加강활 천궁 창출2

백호탕　「傷寒論」

三陽合病 腹滿身重 難以轉側

삼양합병 복만신중 난이전측

삼양의 합병으로 배가 부르고 몸이 무겁고 돌리기가 어렵다.

> 석고32 지모12 감초4 갱미18

2) 중얼

삼복에 뜨거운 햇빛 아래서 운동이나 노동을 하여 땀을 과도하게 흘려 기운이 빠지고 뜨거운 열기가 폐를 상하여 머리가 아프고 조해지며 더운 것을 싫어하고 심하게 열이 나며 갈증이 생겨 물을 많이 먹게 된다. 백호가인삼탕이나 죽엽석고탕을 쓴다.

죽엽석고탕　「傷寒論」

傷寒解後 虛嬴少氣 氣逆欲吐

상한해후 허리소기 기역욕토

감기가 낫고 난 뒤 힘이 없고 마르고 숨이 차며 기역으로 토하려 하는 것을 치료한다.

> 죽엽 인삼 감초4 석고32 맥문동20 갱미14 반하10

백호가인삼탕　「傷寒論」

熱結在裏 表裏俱熱 時時惡風 大渴

열결재리 표리구열 시시오풍 대갈

열이 내부에 뭉쳐있어 겉과 속이 모두 열이 있다. 때때로 오풍하며 갈증이 심하게 나는 것을 치료한다.

> 석고32 지모12 감초4 갱미18 인삼6

3) 서풍

한여름에 찬바람을 쐬여 생기는 것으로 손을 꽉 쥐고 불성인사가 되는 것으로 급히 소합향원을 먹게한다.

소합향원 「韓方秘錄」

治一切氣病 中氣 上氣 氣鬱 氣痛

치일절기병 중기 상기 기울 기통

> 백출 목향 침향 사향 정향 안식향 백단향 서각 가자피 향부자 필발80 소합유 유향 용뇌40

4) 서독

서사(暑邪)가 장위로 들어가 배가 아프고 구토와 설사 곽란이 생기며 힘줄이 뒤틀리는 것이다. 육화탕이나 축비음을 쓴다.

축비음 「韓方秘錄」

治暑月内傷 生冷腹痛 吐瀉

치서월내상 생냉복통 토사

여름에 생냉한 것을 먹고 배탈이 나서 토하고 설사하는 것을 다스린다.

> 사인6 초과 오매 향유 감초4 백편두 갈근2.8 생강5

5) 주하병

늦은 봄이나 아른 여름에 머리가 아프고 다리에 힘이 없고 잘 먹지를 못하며 몸에 열이 나서 더운 것으로, 음이 허하고 기력이 부족하여 발생한다. 삼기익원탕을 쓴다.

삼기익원탕 「韓方秘錄」

治注夏病

치주하병

> 당귀 작약 숙지황 백복령 맥문동4 진피 지모 황백酒炒2.8 인삼2 감초1.2
> 오미자10립 대조1 갱미1撮

6) 서병의 임상

– 육미 + 보중 + 자감초 + 황련해독(+ 소건중)

가미익원탕 「韓方秘錄」

여름 혹서에 열독이 심과 폐에 잠입했다가 가을 환절기 때 뇌막으로 올라와 두통 현훈 각약(脚弱), 음불식(飮不食), 정신이 혼미하며 잠을 자려고 하며 심흉이 번조하고 경련을 일으키는 것으로 뇌염의 증상이다.

> 향유 백편두6 숙지황 당귀 작약4 맥문동 원지2.8 활석 감초2.4 시호 황금2
> 황련0.8 갱미1

갱미1 순갈을 넣고 물로 달여 청심원과 함께 복용한다.

생맥산 「古今名醫方論」

治熱傷元氣 氣短 捲怠 口乾 汗出

치열상원기 기단 권태 구건 한출

열이 원기를 소모시켜 숨이 차고 힘이 없고 입이 마르고 땀이 흐르는 것을 치료한다.

> 인삼 맥문동 오미자

폐의 위축이 오는 경우는 조하거나 뜨겁거나 찬 기운이 폐에 들어올 때 이며, 본방은 더위로 인한 열로 폐의 위축이 온 것으로 선폐하여 원기회복을 위한 처방이다. 폐는 연약한 장이다. 모든 맥이 폐로 모이고 폐를 통하여야 기운을 받을 수 있어 몸의 원기를 주제하는 장이다. 찬 기운에 노출이 되거나 찬 것을 많이 마시게 되면 폐가 위축이 된다. 그래서 상한으로 맥결대나 맥이 미하여 끊어질 것 같은 위기의 상태가 온다. 덥고 뜨거운 것으로 폐를 핍박해도 폐가 위축한다. 열로 폐가 위축되면 표를 수렴하지 못하여 땀이 저절로 나서 기운이 빠지게 하고 폐를 조하게 하여 폐위를 초래하므로, 청열하고 폐를 보하여 빨리 회복을 시켜야 한다. 맥문동은 폐를 적셔주어 열을 내리게 하고, 인삼은 후천영위인 비위를 보하여 청기를 상승하게 하고, 오미자는 선천의 본 즉 신을 수렴하여 폐가 기운을 찾게 한다. 이렇게 폐의 열을 끄고 비위를 살려 영양을 폐로 전달하고 신음을 보하여 폐를 적셔주면 삼기가 통하여 세 장부도 살아날 수 있다. 불이 상승하고 화가 내려가면 폐는 자연적 기운을 찾고 원기도 회복할 수 있게 된다. 더위로 땀을 많이 흘려 원기가 소모되고 폐도 열로 인하여 위축된 상황이라면 육미와 자감초 보중으로 허로를 치료하며, 청열을 위해 황련해독을 사용하는 것이 더 근원적 치료 방법이다. 그리고 더위를 이기고 폐를 건강하게 유지하기 위해 보기혈정탕에 황련해독탕을 합해도 좋고, 육미 쌍화 황련해독 자감초 보중도 좋다.

청서익기탕 「古今名醫方論」

長夏濕熱蒸炎 四脂困倦 精神減少 身熱 氣高 煩心 尿黃 渴而自汗 脈虛者 此方主之

장하습열증염 사지곤권 정신감소 신열 기고 번심 뇨황 갈이자한 맥허자 차방주지

한여름에 습열과 찌는 듯한 더위로 땀을 많이 흘리거나 폐가 상하여 사지가 힘이 없고 정신이 오락가락하면서 몸에 열이 나고, 숨이 가빠지고 가슴이 답답함과 소변이 노랗게 나오고 진액의 손실로 갈증과 영기의 부족으로 자한이 있고 맥이 허한 자는 이방으로 쓴다.

인삼 황기 감초 백출 창출6 신곡 청피 승마 건갈 맥문 오미자 당귀 황백 택사 진피4

폐는 약한 장부라 향이나 추위나 열에 쉽게 위축이 되어 힘을 쉽게 잃는다. 본방은 여름철 더위와 습기로 인하여 폐가 상하여 원기를 잃은 상태를 회복시켜 주는 처방이다. 보중익기탕에 청열과 습을 제거하는 약을 배합하여 만들어진 방이다. 여름이 되면 더위로 인하여 폐가 위축되고, 장마와 무더위가 계속되는 한여름에는 습과 더불어 폐를 침범하여 병이 온다. 본방은 더위 먹은 것과 습사를 함께 치료한다. 불 볕 더위로 인해 땀을 많이 흘려 표기를 조절할 힘이 쉽게 없어지고 여기에 습이 겸하여 침범하면 비위도 같이 상하게 된다. 더위를 이기고 쉽게 여름을 나게 하는 처방도 위의 처방도 좋고, 땀의 처방에 보중익기탕을 합하여 복용해도 좋다.

향유음 「古今名醫方論」

治署月乘凉飮冷 陽氣爲陰邪所閼 頭痛 發熱 惡寒 煩燥 口渴 腹痛 吐瀉者
(閼-막을 알)

치서월승량음냉 양기위음사소알 두통 발열 오한 번조 구갈 복통 토사자

여름철에 서늘한 곳에 오래있거나 찬 음식을 많이 먹어 양기가 음사에 막혀 두통과 발

열과 오한, 번조, 갈증, 복통, 토하고 설사하는 자를 치료한다.

> 향유 후박 백편두炒

달여 서늘하게 먹는다.

여름철에 찬 음식을 많이 먹어 위장이 약해지고 양기가 찬 기운에 눌려 두통이 오거나 열이 나고 배도 아프고 갈증, 토하고 설사하는 등의 증상을 치료한다. 음(飮)과 탕(湯) 의 구별은, 정해진 수에 따라 먹는 것은 탕이고, 때를 가리지 않고 수시로 먹는 것을 음 이라 한다. 수시로 물을 마시는 것은 갈증으로 인한 것을 말하는데 온서에 이용하면 최고로 적당한 방법이 되는 것이다. 그러나 비는 조를 싫어하고, 위는 습을 싫어하는 데 이것을 거스르면 하리를 한다. 심하에 수기가 있는 자는 발한하고, 복중에 수기가 있는 자는 소변을 잘 나가게 하면 된다.

노권으로 내상이 된 것에는 반드시 청서익기를 사용하고, 내에 열이 있어 갈증이 심한 자는 인삼백호탕을 쓰는데, 향유음은 표가 허한 것과 내열이 있는 것을 동시에 다스린 다. 향유음은 겨울철에 표를 발산하는 마황탕처럼 여름의 해표약으로 사용하는데 기 가 허한 자는 쓸 수가 없다.

8. 기(氣) 「韓方秘錄」

모든 생명체는 음식을 먹고 영양의 산포로 기운이 나고 삶을 영위한다. 기는 정신의 근 본이며 호흡의 뿌리다. 음식을 섭취하고 위에서 수곡정미가 흡수되어 폐로 전달되어 오장 육부가 기운을 얻는 것이다. 그 맑은 것을 영(榮)이라 하고 혈(血)로 변환되어 맥 중(中)으 로 흐르고, 탁한 것은 위(衛)라 하며 기운을 나타내는데, 심장의 박동에 의해 쉼 없이 순환 하며 영양분을 에너지로 변화하여 신진대사가 일어나게 하는 것이다.

인체는 모든 기능이 기 위주로 생명을 이어가는데 기가 성하면 몸의 모든 기능이 강하 고, 기가 허하면 쇠약해지고, 기가 순행하면 모든 기능이 화평하며, 기가 역행하면 병이 발 생하는 것이며, 기가 끊어지면 죽는 것이다. 칠정은 희 노 사 우 비 경 공을 말하며, 희(喜) 는 심을 상하게 하고, 노(怒)는 간, 사(思)는 비, 우(憂)는 폐, 비(悲)는 심포락, 공(恐)은 신, 경(驚)은 담을 상하게 한다. 그리고 노(怒)하면 기상(氣上)하며, 공(恐)하면 기하(氣下)요, 희(喜)하면 기완(氣緩-느슨해지는 것)이요, 비(悲)에 상하면 기소(氣消-기가 빠짐)하며, 경 (驚)에 상하면 기가 어지럽고, 사(思)에 상하면 기가 뭉치며, 노(怒)하면 기가 줄어든다. 모 든 병증상은 기에서 오며 백병의 근원이다. 칠정으로 기결이 되면 담이 생기고 담이 성하면 기결이 더욱 심해져 심복이 꼬이는 듯이 아파진다. 이때는 칠기탕이나 향귤탕을 쓴다. 매핵은 기가 뭉쳐 목구멍에 걸린 듯하여 삼키도 뱉이도 나오지 않고 갑갑하고 불쾌한 증상이다. 사칠탕, 육미지황탕을 쓴다.

몹시 흥분하거나 기뻐하면 기가 역행이 되어 아관긴급이 되며, 타인과 싸움을 하게 되면 기의 역행으로 어지러워 쓰러지는데 이를 중기라 한다. 팔미순기산이나 목향순기산을 쓴다. 호흡이 가쁜 것 중 내 쉬는 숨은 많고 마시는 숨이 적어 숨이 찬 것을 상기라하며 소자강기탕, 비전강기탕을 쓴다. 칠정에 상하거나 음식의 소화가 되지 않아 쌓이면 답답하고 아픈 것으로 기울이라 하고 기가 울체하여 습이 정체하면 열이 발생하여 부종이나 창만증이 생긴다. 삼화탕을 쓴다. 단기는 호흡이 짧은 것으로 호흡은 빠르나 호와 흡이 서로 연결이 되지 않아 숨이 찬 것 같으나 어깨는 움직이지 않고 신음을 하는 것처럼 보이며 통증도 없다. 영계출감탕이나 신기환을 쓴다.

칠기탕　「韓方秘錄」

七情氣鬱 心腹絞痛

칠정기울 심복교통

칠정에 상하여 기가 울체하여 배가 꼬이듯 아픈 것에 사용한다.

> 반하12 인삼 육계 감초2.8 생강3

향귤탕　「韓方秘錄」

七情所傷 中元 腹脅脹滿

칠정소상 중원 복협창만

속을 썩여 뱃속에 기가 몰려 배가 불러지고 옆구리가 부풀는 증상에 사용한다.

> 향부자炒 반하 귤피6 감초 건강2

사칠탕　「韓方秘錄」

七氣凝結 梅核氣 六味地黃湯亦妙

칠기응결 매핵기 육미지황탕역묘

기가 인후에 뭉쳐 답답할 때 사용하며, 육미지황탕도 효과가 있다.

> 반하12 복령6 후박5 소엽3.2 생강7 대조2

팔미순기산 「韓方秘錄」

> 인삼 백출 복령 청피 백지 진피 오약3 감초1.2

목향순기산 「韓方秘錄」

> 오약 청피 향부자 진피 반하 후박 지각4 목향 사인2 계지 건강 감초1.2 생강3

소자강기탕 「韓方秘錄」

上氣喘促 呼多吸少

상기천촉 호다흡소

기가 상충하여 숨이 찬데, 마시는 숨이 약하고 내쉬는 숨만 세게 쉬는 것에 사용한다.

> 반하 소자 육계 진피3 당귀 전호 후박 감초2 생강3 대조2 소엽1

비전강기탕 「韓方秘錄」

上氣及 氣不昇降 頭目昏眩 腰脚無力

상기급 기불승강 두목현훈 요각무력

기가 상충하던지 기가 오르내리지 못하여 머리가 어지럽고 다리에 힘이 없는 증상에 쓴다.

> 상백피4 진피 지각 시호 감초2 지골피 오가피 골쇄보 가자피 초과 길경 반하1.2 생강3

삼화탕 「韓方秘錄」

諸氣鬱滯 或脹痛

제기울체 혹창통

기의 유통이 되지 않거나, 기울로 창통이 발생하는 것에 쓴다.

> 천궁4 침향 자소엽 대복피 강활 모과2 목향 백출 빈랑 진피 감초1.2

영계출감탕　「傷寒論」

胸有痰　短氣

흉유담　단기

흉중에 담이 있어 숨이 찬 증상에 쓴다.

> 복령8 계지 백출4 감초2

- 기체의 임상
- 인후이물감 : 소시호(맥문) + 자감초(+ 육미)
- 목쉼 : 소시호 + 반하후박 + 육미
- 딸꾹질 : 자감초 + 오령(+ 대시호)

9. 습증(濕症)　「韓方秘錄」

습(濕)이라 하면 수기(水氣)이며, 장마나 철이나 습기가 많은 곳에서 장기간 일을 하거나 기거를 하면 수기가 몸에 침범을 하여 증상이 나타난다. 안개와 이슬의 장독(瘴毒-습하고 더운 곳에서 생기는 독 기운)이 몸속으로 침범하여 병이 나면 가슴이 답답하고 추웠다 더웠다하며 음식을 먹을 수 없다.

습사가 경락에 침범하면 저녁 해질 무렵에 열이 나고 코가 막히며, 관절에 습이 정체하면 전신이 쑤시고 아프며, 장부에 습이 머무르면 설사가 나고 소변이 불리하며 헛배가 부르고 전신이 노랗게 변한다. 평위산, 신출산, 승마창출탕을 쓴다. 중초에 습기가 침범하면 배가 딴딴하고 사지가 나른하며 관절통이 있고 몸이 무겁게 느껴지는 데, 풍사(風邪)가 합쳐지면 어지럽고 구역질과 딸꾹질을 하며, 한사(寒邪)가 합쳐지면 사지가 당기고 오그라들며 통증이 발생한다. 이를 중습(中濕)이라 하는데 승습탕, 제습탕을 쓴다. 풍습(風濕)은 풍과 습이 상박하여 전신이 아프며 관절마다 아파 굴신을 못하는데, 땀을 내면 풍은 없어지나 습은 남아서 병이 낫지 않는다. 마행의감탕, 백출부자탕, 강부탕, 제습강활탕을 쓴다.

한습(寒濕)은 한과 습이 교대로 병을 일으켜 소변이 맑고 갈증은 없으며 몸이 냉하고 아픈 것이다. 가제제습탕을 쓴다. 습열(濕熱)이 발생하면 소변이 붉고 갈증이 나며 사지구급하고 힘이 없게된다. 대근(大筋)에 열사가 침입하면 수축하여 짧아지고 소근(小筋)에 습이 침범하면 이완하여 길어진다.

근이 짧아지면 굽혔다가 펴지를 못하며, 근이 이완되면 무력하여 움직이지를 못한다. 가미이묘환을 쓴다. 습온(濕溫)은 무더위에 비를 맞거나 샤워를 하여 서습(暑濕)이 울체하면 사지의 감각이 이상해지며 반신불수가 되는 경우가 있다. 이 증상은 습과 더위에 상하여 양쪽 종아리가 차고 가슴과 배가 가득하고 땀이 많이 나며 두통과 망언(妄言-사리에 맞지 않는 말)을 하게 된다. 증상이 태양증 같아도 땀을 내면 말을 못하며 귀가 들리지 않고 아픈 곳을 알지 못하는 상태가 되는 것이므로 이것을 중갈(中暍)이라 하며 백호탕을 쓴다.(暍 – 더위먹을 갈) 주습(酒濕)은 중풍과 유사하여 구안와사가 되고 반신불수가 되어 말을 못하는데, 땀을 내지 말고 습독을 없애야 한다. 창귤탕을 쓴다.

신출산 「韓方秘錄」

창출12 천궁 백지 세신 고본 강활 감초4 생강3 총백2

승마창출탕 「韓方秘錄」

창출6 반하4 후박 진피 지실 길경 천궁 목통 승마 시호2.8 황련 황금 목향 감초2 생강5

와습승습탕 「韓方秘錄」

백출12 인삼 건강 작약 부자 계지 백출 감초3 생강3 대조2

제습탕 「韓方秘錄」

창출 후박 반하6 곽향 진피3 감초2 생강7 대조2

마행의감탕 「傷寒論」

病者一身盡疼 發熱日晡所劇者 名風濕 此病傷於汗出當風 或久傷取冷所置也

병자일신진동 발열일포소극자 명풍습 차병상어한출당풍 혹구상취냉소치야

온 몸이 모두 아프고 해질 무렵에 발열이 극심해지는데 이를 풍습이라 한다. 이 병은 땀이 나는데 바람을 쐬어 발생하거나 오랫동안 찬 곳에 머물러 발생한다.

마황8 행인4 의이인12 감초6

백출부자탕 「傷寒論」

風濕相搏 身體疼煩 不能自轉側 不嘔不渴 小便自利 大便硬

풍습상박 신체동번 불능자전측 불구불갈 소변자리 대변경

풍과 습이 상박하여 몸이 아프고 번조하여 혼자 돌아눕지 못한다. 구역질과 갈증은 없고 소변은 잘 나오나 대변이 굳어진다.

백출8 부자2 생강 대조6 감초4

강부탕 「韓方秘錄」

風濕相搏 肢體攣痛 浮腫

풍습상박 지체련통 부종

풍습이 상박하여 팔다리가 당기고 아프며 붓는 것이다.

강활 부자 백출 감초6 생강3

제습강활탕 「韓方秘錄」

風濕相搏 一身盡痛

풍습상박 일신진통

창출 고본8 강활6 방풍 승마 시호4

가제제습탕 「韓方秘錄」

傷濕 身重腰痛 四肢冷 嘔逆溏泄

상습 신중요통 사지냉 구역당설

374

습사에 상하여 몸이 무겁고 아프며 사지가 냉하고 구역질과 설사가 있다.

> 적복령 건강8 창출 백출 감초4 귤홍 계지 후박2 생강3 대조2

가미이묘환 「韓方秘錄」

治濕熱

치습열

> 창출泔浸80 황백酒浸40 우슬 당귀尾酒洗 비해 방기 구판酷炙20

위말 주면환 염탕하 100丸

창귤탕 「韓方秘錄」

治酒濕 酒濕能作痺症 口眼外斜 半身不遂

渾似中風 舌强語澁 不可以風治之 當瀉濕毒(渾-흐릴 혼)

치주습 주습능작비증 구안외사 반신불수

혼사중풍 설강어삽 불가이풍치야 당사습독

주습증을 치료하는데, 주습은 비증(마비)을 만든다. 입이 비뚤어지고 반신불수가 온다. 중풍과 비슷하여 혀가 굳어 말이 어눌하다. 이것은 풍을 치료하면 안 된다. 반드시 습독을 내보내야 하는 것이다.

> 창출8 진피6 적작약 적복령4 황백 위령선 강활 감초2

방기황기탕 「傷寒論」

風濕 身重痛 自汗 從腰以上爲和 腰以下 當腫及陰

풍습 신중통 자한 종요이상위화 요이하 당종급음

풍습으로 몸이 무겁고 아픈데 저절로 땀이 난다. 허리이상은 이상이 없고 그 이하는 반드시 붓는데 음부까지 붓는다.

> 방기8 황기9 백출6 생강 대조6 감초4

1) 습증의 임상

　- 상체부종 : 월비가출 + 오령

　- 하체부종 : 팔미 + 오령 + 향사평위

　- 전신부종 : 팔미 + 월비 + 향사평위 + 오령

　- 다이어트 : 上同

10. 피부(皮膚)　「韓方秘錄」

　피부는 인체의 양(陽)으로 몸의 외층이다. 피부는 폐의 합이며 피모를 주관하고 진액이 배출되는 곳이다. 땀이 나오는 구멍을 주(腠)라고 살결이 합쳐지는 살 조각을 리(理)라 한다. 주리는 폐와 연결되어 경락과 통해있다. 풍사나 한사가 피부에 접촉되면 주리를 통해 내부로 전입하게 된다. 처음에는 락맥(絡脈)으로 들어왔다가 경맥(經脈)으로 옮겨 가고 결국에는 위장으로 전이되어 감기에 걸리게 되는 것이다. 피부는 폐와 같아 금(金)에 속해있고 뜨거운 곳이나 불 옆에 가까이 있어 피부가 열을 받으면 초기의 미열에는 가려워지며, 열이 더 심해지면 통증이 발생하고, 심한 열이 지속되면 헐게 되어 화상이나 창(瘡)이 발생한다. 화극금의 현상이다. 피부병은 피부에 나타나는 열증이다. 울화나 스트레스로 인하여 혈의 흐름에 방해가 일어나면 혈허가 나타나며 신허로 인하여 정의 생성이 부족하여 혈의 생성 역시 부족을 초래하고, 비위의 허로 인해서 섭혈(攝血)의 작용이 약하고 진액의 부족을 초래하여 피부의 자윤이 부족한 상태로 나타난다. 억울과 신허와 비위허와 진액의 부족은 혈허생풍(血虛生風)의 현상을 일으켜 혈고(血枯)나 피기설혈(皮起屑血)의 상태가 된다. 위의 열이 피부로 빠지는 열월현상으로 알려지나 식중독의 현상도 일어난다. 피부병의 발생원인은 이 기전으로 생기는 것이다.

1) 조증(燥症)

　폐가 조한 것으로 폐가 열을 받으면 조해진다. 인체의 상초가 조하면 목이 마르고 콧속이 건조해지고, 외부의 피부가 조해지면 피부에 주름이 생기며 가려워진다. 하초가 진액이 말라 조해지면 대변과 소변이 잘 나오지 않으며, 이부(裏部)가 조해지면 정(精)과 혈(血)이 마르는 것이다. 주로 생혈윤부음을 사용한다. 조증을 치료하는 방법은 보혈을 시켜야 하는데, 사물탕에 천궁을 빼고 생맥산을 합하여 천문동과 천화분 지모 황백 홍화 감초를 가하여 사용한다. 조증은 피부가 갈라터지고 조갑이 건조해지고 피부가 가려워 긁으면 흰 가루가 일어나고 피가 나도록 긁고 이것을 반복하면 매우 통증이 심하다.

376

2) 반진(斑疹)

피부에 발생하는 반진(斑疹)은 색이 붉고 지도모양을 띄는 것인데, 위(胃)의 열이 심하면 피부로 빠져나와 발생한다. 양독발반과 온독발반, 시독발반이 있는데 이름은 다르나 모두 열로 인해서 발생하는 것으로 심화가 폐로 전입되어 발생하는 것으로 서각현삼탕을 쓴다. 작고 붉은 색의 과립이 돋는 것을 진(疹)이라 하고, 과립이 생기지 않고 붉은 무늬만 있는 것을 반(斑)이라 한다.

3) 은진(癮疹)

피부 속에서 약간 융기되어 붉게 나타나며 매우 가렵다. 은진은 비장(脾臟)에 속해있고 풍열습(風熱濕)으로 발생하는데 식중독이라 하는 것이다. 청기산을 쓴다.

4) 마목(痲木)

위기(衛氣)가 순행하지 못하면 발생이 되는데, 이 증상은 통증이나 가렵거나 하는 감각을 모르는 것으로 무릎을 꿇고 앉아 있다가 일어나면 다리에 감각이 없어지는 것과 같다. 마(痲)는 기(氣)가 허(虛)한 것으로 가미보중익기탕을 쓰고, 목(木)은 습담(濕痰)과 어혈(瘀血)로 생기며, 가미이사탕을 쓴다.

5) 백박(白駁)

요즘 말하는 백반증으로 피부색이 변해서 흰 점이 생기는 것으로 가렵거나 헐거나 자각증상이 별로 없다. 발생원인은 피부에 기혈(氣血)이 불화(不和)하고 풍사(風邪)가 침범하여 발생한다. 가미하수오산을 쓴다.

6) 건선(乾癬)

정(精)과 혈(血)이 고갈되면 피부가 윤기가 없고 건조한 것으로 건선(마른버짐)이다. 심과 폐가 허하면 발생하는 것으로 색택증이라 하고 사군자탕이나 팔물탕, 생혈윤조탕을 쓰며, 혈조나 아토피피부염에도 사용한다.

7) 건풍(乾風)=노인성 건피증

폐가 허한데 풍사에 감촉되면 폐는 수(水)를 생(生)할 수 없어 신정이 고갈되어 활혈을 할 수 없어 피부는 건조하게 되고, 비위도 신의 기운을 받지 못하여 허해지면 영양의 생성이 부족하여 담음이 발생한 가운데 풍사(風邪)가 피부로 침입하여 열이 습을 발생시키면 몸은 아프지 않으나 흑색반점이 생기며 수족심에 열이 나며 전신이 가려워지는 증상인데 주로 노인에게 나타나는 노인성 건피증이다. 수목양생탕을 쓴다. 약국에서 주로 사용되는 처방은 육미 당귀음자 황련해독 마행의감이며, 열월에는 인진호탕을 사용하고, 급성의 알러지에는 십미패독을 사용한다.

생혈윤부음 「韓方秘錄」

治燥症

치조증

> 천문동6 생지황 숙지황 맥문동 당귀 황기4 황금 과루인 도인2 승마0.8 홍화0.4 오미자0.3

서각현삼탕 「韓方秘錄」

治發斑

치발반

> 서각4 승마8 황금6 향부자 현삼4 인삼2 감초1.2

청기산 「韓方秘錄」

治癮疹 或白 或赤 瘙痒

치은진 흑백 흑적 소양

> 형개 방풍 강활 독활 시호 전호 천궁 지각 길경 복령4 감초2 생강2 加천마 선퇴 박하4

가미보중익기탕 「韓方秘錄」

身麻是氣虛也

신마시기허야

> 보중익기탕 加목향 오약 향부자 청피 방풍 천궁4 계지2

가미이사탕　「韓方秘錄」

治麻木

치마목

> 이진탕슴사물탕 加도인 홍화 백개자 죽력 강즙

가감하수오산　「韓方秘錄」

治紫白癜風(白駁) 此症雖無害 而最難愈

치자백전풍(백박) 차증수무해 이최난유

자백전풍(백박)을 치료하는데 이 증상은 몸에는 아무런 해가 없지만 고치기는 매우 어렵다.

> 형개 위령선 만형자 희첨 하수오 방풍 감초40 창이자40 방풍8 황기120

위말 작환하여 매일 새벽 12g을 복용한다. 이렇게 치료하면 반드시 낫는 신방이다.

생혈윤조탕　「韓方秘錄」

治索澤症

치색택증

> 황기밀구60 당귀40 숯기황 작약 현삼 복령 맥문동20 산수유 천궁10 감초 천화분6

수목양생탕　「韓方秘錄」

兩脅脹滿 皮膚如蟲之咬 乾嘔而不吐酸 此肝氣之燥也

肝有餘則肝潤 肝燥則氣鬱 必下克脾之 土不能生肺也

傷於中則 脹滿吐生 傷於外則 皮毛燥也

양협창만 피부여충지교 건구이불토산 차간기지조야

간유여즉간윤 간조즉기울 필하극비지 토불능생폐야

상어중즉 창만토생 상어외즉 피모조야

양옆구리가 창만하고 피부는 벌레가 무는 듯 따끔거리고 구역질을 하지만 토하지는 않는다. 이 증상은 간기가 조한 현상이다. 즉 간혈의 부족이다. 간에 혈이 충만하면 간은 윤(潤-젖을 윤)하며, 간이 조하면 기가 울체한다. 간울하면 반드시 비위를 조절하지 못하여 비위

379

는 폐를 생(生)할 수 없게 된다. 비위가 상하면 창만과 구토가 발생하고, 폐가 기운이 약하면 피모(皮毛)가 건조해진다.

> 숙지황 작약40 복령 백출 우슬 현삼12 감국 구기자8 시호 진피4 신곡2 감초1.2

2제를 먹으면 간은 혈을 만들고, 4제를 먹으면 간의 조가 풀린다.

삼귀탕 「韓方秘錄」

遍身發癢 以錐刺之 癢甚必流血

편신발양 이침자지 양심필유혈

전신이 침으로 찌르는 듯한 가려움증이 발생하고, 가려움이 심해져 긁게 되면 피가 난다.

> 인삼40 당귀120 형개12

물로 달여 3제를 먹으면 반드시 효과가 난다.

소풍산 「韓方秘錄」

皮膚瘙痒 如蟲行 抓破見血 或熱疹 成顆成片

피부소양 여충행 조파견혈 혹열진 성과성편

피부 속에서 벌레가 움직이듯 가렵고 긁으면 피가 나온다. 열진으로 피부가 돋고 가루가 떨어진다.

> 형개 방풍 당귀 생지황 고삼 창출초 선퇴 호마자 우방자초 석고 지모4 감초 목통2

거풍지황환 「韓方秘錄」

治風熱燥血 手掌燥癢 枯裂作痛

치풍열조혈 수장조양 고열작통

풍열이 혈을 조하게 하여 손바닥이 건조하고 가렵고 마르고 갈라져 통증이 있는 것으로 주부습진의 증상이다.

> 생지황 숙지황160 백질여 우슬酒洗120 지모 황백 구기자80 토사자酒洗 독활40

연세말 밀환 오자대 每12g 황주(黃酒) 송하(送下)

8) 피부의 임상

– 아토피피부염 : 소시호 + 황기건중 + 황련해독 + 인진호 + 육미

– 발적과 가려움 : 인진호 + 황련해독 + 항히스타민제

– 만성 음식 알러지 : 향평 + 인진호 + 황기건중 + 황련해독

– 위열형 아토피 : 향평 + 인진호 + 황련해독 + 시호제 + 육미

– 혈조형 아토피 : 육미 + 당귀음자 + 황련해독 + 황기건중

– 외인성 접촉성 알러지 : 심미패독 + 황련해독

– 주부습진 : 향평 + 황련해독 + 백호가인삼

– 대상포진 : 황기건중 + 오약순기 + 오령산

– 수족구, 곤충자상(벌레 물려 가려울 때) : 갈근탕3g

– 손바닥 수포(보통 손바닥 무좀이라는 것) : 백호가인삼

11. 코(鼻)

코는 폐의 구멍이며 호흡을 하면서 정기가 통하는 것이며, 신기(神氣)가 출입하는 문이다. 코가 화(和)하면 향기와 냄새를 맡을 수 있다. 냄새를 맡지 못하면 여택통기탕을 쓴다. 폐가 차면 맑은 콧물이 나오는데 천초탕을 쓴다.

1) 비연

담이 열을 뇌로 보내면 탁한 콧물이 나오는데 비연이라 하며, 축농증은 비연증이 오래되어 생기며 코에서 누런 코가 농(고름)처럼 흐르고 냄새가 나며 머리가 아파진다. 발생원인은 술을 많이 마시거나 스트레스나 과로 등으로 간에 열이 있는 상태에서 찬 기운에 노출되어 담으로 전입하고, 담은 이것에 저항을 할 수 없어 담열(膽熱)이 머리로 상입(上入)되어 열독이 코로 통해서 나오는 것이다. 형개연교탕이나 취연탕을 쓴다.

2) 비색(鼻塞)

이 증상과 비슷한 것이 있는데 코가 막혀 코로 숨을 못 쉬고, 걸쭉하고 누런 콧물이 흐르며 수년이 지나도 낫지 않는 것은 폐경에 열이 울체되어 발생한다. 비연과 비슷하지만 비연은 아니다. 이때는 가미소요산으로 치료한다.

3) 비치(鼻痔)

그리고 폐에 열이 많으면 콧속이 헐게 된다. 이를 비치(鼻痔)라 하며 방풍통성산을 쓴다. 콧속에서 풍사와 정기가 상박하면 코가 막히고, 담화가 폐로 치밀면 은은하게 아프다. 통기구풍탕을 쓴다. 코끝이 검붉은 것을 주사비라 하는데 혈열이 폐로 들어가거나, 술을 많이 먹는 사람에게 많다. 술을 먹지 않은 사람도 나타나는데 이를 폐풍창이라 한다. 주사비에는 청혈사물탕을 쓰고, 폐풍창에는 승마탕을 쓴다.

여택통기탕 「韓方秘錄」

鼻不聞香臭 此肺經有風熱也

비불문향취 차폐경유풍열야

향기와 냄새를 맡지 못하는 것은 폐경에 풍열이 있어 생긴다.

> 황기4 창출 강활 독활 방풍 승마 갈근2.8 감초 마황 천초 백지2 생강3 대조2 총백2

통규탕 「韓方秘錄」

感風寒 鼻塞流涕 不聞香臭

감풍한 비색류체 불문향취

감기로 코가 막히고 맑은 콧물이 흐르고 냄새를 맡지 못한다.

> 방풍 강활 고본 승마 갈근 천궁 창출4 백지2 마황 천초 세신 감초1.2 생강3 총백2

천초산 「韓方秘錄」

治鼻䶧 肺寒則 出清涕也

치비구 폐한즉 출청체야

폐가 차면 맑은 물이 흐르며 코가 막힌다.

> 천초炒 가자 건강 생지황 육계 천궁 세신 백출 等分

每8g 溫酒下

형개연교탕 「韓方秘錄」

治鼻淵 膽移熱於腦 濁涕不止

치비연 담이열어뇌 탁체부지

담의 열이 뇌로 가면 노란 콧물이 멈추지 않고 흐른다. 비연(축농증)이라 한다.

> 형개 시호 천궁 당귀 생지황 적작약 백지 방풍 박하 치자 길경 황금 연교2 감초1.2

취연탕 「韓方秘錄」

治蓄膿症

치축농증

> 당귀12 현삼40 치자炒12 신이8 시호 패모4

3제를 먹으면 치료된다.

가미소요산 「韓方秘錄」

鼻塞不通 濁涕粘稠 已經數年

비색불통 탁체점조 이경수년

코가 막혀 뚫리지 않고 탁하고 끈적한 콧물이 몇 년이나 흘러도 고쳐지지 않는 것이다.

> 당귀 작약 길경12 시호 백출 복령8 감초 황금 백지 반하4 진피2

8제를 먹으면 전부 치료된다.

통기구풍탕 「韓方秘錄」

鼻痛 風邪與正氣相搏 鼻道不通 故爲痛也

비통 풍사여정기상박 비도불통 고위통야

콧속이 아픈 것은 풍사와 정기가 콧속에서 서로 다투어 생기며, 코가 막히고 아프게 된다.

> 오약6 천궁 백지 길경 진피 백출 감초4 마황 지각 인삼2 생강3 대조2 效妙
> 或用 이진탕 加편금 길경 맥문4

청혈사물탕 「韓方秘錄」

治酒齄鼻

치주사비

천궁 당귀 적작약 생지황 황금酒炒 홍화 적복 진피4 감초2 생강3 수전 오령지말4g

식후복

승마탕 「韓方秘錄」

治肺風瘡

치폐풍창

진피 감초4 창출 갈근 길경 승마2.8 적작약 대황2 반하 적복령 백지 당귀1.2
지각 건강0.8 생강3 등심2

황금창포탕 「韓方秘錄」

鼻出臭氣

비출취기(코에서 냄새가 나는 것)

황금 석창포 생지황 원지 고본 황련 적작약3.2 감초1.2

4) 코 질환의 임상

-심한 기침 콧물

　소청룡 + 맥문동

-맑은 콧물이 심하게 나온다

　월비탕 + 오령산

-콧물이 심하고 기침

　소청룡 + 오령산

-콧물이 넘어간다

　월비탕 + 갈천신

-코가 찍찍하고 막힘

384

갈천신 + 배탁

-코막힘

　갈천신 + 백호가인삼

-축농증(코 막힘과 누런 콧물)

　갈천신 + 배탁, 소시호 + 배탁 + 육미 + 보기정

-코딱지가 많이 생긴다

　백호가인삼

-콧물과 기침

　소청룡 + 맥문동

-누런 코와 맑은 콧물이 번갈아 나옴

　소청룡 + 마행감석

-코 막히고 콧물

　소청룡 + 갈천신

-코를 심하게 곤다

　팔미 + 보기 + 소건중 + 소시호

-비염

　팔미 + 보기로 기본을 잡고 나타나는 증을 같이 잡아준다.

　2~3일 투여하는 것은 양약을 같이 주는 것도 좋다.

12. 위증(痿症) 「韓方秘錄」

　양쪽 다리에 힘이 없어 잘 일어나지 못하는 증상으로 위화(胃火)가 폐를 열하게 하여 발생한다. 생진기위탕, 청위생수단을 쓴다. 과립제로 사용할 때는 팔미와 백호인삼을 합하여 사용한다.

생진기위탕　「韓方秘錄」

胃火熏蒸於肺 遂至痿弱 不能起立 欲嗽不能 欲咳不敢 乃至咳嗽 又連聲不止 肺中大痛

위화훈증어폐 수지위약 불능기립 욕수불능 욕해불감 내지해수 우연성부지 폐중대통

위화가 폐를 훈작하면 다리에 힘이 없어지며 일어서기가 힘들고 기침 가래를 뱉으려 해도 할 수 없고 목소리가 연이어서 나오지 않고 폐가 아프게 된다.

> 맥문동 현삼 숙지황40 감국 금은화20 천문동12 감초8 천화분 패모4

달여 4제를 연속하여 먹는다. 그러면 기침과 가래가 줄고, 다시4제를 먹으면 기침 가래가 멈추며, 다시 10제를 먹으면 위증이 풀린다.

청위생수단 「韓方秘錄」

胃火上衝於心 心中煩悶 怔忡驚悸 久則成痿 兩足無力 不能動履 此胃火之盛
위화상충어심 심중번민 정충경계 구칙성위 양족무력 불능동리 차위화지성

위열이 상충하여 심장에 들어가면 가슴이 답답하고 번조하며 심장이 뛰고 잘 놀라며 오래 지속되면 위증이 발생한다. 양 다리에 힘이 없어 걷지 못하는데 위화가 심하여 생긴다.

> 숙지황80 현삼40 맥문동 감국 사삼20 오미자8

10제를 먹으면 걸을 수 있고, 20제를 먹으면 정충경계가 제거되며, 다시 10제를 먹으면 답답함과 번조, 위증이 없어진다. 다시 10제를 먹으면 전부 치료된다. 총 50제를 먹는데 환자가 따를지 의문이다.

13. 연주창, 갑상선염 「韓方秘錄」

회포억울(懷抱抑鬱) 기혈쇠(氣血衰) 이사지경항(而四肢頸項) 각처발종(各處發腫) 급연주결핵(及連珠結核)이라 하여 억울한 일이나 속이 상하면 간에 울체가 되어 기와 혈이 약해지는데, 기혈이 소모되어 약해지는 것은 저장과 소비의 문제다.

1) 연주창=연주결핵

저장은 신의 문제이고, 소모는 폐의 문제이며, 회포 억울은 간의 문제이다. 신장과 폐의 부조화로 간이 영향을 받는다. 간은 피를 저장하고, 활동 시 내보내는 작용을 한다. 이 작용이 일어나기 위해서는 신의 작용이 필수적인데, 신의 기능이 약하므로 장혈과 소설의 작용도 약해진다. 그래서 울화가 발생하고 울화로 인해 갑상선에 염증, 결핵, 종양이 발생한다. 목 양쪽에 구슬을 꿴 것 같은 결절이 생기는 것을 연주결핵이라 하며, 익기양영탕을 쓴다. 처음에는 작은 것이 점차로 커져 결국에는 터지게 된다. 이 상태는 연주창이며, 화담탕을 쓴다.

2) 갑상선염

목에 발생하는 원인은 경부는 간담의 경락이기 때문이다. 갑상선은 기능항진증과 기능저하증이 있는데, 과로나 많은 스트레스 속이 상하거나 신체의 기능이상으로 내분비의 분비불균형으로 갑상선의 호르몬이 정상치 보다 많이 분비되는 것을 갑상선 기능항진증이라 한다. 항진증은 신체의 대사가 과도하다는 것으로 소모가 저장보다 더 많다는 것을 의미한다. 저장이 부족하므로 음의 허가 생겨 음허로 인한 증상이 나타난다. 영양의 부족으로 신체에 이를 보충하기 위해 심의 박동이 빨라져 숨이 차고, 심열이 발생하여 불안이나 초조한 상태가 되며, 음허열로 얼굴이 붉어지고 땀이 분비가 많아진다. 신에서 간으로 정을 공급하는 작용이 약하여 간은 근육을 제대로 자양하지 못하게 되어 쥐가 잘 나거나 떨리며, 근육이 약해지고 체중의 감소가 일어난다. 신과 간의 허로 열이 신경을 교란하여 신경이 예민해지고 신경질이 잘 나며, 불면과 체압을 유지하는 힘이 부족하여 안구가 튀어나오며 목 앞쪽에 불룩하게 종이 생긴다. 갑상선기능항진증은 신허가 주된 원인이다. 갑상선기능저하증은 갑상선 호르몬의 합성에 이상이 있거나 갑상선 염증이나 요오드가 부족하여 나타나기도 한다. 선천적인 경우는 어릴 때부터 발병하며 정신적 육체적 기능장애를 일으킨다. 후천적인 것은 40대 이후의 부인에게 많으며 갑상선에 염증을 일으키는 것이 대부분이다. 기능저하증은 폐의 약함과 신의 허가 주된 원인이다. 항상 기운이 없고 기억력이 약해지고 맥박은 느리며 저항력의 약화로 염증의 발생이 쉽고, 얼굴과 눈 주위가 붓고, 쉽게 체중이 증가하며 극심한 피로와 우울증, 기면의 상태가 지속된다. 갑상선의 치료는 신허를 잡는 팔미와 폐의 기능을 살리는 자감초, 피로에는 보중익기, 울화는 소시호, 염증에는 배탁을 사용하며, 저하증은 자감초를 배가하는 것이 좋다.

익기양영탕　「韓方秘錄」

치연주결핵

> 인삼 복령 진피 패모 향부자炒 당귀酒洗 천궁 황기鹽水炒 숙지황 작약4 감초2
> 백출炒8 시호2.4 생강3

한제 복용 후 화담탕을 쓴다.

화담탕　「韓方秘錄」

治甲狀腺炎 喉患大腫 又非瘿瘤 息痛不痛 現五色之狀 中按之
半虛半實 此乃痰病結成 似瘤非瘤 似瘿非瘿也

치갑상선염 후환대종 우비영류 총통불통 현오색지상 중안지

반허반실 차내담병결성 사류비류 사영비영야

인후가 크게 부어오르는 갑상선염을 치료한다. 혹의 종류가 아닌 것으로 아픈 것 같아도 아프지 않고 오색의 형태로 나타나지만 만져보면 반은 단단하고 반은 물렁한데 담이 응겨 만들어 진다. 혹 같지만 혹은 아니다.

복령20 해조 반하 백개자 패모 남성 인삼 길경12 곤포 감초4 부자0.4

차내상초 화담지성약야 사제전유

후간나력방 「韓方秘錄」

咽喉癌 食道癌 連珠結核

인후암 식도암 연주결핵

작약 향부자40 금은화120 시호 백출 인삼20 백개자8

14. 늑막염 「韓方秘錄」

늑막염은 폐옹, 또는 내종이라 하며, 갈비뼈와 횡격막 사이에 물과 고름이 생겨 폐를 압박하여 기침을 하며 환부가 결리고 아픈 증상이 생긴다. 타박상이나 힘겨운 노동, 담음이 한군데로 몰려 발생한다. 물을 빼지 말고 호흡의 기능을 살려 치료해야 한다. 쌍화전을 3일 정도 복용하여 배농을 하고, 후에 십전대보탕으로 후유증을 치료한다. 소시호탕과 배탁을 사용해도 된다.

쌍화전 「韓方秘錄」

治肋膜炎神方

치늑막염신방

금은화120 포공영 현삼20 천화분 당귀 작약12 백개자 길경 감초8

수전 일일일제 재복 삼일유 후 십전대보탕20첩복

388

소독치담탕   「韓方秘錄」

肋膜炎神方

늑막염신방

| 금은화120 포공영20 당귀 천화분 현삼12 감초 백개자8 |

3~5일 복용 후 십전대보탕을 복용한다.

제5장

한 약 의 임 상 과 응 용

간장

肝臟

제5장

간장(肝臟)

1. 간의 작용

간은 장군의 관(官)이고 춘목(春木)에 해당하며 청색을 나타낸다. 오색(五色)의 변화는 간의 변화로 어두워진다. 인체에서 간의 작용은 목생화 목극토 목승금 수생목 금극목의 상호관계를 유지한다. 간은 혈을 저장하는 장혈기능이 있고 이는 혈액을 저장하고 조절하는 기능이 있다는 것이다. 사람이 휴식이나 수면을 취할 때는 인체의 혈액 수요량이 감소하며 간으로 돌아와 저장되어 신정과 청기와 영양을 공급받고 기능을 회복한다. 이를 활혈(活血)이라 한다. 기는 혈의 수(帥)라 하여 기의 순환이 순조로우면 혈도 따라 순환이 되므로 폐의 기능이 원활하면 혈액의 순환도 원활하게 일어난다. 정신적이나 육체적 노동을 할 때 혈액의 수요량이 많아지므로 저장된 혈을 바로 배출하여 활동에 필요한 양을 공급하여 장부조직의 각 활동에 기본이 되는 것이다. 간은 근육과 인대, 조갑(爪甲)의 영양상태를 유지하며, 간혈을 받아야 눈은 비로소 보게 되며 간은 혼(魂)을 저장하고 모려(謀慮-궁리나 계략)를 낸다.

2.장혈과 소설

혈을 저장하는 기능은 혈액을 내보내려 하는 기능이 있다는 것으로 이를 소설(疏泄)이라 하는데, 장부의 기능을 조절하고, 정신과 마음과 감정 활동에 관여하고, 담즙을 배설하는 것을 말한다.

소설이란 막힌 곳이 트이고 뭔가가 빠져나가 답답함을 풀어주는 것을 말한다. 즉 소설이란 해독을 의미하고, 독이라는 것은 외인이든 내인이든 육체를 상하게 하는 어떤 기질적인 것을 말한다. 간의 소설작용이 정상적으로 작용하면 기혈의 유통이 원활하여지고 기가 잘 유통되어 정신이 건전하게 되는데 이 기능이 소실되면 기가 통하지 못하여 간기가 울체되고 고민과 탄식(한숨), 의심이 많아지고 근심이 많아진다. 이를 화병(火病)으로 본다. 간기가 왕성하면 조급하며 화를 잘 내고 두통 어지러움 등이 오게 된다.

3. 간기 울체

간의 울체로 어혈이 나타나 흉협이나 유방 인후부에 통증이 오거나 생리불순이 나타난다. 활혈된 혈이 심으로 들어가 심혈이 충만하면 심혈허의 상태가 되지 않으므로 동계나 불안의 현상이 나타나지 않는다.

소화기에 대한 기능을 조절하는데 간의 소설에 이상이 오면 간과 비의 조화가 일어나지 않아 가스가 차고 명치가 아프고 트림, 장명, 설사, 변비 등이 나타난다. 담즙을 배설하여 음식의 소화를 협조하는데 간기가 울체되면 담즙배설이 원활하지 못해 가슴이 답답하고 옆구리가 아프고 황달, 입이 쓰고, 소변이 적황색이 된다. 정신적인 측면은 더욱 미묘하여 노하면 간이 상하여 간기가 위로 치밀어 올라 기혈이 위로 넘쳐 얼굴이 붉어지고 피를 토하거나 돌연 혼절하게 되며, 걱정과 많은 생각과 슬픔이 지나쳐도 소설부족을 일으켜 간기의 부족이 일어나고, 이로 인해 간기의 허가 발생하여 쉽게 겁에 질리고 겁이 많게 된다.

간의 실증은 잘 노하며 양 가슴이 아프고 아랫배가 당기는 현상이다. 간열이 있으면 사지가 뻐근하고 배변이 순조롭지 못하고 인대가 당기며 화를 잘 내고 잘 놀라며 인대와 근육을 주관하는 힘이 약해 일어나기가 힘들어진다. 이때는 시호음자를 쓴다. 담즙분비의 장애가 오게 되면 담기가 허약해져 어지럽고 눈물이 나며 잠을 자지 못하고 무서움이 많고, 정신의식과 사유 활동의 혼란이 오는데 이는 결단능력이 감퇴하는 것으로 나타난다. 밤이 되면 안정이 되다가 낮이 되면 열이 나는 것은 열이 기분(氣分)에 있는 것으로 소시호탕에 치자 황련 지모 지골피를 가해 사용하고, 낮에는 평온하다가 밤이 되면 열이 오르는 것은 혈분에 열이 있는 것이다. 사물탕에 지모 황백 치자 시호 목단피를 가하여 사용한다.

4. 간로(肝勞)

얼굴과 눈이 검게 마르고 정신이 오락가락하는데 혼자 눕지 못하고 눈이 침침하며 눈물이 잘 흐르고 흉통이 있으며 관격불통(關格不通-먹은 음식이 갑자기 체하여 가슴이 답답하고 계속 토하며 대소변이 통하지 않는 위급한 증상)이 되는데, 공진단을 쓴다. 억울과 스트레스는 간기의 소설부족을 말하는 것으로 억울과 울화는 같은 것으로 울증 또는 울화라 표현한다.

이러한 이유로 소설부족이 오면 기력도 의욕도 없고 한숨을 잘 쉬고 우울하며 입맛도 없고 헛배가 부르고 변에 이상이 오고 복통이 잦고 수족의 떨림, 시력장애, 두통이 생기며 비뇨기에 이상이 온다.

울증이 오래되면 혈에 영양공급이 부족, 결국 고갈되어 심에 영양을 공급하지 못하므로 신(神)이 상하게 되어 황홀(恍惚-정신이 멍한 상태)이 오고, 걱정 근심과 신경 예민, 한숨과 울음, 그리고 심한 피로감을 느낀다. 이런 상황이 지속되면 몸의 진액, 혈, 정이 고갈되어 여러 증상이 수반된다. 간의 기허는 비위의 기허를 수반하는 것인데 간은 소설을 주관하므로 정서와 기능을 원활히 하고 평온하게 유지하는 것으로 자율신경의 중추가 되며 말초를 포함한 전반의 신경기능에 해당하는 것이다.

5. 간화(울화)

간의 열은 세포조직에 영향을 미쳐 옹(癰-종기), 종(腫-부스럼), 염증을 발생한다. 몸에서 일어나는 모든 염증은 대부분 간화에서 비롯된다. 간의 이상은 시호맥(촌관맥)으로 확인하며 소설, 청열, 해독, 유간의 방법으로 치료한다. 담은 간과 표리관계이며, 담즙을 저장하며 결단을 내리게 하는 기관이다. 담이 허하면 어지럽고 눈물이 나며 잠을 자지 못하고 누가 나를 잡으러 오는 것 같이 무서워 한다. 담에 열이 차서 실증이 되면 화를 잘 내고, 누런 콧물이 나오고, 목이 아프고, 다리에 힘이 없어 잘 걷지를 못하게 된다. 담이 열하면 혈이 망행하여 혈한(血汗)이 날 수 있으며 혀에서 피가 나오기도 하는데, 이를 설뉵(舌衄)이라 하고, 오금에서 출혈되는 경우도 있는데, 이것은 혈이 허해지면 발생하고, 혈허가 심하면 그치지 않는다. 이를 괵중유혈(膕中流血)이라 한다. 혈한(血汗)에는 황기건중을 쓰고, 설뉵(舌衄)에는 포황초말을 뿌리면서 보액탕을 쓰고, 괵중유혈에는 십전대보탕을 쓴다. 사람이 갑자기 심하게 놀라면(驚) 담(膽)을 상하게 하여 이목구비와 대소변으로 피가 망행하여 나온다.

이를 구규출혈(九竅出血)이라 하고 측백산, 가미당귀보혈탕을 쓴다.

6. 장혈작용(藏血作用)

간은 혈을 저장하고 조절하는 기능으로 승발(昇發)과 소설(疏泄)作用으로 기기(氣機)를 창달(暢達)하여 혈류량을 조절하는 것을 장혈이라 한다. 수면이나 휴식 시는 혈이 간으로 들어와 신정의 자양을 받아 활혈되고, 활동 시는 심장으로 나가 전신을 순환하며 영양을 공급한다.

간주근(肝主筋)으로 근육에 영양을 공급하고 조갑의 상태를 정상으로 유지하며 눈도 간의 혈을 받으므로 해서 보게 된다. 간의 경락은 태충(太衝)에서 상행하여 사타구니 하복 양협 어깨 목 인후 귀 옆 눈으로 올라가 머리에서 선회하며 근과 건, 조갑, 안(眼), 무릎을 주관한다.

담의 경락은 새끼발가락에서 소복 유방 겨드랑이 어깨 머리 눈으로 통한다. 간담의 경락은 발끝에서 머리까지 몸의 측면으로 연결되어 통한다.

7. 소설작용(疏泄作用)

소설이라 하는 이유는 소통하고 서창(舒暢)하기 위함인데 막힌 곳이 열리게 하고 독소가 흘러가게 하는 것을 말한다. 소설은 활혈을 위한 것이며, 간에서 공간을 확보하여 혈을 채우고 영양을 공급받기 위한 것이다.

소설이 일어남으로 인해서 칠충문을 여는 힘을 조절된다. 인체의 독소는 외인과 내인이 있는데 어느 원인이든 육체를 상하게 하고 정신을 손상하여 생명을 위협하는 것들이다. 이러한 것들을 흘려 내보내는 것을 소설이라 한다. 영양을 저장하는 의미는 장혈이며 독소를 유통하는 것은 소설이며 해독을 의미한다. 소설이 됨으로 해서 기기(氣機)를 조절하고 정신과 사유의 활동에 관여하며, 담즙의 배설로 수곡의 부숙(腐熟)을 도와준다. 소설기능이 정상적이면 기와 혈의 유통이 원활해지고 정신과 신체가 안정이 된다. 소설기능의 실조는 간의 공간이 부족하여 장혈 부족을 초래하고 활혈 부족이 되어 자양의 능력이 저하된다. 소설이 덜 된 혈은 울체되고 화화(火化)하여 간화와 어혈이 만들어 진다.

간기가 통하지 못하면 간기울결로 걱정이 많고 많은 생각과 슬픔 등의 현상으로 나타나며 탄식과 의심이 많아지고 잘 노하며 흉협창통이 생긴다. 담력이 약해져 겁이 많아지고 무서움이 많고 간기의 항성으로 조급증과 유방창통 인후동통 두창(頭脹), 현훈, 두통, 생리불순 등의 증상이 나타난다. 소화기의 기능에 이상이 오는 것은 간비불화(肝脾不和)로 인한 것인데, 협통과 복통, 애기, 장명,설사 등이 생기고 소장에서 간기가 잘 통하지 못하면 선기동통이 발생한다. 정신적인 문제를 보면 노하면 간기가 역상하고 기와 혈이 울체되어 얼굴로 올라오면 얼굴이 붉어지고 토혈이나 돌연 정신을 잃고 쓰러진다.

담도가 잘 통하지 못하면 흉민 협통 황달 구고 소변황적이 나타난다. 억울이란 간기의 소설부족을 의미하며 어떤 것이 풀리지 못해 마음이 답답한 것인데 억울한 일을 당하거나 불공평한 일이 있어 속이 상하고 분해서 발생하며 울화 내지는 화병이라 하며 울증이라 한다. 울증에는 실증과 허증이 있으며, 실증에는 간기울결(肝氣鬱結)과 기울화화(氣鬱火化), 덤기울결(膽氣鬱結)이 있다. 간기에 울결이 오면 간의 조달기능이 없어져 정신적 억울이나 흉협이 답답하고 협통, 간기의 비위 침범으로 복창과 속쓰림, 소화불량이 발생한다. 담기의 울결은 혈류저지로 이어져 사지가 냉해지고 기력이 없어진다. 간기의 역행으로 나타나는 현상은 근육의 경련, 시력저하, 두통, 두중, 배뇨이상, 유방결핵, 연주결핵 등 염옹종이 나타난다. 간기울결을 소설시키는 약제는 청열제라 하며 시호 황금 황련 황백 치자 목단피 지실 대황 등이 있다.

  간기의 허증은 구울상신(久鬱傷神)과, 음허화동(陰虛火動)이 있는데, 간실(肝實)의 증상이 오래 되면 영혈(榮血)이 고갈되어 전신의 영양이 부족되어 신(神)이 손상을 입어 황홀의 상태가 지속되고, 걱정과 근심, 한숨, 피로를 호소하게 된다. 상황이 지속되면 몸의 진액 혈 정이 고갈로 이어져 음허의 상태가 되어 허화가 발생한다. 기혈정의 고갈로 의욕이 없고 우울하며 정서불안과 식욕부진, 복부팽만, 복통, 후중감, 수족연급, 현훈, 등의 현상은 소설부족으로 자율신경의 실조를 일으켜 나타나는 현상들이다. 음허화왕(陰虛火旺)은 허화(虛火)로 세포조직에 영향을 주어 염옹종을 발생시키며 지방종도 발생한다.

  간적이라 하여 왼쪽 갈비 아래 술잔을 엎어 놓은 것 같고 머리와 꼬리가 있어 오래 동안 낫지 않으며 협통이 생기고 딸꾹질을 하며 열이 왕래하게 된다. 이때는 비기환을 쓴다(비장의 적취에서 설명).

8. 혈의 순환

  혈액의 순환은 낮에 활동 시에는 간에서 심장으로 혈이 공급되어 전신을 순환하면서 영양을 공급하는데 이를 심주혈이라 하고, 밤에 휴식 시는 간으로 들어와 신정을 공급받고 활혈된다. 이를 간장혈이라 한다.

  활혈이 일어나지 않아 혈액에 영양이 부족된 것을 활혈통리부족이라 하며 이럴 때는 온몸이 뻐근하고 피로하게 된다. 제하부는 소복이며 혈해라 하고 신의 영역이다. 소복과 간의 혈이 잘 유통되지 못하는 것을 간한(肝寒)이라 하며, 소복의 혈허로 하복에 연급이 잘 생기고 심이 생기며 계(悸)가 나타난다. 배꼽아래 한 치 아래는 음교혈로 대맥과 임맥, 충맥이 교차되는 곳이며, 이 맥은 혈의 순환과 관계가 깊다.

  임맥은 배꼽을 지나 상행하여 심과 연결되고, 대맥은 횡으로 신과 연결되어 혈에 정을 공급할 수 있게 된다. 충맥은 내부의 자궁과 연결되어 전신을 8자 형태로 순환한다. 활혈통리부족에 사용하는 방제는 사물탕으로, 이것은 신정을 보하거나 순환을 시켜주는 것이 아니고 일체의 혈허나 혈열 혈조의 모든 증상에 사용한다. 혈허는 활혈통리의 부족이며 빈혈을 의미하는 것은 아니며, 혈에 영양이 보급된 활혈의 상태를 만들어 주는 것이며, 활혈된 혈액이 전신에 잘 분포되게 해주는 작용이다. 비위의 편에 비통혈 생주혈에 설명이 있다.

사물탕 「古今名醫方論」

治一切血虛 血熱 血燥諸症

치일절혈허 혈열 혈조제증

혈허와 혈열 혈조로 오는 모든 혈병의 증상을 치료하는 부인병의 성약이다.

당귀 숙지황 천궁 백작약酒炒8

부인병의 성약이라 혈의 질환에 모두 사용되는 아주 좋은 방제이다. 생혈, 화혈, 파혈, 행혈의 힘을 가지고, 자기의 능력을 발휘하기 위해 만반의 준비를 하고 있다. 사물탕은 오로지 혈을 보하는 약이므로 혈을 고르게 조절하는 약은 아니다. 음이 허해 발열하는 것, 실혈(失血)로 화가 성해지는 증상에 보음하여 치료하는 방이다. 사물탕에 보기(補氣)약을 사용하지 않으면 양을 만들 수 없고, 음을 만들어 저장하는 힘이 약해진다. 양을 만들고 음을 저장하기 가장 적당한 방법은 보기(補氣)보다 보정(補精)이 더 좋다. 혈을 보하기 위해서 보기도 좋지만 신정을 채우는 것이 가장 빠르다. 혈허와 빈혈은 같은 것이 아니며, 빈혈은 혈허일 수는 있다. 빈혈이란 혈이 부족한 것이며, 혈허란 혈이 제대로 활용되지 못하는 것을 말한다. 밤이 되면 열이 나는 경우 소시호나 황련해독탕을 합방하여 치료한다.

성유탕 「古今名醫方論」

治一切失血 或血虛煩渴燥熱 睡臥不定 五心煩熱 作渴等症

치일절실혈 혹혈허번갈조열 수와부정 오심번열 작갈등증

혈을 손실하여 부족한 혈을 채우고, 또는 혈허로 인해 열이 생겨 갈증과 번열이 나며, 잠을 자려고 누워도 허화(虛火)가 떠올라 신경이 안정이 안 되어 잠을 못자고, 오심(五心)에서 열이 나며 갈증이 생기는 등의 음허화동 증상을 치료한다.

> 사물탕 加 인삼 황기 去작약

기와 혈은 상호 표리 관계로서 혈이 허하면 기가 돌아올 곳이 없어져 허열이 떠서 잠을 잘 수 없고 불안해지며 이런 상황이 지속되면 기도 쇠퇴해 진다. 혈탈로 생긴 모든 증상은 먼저 기를 보하여 양이 생겨나면 음이 만들어 진다. 그러면 기를 따라 음이 이부를 순환을 한다. 음이 허하면 무기(無氣)요, 무기하면 사(死)한다. 여기에 육미를 합하여 사용하면 신정이 채워지고 기혈이 왕성하게 되어 내외를 조화롭게 하여준다. 합하여 사용하는 것이 좋다.

9. 소양병(小陽病)

소양병은 구고(口苦), 인건(咽乾), 목현(目眩)으로 상한론에서 정의하였는데, 구고는 입이 쓰고 텁텁한 상태며, 인건은 인후부가 건조해서 침을 삼키거나 물로 축여도 지속해서 마르는 것인데 구갈증과는 구별하여야 한다. 목현은 갑자기 정신이 아뜩해지고 어지러운 증상이다. 소양병의 대표방제는 소시호탕이다. 소시호탕증에 변비가 있는 실증에는 대시호탕을 사용하고, 시호증에 신경이 예민하고 꿈이 많고 잘 놀라는 증상이 있으면 시호가용골모려탕을 쓴다. 시호증이 있는 감기몸살이나 심하지결이 있는 경우는 시호계지탕을 쓴다. 시호증이 있고 비위가 약하여 연변이 나오며, 두한출이 심한 사람은 시호계지건강탕을 쓴다.

소양병의 증상으로는 표기와 이기(裏氣)가 서로 흉협 주위에서 다투어 가슴이며 손으로 누르면 저항감이 있고, 통증은 없는 증상이 있는데 이 현상이 흉협고만이며, 단중의 압통으로 확인이 가능하다.

흉협고만이 일어나는 것은 표의 사가 이부로 들어오려는 것을 몸의 정기가 사기를 흉협 부위에서 저항하여 생기는 것이며, 사기가 강하면 춥게 되고 정기이 강하면 열이 나는 왕래한열(往來寒熱)이 발생한다. 그리고 정사분쟁으로 나타나는 증상은 가슴이 번조하고 간화가 폐로 올라가 구역이 나타나며, 간의 열이 위장으로 횡역하면 비위의 기능이 이상이 생겨 묵묵히 밥을 먹기 싫어하고 복통이나 속쓰림, 가스가 찬다.

그리고 소양병이 있을 때 나타나는 증상은 목이 뻣뻣하거나 인후가 아프며, 몸의 모든 염증이 나타나는 것들이 시호제를 사용할 수 있는 증상으로 이 증상 중 한 가지만 있어도 시호제를 사용할 수 있는 것이다. 반표반이에 병이 있는 상태로 한토하를 하지 못하며 화해제로 풀어내야 하는 증상들이다.

소시호탕 「傷寒論」

治傷寒五六日 寒熱往來 胸脇苦滿 默默不欲飮食 心煩 喜嘔 耳聾 脈數 胸中煩而不嘔 或渴

或腹中痛 或脅下痞硬 或心下悸 小便不利 或不渴身有微熱 或咳者 少柴胡湯主之 此是小陽經 半表半裏之症 宜此湯和解之

嘔而發熱者 少柴胡湯主之

傷寒 腹中急痛 先與少建中湯 不着者 少柴胡湯主之

諸黃 腹痛而嘔者 宜少柴胡湯

치상한오육일 한열왕래 흉협고만 묵묵불욕음식 심번 희구 이롱 맥삭 흉중번이불구 혹갈 혹복중통 혹협하비경 혹심하계 소변불리 혹불갈신유미열 혹해자 소시호탕주지 차시소양경 반표반이지증 의차탕화해지

구이발열자 소시호탕주지

상한 복중급통 선여소건중탕 불착자 소시호탕주지

제황 복통이구자 의소시호탕

> 시호 반하12 황금 인삼 감초 생강 대조6

가슴이 답답하고 구역증상이 없으면 반하와 인삼을 빼고 과루실을 가한다. 만약 갈증이 있으면 반하를 빼고 인삼과 과루근을 가한다. 배가 아프면 황금을 빼고 작약을 가한다. 협하가 답답하고 단단하면 대조를 빼고 모려을 가한다. 심하가 뛰고 소변이 불리한 자는 황금을 빼고 복령을 가한다. 갈증은 없고 표에 미열이 있으면 인삼을 빼고 계지를 가하여 따뜻하게 땀을 조금 낸다. 기침을 하는 자는 인삼 대조 생강을 빼고 오미자와 건강을 가한다.

병사가 반표반이에 존재하므로 한법, 토법, 하법으로 할 수 없고 화해시켜 풀어주는 방이다. 다빈도로 사용되는 처방으로 급성병이나 만성병에 적용하며, 구고, 인건, 목현, 왕래한열, 흉협고만을 목표증으로 사용한다. 목표증을 변형하거나 확대해석하여 목이 아프거나 성격이 오락가락하는 것, 병이 좋아지다 다시 악화를 반복하는 것 등의 증상에도 사용한다. 그리고 모든 염증, 비뇨기의 염증이나 유방결핵, 갑상선, 연주결핵에도 사용한다. 위의 목표증이 모두 갖추어지지 않고 한 가지 증상만 나타나도 본방을 사용한다. 방제의 이름이 소시호인 것은 소양병에 우선 선택한다는 의미를 나타낸 것으로 병을 치료하는 방법으로 가감법이 많으며, 여기서 말하는 것은 흉격 부위의 열

이 없어져 상초와 하초가 서로 통하여 진액이 공급되게 하여 비위를 편안하게 한다는 것이다.

소양의 맥은 옆구리와 갈비뼈를 순환하고 양(陽)인 등과, 음(陰)인 배 쪽의 양 사이 몸의 옆쪽에 있다. 표에 있는 사기가 저항력이 약하여 이부로 들어오려고 하면 사기의 전입을 거부하므로, 병이 더 강하면 춥고, 정기가 강하면 열이 나므로 왕래한열이 생기고, 표와 이의 중간에서 병과 몸의 저항이 이루어져 흉협 부위에 머물게 된다. 그래서 흉협고만이 만들어지게 된다. 정신도 오락가락하여 생각하기를 거부하니 묵묵부답 말이 없어진다. 간이 사(邪)를 받아 열이 발생하면 횡역하여 비위를 상하게 하니 먹고 싶지 않게 된다. 담은 양의 목이고 청도가 기거하니 사가 담에 성하게 되면 화가 배설되지 못해 심에 핍박을 가하게 되어 심번이나 동계, 불안 등이 나타난다.

청기가 울체하면 탁기로 변하게 되는데 가래가 만들어져 위에 머물게 되어, 폐가 약해지고 흉열이 합해져 역상하여 구역질이 생기며 구역은 간과 심장이 밖으로 나가려는 현상이다. 태양에 병이 있는 자는 5~6일 정도 지난 뒤에 오는 증은 소양에 속하는 것으로 반표반이증이 겸해져 있다. 소시호탕이 적당하다.

시호는 간을 소설시키므로 반표의 사를 외로 내보내며, 황금은 화를 식혀 반이의 사를 내에서 없어지게 하고, 반하는 뭉친 담을 강역시켜 줌으로 탁기를 소통시켜 맑게 한다. 인삼은 허를 보할 수 있어 위를 살려 폐를 자윤하고 유간(柔肝)을 한다. 감초의 화(和)작용과, 생강과 대조가 소양의 기가 생성되는 것을 도와 사기가 내부로 들어오는 것을 막는다.

사가 소양에 있어 표는 차고 이는 열하여 표리에 울체가 되어 오르내리지 못하는 것이니 소시호로 치료하여 승강부침(升降浮沈)을 순조롭게 해주는 것이다. 본방의 증상에 신경이 예민하여 잘 놀라거나 불안한 경우는 시호가용골모려탕으로 한다. 시호제의 효과를 더 좋게 하기 위해서는 구어혈제를 합방하는 것이 좋고, 육미를 합방하여 간과 신을 함께 조리하는 것이 더 빠른 효과를 얻을 수 있다.

대시호탕　「傷寒論」

太陽病 十餘日 柴胡症仍在 先與少柴胡湯

嘔不止 心下急 鬱鬱微煩者 爲未解也 大柴胡湯下之則愈

熱結在裏 復往來寒熱者 與大柴胡湯 但結胸無大熱者 此爲水結在胸脅也

傷寒發熱 汗出不解 心中痞硬 嘔吐而下利者 大柴胡湯主之

按之心下 滿痛者 此爲實也 當下之 宜大柴胡湯

按之心下 不痛者 此爲虛也 理中湯主之

태양병 십여일 시호증잉재 선여소시호탕

구부지 심하급 울울미번자 위미해야 대시호탕하지칙유

열결재리 부왕래한열자 여대시호탕 단결흉무대열자 차위수결재흉협야

상한발열 한출불해 심중비경 구토이하리자 대시호탕주지

안지심하 만통자 차위실야 당하지 의대시호탕

안지심하 불통자 차위허야 이중탕주지

> 시호 반하12 황금 작약 지실 대조6 생강8 대황4

시호증과 변비가 있는 자에게 사용하며 구부지(嘔不止), 심하급(心下急)을 목표로 급체에 사용하기도 하고 딸꾹질에도 적용한다. 변비에 본방과 당귀건중 도핵승기를 합하여 사용하며, 변비의 치료는 간을 통하게 하여 장을 통하게 하는 방법으로 간의 소설이 잘 이루어지면 변비는 자연스레 풀리게 하는 법이다. 사람이 허하고 실하고를 떠나 증상을 따라 사용한다. 변비라는 한증상만 있어도 충분히 사용할 수 있다.

약을 쓰도 낫지 않는 딸꾹질은 구부지(嘔不止)로 생각하여 자감초와 함께 사용한다. 급체의 경우 심하가 답답하고 좀처럼 풀리지 않는 체증을 심하급으로, 본방과 향사평위로 쉽게 풀어 버릴 수 있다. 열이 뭉쳐 기분에 있는 것으로 상한 10여일 후에 다시 왕래한열이 생길 수 있다. 만약 열이 뭉쳐 위중(양명)에 있게 되면 찌는 듯한 열이 나고 추운 것을 알지 못한다. 대시호, 소시호탕은 모두 표리를 함께 풀어주는 방제이며, 대시호는 주로 하이며, 소시호는 화(和)가 주이다 설사의 경우에 대시호를 사용할 수 있는 경우가 있는데, 이부의 열로 인하여 장의 수분 흡수기능이 마비되어 수분이 장에 넘치는 경우 설사가 난다. 대시호로 이부의 열을 끄면 장의 기능이 살아나 설사가 멎게 된다. 심하급의 증상을 목표로 사용하지만, 시호증에 변비가 있는 경우에 사용된다.

시호계지탕 「傷寒論」

傷寒六七日 發熱 微惡寒 肢節煩疼 微嘔 心下支結 外症未解者 少陽病倂也
柴胡桂枝湯主之

發汗後 亡陽譫語者 不可下 與柴胡桂枝湯 和其榮衛 以通津液 後自愈

心腹卒中痛 柴胡桂枝湯治之

상한육칠일 발열 미오한 지절번동 미구 심하지결 외증미해자 소양병병야 시호계지탕주지

발한후 망양섬어자 불가하 여시호계지탕 화기영위 이통진액 후자유

십복졸중통 시호계지탕치지

상한으로 6~7일이 지나 열이 나며 약한 오한이 있고 팔다리 관절이 자유롭지 않고 메스꺼움과 심하지결이 있다. 이것은 태양과 소양이 겹친 것으로 시호계지탕으로 주지한다. 발한 후 망양으로 헛소리를 하는 자는 하지할 수 없다. 시호계지탕을 주어 영위가 화해되어 진액이 통하면 스스로 낫는다. 배가 감자기 아픈 경우는 시호계지탕으로 치료한다.

> 시호 반하8 황금 인삼 생강 작약 계지 대조4 감초2

소시호와 계지탕의 양을 줄여 합방한 처방으로 계지증과 시호증이 합쳐진 것으로 태양병과 소양병이 함께 나타나는 증상에 사용한다. 두 양병이 합쳐지면 태양병증인 발열과 악한과 신체통이 나타나면서 소양병증인 입이 쓰고 열이 올랐다 내렸다하고 목도 아프고 속이 울렁거리는 증상이 나타난다. 가장 흔히 만나는 증상은 팔다리가 아프고 입이 쓴 것이다. 땀을 낸 후에 정신을 잃고 헛소리를 하는 경우도 있는데 양명병의 위가실로 나타나는 것이 아니므로 변비와 복만은 없는 허증의 섬어(헛소리)이다. 발한으로 원기가 모두 소비가 되어 허열이 뇌신경을 자극하여 나타나는 것으로 시호계지 또는 소시호로 흉부의 열을 끄고 상하로 진액이 잘 통하게 되면 영위가 화합되고 열도 식어 치료가 된다.

태양병과 소양병이 합병된 증상에 갈근탕과 소시호탕을 합방하여 사용해도 좋다. 소시호탕과 계지탕은 모두 표와 이를 조리하게 하는 조화지제(調和之劑)이다. 계지탕은 해표를 위주로 하고 약하게 청리하는 작용이 겸해있고, 소시호탕은 이를 조리하는 작용이 주이며 약하게 표를 발산하는 작용이 겸해있다. 계지탕은 태양병의 표사를 설명하지만 모든 경락의 표증의 치료에도 역시 사용가능하다. 소시호탕은 소양병의 반표반이를 치료하기 위해 만들어졌지만 역시 삼양의 반표증의 치료도 가능하다.

상한으로 6~7일이 경과하여 한과 열이 물러날 시기에 반대로 발열이 되고 오한과 모든 표증에 심하지결의 이증이 겸해져 있는 것은 표리가 모두 덜 풀린 것으로 표리쌍해제를 사용하는 것이 당연한 것이다. 오한이 약하고 발열 역시 약하면 팔다리 관절이 뻐근한 것(번동)을 알 수 있다. 즉 전신의 관절이 뻐근한 것이 아니다. 메스꺼움과 심하미결(심하가 결리는 듯한 증세)로 심하지결이 있는 것을 알 수 있다.

표증이 풀리지 않았지만 호전된 것이고, 이증 역시 심하지 않은 상태가 보이면 계지

탕의 반으로 태양병의 병사를 흩어버리고, 소시호탕의 반을 취하여 소양병의 미결증을 푼다. 감기몸살로 인하여 열이 나며 전신이 아프고 땀도 나면서 콧물, 인후통, 기침 등 감기의 증상을 다 가지고 찾아오는 사람이 있다. 방을 선택하기가 쉽지 않은 상태는 삼양의 합병으로 보고 양병의 대표적 방제를 하나씩 선택하여 합방하면 된다. 몸살이 심한 경우 태양병은 갈근탕, 소양병은 소시호탕, 양명병은 백호탕으로, 기침이 심한 경우는 백호탕 대신 마행감석탕으로 바꾼다. 그리고 태양과 양명이 합쳐져 나타나는 현상은 설사인데 고열이 나면서 설사가 나는 상태로 갈근탕을 적용한다.

시호가용골모려탕 「傷寒論」

傷寒八九日下之 腹滿煩驚 小便不利 譫語 一身盡重 不可轉側者 本方主之

상한팔구일하지 복만번경 소변불리 섬어 일신진중 불가전측자 본방주지

감기가 들어 8~9일에 설사를 시켜 배가 가득차고 잘 놀라며 소변이 불리하고 섬어를 하고 온몸이 무거워 움직이기 어렵고 혼자 돌아눕기 어려운 것을 치료한다.

> 시호 반하8 용골 모려 황금 인삼 계지 복령 대조 생강4 대황2

소위 엉덩이가 무거운 사람을 치료한다. 일할 마음이 안 생기는 것으로 몸이 무겁고 심약해 신경쇠약이 발생하여 성격이 예민해져 화를 잘 내며 마음의 변화가 쉽게 일어난다. 소시호증에 잘 놀라며 꿈이 많고 몸이 무거운 것을 목표로 사용한다. 시호증은 있으나 원인을 알 수 없는 증상에 적용하고 발이 특히나 냉한 현상이 있다.

시호계지건강탕=시강계 「傷寒論」

傷寒已發汗 而復下之 胸脅滿微結 小便不利 渴而不嘔

旦頭汗出 往來寒熱 心煩者 此爲未解也 柴胡桂枝乾薑湯主之

상한이발한 이부하지 흉협만미결 소변불리 갈이불구

단두한출 왕래한열 심번자 차위미해야 시호계지건강탕주지

상한을 발한하여 해표를 하였는데 다시 설사를 시켜 흉협이 답답하고 약간 걸리며 머리에서만 땀이 나며 열이 오르락내리락하며 심번이 있는 것은 아직 덜 풀린 것으로 시호계지건강탕으로 치료한다.

> 시호12 계지 황금 모려6 건강 감초4 과루근8

아이들이 설사를 잘하며 밥을 잘 먹지 않고 찬 것만 먹으려하고, 씹어 먹는 것을 싫어하고, 머리에서 땀을 흘리며 감기에 잘 걸리는 아이들에게 육미와 소건중을 합하여 사용한다.

10. 화병(火病)에 대하여

화병(울화, 억울)이 있으면 나타나는 증상을 보면 아래의 경우에서 2~3개만 해당 되어도 화병이 있다고 생각하면 된다.

- 잠을 잘 못 이루거나 자고나도 개운치가 않다.
- 신경이 예민해지고 사소한 일에도 짜증이 잘 난다.
- 두통(편두통)이 있거나 어지럽다.
- 가스가 잘 차고 속이 쓰리거나 소화가 잘 되지 않는다.
- 변비나 설사가 잦다.
- 가슴이 답답하여 한숨을 잘 쉬게 된다.
- 얼굴로 열이 올랐다 내렸다 한다.
- 얼굴이나 머리에서만 땀이 난다.
- 심장이 필요이상 두근거린다.
- 매사에 의욕이 생기지 않는다.
- 갈비뼈 아래 부위가 답답함을 느낀다.
- 입병이 잘 생기고 입이 잘 마른다.
- 입이 쓰게 느껴진다.
- 생리가 앞 당겨지고 생리통이나 피가 검거나 덩어리져서 나온다.
- 어떤 일만 생각하여도 배가 아파진다.
- 눈 충혈이 잘 된다.
- 쉬 피로해지고 쉬어도 피로가 풀리지 않는다.
- 몸에 열이 많다고 느낀다.

위의 경우에 전혀 해당되지 않는 사람은 얼마나 될까? 누구나 화병이 생길 수 있다. 정도의 차이로 병이 수면 위로 나타나지 않았을 뿐이다. 살아가는 그 자체가 이 증상을 만들 수 있는 환경이며 세상의 모든 외적, 내적 자극은 이 병의 원인이다. 심한 스트레스는 교감신경의 이상 흥분으로 사람의 감정을 전투(싸우려고 하는 마음)적인 상태로 만들어 버리려 조그마한 자극에도 쉽게 반응을 한다. 이런 상태가 지속되면 자율신경실조 현상이 일어나 모든 증상을 발현시킨다. 교감신경의 이상 흥분은 혈류를 저지하고, 면역력을 저하시키며 비뚤은 사고(생각)를 하게하여 몸이 상하거나 자기 스스로를 상하게 만든다. 이런 상태에 서는 세로토닌이라는 호르몬의 분비가 되지 않아 행복한 감정이 생기지 않게 된다. 그래서 우울과 좌절과 탄식, 한숨이 많아진다. 특히 명절 전후에 이 현상이 많아지는데 많은 피해 의식과 억눌림 때문이 아닐까 생각한다.

화병은 한방적으로 보면 간의 울체다. 외부에서 들어온 독소나, 내부에서 발생된 독소를 잘 삭여서 흘려보내는 곳이 간인데 그 정도가 지나쳐 울체가 되어 생기는 것이다. 울체가 되 면 열로 바뀌고 열은 뻗치는 성질이 있어, 열이 나가는 곳으로 병 증상이 나타난다. 머리에 서 눈, 코, 입, 목, 식도, 심장, 폐, 위장, 대장, 자궁, 방광, 요도 등의 염증이나 통증이 발생하 는데 이를 치료하기 위해선 간을 잘 다스려 줘야한다. 영양을 충분히 공급하고, 몸속에 뭉쳐 진 독기도 풀어주고 청열하여 열도 내려 줘야 된다. 치료되는 기간은 병이 오래되었어도 그 다지 오래 걸리지는 않는다. 욕심을 버리고 마음을 비우고 편안한 마음으로 생활하면 훨씬 적게 발생한다. 육미와 보기, 시호제 그리고 발현하는 증에 맞는 약을 합하여 치료한다.

11. 인후(咽喉)

인(咽)과 후(喉)는 그 작용이 다른데, 인은 음식물이 위로 들어가게 하는 통로이며, 인이 열리면 후가 닫힌다. 후는 호흡이 통하는 길이며 폐와 연결된 것이다. 후가 열리면 인은 닫 히게 된다. 인은 수곡의 길이므로 지(地)에 통하고, 후는 천기가 출입하는 고로 천(天)과 통 한다. 음식을 먹을 때는 인은 열리고 후가 닫히며, 호흡을 할 때는 후가 열리고 인이 닫히게 된다. 인과 후를 닫고 열어주는 곳은 회염(會厭)이라 하며 목소리가 나게 하는 문호(門戶) 이다. 목 위에 달려 있는 목젖은 현옹(懸壅)이라 하며 목소리가 나오게 하는 관문이다. 목 젖이 부어 길게 늘어지는 것을 제종풍(帝鐘風)이라 하고 장부의 복열이 치밀면 부어올라 음식을 삼키기가 어렵게 되는 것이다. 소시호탕과 배농산급, 또는 은교산을 합하여 사용하 면 된다. 편도선은 회염의 양쪽이며, 양쪽이 부은 것은 쌍아(雙蛾)라 하고 한쪽만 부은 것 을 단아(單蛾)라 한다. 이것이 부어서 후를 막으면 후비(喉痺)라하며 상화(相火)가 치밀어 발생하며 통증이 있다. 칠미지황탕, 탈명산 등을 쓴다. 편도선이 심하게 되면 귀 부분부터 턱 아래까지 모두 붓고 열이 나며 아픈 것으로 전후풍이라 하고 불수산을 쓴다. 거친 낟알 곡식이 목에 걸려 아픈 것을 곡적(穀賊)이라 하고, 생선뼈가 목에 걸려 있는 것을 골갱(骨

髓)이라 하고 짐승의 뼈가 걸린 것을 수골갱(獸骨髓)이라 한다. 곡적에는 날계란을 삼키면 거의 내려가며, 골갱은 진피를 볶아 가루로 하여 물과 함께 물고 있다가 삼키면 내려간다. 수골경은 이비인후과로 가서 처리해야 할 것 같다. 우리가 보통 편도선염이라 생각하는 인후통은 편도선에 염증이 생긴 것이 아니다. 단아나 쌍아가 발생된 것은 항생제 소염제 등으로 치료하면 될 것이지만, 단순 인후통은 항생제가 필요 없는 것이다. 이곳이 아픈 이유는 풍한사가 들어와 열이 발생하여 아픈 것이다. 감길탕이나 은교산, 육미를 사용하면 되고, 목이 헤져 아픈 경우는 상초의 화가 인후를 훈구(熏炙)하여 발생한다. 소시호탕에 배농산급 또는 은교산을 합하여 사용하면 된다.

육미지황탕 「韓方秘錄」

咽喉病 72症初期 如神

인후병 72증초기 여신

인후에 생기는 72가지의 초기 증상에 사용한다.

> 육미 + 길경 감초 방풍 형개 백강잠4 수전복

칠미지황탕 「韓方秘錄」

治單蛾 雙蛾 一切咽喉病 急刺 少商穴 出血後服

치단아 쌍아 일절인후병 급자 소상혈 출혈후복

단아, 쌍아 등 일체의 인후병에 사용하며, 소상혈을 찔러 피를 낸 후 복용한다.

> 숙지황40 복령20 산수유16 맥문동 오미자 우슬8 부자2

탈명산 「韓方秘錄」

治喉閉

치후폐(목이 막히는 것에 사용한다.)

> 고백반8 백강잠炒 조각4 各 等分

爲末 入喉中 痰出卽差度

불수산　「韓方秘錄」

전후풍

망초40 백강잠20 감초10 청대4

가루를 소량씩 목구멍에 넣으면 좋다.

감길탕　「韓方秘錄」

少陰客寒　咽喉痛

소음객한　인후통

길경14 감초6 수전 서서복

필용방감길탕　「韓方秘錄」

因風熱　咽喉腫痛　或喉痤神效

인풍열　인후종통　혹후비신효

풍열로 인하여 인후가 붓고 아픈 증상에 사용한다. 후비에도 효과가 좋다.

길경8 감초 형개 방풍 황금 박하 현삼4

익기소풍탕　「韓方秘錄」

喉口生瘤　或單雙蛾　生如桂圓大　此肺熱也

후구생류　혹단쌍아　생여계원대　차폐열야

목구멍이나 입안에 혹이 발생한 것이나, 단아, 쌍아가 발생한 것은 폐열로 인한 것이다.

감초 길경 천궁 당귀 생지황 승마 작약 천화분 황금 맥문동 전호 청피 갈근
연교 방풍 백질여 등분 수전복

파애탕(破隘湯)　「韓方秘錄」

感冒風寒　咽喉腫痛　甚急變成　雙蛾者　其症痰涎稠濁　口渴　呼飮痛

감모풍한　인후종통　심급변성　쌍아자　기증담연조탁　구갈　호음통 (편도선염)

감기로 인후통증이 있는데 심하면 편도선이 부어오른다. 그 증상은 가래와 침이 탁하고 진

하며 갈증이 생기고 음식을 삼킬 때 아프다.

> 백작약20 길경 현삼 천화분12 감초8 시호 마황 산두근4 수전복

인화탕 「韓方秘錄」

咽喉腫痛 日輕夜重 口不甚渴

인후종통 일경야중 구불심갈

인후가 붓고 아픈 것이 낮에는 덜하고 밤이면 더 심해지며 갈증은 별로 없다.

> 숙지황120 파극 맥문동40 복령20 오미자8 2제유

12. 경항(頸項)

앞쪽의 목을 경(頸)이라 하고 뒤쪽의 목을 항(項)이라 한다. 경항의 통증은 간과 신, 방광경의 병이다. 이 세 경이 풍한습사를 받으면 항강통이 된다. 모든 경증, 즉 목이 당겨 뻣뻣한 증상은 모두 습에 속한다. 회수산이나 강활승습탕을 쓴다. 척추의 천주골이 약하여 목을 가누지 못하는 증상을 항연이라 하며 허약한 아이들에게 온다. 항연증에는 녹용사근환을 쓴다. 독맥(督脈)의 병으로 오는 증상은 등뼈가 뻣뻣하고 궐냉해 지며, 임맥(任脈)의 병으로 오는 증상은 뱃속이 괴롭게 아프고 결리는데 남자는 칠선(七疝-허리 또는 아랫배가 아픈 것)이라 하고, 여자는 하취(瘕聚-뱃속에 덩어리가 생기는 병)라 한다. 대맥(帶脈)의 병으로 온 증상은 배가 부르고 허리가 물속에 앉은 듯 무겁고 차며 힘이 없는 것이다. 경항이 뻣뻣하고 당기며 움직이면 통증이 있는데 오른쪽이 심한 것은 삼양경의 병으로 담열(痰熱)이며 소풍활담탕을 쓰고, 좌측이 심한 경우는 태양양명의 병으로 혈허와 사기(邪氣)로 인해서 오며 소풍자혈탕을 쓰고, 근육이 붓고 땅기고 아파서 잠을 자지 못하는 경우는 양신탕을 쓴다.

회수산 「韓方秘錄」

頭項强急筋急 或剉枕 轉項不得者

두항강급근통 혹좌침 전항부득자

머리와 목덜미가 결리고, 근육도 당기는 증상을 치료한다. 베개가 높거나 자다가 목이 꺾여 목을 돌릴 수 없는 자도 치료한다.

> 오약순기산 加독활 모과 강활 수전복

소시호탕 + 오약순기산 + 쌍화탕

강활승습탕 「韓方秘錄」

寒濕項强 或似拔 不得回顧(拔-뺄 발)

한습항강 혹사발 부득회고

한습이 목덜미에 침입하여 뻣뻣하고, 목이 빠지는 듯하여 돌아보지 못하는 증상을 고친다.

> 강활 독활8 고본 방풍 감초4 천궁 만형자2

소풍활담탕 「韓方秘錄」

頸項强急 動則微痛 右爲甚者 痰熱也

경항강급 동즉미통 우위심자 담열야

목이 뻣뻣하여 조금만 움직여도 아파지고 오른쪽이 더 심한 것은 담열이다.

> 황금酒炒 강활 홍화 반하 진피 복령 감초 독활 방풍 백지 갈근 시호 승마4 생강3

소풍자혈탕 「韓方秘錄」

頸項强急 左爲甚者 血虛客邪也 腎氣上故 項背不能轉側者

경항강급 좌위심자 혈허객사야 신기상고 항배불능전측자

좌측 목이 뻣뻣한 것은 혈이 허하고 객사가 침입하여 발생한다. 신허열이 위로 올라오면 목덜미와 등을 움직이지 못한다.

> 당귀 천궁 작약 숙지황6 강활 독활 홍화 우슬 방풍 백지 갈근 승마 감초 시호 도인4 생강3

양신탕 「韓方秘錄」

頸項强急 不得睡 筋腫痛者

경항강급 부득수 근종통자

목덜미가 아파서 잠능 잘 수 없고 근육이 붓고 아픈 것을 치료한다.

> 황기 귤피4 인삼 백출 천궁3.2 감초 반하2.8 창출 당귀신 맥아 황련2 시호 승마1.6 목향 황백0.4 황금酒浸0.8

화기음 「韓方秘錄」

項強久不愈

항강구불유

뒷목이 뻣뻣하여 불편한 것이 오래되어도 낫지 않는 것을 치료한다.

> 창출 갈근 길경 당귀 복령 백지 지각 감초 진피 작약4

후간라벽방 「韓方秘錄」

咽喉頭癌 食道癌 連珠結核

인후두암 식도암 연주결핵

> 작약 향부자40 금은화120 시호 백출 인삼20 백개자8

13. 협통(脅痛)

협(脅)은 옆구리이며 액(腋)은 겨드랑이다. 협과 액은 모두 간담에 속해있다. 협통이 발생하는 것은 간의 병으로 오는데 좌측이나 우측으로 통증이 오는 경우가 많다. 이 통증은 7종류가 있다.

1) 기울협통(氣鬱脇痛)

화를 내거나 타인과 싸움을 하여 분노의 기운이 역상하거나, 계획하고 시행하려 했던 것이 가로막혀 이루어지지 않으면 간화가 떠올라 발생하는 것은 기울협통(氣鬱脇痛)이라 하고 참기 어렵고 고통스럽다. 당귀용회환이나 지각자산을 쓴다.

2) 어혈협통(瘀血脇痛)

누를 때 아프고 밤이 되면 더 심해지고 오후가 되면 갑자기 아파지며, 대변이 검고 딱딱하게 나오는 것은 어혈협통(瘀血脇痛)이다. 사물소시호탕을 쓴다.

3) 담음협통(痰飮脇痛)

기침이 나고 땅기면서 아픈 것은 담음협통(痰飮脇痛)으로 궁하탕을 쓴다.

4) 식적협통(食積脇痛)

갈비뼈 아래가 막대기 하나가 들어있는 것처럼 한 줄로 아픈 것은 식적협통(食積脇痛)이라 하고 지실산, 또는 소시호탕 加천궁 지각 감초를 쓴다.

5) 건협통(乾脇痛)

대병을 앓고 난 후에 과로를 하여 몸이 허약해지면 협하 한곳만 아파 거북한 증상이 발생하는데 건협통(乾脇痛)이라 하고 매우 위험한 상태다. 팔물탕 가감으로 사용한다.

6) 풍한협통(風寒脇痛)

감기결려 기침을 하거나 재채기를 하면 협통이 발생하는 것은 풍한협통(風寒脇痛)으로 궁하탕을 쓴다. 부인의 냉협통(冷脇痛)에는 작약탕을 쓴다.

7) 협하편통(脅下片痛)

한쪽 갈비아래가 아픈 것은 협하편통(脅下片痛)으로 결리고 통증이 있으며 기침을 한다. 이 증상은 늑막염 증상으로 모든 협통이 치료하지 않고 오래되어 이 증상으로 변하거나 타박을 입었거나, 담음이 흐르지 않고 한 곳으로 몰리게 되면 횡격막 내에 물이 고이게 되어 염증화한 것이다. 그곳에 물이 고이면 폐를 압박하여 기침이 나오며 결리고 아파지는 것이다. 폐옹내종(肺癰內腫)이라 하던 것인데 늑막염이다. 늑막염은 물을 빼서는 안 되며 약물로서 흡수하여야 한다. 그렇게 해야 치료가 빠르고 후유증이 생기지 않는다. 쌍화전을 3~4일 써서 농을 흡수한 뒤 십전대보에 탁리소독음을 합하여 2제 가량 먹게 되면 후환이 없어진다. 폐(肺)에서 설명을 하였기에 참조를 하면 된다. 모든 협통은 간의 실증으로 오는 것이니 소시호탕에 가감하여 사용하면 좋다.

당귀용회환　「古今名醫方論」「韓方秘錄」

治肝經實火 大便秘結 小便澁滯 或胸膈作痛 陰囊腫脹 凡屬肝經實火 此宜服之 氣鬱脅痛 大怒氣逆 及謀慮不快 皆動肝火成脅痛 難忍 輕者 少柴胡湯 加黃蓮 牡蠣 枳殼

412

치간경실화 대변비결 소변삽체 혹흉격작통 음낭종창 범속간경실화 차의복지

기울협통 대노기역 급모려불쾌 개동간화성협통 난인 경자 소시호탕 加황련 모려 지각

간경의 실화로 대변이 굳어있고 소변도 시원하지 않고, 가끔은 흉열로 가슴도 아프고 간열이 아래로 뻗쳐 음낭도 부어오르는 증상을 치료한다. 모든 간경락의 실화에 먹는다. 대노하여 기가 역상하거나 많은 생각으로 기분이 상하여 간화가 울체하여 발생한 기울협통에 사용하는데, 참기가 힘들다. 비교적 가볍게 나타나는 것은 소시호탕 가감한다.

> 당귀 용담초 황련 황금 치자인40 대황 노회 청대20 목향10 사향2 別研 위환 20환복

지각자산 「韓方秘錄」

悲哀傷肝 兩脅刺痛 胸膈痞塞

비애상간 양협자통 흉격비색

슬픔으로 간이 상하여 양 옆구리가 찌르듯 아프고 가슴이 막혀 있는 듯한 것을 치료한다.

> 강황 진피 감초4 삼릉 봉출 익지인 후박2.8 백출 소엽 향부자 신곡 맥아 오약2 인삼 가자 대복피1

사물소시호탕 「韓方秘錄」

瘀血脅痛 晝輕夜重 按之則痛

어혈협통 주경야중 안지즉통

어혈협통은 낮에는 덜하고 밤이면 더 심해지며 누르면 바로 아파진다.

> 소시호합사물탕 加도인 홍화 유향 몰약4

궁하탕 「韓方秘錄」

外感 風寒脅痛

외감 풍한협통

외사인 풍한으로 협통이 발생한 것을 치료한다.

> 천궁 갈근 계지 세신 지각 인삼 작약 마황 방풍4 감초2 생강3

지실산 「韓方秘錄」

左脅肋刺痛

좌협늑자통

왼쪽 옆구리와 갈비뼈가 찌르듯 아픈 것을 치료한다.

지실 천궁20 감초10

가루를 8g씩 먹는다.

작약탕 「韓方秘錄」

婦人冷症脇痛 諸藥不效

부인냉증협통 제약불효

부인이 냉증으로 옆구리가 아픈데 아무리 약을 써도 낫지 않는 것을 치료한다.

향부자160 육계 현호炒 작약酒炒40

가루를 매8g씩 온수로 먹는다.

가미팔물탕 「韓方秘錄」

乾脇痛 脅下一點痛 不止者

건협통 협하일점통 부지자

건협통으로 갈비뼈 한 곳만 아픈 것이 멈추지 않는 것을 치료한다.

사물탕 합사군자탕 加목향 청피 계심4 有火去桂 加치자

추기산 「韓方秘錄」

右脅肋痛

우협늑통

지각 강황 계심20 감초12

위말 매10g 생강과 대추를 달인 물로 먹는다.

또는 소시호탕 加강황 지각 계심 감초4

시호소간산 「韓方秘錄」

左脅肋痛

좌협늑통

> 시호 진피10 천궁 적작약 지각 향부자4 감초2

가미육미탕 「韓方秘錄」

脇痛連脊 不能轉側

협통연척 불능전측

협통과 등뼈가 같이 아파 돌아눕지 못하는 증상을 치료한다.

> 육미 加두충 속단 회향4

14. 근(筋), 건(腱), 견비(肩臂)

1) 근건(筋腱)

간은 일신의 근과 건, 근막을 주관한다. 간의 울체나 간허는 비위를 조절하는 기능에 이상이 오게 하며 이 관계로 비위가 부실하여 전신에 영양을 공급하지 못하면 근이 풀어져 힘을 낼 수 없게 되며, 사지가 나른해 움직이기 싫어진다. 비장이 고량후미를 즐겨 먹게 되면 간에서 영양의 처리를 완전하게 하지 못하여 비장이 실해지면 비허의 증상과 비슷한 상태가 되어 사지를 움직이지 못한다. 간기가 열하면 근위(筋痿)라 하여 힘줄이 위축되는 것으로, 큰 근육은 열을 받으면 수축이 되어 짧아지므로 펴지를 못하는 것이며, 작은 힘줄에 습이 차면 길어지고 위약해져 무력해진다. 근육에 병이 있으면 구부려 펴지 못하고, 뼈에 병이 있으면 펴서 굽히지 못한다. 근위의 원인은 많은 공상을 하여 비위가 약해지고, 바라던 바를 이루지 못하여 폐가 약해지거나, 방사과다로 신이 허해지면 근육에 힘이 빠지고 가늘어지며, 근육이 뭉쳐 아픈 것은 간의 풍열로 인한 것이다.

2) 견비통(肩臂痛)

견비통(肩臂痛)은 어깨와 어깨관절, 그리고 그 주변의 살과 근육의 통증이 있는 것으로 날개뼈 부분의 통증도 같이 나타나며, 견배통 또는 견비통이라 한다. 어깨의 통증이 상완

까지 연결되어 통증이 오거나 더 심하여 팔 전체가 아파지며 주증은 견통이며 다른 부위는 이에 연결되어 나타나는 것이다. 어깨를 지나는 경락에 기혈이 응체되거나 풍습이나 담이 뭉쳐오는 것도 있고, 칠정이 울체되어 어깨와 팔이 아파지고 팔을 제대로 움직이거나 돌리지 못하며, 등 쪽으로 팔을 돌리거나 머리 위로 들어 올리지 못한다. 이 원인은 땀을 흘린 뒤 바람을 쐬거나, 찬물로 샤워를 하거나, 잠을 잘 때 풍한사가 침격하여 머무르기 때문이며 허약자나 과로 후에 풍한에 노출이 되어 발생하기 쉽다. 어깨부위는 간과 신장, 방광의 경락이 지나는 곳이며 이곳에 풍한습사가 몰려 기혈이 응체되면 통증이 발생하고, 특히 스트레스나 억울 등으로 간화가 발생하여 이 열이 경락을 타고 어깨로 몰리면 그 주위는 진액이 말라버리고 경련이 일어나는 상태가 되는 것이다. 결론적으로 견비통은 울화와 어혈, 그리고 근육의 연급이 원인이다. 소시호 + 쌍화 + 계령에 심하면 오약순기를 가하여 치료하며 만성적인 경우는 육미도 함께 투여한다.

3) 신경통

신경통이란 말초신경에 혈액의 순환이 잘 되지 않아 생기는 통증이다. 손과 발은 간의 분야인데 사람들은 비경의 열이라고 한다. 수족의 통증은 간의 울결을 풀어줘야 한다. 간기의 허로 인하여 기혈이 부족하면 풍 한 습 삼기(三氣)의 침입을 저지하기 어려워지는데 흉배, 수족, 요추, 각설(脚膝) 등에 견연작통이나 통증으로 행보에 지장이 오며, 머리까지 가면 머리가 무거워 들지 못하고, 가래가 진해지고, 누우면 목에서 가래 끓는 소리가 난다. 몸이 냉한 사람은 풍한습의 침격으로 찬 기운이 더 심해져 뼈에 닿게 되면 행보곤란(탄탄-癱瘓)이 생긴다. 등(背)이나 척추의 통증은 신장과 방광의 분야로, 방광의 기화가 부족하여 오는 통증은 등의 통증이며, 신정이 소모되어 상승하지 못하여 생기는 것은 등뼈에 통증이 온다. 풍한습의 사기(邪氣)가 삼초에 침범을 하면 전신의 상하로 통증이 오르내리며 가래를 뱉으려해도 나오지 않고 인후에 기가 잘 소통되지 않아 흉격이 답답하며 대소변의 배출이 어렵다.

송절산　「韓方秘錄」

一切筋攣疼痛 乳香能生筋 木果能舒筋也

일절근련동통 유향능생근 모과능서근야

모든 근육의 경련동통을 조리한다. 유향은 근을 살리고 모과는 근육을 풀어준다.

416

> 황송절(복신의 木心)40 유향炒研4

가루로 하여 모과탕으로 8g씩 복용한다.

귀작음 「韓方秘錄」

筋腱不舒疼

근건불서동

근육이 뭉쳐있어 움직이면 뻐근한 것이다.

> 당귀40 작약 의이인 생지황 현삼20 시호 우슬4 수전복
> 또는 숙지황80 오약40 백출20 육계20 당귀12 시호 백개자4

소풍척열탕 「韓方秘錄」

一切筋痛

일절근통

> 박하 감국 우방자 형개수 방풍 연교 죽엽 등분 水煎服

오적산 「韓方秘錄」

肩臂痛 或風寒濕所拜 或睡中手在被外 爲寒邪襲遂 今臂痛

或乳婦 枕兒傷於風寒 亦致

견비통 혹풍한습소배 혹수중수재피외 위한사습수 금비통

혹유부 침아상어풍한 역치

잠을 자면서 손이 이불 밖으로 내놓았거나, 유모가 어깨를 들어 내놓고 잠을 자다가 풍한습이 어깨로 들어와 견비통이 발생한 것을 치료한다.

비통(臂痛)에 한(寒)으로 인한 것은 오적산, 풍(風)으로 인한 것은 오약순기산, 습(濕)으로 인한 것은 촉비탕 加창출 방기를 넣어 사용한다. 실제는 오적산 + 오약순기, 또는 오적 + 마행의감, 쌍화 + 소시호 + 오약순기를 쓴다.

가미쌍화탕　「韓方秘錄」

肩背痛 氣血凝肩背

견배통 기혈응견비

어깨와 등의 통증은 기혈이 뭉쳐 오는 것이다.

> 쌍화탕 加계지 강활4 방풍2 진교 위령선4

서경탕　「韓方秘錄」

肩臂痛 非風非痰 氣血凝乾經絡 臂痛不擧

견비통 비풍비담 기혈응건경락 비통불거

견비통이 풍도 아니고 담도 아닌 기혈이 경락에 뭉쳐 통하지 않아 통증으로 팔을 들지 못한다.

> 강황8 당귀 해동피 백출 적작약4 강활 감초2 생강3

방풍탕　「韓方秘錄」

手臂痛 痲木

수비통 마목

손과 팔의 통증과 마비감을 치료한다.

> 백출 황기20 인삼8 감초4 방풍 진피 계피2

백개자산　「韓方秘錄」

七情鬱結 榮衛凝滯 肩背胛 牽引作痛 時發時止

칠정울결 영위응체 견배갑 견인작통 시발시지

신경을 많이 써서 영위에 기가 울체되어 어깨, 등, 어깨뼈가 당기고 수시로 아픈 것이다.

> 백개자 목별자40 몰약 목향 계심10

爲末 每4g 溫酒下

가루로 만들어 매번 4g씩 따뜻한 술로 먹는다.

418

활담탕 「韓方秘錄」

治肩背痛

치견배통

어깨와 등의 통증

> 반하 치자炒 진피 해동피 지각3.2 길경 적작약 창출 향부자2.8 복령2.4 천오 강황2 감초0.8

입응산 「韓方秘錄」

兩臂肩膊痛 手經之病 肝氣之鬱也

양비견박통 수경지병 간기지울야

양쪽 어깨와 팔의 통증은 수경락의 병으로 간기가 울체하여 발생한다.

> 당귀 작약120 시호 진피20 강활 진교 백개자 반하12 부자4

물로 달여서 먹고 황주를 같이 마시고 한 번 취하고 나면 낫는다.

가미소요산 「韓方秘錄」

手足痛 手足肝之分野 因肝氣鬱結也

수족통 수족간지분야 인간기울결야

팔다리의 통증은 간의 분야이므로 간기가 울체하면 발생한다.

> 치자14 반하 백개자8 작약6 백출 복령 시호 당귀 맥문4 감초 박하2 생강3

2첩을 먹으면 통증이 없어진다.

서기탕 「韓方秘錄」

治背痛 因膀胱之氣化不舒也

치배통 인방광지기화불서야

등의 통증은 방광의 기가 펴지지 못하여 발생한다. 즉 신정의 상승이 부족한 것이다.

> 숙지황40 복령 의이인 흠인20 차전자 택사12 육계2

2번 먹으면 효과가 난다.

윤하탕 「韓方秘錄」

背骨痛 乃腎水衰耗 不能上潤於腦 則河車之路乾澁而難行 故作痛也

배골통 내신수쇠모 불능상윤어뇌 칙하차지로건삽이난행 고작통야

등뼈의 통증은 신수가 소모되어 뇌를 자양하지 못하여 발생한다. 등뼈는 신정이 상승하는
통로인데 신수가 줄어들면 상승하지 못하여 통증을 일으킨다.

> 황기 숙지황40 백출 방풍20 산수유16 복령12 맥문동8 오미자4 부자0.2

이본탕 「韓方秘錄」

一身上下 盡行作痛 有時而止 痰氣不淸 欲嗽不能 咽喉氣悶 胸膈飽脹 二便兼澁

일신상하 진행작통 유시이지 담기불청 욕수불능 인후기민 흉격포창 이변겸삽

몸의 아래위가 모두 통증을 유발하는데 아프다 멈추며, 담기가 맑지 못하여 기침하기도 힘
들고 인후의 기가 통하지 못하여 흉격이 부풀고 대소변이 순조롭지 못한 증상을 고친다.

> 백출 산약흠인20 맥문 파극 복령12 백개자8 인삼 육계 희첨4 길경 패모2 방기1.2

보정축사탕 「韓方秘錄」

胸背手足腰脊 牽連疼痛 不定或來或去 至頭重不可擧 痰唾粘 口角流涎 臥則
喉中有聲

흉배수족요척 견연동통 부정혹래혹거 지두중불가거 담타점 구각유연 와칙후중유성

가슴과 등, 손 발, 허리와 척추가 서로 당기면서 아픈 것이 부정기적으로 나타난다. 통증이
머리까지 이르러 무거워 들 수 없고 가래가 끈적하고 입가로 침이 흐르며, 누우면 목에서
가래 끓는 소리가 난다.

> 복령40 백출 의이인20 백개자12 인삼4 계지1.2 십제유

진화탕 「韓方秘錄」

脚膝疼痛 行步癱瘓 風寒濕侵皮肉 眞凉至骨 此風寒濕合而寒爲甚也

각슬동통 행보탄탄 풍한습침피육 진량지골 차풍한습합이한위심야

다리와 무릎이 아파 걷기가 불편한 것으로 풍한습이 침범하여 뼈에 도달한 것이다. 이것은

풍한습이 합쳐져 한으로 변하여 생기는 것이다.

> 파극40 백출20 우슬 석곡 비해 복령12 부자 방풍4

신비탕(腎痺湯) 「韓方秘錄」

下元虛寒 復感寒濕 腰腎重痛 兩足無力

하원허한 부감한습 요신중통 양족무력

하초가 허한한 것에 한습에 침입하여 허리가 무겁고 아프며 양쪽 다리에 힘이 없는 것이다.

> 백출40 산수유 복령 의이인 지골피20 두충12 석곡8 육계4 부자 방기1.2

10제를 복용하면 양족에 힘이 생긴다.

해습탕 「韓方秘錄」

治腰脚痛

치요각통

허리와 다리의 통증을 치료한다.

> 의이인 흠인40 백출20 두충 우슬 모과8 육계 부자 차전자 감초4

15. 병학(病瘧) 「韓方秘錄」

해(痎-학질)나 학(瘧-학질)은 학질을 말하며, 해는 이일열(二日熱)이며, 학은 격일열(隔日熱), 또는 매일 일정 시간에 먼저 춥고 나중에 열이 오는 증상이다. 여름에 더위와 습으로 더위를 먹으면 가을에 학질증상이 나타난다. 뜨거운 기운과 습기가 체내에 잠복해 있다가 가을이 되어 다시 풍한의 침입으로 발생하는 것으로 먼저 춥다가 열이 나는 것은 선한후풍(先寒後風)의 내침으로 오는데 한학(寒瘧)이라 하고, 열이 나고 나중에 추워지는 것은 선풍후한(先風後寒)의 침입으로 생기며 온학이라 한다.

늦여름의 감기나 가을의 감기로 생각하면 된다. 학질은 삼양학과 삼음학이 있고, 삼양학은 폭학이라 하여 가을이 되기 전에 발병하는 것으로 가볍게 감상이 되어 갑자기 발생하는 것이다.

1) 태양해학

땀이 나고 두통과 인후통이 있고 허리와 등이 결리며 계지강활탕을 쓴다.

2) 소양해학

한열이 오르락내리락하는 것으로 시호계지탕을 쓴다.

3) 양명해학

열이 많고 한이 적으며 소변이 붉고 갈증이 생기는데 시령탕을 쓰고, 열과 갈증만 있으면 백호가인삼을 쓴다.

4) 태양합양명학

열이 심하고 땀이 많이 나는데 계지작약탕을 쓰고, 약을 먹고 더 심해지면 삼양의 합병이므로 계지황금탕이나, 갈근탕 소시호탕 백호가인삼탕을 합하여 쓴다.

5) 삼음학(구학)

구학(久瘧)이라고도 하는데 가을이 되고 겨울이 오기 전에 발생한다. 심하게 감기에 걸려 독하게 앓는 것으로 태음 소음 궐음의 해학이 있다. 삼음학은 기혈과 진액부족이 원인이므로 보중 소시호 쌍화 소건중을 합하여 사용하면 된다.

6) 노학

구학으로 한열은 미미하고 추운 가운데 열이 나며 표리가 모두 허해서 원기가 회복되지 못하여 잠시 좋아졌다가 조금만 활동을 하면 다시 발생하여 오래도록 낫지 않는 것이다. 팔미 보중 소시호 쌍화를 합하여 쓰거나, 궁귀별갑산이나 휴학음을 쓴다. 학질에는 배부르게 먹지 말고 술을 마시지 말고 여색을 멀리 하여야 하고 몸을 따뜻하게 유지해야 빨리 치료된다.

계지강활탕　　「韓方秘錄」

治太陽瘧-

치태양학

422

> 계지 강활 방풍 감초6

태양학에 무한(無汗)이면 계지 대신 마황을 가한다. 이는 마황강활탕이다.

계지작약탕 「韓方秘錄」

太陽陽明合病

태양양명합병

> 적작약 지모 석고 황금8 계지4

계지황금탕 「韓方秘錄」

三陽合病

삼양합병

> 시호8 석고 지모6 황금 인삼 반하 감초4.8 계지4

궁귀별갑산 「韓方秘錄」

治勞瘧-치노학

> 별갑8 천궁 당귀 적작약 반하 진피 청피4 오매2 생강5 대조2

휴학음 「韓方秘錄」

治久瘧-치구학

> 하수오 인삼 백출 당귀12 구감초3.2

하인음 「韓方秘錄」

諸瘧如神

제학여신

16. 해독(解毒)

해독제는 소독제(消毒劑)와 동일한 의미이며, 독을 풀고 염증을 가라앉히는 것이다. 염(炎)이란 화(火)가 뭉쳐 발생하는 것으로, 해독제는 뭉쳐진 화를 식게 하여 염증을 치료하는 것이다. 해독제는 양약의 항생제와 같은 의미이며, 모두 냉하고 습한 성질을 갖고 있어 몸이 냉한 사람이나 습이 많은 사람은 부작용을 일으킬 수 있다.

뚱뚱한 사람에게 해독제를 사용할 때는 습을 제거하는 약을 가하여 균형을 맞춰줘야 한다. 인체의 모든 염증의 발생 원인은 간화의 문제로, 간에서 소설과 장혈의 부족은 간의 울체를 일으키고 이 원인으로 인하여 영기(榮氣)가 산포(散布)되지 못하면 혈이 뭉치고 담이 정체하여 기육에 열독이 울체하여 쌓여서 옹저가 발생한다.

염증이 발생하면 어느 특정 부위가 딱딱하고 붉게 부어오르며 열감과 통증이 수반된다. 염증을 푸는 것은 경락이 잘 소통되게 하여 통하게 하고 정체된 혈을 움직이게 해야 하는데 활담(豁痰)과 이기(理氣) 인경(引經) 해독(解毒)이 필요하며, 간의 청열과 소설이 같이 일어나야 한다. 오래된 울체로 허해진 간의 기를 보하고 생살의 생성을 촉진하며 체력을 보강하기 위한 유간(柔肝)의 작용도 필요하다.

여기에 사용되는 본초는, 딱딱하고 뭉쳐진 것을 풀어주는 천산갑이 있고, 염증의 부위에 따라 인경하는 본초로 안면부위는 백지, 목으로 끌고 가는 길경, 어느 부위의 염증이 있는 곳으로 인경하는 조각자가 있고, 기를 잘 통하게 하여 경락을 뚫어주는 백지 진피 방풍이 있고, 뭉친 혈을 풀어주는 것으로는 당귀 유향 적작약이 있고, 파혈제로는 몰약과 천궁이 있다. 활담과 해독에는 패모 천화분 금은화 감초 연교 우방자 유근피 형개 길경이 있다. 간의 청열에는 시호 황금이 있고, 소설에는 지실 대황, 그리고 유간에는 쌍화탕, 사물탕, 황기건중이 있다. 「방제에서 사람으로」

상한론에 나오는 배농산과 배농탕은 둘을 합하여 배농산급탕이라 하며, 배농산은 지실 작약 길경으로 조성되어 있고 염증이 화농할 우려가 있고 아직은 곪지 않은 것에 사용한다. 배농탕은 감초 길경 생강 대조로 구성되어 있으며 몸의 어느 부위에 농이 있는 것을 없애주는 작용을 한다. 배농산급탕은 지실의 소설작용과, 작약의 청열 유간작용, 길경의 인경작용은 있지만 해독의 작용은 없다. 그래서 배농산급탕을 사용할 때는 은교산이나 탁리소독음을 함께 사용, 염증을 제거하는 것이 좋다.

길경은 목까지 약을 인경하는 것으로, 배농산급탕은 길경의 인경으로 목까지 약력이 전달되어 목 아래의 뭉쳐진 것을 풀어주어 흉울(胸鬱)을 풀어주며, 쾌기탕이 포함되어 가슴이 답답한 것을 시원하게 한다. 가슴이 답답한 사람에게 소시호와 자감초 배농산급탕을 사용하며 심한 경우에 황련해독을 합하여 사용한다.

인후통에 사용하는 감길탕이나, 길경석고탕, 필용방감길탕은 길경의 인경으로 약력을 인후로 끌고가 감초나 석고와 다른 해독제들이 목의 통증이나 염증을 완하나 치료를 하는 것이다. 하복으로 인경하는 약은 우슬로 약력이 하초에 작용되도록 하며 우차신기환이 그 예이다. 청상방풍탕은 백지의 인경으로 약력을 눈까지 올라가게 하며, 황련해독탕이나 발표제들이 눈과 그 이하의 안면 부위에 청열과 해독을 하게 한다. 은교산은 금은화 연교 등 해독중심의 약제들로 구성되어 청열과 소설제를 같이 사용하는 것이 좋은데 목의 염증에 소시호나 대시호를 합하여 사용한다. 탁리소독음은 유간제인 당귀 천궁 황기와, 해독제로 금은화 아산갑, 인경약으로 조각자 길경, 이기약(理氣藥)으로 백지 방풍 진피 후박으로 조성되어 모든 염증을 조리할 때는 탁리와 배농산급탕을 합하여 육미와 시호제를 같이 사용하며, 염증의 부위별로 인경약을 함께 사용하는 것이 염증치료의 기본이다. 자궁의 근종을 치료할 때 기본 염증치료약과 자궁으로 인경하는 애엽이 들어있는 궁귀교애를 합한다.

대장폴립에는 간화가 대장으로 침범하여 장에 옹이 생긴 것으로, 염증처방에 인경약으로 계지가작약탕을 합하여 약력이 장에서 작용하게 한다. 만성염증의 처치에는 해독제인 삼칠을 사용하는데 신생거악작용과 파혈의 작용이 있어 염옹종의 치료에 사용하여 적취(積聚)와 현벽(痃癖)과 징가(癥瘕)를 풀어낸다.

17. 옹저(癰疽)

옹저는 종기를 말한다. 옹은 육부의 열이 모였다가 피부사이에 솟아올라 염증이 생겨 피부가 얇게 곪아 아픈 것이다. 초기에는 몸에 열이 나며 환부가 뜨겁고 부어올라 아프다. 곪아 터진 후에는 빛은 붉으나 열이 외부로 빠지면서 종이 크게 생겨도 필히 낫는다. 저는 오장에 쌓인 열이 근골 안으로 들어가 근골의 기혈을 말려 생기는 것으로, 종기처럼 부풀어 오르지 않고 마르고 초최해져 피부가 두껍고 단단하게 변하여 코끼리 가죽처럼 된다. 초기 발생 시는 몸에 열이 없으며 환부도 뜨겁지 않고 시간이 지남에 따라 점점 크게 번져 종이 생기지도 않고 아프지도 않으며 기육이 삭아 움푹하게 내려앉으며 괴란이 된다. 궤양이 되면 피부색이 자흑색이 되며 속으로 점점 퍼져 결국에는 사망하는 경우가 많다. 옹저는 아프기도 하고 가렵기도 하며 피부가 궤양이 되기도 하며 피부 속에 덩어리가 맺히는 것들은 모두 화열에 속한 것이다. 아픈 것은 실증이며 가려운 것은 허증이다. 옹저가 터진 후에 기혈이 허하면 새살이 빨리 만들어지지 않아 아물기가 힘들어진다. 탁리소독음에 귀기건중탕을 합하여 쓴다.

옹저가 발생하여 종기가 되어 곪았으면 빨리 농을 배출시키고, 곪지 않았으면 모인 열기를 흩어버려야 한다. 배농산급탕이나 선방활명음, 탁리소독음을 쓴다. 옹의 종류는 폐옹, 심옹, 간옹, 신옹, 위완옹, 소장옹, 대장옹, 복옹, 벽옹, 현옹, 변옹 등이 있으나, 우리가 접할 수 있는 것은 폐옹 즉 늑막염과, 대장옹인 맹장염이다.

1) 폐옹

열이 나면서 떨고 기침을 하면 피고름이 침에 섞여 나오며 갈비뼈가 아픈 것이다.

2) 장옹

대장옹과 소장옹인데 아랫배가 붓고 누르면 아프며 소변이 자주 나오며 땀이 나고 열과 오한이 발생한다. 소장옹은 왼쪽 아랫배가 몹시 아프고 갈증이 생기며 좌측 다리를 펴지 못한다. 이는 장이 꼬였다는 것이며, 심하면 수술을 해야 하며, 가벼우면 발장패독지성단, 설독지신탕, 소옹무차탕을 쓴다. 아랫배가 뻐근하게 아프지만 다리를 펴고 오므리는 것은 지장이 없는 것은 탈장으로 생각하며 보중에 소건중을 쓰면 된다.

대장옹은 우측 다리를 펴지 못하며 우하복이 몹시 아픈 것이다. 대장옹은 성인에게 많으며 과음을 하고 방사를 지나치게 하면 신정이 고갈되어 대장이 조해져 습담이 발생하여 장을 막아 염증을 일으키거나, 찬 음식에 체해서 발생한다. 소아의 경우는 맹장부위를 타박을 당했거나 찬 음식 또는 이물질(모래나 딱딱한 물질)이 끼여 염증을 발생하여 생길 수 있다. 이는 수술을 해야 한다. 맹장염이 터져 복막염이 되면 다리는 펴되 아랫배를 누르면 몹시 아프다. 아랫배가 아프고 다리를 펴지 못하고 소변에 피가 섞여 나오는 것은 장옹이 아니고 소장에 열이 심하여 오는 것이다. 이때는 가미소시호탕을 쓴다.

3) 탈저와 여저

저(疽)에는 부골저(附骨疽), 완저(緩疽), 석저(石疽), 정저(疔疽), 홍사정(紅絲疔), 여저(厲疽), 탈저(脫疽-괴저) 등이 있는데, 탈저와 여저에 대해서 설명한다.

여저와 탈저는 발에 발생하는 것으로 정(疔-악성종기)이 발 옆에 나는 것을 여저라 하

426

고, 발가락에 나는 것을 탈저라 한다. 모두 고량진미를 먹고 음주와 여색을 험하게 써서 적이 되어 악독으로 인해서 발생하며 당뇨병이 오래되어도 발생한다. 가볍게 나타나는 것은 빛이 붉고 스스로 터지며 이때는 선방활명음을 쓰고, 심하면 붉은 빛이 흑색으로 변한다. 탈저는 엄지발가락의 병이고, 조저는 엄지손가락의 병이며, 곽저는 엄지 이외의 손발가락이 썩는 병이다. 고보탕을 쓰면 효과가 좋다.

선방활명음 「古今名醫方論」

治一切瘡傷 未成膿者內消 已成膿卽潰 又止痛 排膿消毒之 聖藥也

치일절창상 미성농자내소 이성농즉궤 우지통 배농소독지 성약야

일절 창상을 치료한다. 고름이 아직 생기지 않은 것은 내에서 삭게 하고, 농이 만들어진 것은 즉시 터지게 한다. 또 통증을 멎게 하고 농을 배출하고 독을 삭혀주는 성약이다.

> 대황20 금은화12 당귀미 조각자 진피10 유향 패모 천화분 백지 적작약 감초4
> 방풍2.8 몰약2 아산갑2편

체내 음이 부족하면 열이 발생하고, 열이 기육에 머물러 소양증이나 통증, 염증을 발생한다. 염증이 발생하여 붓고 고름이 잡히고 잘 낫지 않는 경우 선방활명음은 종기나 부스럼에 독을 공격하여 처치할 수 있는 창양치료의 일번 약으로 선택할 수 있다. 창양의 발생원인은 열독이 발산되지 못하고 기육에 머문 상태에 영기가 따라 가지 못하여 열과 혈이 엉겨 정체가 된 것이 쌓이고 쌓여 오는 것이다. 창양을 치료하는 방법은 경락에 뭉쳐 정체된 것을 통하게 하는 것이 제일 좋은 방법인데 정체되고 울체된 혈이 움직이면 담이 소통되고 기가 조리되어 해독이 된다. 종기나 염증의 치료법인 청열하고 소설하고 유간과 해독의 방법과 같다.

이 방은 영기와 위기가 건강한 사람에게 쓴다. 중기가 튼튼한 사람을 말하는데 만약 비위가 약하면 탁리소독음을 쓴다. 창상의 치료법은 종기가 부어오르고 작열감과 통증이 있으면 먼저 선방활명음으로 딱딱한 것을 풀어준 다음 탁리소독음을 쓴다. 종기가 오래되어 통증이 미약하고 잘 낫지 않으면 탁리, 그래도 효과가 없으면 생강과 계지를 가한다. 만약 농은 나왔는데 종기가 사라지지 않고 통증이 더 심해지면 기혈이 허한 것이 원인이므로 귀기건중을 쓴다. 악한하고 추위를 싫어하면 양기가 허한 것으로 십전대보에 생강 계지를 가하여 쓴다. 해질 무렵에 열이 나고 속에 열감이 있으면 음혈이 허한 것으로 사물탕에 인삼 백출을 가하여 쓴다.

모든 종기의 원인은 음과 양이 손상이 와서 만들어지는 것으로 기혈을 더욱 허하게 만

들면 만성으로 변하여 몸은 점차 쇠약해진다. 표기를 고밀하게 만들어 위기(胃氣)를 돕고 비위를 살려 생살이 빨리 채워지게 하는 작용이 있고 해독된 것을 발산한다.

탁리소독산　「古今名醫方論」

凡癰 服此則 未成則消 已成則壞. 能壯氣血 毒氣不敢 內攻肌肉 而生金

범옹 복차칙 미성칙소 이성칙괴. 능장기혈 독기불감 내공기육 이생금

금은화 진피12 황기 천화분8 방풍 당귀 천궁 백지 길경 후박 아산갑초 조각자초4

酒水相半煎服

물과 술을 반씩하여 달여 먹는다.

인삼, 황기, 백출, 복령, 감초는 기분을 보하고, 천궁 작약은 혈분을 자(滋)하며, 금은화, 백지, 연교는 해독을 한다. 창양을 치료하는 방법은 기혈을 보하면서 청열과 해독 소설이면 될 것 같다. 청열제인 시호제와 배농산급탕이나 탁리소독음을 사용해도 좋은 결과가 나타난다.

발장패독지성단　「韓方秘錄」

治腸癰

치장옹

금은화320g을 달인 물 2碗 당귀120 지유80 의이인20g

물 15碗을 붓고 달여 2완으로 만들어 정오에 한번 복용하고, 자기 전에 복용한다. 2제에 치료된다.

소옹무차탕　「韓方秘錄」

治癰疽 一身上下左右 陰陽內外俱治 肺癰 大小腸癰 肋膜炎 無不神效 多服久服無碍

치옹저 일신상하좌우 음양내외구치 폐옹 대소장옹 늑막염 무불신효 다복구복무애

몸의 상하 좌우 음양 내외에 발생한 모든 옹저를 치료한다. 폐옹, 대소장옹, 늑막염 등에 모두 효과가 좋다. 오래먹어도 아무런 해가 없다.

428

> 금은화160 당귀120 지유 맥문 현삼40 의이인20 감초12 황금8

4제를 먹으면 치료된다.

설독지신탕 「韓方秘錄」

治小腸癰

치소장옹

> 금은화120 복령 의이인40 감초 차전자택사12 육계0.4

3~4제로 완치된다.

청장음 「韓方秘錄」

治大腸癰 盲腸炎秘方

치대장옹 맹장염비방

> 금은화120 당귀80 지유 맥문 현삼40 의이인20 감초12 황금8

4제를 먹으면 치료된다.

가미소시호탕 「韓方秘錄」

腹痛 小便流血 足不能伸 此小腸之火大盛也

복통 소변유혈 족불능신 차소장지화대성야

배가 아프고 소변에 피가 흐르며 다리를 펴지 못하는 것은 소장에 열이 심하여 온다.

> 복령20 황금12 시호 감초 인삼 반하4

1제를 먹으면 다리를 펴고, 2제를 먹으면 혈이 멈추고 배가 아프지 않게 된다.

고보탕 「韓方秘錄」

治脫疽 脚指頭忽生發疽 而作痛 指甲現黑色 二日脚指俱黑 三日連足面俱黑

此多服春藥 是火熱之毒 非脚疽

치탈저 각지두홀생발저 이작통 지갑현흑색 이일각지구흑 삼일연족면구흑

차다복춘약 시화열지독 비각저

탈저는 발가락 끝 부분에 갑자기 염증이 생겨 아프기 시작하고 발톱이 검게 변한다. 2일이면 발톱 전부가 검게 변하고 3일이면 발등까지 검어진다. 이것은 춘약을 많이 먹어 화열(火熱)이 심해져 독이 된 것이다. 각저는 아니다.

> 금은화120 우슬 석곡 황기 당귀40 인삼4

3제를 먹으면 치료된다.

해독제생탕 「韓方秘錄」

탈저초기

> 당귀 원지 천궁 천화분 시호 황금 지각 맥문 지모 황백 복신 금은화4 홍화 우슬 감초2

손가락에 난 것은 去우슬 加승마한다

인삼양영탕 「韓方秘錄」

治郭疽 此症 膏粱之味損脾 房勞傷腎以致 血少精渴 濕熱壅盛而成

多生於足指 而手指亦間有生者 潰後用

치곽저 차증 고량지미손비 방로상신이치 혈소정갈 습열옹성이성

다생어족지 이수지역간유생자 궤후용

곽저는 기름진 음식을 많이 먹어 비가 상하여 오거나, 방사를 과도하게 하여 신장이 허해져 오는데, 혈이 부족하고 신정이 부족하여 습열이 옹성하여 발생한다. 발가락에 주로 발생하고, 또 손가락 사이에 생기는 자는 터진 후에 먹는다.

> 인삼 진피 황기 계심 당귀 백출 감초4 작약주세6 숙지황 오미자 복령3 원지2 생강3

자신보원탕 「韓方秘錄」

治脫疽 潰後不斂

치탈저 궤후불렴

탈저가 궤양 후에 아물지 않을 때 사용한다.

> 인삼 백출토초 복령 당귀신 숙지황 황기 산수유 목단 두충4 부자 감초 육계2
> 생강3 대조2 연육7개

상처가 빨리 아물지 않을 때는 육미 + 황기건중탕 + 당귀건중탕 + 배탁을 한다.

18. 제창(諸瘡) 「韓方秘錄」

대풍창은 나병이며, 천포창은 양매창이라 하고 매독이다. 아장풍은 매독에 경분을 복용한 뒤 손바닥의 껍질이 벗겨지는 것으로 모두 전문적인 치료를 받아야 한다. 영류는 혹으로 기혈이 응체가 되어 만들어 진다. 근심을 많이 하여 심폐(心肺)가 상한 원인으로 목과 어깨에 생기며 단단하거나, 연하며 아프지도 않고 가렵지도 않고 처음에는 매실 크기로 나타났다가 자두처럼 변하고 점점 자라 계란처럼 커지게 된다. 외과적 처치가 필요하다. 결핵(結核)은 피부 속에 조그마한 씨앗 같은 것이 만들어지는 것이다. 습담(濕痰)이 유주하여 단단한 몽우리가 피부에 발생하여 없어지지 아니하는 것이며 마치 피부 속에 둥근 단추나 바둑알 같은 것이 들어있는 듯 만져지며 소풍화담탕을 쓴다.

개선(疥癬)은 개창(疥瘡)과 선창(癬瘡)으로 구별하며 5종류씩 있다.

* 건개(乾疥)는 피부가 건조하여 가루가 떨어지는 것이다.
* 습개(濕疥)는 짓무르고 아프며 진물이 흐르는 것이다.
* 사개(砂疥)는 피부에 좁쌀 같고 모래 같은 것이 돋아 아프고 가려운 것이다.
* 충개(蟲疥)라 하는 것은 가렵고 전염이 되는 것이다.
* 농개(膿疥)는 피부 속에 진물이 고이고 염증으로 변하여 고름이 생기며 아픈 것이다.

* 습선(濕癬)으로 피부에 벌레가 기어 다니는 것처럼 가려우며 긁으면 진물이 나온다.
* 완선(頑癬)은 환부가 둥글고 붉으며 가렵다. 주로 사타구니에 잘 발생한다.
* 풍선(風癬)은 건선(마른버짐)이라 하며 별로 가렵지 않고 긁으면 하얀 가루가 떨어진다.
* 마선(馬癬)은 조금 가려우며 하얀 점이 연결되어 나타난다.
* 우선(牛癬)은 피부가 소가죽처럼 두꺼워지고 단단해 지는 것이다.

개선(疥癬)의 통치방은 당귀음자를 쓴다.

소풍화담탕 「韓方秘錄」

結核 因風痰鬱結 而成也 獨形而小核也

결핵 인풍담울결 이성야 독형이소핵야

피부 속에 덩어리가 생기는 것은 풍담이 뭉쳐 생겨난다. 작은 단추크기다.

> 백출 목통4 남성 반하 적작약 연교 천마 백강잠 창이자 금은화 천문동 길경2.8
> 방풍 백지 강활2 전충 진피1.6 감초0.8 생강5

여신산 「韓方秘錄」

治凍瘡(凍傷), 冬月凍傷成瘡流水

치동창(동상), 동월동상성창유수

동상을 치료하는데, 겨울철에 찬 것에 오랫동안 노출되어 헐고 진물이 흐르는 것이다.

> 대황말

新水調塗瘡上 痛止立效

대황 가루를 맑은 물과 섞어 동상부위에 부르면 통증이 멎고 치료가 된다.

적석지산 「韓方秘錄」

治湯火傷瘡

치탕화상창

뜨거운 물이나 불에 화상을 입었을 때 사용한다.

> 적석지 한수석 대황 등분말

위의 약을 동량으로 하여 가루로 만들어 물과 섞어 바른다.

소풍산 「韓方秘錄」

遍身瘙痒 或癢如蟲行 抓破見血 盛風熱 疹子成顆成片

편신소양 혹양여충행 조파견혈 성풍열 진자성과성편

전신이 가렵고 벌레가 기어가는 듯하며 긁으면 피가 난다. 풍열이 심하여 발생하며 도돌하게 돋는다.

> 형개 방풍 당귀 생지황 고삼 창출炒 선퇴 호마자 우방자炒 석고 지모4 감초 목통2

금연온보고 「韓方秘錄」

治鷄眼

치계안-티눈

> 지골피 홍화 등분

杵成膏敷疼處卽消 若巳害者 敷之次日 卽成痂落

저성고부동처즉소 약이해자 부지차일 즉성가락

지골피와 홍화를 같은 량을 공이로 찧어 티눈에 붙이면 즉시 가라앉는다. 한번 붙이고 되지 않으면 다음날 다시 붙이면 딱지가 생겨 즉시 떨어진다.

유향산 「韓方秘錄」

打撲損傷 痛不可忍

타박손상 통불가인

타박으로 통증이 심하여 참을 수 없는 것을 치료한다.

> 백출 당귀竝炒 백지 계피 유향 몰약 감초 등량

가루로 하여 매8g씩 따뜻한 술에 섞어 먹는다.

보손당귀산 「韓方秘錄」

打撲折傷 疼痛叫號 服此不復大痛 三日筋骨相遠

타박절상 동통규호 복차불부대통 삼일근골상원

타박상이나 골절로 아프다고 하는 것을 이 약을 복용하면 다시는 아프지 않게 된다.

> 천궁60 계심 천초 당귀 감초3 부자 택란10

위의 약을 가루로 하여 每8g씩 따뜻한 술로 먹으면 효과가 좋다.

19. 눈(眼) 「韓方秘錄」

눈이 오장의 정화인 까닭은, 백정(白精)이라 하여 흰자위는 폐에 속하며 기의 정이 되는 것이며, 흑정(黑睛)은 검은자위로 간에 속하며 근의 정이 되며, 눈동자는 신에 속해 골지정(骨之精)이 되는 것이다.

아래위 눈꺼풀은 비위에 속하며 육지정(肉之精)이며, 안 밖 눈꼬리는 심에 속하며 혈지정(血之精)이 되는 것이다. 간기(肝氣)는 눈으로 통해있어 간이 화(和)하면 오색을 분별할 수 있고, 허하면 눈이 흐려져 잘 보이지 않는 것이다.

1) 내장(內障)

아프지도 가렵지도 않고 눈물도 흐르지 않고 눈에 아무런 이상이 없는데, 가느다란 안개 같거나 희미한 연기 같은 것이 보이며, 가끔은 파리가 날아다니는 듯 보이고 점점 눈이 어두워지는 것이다. 이것은 간혈이 부족하고 정신적 피로가 원인이다. 내장이 원인으로 발생하는 질환은 23가지가 있으나 전문적인 치료를 받아야 하는 것이 많은 관계로 생략하고 눈이 점점 어두워지면 양간환, 당귀탕을 쓴다.

2) 외장(外障)

눈이 아프고 눈물이 나며, 눈앞이 어둡고 노육(努肉)이 생겨 눈자위를 덮고 구슬 같은 붉은 핏줄이 생기며 눈이 지저분해 보인다. 이는 폐기(肺氣)의 허가 원인이다. 명목유기음, 석결명산, 규운산, 세간명목탕을 쓴다.

3) 예막(瞖膜)

붉거나 희거나 푸른 막이 눈자위를 덮는 것으로, 간의 혈허와 신이 허하여 허열이 심하면 발생하는데 먼저 백태(白苔)를 치료 후에 열을 내려야 한다. 순서가 바뀌면 혈이 응체되어 백태를 제거하기가 어려워진다. 이때는 보간산을 쓴다.

4) 오색안화(五色眼花)

간신(肝腎)이 허하면 눈에 꽃(안화-眼花)이 보이는데 파리나 모기가 날아다니는 듯하며, 흑화(黑花)가 보이는 것은 신허가 원인이며, 오색안화(五色眼花)가 보이는 것은 신허에 다른 열이 합해진 것이 원인이다. 환정환을 쓴다.

5) 작목(雀目)

기타 질환은 작목(雀目)으로 밤눈이 어두운 것으로, 간이 허하여 혈이 부족한 것이다. 현대 의학으로 비타민A의 부족이다. 시시로 안화가 보이고 두통이 오기도 하며 오래 지속되면 눈이 어두워진다.

6) 고풍작목(高風雀目)

작목과 비슷한 것으로 저녁 해질 무렵이 되면 눈이 보이지 않고 지속되면 눈이 누렇게 바뀌며 고치기 어렵다. 풍감환, 환정환을 쓴다.

7) 권모도첩

눈꺼풀이 안으로 말려 들어가 속눈썹이 눈을 찔러 아픈 것은 비장의 풍열로 인해서 발생하며 세신탕, 신효명목탕을 쓰고, 다래끼는 비장의 적열이나 음식물에 체하여 위열이 올라오면 발생하는데, 청비산을 쓴다.

8) 원시(遠視)와 근시(近視)

기와 혈의 부조화로 발생하는데, 원시는 근시가 될 수 없고, 근시는 원시가 될 수 없다. 원시는 혈이 허하고 기가 성하여 오는 신수부족(腎水不足)이 원인이고 육미에 모려를 가하여 사용하거나 지지환을 쓰고, 근시는 기가 허하고 혈이 성한 까닭인데 화부족(火不足)이다. 정지환에 복령을 가하여 사용한다. 폐의 실열이나 허열, 즉 풍사가 뇌로 들어가면 하나가 둘로 보이게 되며, 또 간이 허하면 하나의 물체가 쌍으로 보이게 되며 신기환, 보간산을 쓰며, 뇌의 영양이 부족하면 사물이 두 개로 보인다(화면이 두 개). 조간익목탕을 쓴다.

9) 난시(亂視)

바른 것이 굽어보이고 굽은 것이 바르게 보이는 것인데 복담(伏痰)으로 발생하며 상산 酒洗20g에 인삼노두12 감초4 생강5편을 넣어 사용한다. 노인이나 소아가 눈이 어두우면 익기총명탕을 쓰고, 부인이 눈이 어두우면 억청명목탕을 쓴다.

10) 눈에 사용하는 방제

양간환　「韓方秘錄」

肝虛 眼昏花 或生眵淚 婦人血虛眼疾(眵-눈곱 치)

간허 안혼화 혹생치루 부인혈허안질

간이 허하여 눈이 어둡고 눈곱이 많거나 눈물이 많이 흐르는 것을 치료한다. 부인의 혈허로 온 눈 질환에도 사용한다.

당귀 천궁 백작약 숙지황40 방풍 빈랑 차전자20

꿀로 오자대의 환을 만들어 70丸씩 식후 2시간 뒤에 먹는다.

당귀탕　「韓方秘錄」

補肝腎益 瞳子光明

보간신익 동자광명

간을 보하고 신을 보하여 눈에 빛이 나게 한다.

생지황6 시호 당귀 작약4 황금 황련拉酒浸3 감초2

명목유기음　「韓方秘錄」

風熱上攻 視物暗 常見黑花 多淚

풍열상공 시물암 상견흑화 다루

풍열이 눈으로 들어가면 보이는 것이 어둡게 보이고 항상 흑과가 보이고 눈물이 많이 난다.

창출40 결명자30 대황 천궁 세신 우방자 감국 방풍 백질여 형개 만형자 현삼 목적 황금 치자 감초4

위의 가루를 매4g씩 자기 전에 찬 술로 복용한다.

석결명산　「韓方秘錄」

肝熱 一眼赤腫痛. 忽生醫膜. 脾熱瞼內如鷄冠 蜆肉 或蟹睛疼痛或旋螺尖起

간열 일안적종통 홀생예막. 비열검내여계관 현육 혹해정동통혹선라첨기

간열로 한쪽 눈이 붉게 붓고 아프며 갑자기 예막이 생긴 것이나, 비장의 열로 눈꺼풀 내에 닭 벼슬 같고 조갯살 같은 것이나 소라의 살처럼 회전하는 살이 생겨나는 것이다.

석결명 초결명40 강활 치자 목적 청상자 적작약20 대황 형개8

규운산　「韓方秘錄」

風熱上功 眼目昏暗 瞖膜遮睛 痒痛多淚

풍열상공 안목혼암 예막차정 양통다루

풍열이 눈을 침범하여 양 눈이 어두워지고, 예막이 눈동자를 가로막고 헐고 아프며 눈물이 많이 나는 것이다.

> 시호80 강활 방풍 감초40

爲末 每8g 薄荷湯下

박하탕으로 먹는다.

세간명목탕　「韓方秘錄」

一切風熱 眼目赤腫疼痛

일절풍열 안목적종동통

풍열로 발생한 눈알이 붉고 붓고 아픈 모든 것을 치료한다.

> 당귀미 천궁 적작약 생지황 황금 황련 치자 석고 연교 방풍 형개 박하 강활
> 만형자 감국 질여 초결명 길경 감초2

보간산(補肝散)　「韓方秘錄」

瞖膜在黑珠上昏花

예막재흑주상혼화

예막이 검은자위에 있어 눈이 어두워지는 것을 치료한다.

> 시호6 작약4 숙지황 복령 감국 세신 감초2.8 백자인 방풍2

환정환　「韓方秘錄」

高風雀目 漸成雀目

고풍작목 점성작목

점차 밤눈이 어두워 지는 것을 치료한다.

> 석결명煆硏 복분자 충울자(익모초씨앗)80 槐實(회화나무 열매)炒 인삼 세신 방풍
> 복령 감국 백자인 천궁40

爲末 蜜丸 梧子大 30丸 溫水下

꿀로 오자대의 환을 만들어 30환씩 온수로 먹는다.

지지환   「韓方秘錄」

腎水虧 遠視不能近視

신수휴 원시불능근시

신정의 부족으로 발생한 원시에 사용한다. 원시는 근시가 될 수 없다.

> 감국80 숙지황 천문동160 지각80

꿀로 오자대의 환을 만들어 공복에 100丸씩 먹는다.

정지환   「韓方秘錄」

火不足 近視不能遠視

화부족 근시불능원시

화부족으로 오는 근시에 사용한다. 근시는 원시가 될 수 없다.

> 원지거심 창포80 인삼 복령40

꿀로 환을 만들어 10~20환을 미음으로 먹는다.

풍감환   「韓方秘錄」

小兒 肝疳雀目

소아 간감작목

소아의 밤눈 어두운 것을 치료한다.

> 청대 황련 천마 오령지 야명사 천궁 노회8 초용담 방풍 선퇴6 전충2개 건섬두12

대신 비타민A를 먹는 것이 좋다.

세신탕   「韓方秘錄」

治拳毛倒睫

치권모도첩

속눈썹이 눈을 찌르는 것이다.

> 세신 대황 길경 영양각 흑삼4 지모 방풍 충울자8 식원복

신효명목탕 「韓方秘錄」

眼楞緊急 致倒睫拳毛 上下瞼皆赤爛 睛痛淚流 隱澁難開

안릉긴급 치도첩권모 상하검개적란 정통루류 은삽난개

속눈썹이 눈동자를 찔러 상하 눈꺼풀이 붉게 짓무르고 눈이 아프고 눈물이 흐른다. 껄끄러워 눈 뜨기가 어렵다.

> 감초8 갈근6 방풍4 만형자2 세신0.8

익기총명탕 「韓方秘錄」

內障初期 視覺微昏黑花 視物成二 耳聾耳鳴

내장초기 시각미혼흑화 시물성이 이롱이명

내장의 초기에 보이는 것이 약간 어둡게 보이고 흑화가 있으며 사물이 두 개로 보인다. 이롱이나 이명에도 사용한다.

> 황기 인삼5 승마3 갈근12 만형자6 작약 황백주초4 감초2

달여서 자기 전 뜨겁게 먹고, 새벽3~5시에 다시 먹는다.

억청명목탕 「韓方秘錄」

婦人怒氣 傷肝眼目昏眩 如雲霧中

부인노기 상간안목혼현 여운무중

부인이 분노하여 간이 나빠져 눈앞이 어둡고 어지러운 것이 구름이나 안개 속에 있는 듯한 것을 치료한다.

> 당귀 작약 건지황 백출 적복령 진피 반하 초용담 시호 황련 치자 목단피 백두구 감초2.8 생강3 대조2

청비산 「韓方秘錄」

다래끼

> 치자인초 적작약 지각 황금 진피 곽향 석고 방풍 박하 승마 감초 위말 8g 煎服

신기환=육미지황환

보간산(保肝散) 「韓方秘錄」

風邪入腦 一見兩物 慾成內障

풍사입뇌 일견양물 욕성내장

풍사가 뇌로 들어가면 사물이 겹쳐 보인다. 내장으로 변할 수 있다.

> 천궁 당귀 지골피 창출 백출 밀몰화 강활 천마 박하 시호 고본 석고 목적
> 연교 세신 길경 방풍 형개 감초2 치자 백지1.2

달여 식후에 복용한다.

조간익목탕 「韓方秘錄」

無故忽視物爲兩 此腦氣之不足也

무고홀시물위양 차뇌기지부족야

이유없이 갑자기 보이는 것이 두 개로 보이는 것은 뇌기의 부족으로 온다.

> 작약80 당귀40 강국 생지황20 인삼 천궁 감국12 천화분 욱리인8
> 감초4 박하3.2 시호 세신2 백지1.2

2제를 먹으면 치료된다.

당귀활혈음 「韓方秘錄」

眼胞振動 氣血虛有熱所致 屬肝脾二經

안포진동 기혈허유열소치 속간비이경(눈꺼풀 경련)

눈꺼풀이 경련을 일으키는 것은 기혈이 허하고 열이 있어서 발생한다. 이 증상은 간과 비의 2경에 속한다.

> 당귀신 창출 천궁 박하 황기 숙지황 방풍 강활 작약 감초

440

모두 동량으로 하여 물로 달여 먹는다.

화견이진환　「韓方秘錄」

眼胞痰核　及周身結核

안포담핵 급주신결핵

눈꺼풀에 덩어리가 만들어진 것이나 몸에 결핵이 있는 것을 치료한다.

> 진피 반하4 백강잠초80 복령60 감초12 황련8

박하달인 물과 섞어 오자대의 환을 만들어 매8g씩 물로 먹는다.

미발락방(眉髮落方)　「韓方秘錄」

반하 或 반하경(莖)을 빠진 부위에 바르면 난다.

감동단　「韓方秘錄」

瞳子散大　視物無準　以小爲大　此氣血之虛　而驟用熱物　火酒以成之者也

腦熱則　瞳子散大　多食辛熱之物

동자산대 시물무준 이소위대 차기혈지허 이취용열물 화주이성지자야

뇌열칙 동자산대 다식신열지물

동공이 확대되어서 보이는 물건이 작은 것이 크게 보이는 것으로 기혈이 허한데 뜨거운 음식을 갑자기 먹거나 뜨거운 술을 먹어 발생한다. 맵고 뜨거운 음식을 많이 먹어 뇌가 열을 받으면 눈동자가 확대된다.

> 숙지황 백작약40 산수유 당귀 지골피20 황금 인삼 작목자12 오미자 감초4
> 시호 진피 황백2

한 달 정도 먹으면 된다.

백강잠산　「韓方秘錄」

肺虛　遇風冷淚出　冬月尤甚

폐허 우풍냉루출 동월우심

폐기가 약하여 바람을 맞으면 찬 눈물이 흐르는데 겨울철에 더 심하다.

> 황상엽(黃桑葉)40 목적 선복화 백강잠 형개 감초12 세신20

가루로 하여 매8g씩 형개탕으로 먹는다.

가미사물탕 「韓方秘錄」

目病之後 眼前常見 昆蟲之飛走 此肝膽血虛有痰之也(飛蚊症)

목병지후 안전상견 곤충지비주 차간담혈허유담지야(비문증)

눈병을 앓고 난 뒤 눈 앞에 곤충이나 모기 파리 등이 날아다니는 듯한 것은 간담에 혈이 부족하고 담이 있어 발생한다. 비문증이다.

> 당귀40 작약 산조인20 숙지황 청상자 복령 반하12 천궁 진피 감초4

4제를 먹으면 치유된다.

부명탕 「韓方秘錄」

治色盲(치색맹)

> 황기밀구6 생지황 시호 연교 구감초4 당귀신8 창출泔炒 천궁 진피2 황백1.2

식후복

금기는 술과 면 종류 맵고 뜨거운 음식이다.

익기총명탕도 효과가 좋다.

인삼아교산 「韓方秘錄」

小兒驚風後 瞳子不正者(斜視)

소아경풍후 동자부정자(사시)

아이가 경기를 한 후에 눈동자가 제 위치에 있지 않는 것이다. 사시를 말한다.

> 인삼160 아교8

달여 먹는 것이 최고 좋은 방법이다.

아교는 익신(益神)하고, 인삼은 익기(益氣)한다.

11) 눈의 임상

– 눈충혈 : 청상방풍탕 + 계령 + 삼사

– 눈물, 안구건조증 : 팔미 + 소시호 + 당귀작약산5

– 녹내장 : 팔미 + 청상방풍탕 + 당귀작약산5

– 백내장 : 팔미 + 소건중 + 소건중탕

– 다래끼, 눈병 : 청상방풍탕 + 소시호 + 배탁

20. 백혈병 「韓方秘錄」

간장혈(肝臟血)이며 비통혈(脾統血)이다. 간은 혈을 저장하는 곳이며, 비장은 피를 통솔하는 장부이다. 이 두 장부가 제 기능을 상실하면 발생한다. 기허하함(氣虛下陷)이 되면 소화가 불량하게 되고, 음식이 비위에 오래 머물러 덩어리가 되고 오랫동안 쌓이고 쌓이면 점차 커져 사통비통(似痛非痛)하며 사동비동(似動非動)이 되어 비괴(脾塊)의 병이 발생한다. 이 원인은 양기가 상승하지 못하여 생기는데, 비위의 기는 하루 이틀 만에 하함(下陷)이 되는 것이 아니고 장기간에 걸쳐 음식을 절제하지 못하거나 과로를 한다 던지, 색을 과도하게 사용하여 신(腎)이 상하고, 구운 음식이나 음주를 많이 하면 비위가 견디지 못하고 청기가 상승되지 못하여 중기하함이 된다. 이렇게 하여 적(積)이 되고 비장종대가 발생한다. 이런 결과로 간비(肝脾)가 제 기능을 상실하여 괴혈병(壞血病) 즉 백혈병이 발생하는 것이다. 이를 조리하려면, 중기하함을 치료하고 간의 기능이 좋게 하며 신의 기능을 살리면 된다.

비장종대에는 가미보중익기탕을 복용하여 소종(消腫)이 되면 십전대보탕을 쓰면 효과가 있다. 하지만 현실적인 면으로 볼 때 약국에서 손을 대기가 어려운 현실이다. 누구도 이 병을 한약으로 조리를 의뢰할 사람은 없을 것이지만, 발생의 원인은 알고 있어야 할 것 같아 올려 보았다.

가미보중익기탕 「韓方秘錄」

脾胃之氣下陷 則痞塊自然 無不散也

비위지기하함 칙비괴자연 무불산야

비위의 가가 하함하여 저절로 덩어리가 만들어져 답답한 것이 없어지지 않는 것이다.

황기 백출40 당귀12 인삼8 반하 진피 감초 시호4 승마1.6 생강3

21. 간암, 간경화 「韓方秘錄」

이 증상 역시 전문적인 치료가 우선되므로 기전만 올려 본다. 스트레스나 억울 음주 등
으로 간열이 울체되면 간화의 침범으로 여러 가지 질병이 발생하고 울체가 점점 심해져 간
기능의 실조가 오면 간의 조직이 파괴되어 간염의 상태로 발전한다. 간염에서 간경화로 다
시 암으로 이어지는 일련의 과정이 이어진다. 간의 기능이 상실되어 발생하는 것을 식생활
의 절제와 간의 기능만 회복시켜주면 된다.

모든 종류의 암은 그 장부의 기능이 상실되어 발생하기 때문에 허즉보기모(虛則補其
母)하여 조리를 하면 되는 것이다. 간의 모는 신이 되는 고로 신장을 같이 조리해야 하는
것이다. 한약이 만능은 아니라는 것을 명심해야 한다. 우리의 범위가 아닌 것은 빨리 병원
으로 보내주는 것이 환자를 위하는 길이다. 여기에 나오는 처방은 예전에 사용하던 것으로
간의 기능을 살려 주는 것으로만 기억하기 바란다.

가미육미지황탕 「韓方秘錄」

간암, 간경화증

> 육미 加작약酒炒 별갑醋灸 당귀8

가미보중익기탕 「韓方秘錄」

치상동 소화불량시

> 황기밀구 백출 작약 당귀8 인삼4 감초 진피2 승마 시호1.2 별갑醋灸8
> 사인 신곡 맥아 산사2

기상단(氣爽丹-爽:시원할 상) 「韓方秘錄」

肝經之病 脅脹滿 呑酸 吐酸等症 乃肝木鬱也 肝炎亦好

간경지병 협창만 탄산 토산등증 내간목울야 간염역호

간경에 병이 있으면 옆구리가 부풀어 빵빵해지고 신물이 넘어오든지 신물을 토하는 등의
증상이 나타나는데 간기가 울체하여 발생하는 것이다. 간염에도 좋다.

> 작약20 목단피12 시호8치자초 창출 복령 반하 감초4 신곡2 加당귀12-生肝血
> 갈증이 있으면 去반하 加천화분4

종창(腫脹)이 있으면 加금은화20 갈근8

22. 담석증 「韓方秘錄」

소화불량이 오래되어 비위에 담음이 만들어져 발생한다. 한방에서는 담음심통(痰飮心痛)에 해당되며 건비위주로 치료를 한다. 궁하탕을 배로하고 간과 신을 같이 조리한다.

궁하탕

留飮 水停心下 背冷如掌大 或短氣而渴 四肢歷節痛

痰飮心痛 傷水飮聚痰 心痛如刺

유음 수정심하 배냉여장대 혹단기이갈 사지역절통

담음심통 상수음취담 심통여자

유음은 심하에 물이 정체하여 등의 한 곳이 손바닥 크기로 냉하고 숨이 차고 갈증이 날 수 있다. 사지 관절이 모두 아프다. 담음심통은 마신 물이 모여 심장을 찌르는 듯 아픈 것이다.

> 천궁 반하 복령4 진피 청피 지각2 백출 구감초1 생강5

23. 기타 후두암, 식도암

환원탕   「韓方秘錄」

頑痰 痰成而塞 咽喉者(喉頭癌)

완담 담성이색 인후자(후두암)

완고한 담이 인후에 만들어져 인후를 막는 것이다. 후두암을 말한다.

> 백출20 반하 패모 복령12 신곡8 감초 길경 백반 자완4

소갈탕   「韓方秘錄」

老痰在胸 而不化者(食道癌)

노담재흉 이불화자(식도암)

오래된 담이 흉중에 있어 없어지지 않는 것이다. 식도암이다.

> 백개자20 의이인 백작약8 시호 복령 감초 진피 목단피 천화분4 수전복

24. 만성요도염 「韓方秘錄」

만성요도염은 균은 나오지 않으나 지속해서 농이 나오며 통증이 있는 것인데 요도는 소변이 항상 흐르는 곳으로 습이 많다. 농이 나온다하여 계속 항생제만 먹게 되면 더욱 습해지고 냉해져서 창이 아물지 못한다. 합창(合瘡)이 되지 못하여 진물이 흐르는 것인데 항생제는 더욱 이 현상을 악화시킨다. 신의 명문화가 부족하여 아물지 못하는 것으로 항생제는 명문화를 약하게 하는 것이다. 이의 치료는 녹각을 약한 불로 달여 녹인 다음 수시로 복용하는 것이다. 녹각은 신장을 보하여 합창이 되어 치료가 된다.

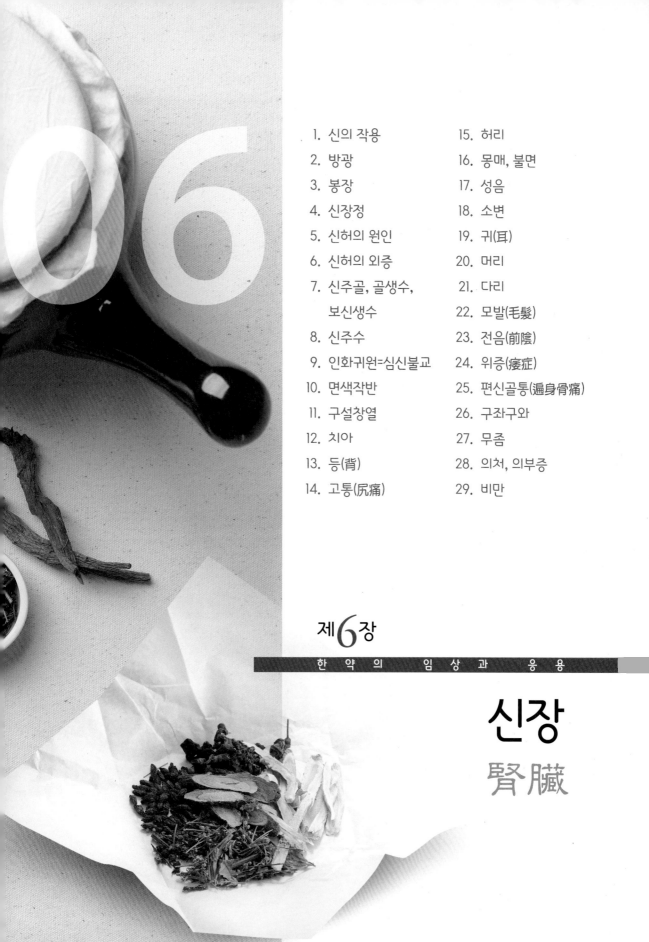

제6장

한 약 의 임 상 과 응 용

신장
腎臟

제6장

신장(腎臟)

한 약 의 임 상 과 응 용

1. 신의 작용

신자작강지관(腎者作强之官)

신자봉장지본(腎者封臟之本)

신주골 생수통어뇌(腎主骨 生髓通於腦)

신주수 신개규어이사이음(腎主水 腎開竅於耳司二陰)

신음허 허열내생 상화내정실즉유정 몽정 조루

(腎陰虛 虛熱內生 相火內精室則遺精 夢精 早漏)

신장은 몸을 강하게 하는 기관이며, 봉장(封臟)의 본(本)이다. 봉장이라 함은 오장육부가 제 자리를 지키고 자체의 기능이 원활하게 수행하도록 하는 것이다. 신장은 뼈를 주관하고 골수(신정)를 만들어 뇌로 공급한다. 신장은 체내의 물을 주관하고, 양 귀와 전음(前陰)과 후음(後陰)으로 개규(開竅)한다. 신의 음이 허하면 허열이 스스로 만들어지고, 상화가 정실에 들어가면 유정과 몽정, 조루가 발생한다. 신장은 두 개로 좌속수(左屬水)요, 우속화(右屬火)며, 오액(五液)을 주관하고 허하면 겁(怯)이 많아진다.

신과 관련된 오장의 오행은 금생수, 수극화, 수생목, 토극수, 화승수의 관계가 만들어지고 오장육부와 가장 밀접한 관계를 유지한다.

신장은 인체의 수액대사를 주관하고 뼈와 골수와 뇌수를 생성하며 몸의 항상성에 관여한다. 신에 저장된 정기를 신정이라 하고, 선천의 정과 후천의 정으로 나눈다. 선천의 정은 생명을 구성하는 기본물질이며 태아에서부터 출생 후 생장 발육 생육 번식에 이르기까지 모두 선천지정의 작용이다. 인체의 노쇠는 이러한 정이 쇠약해지거나 없어지는 것을 의미한다. 후천의 정은 음식에서 흡수된 영양물질이며 비장에서 각 장부로 보내져 오장육부의 정이 되는 것이다. 신기는 신정에서 생화한 것으로 신에 저장된 정에서 발현되는 생명력을 신기 또는 원기라 한다. 원기는 각 장부의 기능이 원활해지고 조화롭게 작용할 수 있도록 하는 역할을 한다. 신양(腎陽)은 또한 원양(原陽)이나 진양(眞陽)으로 표현되며 인체 양기의 근본이며, 각 장부를 따뜻하게 하고 생화를 일어나게 하는 기능이 있다. 그리고 인체의 항상성은 바로 신양과 신음의 조화에서 시작된다. 신은 원래 사(瀉)하는 법이 없고 보하는 법만 있는 것은 끊임없이 소모가 되기 때문이다. 신은 정을 저장하고, 정은 수를 생산하며, 수는 뼈 속에 저장되면서 뼈를 길러준다. 만약 신정이 부족하면 뼈가 길러 질 수 없어 골격이 연약해지고 힘이 없고 발육이 부전하며 치아가 흔들리거나 빠지며 정신과 의식의 활동에도 영향을 줄 수 있다. 인체 내에 있는 수액의 대사는 폐 비 신 삼초 방광의 상호작용에 의해 이루어지는데, 신으로 들어온 수액 중 맑은 것(營養)은 신양의 작용으로 일부는 기로 화하여 폐로 상승하고, 탁한 것(小便)은 방광으로 흘러 들어가 소변으로 배출된다.

수액대사가 일어나는 과정에서 한 장부의 기능이 깨지면 수액이 쌓여 병이 발생한다. 청각은 신의 정기에 의해 길러지고, 신정의 기능이 약하면 이명이나 청력감퇴가 나타난다. 그리고 모발의 생성과 탈락도 신기와 관련이 있다. 유정 조루 정액부족 불임 등의 질병도 신의 책임이다. 명문(命門)은 우신(右腎)을 말하고 신양(腎陽)이며, 이의 부족은 성욕감퇴 음위 수양성 하리 등이 나타나고, 신음이 부족되면 어지러움 마른기침 해혈 도한 천식 자한 등이 나타난다. 신에는 원음과 원양이 존재하며 신주수의 작용으로 정을 장(藏)하고 상승하여 명문화를 조절하여 내장의 기능조절과 생장발육, 생육과 번식을 하게한다.

명문은 정혈의 바다이며 비위는 수곡의 바다로 이것은 오장육부의 본이 된다. 오장의 양기는 명문에서 키워내고, 음기는 신음에서 출발한다. 신음의 허로 상火가 망동하면 성욕의 항진이 발생하는데 장수제화(壯水制火)로 치료하고, 신양(腎陽)이 부족하면 성욕의 감퇴가 생기고 온보신양(溫補腎陽)으로 치료한다. 신이 허하면 신경이 예민해지고 혼자 크게 생각하여 겁내며 두려워하고 일이 해결이 되면 안도한다. 뭔가의 시작은 잘 하지만 어려우면 쉽게 포기하거나 회피하며 변명이 많아진다. 얼굴빛은 검고 쉽게 겁에 질린다. 간과 신이 건강하면 담대해지고, 신이 허하면 간의 자양이 부족하여 겁이 많고 공포심이 많아 지는 것이다. 귀가 얇아 남의 말을 잘 믿기도 하지만 의심도 많아 의처증이나 의부증도 발생한다. 제하부위(臍下部位)는 신의 영역으로 신이 허하면 련급이 발생하여 제하동계가 발생하고 유심(有芯) 소복급통이 발생한다. 신양이 부족하면 오경설이나 후중기가 생기고 정강이와 발등이 냉하게 된다. 한쪽으로 치우치는 경향이 많아 수집이나 자기가 좋아하는 것만 먹거나 행동을 한다. 신장은 항상 부족의 장으로 사하는 법은 없고 오직 보하는 법만 있다.

2. 방광

주도지관(州都之官)이라 하고, 신(腎)과 표리이며 기화작용으로 소변을 저장 배출하는 곳이다. 방광에 열이 차면 소변이 나오지 않고 심하게 되면 정신이상이 온다. 규자탕(葵子湯)을 쓴다. 방광이 허하면 귀가 잘 들리지 않고 정신이상이 온다. 기제환을 쓴다.

규자탕　「韓方秘錄」

治膀胱實熱　小便不通

치방광실열　소변불통

> 규자(해바라기씨) 적복령 저령 지실 활석 목통 황금 차전자 감초 각4g 생강2g

기제환　「韓方秘錄」

토사자주제 익지인초　육종용주세

> 당귀 숙지황20g 백복령 해자초 황백 지모병염초 장려(큰 굴 껍질)
> 산수유주증거핵 각12g 오미자4g

술과 밀가루로 환을 만들어 공복에 100환씩 소금물로 먹는다.

3. 봉장(封臟)　「方劑에서 사람으로」

칠충문(七衝門)은 입술 치아 인후 유문 분문 란문 백문으로, 이것의 봉장이란 음식의 섭취와 소화와 생化의 작용이 잘 일어나도록 음식을 가두어 주는 것을 말하며, 일정시간을 각 부위별로 음식의 분해와 흡수, 그리고 배설을 원활하게 하기 위함이다. 이 봉장의 힘이 약해지면 설사가 나며, 반대로 소설의 힘이 부족하면 변비가 발생한다. 만성설사, 오경설(五更泄), 식후설사 등은 신의 봉장의 힘이 약해져 발생하는 것으로, 통증이 오는 경우는 간화의 침범으로 발생한다. 설사에는 팔미로 봉장의 힘을 키우고 위령탕으로 장내의 청탁(淸濁)을 분리하고 삼령백출로 위장의 기능을 정상화시키며, 통증이 있는 경우는 시호제를 합한다. 한사(寒邪)가 침범하면 신과 방광의 위축이 오고 이로 인해 봉장의 기능이 약해져 소변을 저장하기 어려워진다. 날씨가 추워지면 소변이 자주 나오는 것은 이런 원인으로 오는 것이다. 야뇨증은 간화가 방광을 침범하여 봉장이 깨져 발생한다. 육미 소시호 소건중을 사용한다. 신허로 허열이 발생하여 그 열이 정실(精室)로 들어가 봉장이 무너지면 조루가 발생하고, 팔미 보기 계모 삼사를 사용한다. 이 처방은 유정, 몽정에도 사용하며 탈모증의 치료제로도 사용한다.

음위(陰痿)는 영양의 고갈로 발기가 잘 되지 않는 것으로 육미나 팔미와 보중 시호제 계모를 사용하고, 허로로 인해 허열이 발생하여 혈관이 확장되면 발기가 쉽게 일어나는데 이는 음허화동(陰虛火動)의 현상으로 장수제화하여 조리한다. 육미와 황련해독이 주약이다. 음위로 인한 발기부전에 비아그라 등의 흥양제는 에너지의 소모가 많아 영양의 고갈이 일어나 음허가 더 심해진다. 하수(下垂)란 제 위치를 지켜야 할 것이 처지고 늘어져 있는 것으로 봉장의 힘이 약하여 발생한다. 하수가 일어나는 것은 위하수 탈장 탈항 자궁하수 등으로 민무늬근의 탄력저하가 원인으로 이의 치료는 신장의 기능과 비위의 기능을 살리고 꺾어지고 늘어진 것에 힘을 주는 약을 배합하여 사용한다. 모든 하수의 기본방은 육미 보중 소건중이며 해당부위로 인경하는 약을 배합하여 사용한다. 위하수에는 향사평위산, 탈장과 탈항에는 소건중을 배가하고, 자궁하수에는 궁귀교애를 합하여 사용한다. 몸의 컨디션에 따라 호전과 악화가 반복되는 탈항은, 치질과 혼동하는 경우가 많은데, 이의 구별은 컨디션과 무관하게 항상 아픈 것은 치질이며, 치질은 간화의 침범으로 옹이 발생한 것이다. 치질의 치핵은 흑자색이고 탈항은 선홍색이다. 급성으로 온 치질은 을자와 육미 계령을 사용하고, 통증이 있으면 대황목단피를 추가한다. 근본치료는 팔미 보중 시호제 배탁을 사용하고, 통증이 오는 것도 약을 쓰면 점차 줄어든다. 항문소양증은 항문의 괄약근이 약하여 장액이 빠져 나와 항문의 균이 번식하여 독소가 발생하여 생기는 것으로 포비돈으로 소독해주고 육미와 소건중을 사용하여 괄약근에 힘을 살려 주어 장액이 빠지는 것을 막으면 된다. 회충의 원인이 있을 수 있으니 회충약을 같이 복용시킨다.

육미지황탕　「古今名醫方論」

主治腎精不足 虛火炎上 腰膝酸軟 骨熱酸疼 足煩痛 小便淋秘或不禁

遺精夢泄 水泛爲痰 自汗盜汗 亡血 消渴 頭目眩暈 耳聾 齒搖 尺脈虛大者

주치신정부족 허화염상 요슬산연 골열산동 족번통 소변임비혹불금

유정몽설 수범위담 자한도한 망혈 소갈 두목현운 이롱 치요 척맥허대자

신정부족으로 허화가 발생하고 하초의 신정부족으로 허리와 무릎이 약하여 부자연스럽고 골증열(骨蒸熱)로 시고 뼈근하며 발꿈치가 아프다. 소변이 자주 나오거나 참지를 못하고 무서운 꿈을 꾸며 소변을 지리고 몽정을 하며, 물을 관리할 힘의 부족으로 폐로 범람으로 가래가 생기고 허열로 자한, 도한, 빈혈, 소갈증, 뇌수부족으로 머리와 눈이 어지럽고 귀가 멍하며, 뼈를 자양할 영양이 부족하여 치아가 흔들리고 척맥이 허대(虛大)한 모든 증상을 치료한다.

숙지황16 산수유 백복령 산약8 목단피 택사6

신수부족과 신허를 다스리며 신허로 인한 정력감퇴, 음위, 유정, 요통, 하지무력, 야뇨증, 야간뇨, 유뇨, 다뇨, 빈뇨, 당뇨, 임력, 失血, 실음, 두중, 목현, 이명, 이롱, 만성중이염 등에 응용한다.

진음을 보하고 백병을 제거하는 힘이 있다. 상한론의 팔미에 계지와 부자를 빼서 소아나 음허 자에 사용한다. 간신부족(肝腎不足)으로 진음이 휴손하여 정혈이 고갈되고 초췌하며, 요통과 족산이 있고 자한 도한으로 진액이 결핍하여 담이 된 증상과 머리와 눈이 어지럽고 이명과 이롱, 유정, 몽설, 치요, 족퇴작통의 증을 다스린다. 신의 음허에 적용하여 신정을 채워주는 약으로 우선 신이 허하게 되는 원인을 보면, 나이를 먹으면서 저절로 약해지는 것, 잠을 자야할 시간에 활동을 하여 신정을 채우지 못해 발생하는 것, 술을 많이 마시는 것, 사려과다, 오래 앉아있거나 오래 누워 있는 것, 과로, 생활의 부절제 등이며, 살아가는 자체가 신을 허하게 하는 것이다. 신이 허하여 나타나는 증상은 발바닥이 화끈거리거나 열이 많이 나지만 오히려 발등은 시린 경우가 많고, 열감이 없는 경우는 발바닥이 빨간 경우가 많으며 신경이 예민하고, 오래 서있거나 누워 있으면 허리가 아파지며, 소화가 잘 되지 않고, 결벽증이나 의처증, 잠이 쉽게 들지 않는 증상과, 시력이 감퇴하여 침침하게 보이며 무릎이 시큰거리는 증상과 야간에 잠을 자다가 일어나 소변을 보는 횟수가 늘어나고, 검은 색의 가래가 나오고, 음위와 부종 등이 나타난다. 신이 허하여 정을 저장하지 못하면 신장의 화는 머물 곳이 없어 망행하며, 하초는 신정의 부족으로 자양부족이 발생하여 약해져 허열이 발생하게 되며, 상초의 폐는 정(精)을 받지 못하여 폐위가 발생된다. 지황은 감한하며 삶아서 법제를 하면 성미가 더 넓고 깊게 작용하게 된다. 자음보신(滋陰補腎) 작용과 혈과 정을 생성하므로, 신정이 부족한 자에게 보제로 사용된다. 지황은 신음을 충분하게 채우고 골수를 보하며 신정의 생성에 주된 약제가 된다. 산수유는 온간축풍(溫肝逐風)하고 삽정(澁

精)하며, 산약은 보비고신(補脾固腎)하여 삽정허고, 목단피는 복화(伏火)를 사하여 양혈퇴증(涼血退蒸)하며, 복령은 비장 내의 습열을 제거하고 심장을 안정시키며, 택사는 방광의 수를 사하여 눈을 밝게 하고 귀가 잘 들리게 한다.

택사는 복령과 더불어 체내의 불필요한 수분을 신으로 뽑아내고 제거한다. 정이란 수에 속하고 음수며, 고요하며 움직이지 않고, 신중에 머물러 있다. 소변은 임수(壬水)에 속하고 양수(陽水)며, 움직이되 머물지 않고, 움직일 때는 신장의 힘을 이용한다. 신은 5액을 주관하는데 만약 음수(陰水)를 채워 저장하지 못하면 진수가 부족되고 양수가 흐르지 못하면 사수(邪水-어수)로 변하여 역행하므로, 지황으로 봉장의 힘을 유지하게 하고 택사의 도움을 받으면 막힌 수도(水道)를 소통시킨다. 신이 허해도 폐를 보하지 못하는 것은, 신이 허하면 그 힘(신정)이 폐로 도달되지도 않을뿐 더러 봉장을 튼튼하게 유지하지 못하기 때문이다. 산약은 서늘하게 보하는 약으로 신장의 음수(정)를 키우고, 복령은 신의 소변을 인도하여 맑게 하여 빼내고, 산수유의 산온(酸溫)을 가하여 소양의 화를 수렴하고 궐음의 액(혈)을 생성한다. 목단피는 신한(辛寒)하여 소음의 화를 맑게 하여 소양의 기를 돌아오게 한다. 본을 채워 음이 충분하면 기가 발생하고 정이 그곳에 머물게 된다. 장수제화라는 것은 신정을 채워서 허화를 잡는 것이다.

팔미지황환　「古今名醫方論」「傷寒論」

治命門火衰不能生土 以治脾胃虛寒 飮食少思
大便不實 或下元衰憊 臍腹疼痛 夜多旋尿等症
虛勞腰痛 小腹拘急 小便不利者 夫短氣有微飮 當從小便去之
男子消渴 小便反多 以飮一斗 小便一斗
婦人病 飮食如故 煩熱不得臥 而反倚息者也 此病轉胞 不得溺也
以胞系了戾 故致此病 但利小便則愈
脚氣上入 小腹不仁
치명문화쇠불능생토 이치비위허한 음식소사
대변부실 혹하원쇠비 제복동통 야다선뇨등증
허로요통 소복구급 소변불리자 부단기유미음 당종소변거지
남자소갈 소변반다 이음일두 소변일두
부인병 음식여고 번열부득와 이반의식자야 차병전포 부득익야
이포계료려 고치차병 단이소변칙유

454

것이다. 후천의 정은 음식에서 흡수한 영양을 비의 생화로 만들어진 정인데, 생성된 정을 각 장부로 산포하여 오장육부에 정을 공급하고 신에 저장된다.

신기는 신양과 신음이 있으며 인체에 음액(陰液)의 기본이며, 신음의 작용기전은 심화의 편향을 방지하고 전신을 자양하며 발육생식을 유지한다. 신음의 부족은 허양(虛陽)의 상항(上抗)으로 인해 심양(心陽)의 항성으로 심번불안하고 두훈(頭暈) 목현(目眩)이 오며, 폐음의 부족은 건해와 해혈이 발생하고, 도한이 생기고, 피부가 건조하며 초췌하고 검게 보인다. 생혈(生血)을 할 수 없어 간음(肝陰)이 부족하여 빈혈, 근육의 경련이나 조갑의 자윤이나 관절의 자양이 부족하여 손발톱이 건조하고 관절이 시큰거리고 통증이 올 수 있다. 비음(脾陰)의 부족은 소화효소나 위장의 활동에 지장을 주어 소화력 부족이나 생화의 부족을 초래하여 전신무력이나 태타(怠惰)를 일으킨다. 이처럼 신음은 오장육부의 정상적인 활동에 직접적으로 관여하고, 각 장부가 정상적 기능을 유지하게 한다.

신양(腎陽)은 원양 또는 진양이라 하며 인체 양기의 기본이다. 오장육부가 움직이는 힘이 양기이다.비양(脾陽)이 부족하면 비위의 허한으로 소화불량이나 수양성 하리, 오경설(계명하리)이 나타난다. 심양(心陽)의 부족은 심장이 두근거리고 신경성으로 불안 초조해지며, 혈액의 박출이 줄어 전身이 냉해지고 음위나 임포텐스가 발생하며, 폐양(肺陽)의 부족은 폐기의 허가 유발되어 양기가 허해져 자한이나 도한이 발생하고, 성욕감퇴, 유정, 유뇨, 몽정, 소변실금, 부종, 등의 질병이 발생한다.

신기(腎氣)는 인체의 항상성을 유지하며, 신허가 있으면 항상성의 약화로 외사에 저항하는 힘이나 자체의 기능이 약해져 질병에 노출이 쉽게 되며 병을 이겨내는 힘도 약하게 된다. 그러므로 신정은 항상 소모되어 부족하기 쉽고, 부족하면 질병발생의 원인이 되므로 항상 공급해야 하며 보하되 사하는 법은 없는 것이다. 신허가 발생하면 전신적으로 질병이 발생하는데 신체의 어느 부위든 신정의 부족은 시력장애, 백내장, 신경예민, 시력감퇴, 불면, 건망, 다몽의 증상이 생기고, 결벽증, 두통, 편집증, 편견, 의처증, 귀가 얇고 의심이 많으며 뇌의 발육부전이 온다. 오심번열 무좀 피부건조 등도 신의 자윤부족이다.

신허가 있으면 주로 하초부위로 증상이 심하게 나타나는데 족산, 요통, 음위, 정자부足, 유정, 이명, 이롱, 선천적 발육부전, 관절염, 족번, 족통(족저근막염), 위약, 등의 증상이 나타나며, 두뇌로 신정의 공급이 줄면 척추통증, 소뇌공제실조, 운동의 부정확 현상이 나타난다. 비위의 생화부족으로 소화력 감퇴나 식욕감퇴 설사 등을 일으킨다. 세월엔 장사가 없다. 행동이 느려지고, 기운도 약해지며, 기억력도 줄어들고, 병원에 자주 드나들고, 치아가 부실해지며, 머리카락도 빠지고, 부부의 정도 나누지 못한다. 나이가 들면 흔히 이렇게 된다. 왜 그럴까?

남녀 누구나 죽을 때까지 건강하고 행복하게 오래사는 것이 소망인데, 세월이 흐르면 모든 생명체들은 쇠퇴하고 죽음에 이르게 되는데 이것을 막을 수는 없다. 나이 들고 가장 먼저 나타나는 것이 스트레스와 음주나 흡연, 과로 등으로 특히 남성들은 부부관계가 소홀해지거나 성적 감정의 둔화가 제일 먼저 일어난다. 빨리 나타나는 사람은 사십대 중반부터 약해지기 시작하며, 간혹 육십 대가 되어도 왕성한 사람은 있지만 통상적으로 오십 대부터는 조금씩 나타나기 시작하고 점점 그 정도가 심해져 결국에는 포기하고 살게 되는 것이다.

인간의 본능 중 식욕과 성욕은 누구도 막을 수 없는 것이고, 죽을 때까지 그 욕망은 생기게 된다. 이 본능 중 사회적이나 가정적 문제를 가장 많이 일으키는 것은 성욕이다. 함부로 잘못 표출이 되면 범죄자가 되고, 아예 고개를 들지 못하면 모든 것을 상실한 절망감이 들며 결국에는 남성의 가장 큰 아픔이 될 수도 있다. 이처럼 남성이 힘을 잃는 원인은 노쇠로 인한 자연적인 현상일 수도 있고, 사회활동에 모든 에너지를 쏟아 부어 더 이상의 에너지가 남아있지 못해 오는 경우도 있다. 가끔 부부의 정을 나누더라도 일찍 일이 끝나 남녀 모두가 만족을 느끼지 못하게 되는 것은 몸의 에너지가 완전 소모되면 더 이상 버틸 수 있는 힘이 없기때문이다. 성욕을 발생하고 오래도록 버티게 하는 힘은 신장의 힘이며, 활동으로 소모되는 에너지를 보충해 주는 곳은 비위와 폐의 기능이다. 또한 힘차고 단단함을 유지하는 힘은 간의 작용이다. 그리고 신선한 피를 전신에, 특히 그쪽으로 잘 흐르게 밀어 주는 작용은 심장의 작용이다. 이런 원리를 모르고 무조건 비아＊＊ 류만 찾는 것은 아주 위험한 상황이 된다. 오장(五臟)의 기능을 살려주고 피로를 풀어주며, 저항력을 키워 질병을 예방하고, 심장의 이상 흥분과, 심적 안정을 시키며, 무엇보다 혈액의 정화작용으로 뇌혈관 질환이나 심장질환을 예방하면 항암과 고혈압이 조절되고 정력 강화에 효과가 좋다. 생약과 영양물질로 배합하면 어떤 약을 복용하고 있더라도 상관없고 부작용이 전혀 없다. 오래 먹을수록 타 질환 치료에도 도움이 될 수 있다. 흥양제처럼 얼굴로 열이 오르거나 속이 쓰리거나 가슴이 답답하거나 치명적인 부작용의 염려없이 장기간 먹을수록 건강증진에 좋은 효과를 나타낸다. 신기능이 좋아지게 하고, 혈의 순환이 잘되고, 지구력과 심장을 튼튼히 하는 방법인데 팔미, 시호제, 쌍화, 그리고 증상에 따라 계모를 사용하고, 영양물질인 코큐텐과 아미노산 중 알기닌을 배합하면 된다. 건강이 최고라는 건 누구나 다 아는 사실이지만 여러 여건으로 인해 자신의 몸은 잘 돌보지 않게 된다. 이 세상은 당신이 없으면 아무런 의미가 없고, 당신이 행복하면 세상도 아름답다는 것을 잊지 말길 바란다.

5. 신허의 원인 「方劑에서 사람으로」

신이 허해지는 원인은 세월이 흐르면서 자연적으로 발생하며 남자는 8의 배수로, 여자는 7의 배수로 변화를 하며, 5배수를 기점으로 저장과 소모의 관계에서 소모가 더 많은 쪽으로 변하여 관리를 잘 하더라도 신정의 소모는 저장보다 많아지게 된다. 그리하여 신허가 발생한다. 나이와 상관없이 생활의 습관이나 주위의 환경으로 신의 소모가 심해져 허를 유발하는데 그 대표적인 例가 밤 11시부터 새벽 5시까지 잠을 자지 않고 활동을 하거나, 음주를 과도하게 하거나, 생각을 많이 하는 것은 신허의 발생에 가장 큰 영향을 미친다. 자시(子時)에서 인시(寅時)까지는 잠을 자면서 흡수한 영양을 신정으로 변화시켜 저장을 하는 시간인데 이때 정신적 육체적 활동은 신정의 변화와 저장의 작용을 소모의 상태로 만들기 때문이다.

잠을 충분히 못 잤거나 숙면을 취하지 못했을 때 다음날 몸의 컨디션이 아주 나쁜 것을 경험했을 것이며, 얼굴이 초췌해지고 생기가 없으며 눈 밑이 검게 변하며 이마가 까맣게 변하는 것은 신정의 생성부족으로 전신을 자양하지 못하고 활혈에 지장을 주었기 때문이다. 수면을 취하는 것은 몸의 부족한 영양을 보충하고 활동으로 이용하는 에너지의 최소화를 위해서이며, 신정이 채워져 간에 저장되어 있는 혈에 신정을 공급하여 활혈을 시켜 전신을 자양하여 신체를 건강하고 활기가 생기게 하는 것이다.

그리고 음주는 신을 피로하게 하고 위축신을 발생시켜 경문(景門-등 쪽 갈비뼈 아래부분)의 통증을 일으키며, 사려과다는 뇌수의 소모인데, 뇌수는 신정을 농축하여 생성하는 것이다. 오래 앉아 있거나 장시간 누워 있는 것도 신허를 발생하는데, 구좌구와(久坐久臥)는 기의 흐름을 방해하고(기체), 혈의 순환에 지장을 주어(혈체) 정의 소모가 많아지는 것으로, 기의 순환에 작용하는 것은 폐이고, 폐기가 약해지는 것은 신정의 공급이 약해져서 오는 것이다. 혈체는 어혈을 발생시키고, 활혈하는 것은 신정이므로 신정의 소모가 심해지는 것이다. 밤새워 음주를 하면서 도박을 하는 것은 신정의 소모에 가장 큰 적이 아닐까 생각한다. 그리고 성생활의 부절제로 인하여 입방이 과도하거나 힘겨운 노동, 과로 등은 소모가 심해져 신허를 유발한다.

6. 신허의 외증 「方劑에서 사람으로」

신정이 채워져 일승육합이 되면 독맥(척추)을 경로로 상승하여 뇌수를 채워 뇌를 자양하고, 환도를 지나 하초로 하강하여 다리와 무릎 발을 자양하는데 신정이 소모되어 부족하면 뇌를 채우지 못하며, 하초에 정을 공급하지 못하여 허리이하에 이상이 온다. 뇌로 정의 공급이 부족하면 신경이 예민해지고 겁이 많아지며 사유에 지장이 온다. 하초로 정의 공급이 부족하면 환도의 통증이나 무릎의 산통, 족번열과 족저통증이 발생하고, 신허로 허열이 심해지면 발바닥에 물집이 잡히고 가려워지며 종래는 헐게 되는 것이다.(무좀) 무좀에는 땀의 기본처방에 인진호탕이나 인진오령을 합하여 사용한다. 신정이 부족하여 음허열이 발생하면 골증열이나 침한, 입면장애가 발생한다. 족저통증은 족저근막염이라 하며, 병원에서 쉽게 고치지 못하며 원인도 알지 못한다. 육미와 쌍화 황련해독을 쓴다. 발등은 간에 속하고, 발바닥은 신에 속하여 신이 허하면 간도 같이 허해져 발등은 냉하고 발바닥은 열이 발생한다. 간신(肝腎)이 허해지면 눈의 흑정(黑睛)에 변화가 오는데, 흑정의 테두리가 하얗게 변색이 되고 눈이 침침해지며 쉽게 피로해진다. 음허열이 상초로 올라오면 피부가 희끗희끗해 지고 얼굴에 검버섯이 나타난다. 신정의 상승이 약하여 명문화가 약하면 전신을 온조하지 못해 추위를 많이 타고, 오장육부에 양기를 공급할 수 없어 폐허가 발생하면 감기에 잘 걸리거나 기침을 오래하며, 비위에 명문화가 부족하면 비위의 허한으로 소화기능에 문제가 발생하며, 기타 모든 장기에 힘이 부족하여 제 기능을 발휘하지 못하게 된다. 전신적으로는 저항력이 떨어져 쉽게 질병에 노출이 되고 성장이 느리며 생식기능에도 문제가 발생한다.

7. 신주골(腎主骨) 골생수(骨生髓) 보신생수(補腎生髓) 보신영뇌(補腎榮腦) 「韓方秘錄」

신은 정을 저장하고 뼈를 자양하며 뼈는 골수를 만들고 혈을 생성하며 뇌수를 채운다. 신정이 부족하면 뼈가 약해져 각약감이 생기고 치아가 흔들리게 된다. 치아는 신에 속하고 치아는 뼈의 여분이다.

소아가 허약하고 성장이 부진한 것은 수휴화왕으로 음허의 증상이다. 뇌수가 부족하면 대뇌발육부전으로 기억력의 감퇴와 사유지둔이 오며, 노인의 경우는 치매가 온다.

뇌부전증은 뇌수부족이 원인이며, 신정이 독맥으로 상榮하지 못하여 자양이 부족하면 연급이 발생하여 배부의 방산통이 일어나고 등 전체가 아픈 경우가 발생한다. 척추는 연골과 뼈의 합이며, 신이 허하면 뼈에 자양이 부족하여 척추통증이 생긴다. 신허로 간에서 활혈이 부족하면 간의 연골과 근과 건을 주관하는 힘이 약해져 연골이 내려 앉아 디스크의 증상이 나타난다. 신정의 부족으로 뼈를 자양하지 못하면 골다공증도 발생한다. 신정의 부족으로 명문화가 약하면 항상성의 유지가 힘들어 항온유지가 어려워 한에 대한 저항력의 감소로 뼈 속이 시리게 된다. 신허로 허열이 발생하면 활동 시는 에너지로 사용되지만 휴식 시나 잠을 잘 때는 열이 빠져나와 불면이나 침한 골증열의 원인이 된다. 신주골, 골생수,

수생혈의 관계로 신이 허하면 비위의 기능이 약해지고 영양의 흡수가 불량하여 신정의 생성도 부족되고, 신정의 부족으로 혈을 만드는 량이 줄어 빈혈이 발생한다. 육미와 가미귀비 칼슘으로 처방하여 치료한다. 뼈는 골수의 창고(府)이며 신에 속해 있고 오래 서있거나 걷지 못하는 것은 뼈가 피로해서 그렇다. 골수는 뼈 속을 채우고 혈을 만들며, 음허로 뼈가 열하면 골수가 마르고 치아가 마르는데 이것은 골열증이다.

명문화의 부족으로 뼈가 차면(寒) 골수가 말라 뼈가 자라지 못한다. 이것은 골비증(骨痺症)으로 신이 간을 생하지 못하고 심화가 내려오지 못하여 발생한다. 골위는 심한 열로 인하여 발생하고 또 신음허로 허열이 있으면 허리와 척추를 움직이지 못하는 것으로 뼈가 마르면 골수가 고갈되어 발생한다. 육미에 의이인 흠인 백출을 加하여 쓴다.

골통은 풍습과 혈체로 발생하며 또는 한이나 열이 뼈 속으로 들어가면 발생한다. 이묘창백산을 쓴다. 처방은 습열요통편에 있다. 호르몬제의 부작용으로 부종이 발생하면 소시호 계령 오령을 사용한다. 여자의 생리량이 적은 것은 혈의 부족으로 내 보낼 혈이 없는 것이며, 임신의 거부(불임)도 신허가 원인이다. 신정의 상승부족으로 뇌수를 채우지 못하면 두뇌공통이 발생하는데 머리가 텅 빈 듯하며 아무런 생각을 할 수 없다. 이때는 육미에 소건중의 양을 늘려 사용한다. 태양혈의 두통은 양 관자놀이가 뛰면서 아픈 것으로 육미와 삼황사심을 사용한다. 뇌손상후유증으로 두중감이나 두통이 나타나면 육미 삼황사심 계령을 쓴다.

8. 신주수(腎主水) 「方劑에서 사람으로」에서 일부 참조

흡수한 물은 방광의 기화작용으로 선발되어 피모와 호흡으로 배출되고 폐의 숙강작용으로 방광으로 내려가 저장되었다가 배설된다. 신이 허하면 방광의 기화작용이 약하여 상초의 수분대사에 이상을 초래하여 선발과 숙강이 일어나지 않아 얼굴의 부종이 발생한다. 팔미와 월비탕 오령을 쓴다. 진무탕은 음증의 수증에 사용하는데 명문화가 쇠하면 비위가 약해져 영양의 흡수와 물의 조절이 일어나지 않아 동계(動悸)와 현훈 그리고 몸의 떨림이 생기고, 기화의 부족으로 습이 기육에 정체하여 신중(身重)과 부종이 생기고, 위(胃)의 습이 흡수되지 않아 복통과 설사, 소변불리가 발생하는 것에 사용한다.

9. 인하귀원(引火歸原) 심신불교(心腎不交) 「方劑에서 사람으로」

신정이 일승육합이 되면 독맥으로 상승하여 머리부터 심화를 끌고 내려와 전신을 온후하게 하고 항온과 항상성을 유지한다. 신수(腎水)가 상승하는 이유는 심화의 편향을 방지하고 심장의 박동을 정상으로 작동하게 하기 위함이다. 하강하는 심화를 명문화라 하고 오장육부에 양(힘=양기)을 공급한다. 만약 신정의 상승이 부족하여 심열이 편향하면 상열하냉의 상태가 되고 오장육부에 양기를 공급할 수 없어 제 기능이 약해진다. 신허로 빈혈이 발생하고 골다공증과 갱년기장애, 사유지둔, 당뇨 등이 발생하고, 음허열로 인한 폐조는 우울증, 피로, 부종, 골증열로 인한 침한, 도한, 입면장애가 발생한다. 심화가 편향되면 두통, 고혈압, 다몽, 신경예민, 기억력감퇴, 정력감퇴, 위증이 발생하고 얼굴이 붉어지고 두훈이나 요슬산련, 치아가 약해지고 양쪽 다리가 차거나 발바닥이 뜨거워진다. 이런 증상들은 모두 진한가열(眞寒假熱) 또는 진허가실증(眞虛假實症)이라 한다. 음허하면 양을 함양하지 못해 허열이 발생하여 상열하냉의 상태는 신열약(부자 계지)에 장수약(壯水藥=육미 사물)을 합하여 위로 뜨는 열을 아래로 내려오게 유도하는 것인데 이를 인화귀원(引火歸原), 장수제화, 도룡입해(導龍入海)라 한다. 이 방법을 부저추신(釜低抽薪)의 법으로 팔미와 삼사를 사용하면 더 빠르다.

부상(浮上)한 화를 달래어 인도하여 아래로 내려오게 하는 방법으로는 장수약보다 신열약의 양이 많게 되면 오히려 열이 위로 더 뜨게 된다. 과립을 사용할 때 신열약을 조절하기가 애매하여 인화귀원의 목적으로 사용한 약들 중 신열약의 양이 많아져 열이 더욱 심해지는 경우가 있으므로 잘 사용해야한다. 인화귀원의 법을 따르는 처방은 팔미, 온경탕, 계모가 대표적인 방제이다.

10. 면색작반 「韓方秘錄」

신정은 독맥을 타고 상승하여 머리를 거쳐 인중(人中)까지 도달하고, 혈은 임맥을 타고 승장(아랫입술)까지 도달한다. 윗입술의 건조는 신허가 원인이며, 아랫입술의 건조는 혈허다. 검버섯이나 마른버짐 소아의 얼굴에 건조하며 희끗희끗한 것이 나타나는 현상들은 신정의 부족과 간혈부족으로 진음이 휴손된 것이 원인이며 정혈의 고갈이다. 이것은 허화염상(虛火炎上)의 현상으로, 정혈이 마르면 피부가 건조해지고 윤택한 기운이 없어지는 것을 색택증(索澤症)이라 한다. 이때는 사군자탕, 팔물탕, 생혈윤조탕을 쓴다. 풍선(風癬)이라는 것은 건선으로 폐가 허하여 풍한사에 접촉되면 폐허로 인하여 생수를 할 수 없어 간과 신이 음허의 상태로 된다. 신정이 고갈되면 피부가 건조하게 되고, 풍사가 피부로 들어오면 열이 발생하고 열은 가려움을 유발하고 긁게 되면 하얀 가루가 일어나고 심하게 긁으면 피가 나며 아프지는 않다. 풍선탕을 쓴다.

생혈윤조탕 「韓方秘錄」

治索澤症−색택증

> 황기밀구60 당귀40 숙지황 작약 형산 복령 백출 맥문동20 산약 천궁10
> 감초 천화분6

하루 한제를 먹고, 20일이 되면 피부에 윤이 난다.

풍선탕(風癬湯) 「韓方秘錄」

治風癬 此症抓之則生 白屑不知痛癢

치풍선 차증조지칙생 백설부지통양

가려워 긁게 되면 하얀 가루가 일어나고 심하게 긁으면 피가 나며 아프지는 않은 건선에 사용한다.

> 방풍 편금 금은화 치자 목통 황련 당귀 고삼4 활석 승마1.2 형개수 백지2.8
> 길경 감초2 선퇴 조각자 우방자3.2 생강1 아산갑1.6

물로 달여 식후 2시간 뒤에 먹는다.

11. 구설창열(口舌瘡裂) 「韓方秘錄」

혀는 심의 묘(苗-싹)이며 심장의 규(窺-구멍)이다. 심기(心氣)는 혀로 통하며, 심장이 화(和)하면 입에서 오미를 안다. 입술은 비장에 속해있고 비기가 통하는 것으로, 비가 화하면 오미를 안다. 폐에 열이 있으면 입이 맵고 비린내가 나며, 심장에 열이 있으면 입이 쓰고, 비장에 열이 있으면 입맛이 달고, 간에 열이 있으면 신맛이 나며, 신에 열이 있으면 입이 짜고, 위에 열이 있으면 구취가 있고, 위와 심에 열이 있으면 혓바늘이 돋고 입안이 헐게 된다. 심과 비위에 열이 있으면 입술이 붓고 헐며 입술이 갈라진다.

설태(舌苔)는 혀에 백태가 끼는 것인데 백태나 황태 흑태는 모두 무근지화(無根之火)로 허열로 인한 것이며, 혓바늘(설망-舌芒)은 혀에 가시가 돋는 것으로 설태나 설망 모두 열이 심해서 생긴다.

턱이 빠지는 증상은 입을 벌렸다가 오므리지 못하는 것으로 하품이나 크게 웃거나 딱딱한 음식을 먹다가 생길 수 있는데, 신과 폐가 허손하고 원기가 부족(不足)하여 발생한다. 입맛이 쓴 것과 설망, 순창은 심장편에 설명한 관계로 생략한다.

의리탕(薏苡湯-苡:다다를 리) 「韓方秘錄」

口脣瞤動 此風腫 在脾熱故也 服此如神

구순순동 차풍종 재비열고야 복차여신

입술이 떨리는 것은 풍종이라 하고 비에 열이 있어 온다. 이 약의 효과는 귀신같다.

> 의인인 방기 적소두 灸감초6

삼황탕 「韓方秘錄」

脾熱口甘

비열구감

비장에 열이 있으면 입이 달게 느껴진다.

> 황련 황금 치자 석고 작약 길경 진피 복령4 백출 감초1.5 오매1个

사백산 「韓方秘錄」

肺熱口辛 甘吉湯 亦妙

폐열구신 감길탕 역묘

폐가 열이 심하면 매운 느낌이 난다. 감길탕도 효과가 있다.

> 상백피 지골피 감초 등분

자신환, 팔미환 「韓方秘錄」

治口鹹 腎熱則口鹹 不渴 而小便閉

치구함 신열즉구함 불갈 이소변폐

입맛이 짜게 느껴지는 것을 치료한다, 짠맛이 느껴지는 것은 신이 열해서 생기며, 갈증이 없고 소변이 막혀 나오지 않는다.

> 황백 지모 40 육계2

爲末 水丸 梧子大 空心下 百丸 服則 尿出如泉

가로로 한 것을 물로 오자대의 환을 만들어 공복에 100환씩 먹는데, 먹으면 바로 소변이 샘에 물이 솟듯 나온다.

가미사백산 「韓方秘錄」

治喉腥

치후성

입에서 비린 맛이 나는 것을 치료한다.

> 상백피8 길경6 지골피 구감초4 황금 맥문동 오미자2 지모2.8

회춘양격산 「韓方秘錄」

治口舌生瘡

치구설생창

입안과 혀에 창(瘡)이 난 것을 치료한다.

> 연교5 황금 치자 길경 황련 박하 당귀 생지황 지각 적작약 감초3

화중청열탕 「韓方秘錄」

治脣瘡

치순창

입술에 창이 생긴 것을 치료한다.

> 지모 황백 청대 길경 감초 생지황 적작약 천화분 목단피

같은 양으로 하여 물로 달여 먹는다.

윗입술에 발생한 것은 술에 담궜던 대황을 더 넣으며, 아랫입술에 발생한 것은 황련을 동량 가한다.

황련탕 「韓方秘錄」

心火舌上生瘡 或舌上腫燥裂 或尖出血 或木舌舌硬

舌出血 如水者 乃心火旺極 血不藏經也

심화설상생창 혹설상종조열 혹첨출혈 혹목설설경

설출혈 여수자 내심화왕극 혈부장경야

심화가 심하여 혀에 창이 발생한 것이나, 혀가 건조하여 갈라지는 것, 혀가 뻣뻣하거나 딱딱해 지는 것을 치료한다. 혀에 출혈이 심한 것은 심화가 극성한 것이 원인이며, 열이 심하면 경락에서 혈을 거두지 못하여 발생한다. 이때는 육미 가감으로 한다.

황련酒炒 치자炒 생지황酒洗 맥문 당귀酒洗 적작약4 서각 박하 감초2 육미 加괴화12

물로 달여 먹으면 먹자마자 효과가 난다.

출풍탕 「韓方秘錄」

治頷骨脫 人或 失欠脫頷 盖由 腎肺虛損 元神不足也

或談笑 或呵欠之時 元氣不能接續所致也

速治 爲上急用此方 今人病者 定座以兩手揉擦 兩臉百千遍 將病者口張開

使人以 兩大母指入 病人口拿定 牙外用 兩手之將 下頷住上卽入

치함골탈 인혹 실흠탈함 개유 신폐허손 원신부족야

혹담소 혹가흠지시 원기불능접속소치야

속치 위상급용차방 금인병자 정좌이양수유찰 양검백천편 장병자구장개

사인이 양대모지입 병인구나정 아외용 양수지장 하함주상즉입

턱뼈가 빠지는 것은 하품을 잘못하여 오는 경우도 있고, 담소를 하다가 크게 웃다가 빠지거나 노래를 하거나 딱딱한 것을 씹다가 오는 수가 있는데 모두 원기부족으로 기운이 턱뼈에 전달되지 못하여 온다. 치료하는 법은 본방을 달여 먹게 하는 것인데 병자가 입을 벌릴 수 없으면 바르게 앉혀 양손으로 부드럽게 양 눈꺼풀을 문지르면 병자가 입을 벌린다. 물리적으로 처치하는 법은 양쪽 엄지손가락을 병자의 입에 넣고 환자의 입을 바르게 잡고 턱뼈를 바깥 아래쪽에서 위로 힘을 주면 빠진 턱뼈가 정상으로 들어간다.

백출40 방풍20

이약을 달여 먹으면 효과가 좋다.

삼출함탈탕 「韓方秘錄」

脫頷常貫者 服此永不再發

탈함상관자 복차영불재발

자주 턱이 빠지는 사람이 이약을 먹으면 다시는 빠지지 않는다.

> 인산 백출 복령 반하20 당귀12 백강잠8 천마 진피4 천궁3.2 감초1.2 부자2.4 등심2 생강3

12. 치아(齒牙) 「韓方秘錄」

치아는 뼈의 여분으로 신에 속해있다. 잇몸에 염증이 있고 붓고 아픈 것은 위열로 인한 것이며, 치아가 흔들리고 잇몸이 드러나는 것은 신허로 치아를 고정하는 치주골이 약해서 오는 것이다. 위쪽 치아의 통증은 신허열이며, 아래쪽 치아의 통증은 대장열이다. 치아가 아픈 것은 장부의 실화든 허화든 화가 위로 올라와 오는 것이다. 육부에서 일어나는 화를 실화라 하는데 실화 중에서 심포의 화와 위의 화가 있고, 허화는 간, 비, 폐, 신화가 있다. 풍열치통은 잇몸이 붓고 고름이 나오며 냄새가 나는 것으로 골조풍(骨槽風)이라 하고 위장에 열이 쌓였다가 잇몸으로 빠져서 발생한다. 신허에는 팔미환을 쓰고, 위열에는 사위탕, 청위산, 독활산, 옥지산 등을 쓴다. 위열일 때는 갈근탕에 백호가인삼을 사용해도 효과가 좋다. 치통이 심하면 백호가인삼 + 갈근탕 + 사위환을 쓰고, 염증이 있으면 배탁을 더한다. 이가 흔들릴 때는 팔미를 사용하며, 턱뼈가 아픈 경우는 백호가인삼 + 갈근탕한다.

입효산 「韓方秘錄」

齒牙劇痛

치아극통

극심한 치통을 가라앉힌다.

> 방풍4 승마2.8 구감초1.2 세신0.8 초용담酒洗1.6

뜨거운 음식을 싫어하면 용담을4로, 바람 쐬는 것을 싫어하며 아픈 것은 加초두구 황련2

세신탕 「韓方秘錄」

腎虛熱 上篇齒牙痛

신허열 상편치아통

신의 허열로 윗니가 아픈 것을 치료한다.

> 세신6 만형자 우방자4 승마 황련 방기2.8 황백 지모井酒炒2 박하1.2 필발0.4

467

백지탕 「韓方秘錄」

大腸虛熱 下篇齒痛

대장허열 하편치통

대장에 허열이 있으면 아랫니가 아프다.

> 방풍 형개 연교 백지 적작약 박하 석고

서각승마탕 「韓方秘錄」

齒齦腫痛 膿汁臭穢 外風內熱也

치은종통 농즙취예 외풍내열야

잇몸이 붓고 아프며 화농하여 냄새가 심한 고름이 나는 것은 내열이 있는 상태에서 풍에 상하여 온 것이다.

> 서각6 승마 강활 방풍4 천궁 부자 백지 황금 감초2

물로 달여 먹고, 형개 달인 물로 가글하면 효과가 좋다.

청위산 「韓方秘錄」

胃熱上下齒痛 痛不可忍 頭痛 面發熱 其痛喜冷惡熱

위열상하치통 통불가인 두통 면발열 기통희냉오열

위열로 상하 이빨이 아프고 두통이 있고 얼굴에 열이 나며 아파 견디기 어렵다. 찬 것을 먹으면 좀 덜하고 뜨거운 것을 먹으면 더 심해진다.

> 승마8 목단피6 당귀 생지황 황련4

달여 약간 차게 해서 먹는다.

사위탕 「韓方秘錄」

胃熱齒痛 如神

위열치통 여신

위열로 인한 치통에 효과가 좋다.

468

> 당귀 생지황 천궁 적작약 황련 목단피 치자 방풍 형개 박하 감초4

독활산 「韓方秘錄」

風熱攻齒齦 宜露動痛

풍열공치은 의노동자

풍열이 잇몸을 공격하여 이가 솟고 흔들리는 것을 치료한다.

> 독활 강활 천궁 방풍6 생지황 황백 형개 박하4 세신2.8

옥지산 「韓方秘錄」

風蟲牙痛 動搖潰爛 或變成骨槽風 出膿 骨露

풍충아통 동요궤란 혹변성골조풍 출농 골로

풍이나 충치로 아프며, 이가 흔들리며 헐고 치조골의 염증이 발생하여 농이 나오며 뼈가 드러나는 것을 치료한다.

> 지골피 백지 세신 방풍 승마 천궁 당귀 괴화 고본 감초4 생강3 흑두100개

물로 달여 뜨거운 것으로 양치하고 식으면 뱉어낸다.

가미팔미지황탕 「韓方秘錄」

齒痛至夜 而甚不臥者 此腎火 上衝之故也 此虛火也

치통지야 이심불와자 차신화 상충지고야 차허화야

밥이 되면 치통이 더 심해져 눕지를 못하는 것은 신이 허하여 열이 상충하기 때문이다.

> 팔미 加골쇄보

1제를 먹으면 통증이 없어지고, 5제를 먹으면 재발되지 않는다.

치풍탕 「韓方秘錄」

上下齒痛 疼痛難忍開口 少輕開口更重 此風在於陽明太陽 二經之間也

此病得之 飮酒之後 開口向風 而臥風 入於牙齒中 留而不出也

상하치통 동통난인개구 소경개구갱증 차풍재어양명태양 이경지간야

차병득지 음주지후 개구향풍 이와풍 입어아치중 유이불출야

상하치아가 입을 열면 아파서 참기 어렵고, 조금 가라앉아 입을 열면 다시 아파지는 것은 풍이 양명과 태양의 2경에 있어서 그렇다. 이 병은 음주 후에 입을 벌리고 바람을 맞았거나 자면서 바람이 치아 중으로 들어가 빠지지 않고 머물러 있어 발생한다. 음주 후 술의 해독이 위 간 신의 작용으로 이루어지는 것을 생각하면 이해가 된다.

> 생지황 맥문동20 당귀12 석고 천화분8 갈근 세신4 백지 승마1.2

2제 먹으면 치료가 되니 3제를 먹을 필요가 없다.

가미사령탕

上下齒痛甚 口吸凉風卽漸止 閉口則復作痛 此濕熱壅 於上下之齒 而不散也

상하치통심 구흡양풍즉점지 폐구즉부작통 차습열옹 어상하지치 이불산야

상하치통이 입으로 서늘한 바람을 마시면 차차 가라앉고, 입을 다물면 다시 아파지는 것은 습열이 상하의 치아 간에 막혀 있으면서 흩어지지 않아서 발생한다.

> 저령 복령 택사 백출(사령산) 강활 독활 천궁 방풍 형개 박하 세신 생지황6

1~2제 먹으면 치료된다.

13. 등(背) 「韓方秘錄」

척추는 독맥의 경로이며 총 24개로 구성되어있고 신정의 통로다. 신정의 상승이 부족하면 척주의 통증이 발생한다. 신체의 내부에 한담(寒痰)이 있으면 등에 손바닥 크기의 찬 느낌이 생긴다. 등의 중앙에 한 조각 어름처럼 찬 것은 담(痰)의 소행이며 도담강기탕을 쓰며, 등이 뜨겁게 느껴지는 것은 폐에 열이 있으면 발생한다. 사백산, 인삼사폐탕을 쓴다. 담음이 있고 상풍이나 상한으로 등에 기의 순환이 원활하지 못하면 배심일점통이라 하여 담결림이 발생한다. 오약순기와 이진탕 그리고 향소산을 합하여 사용한다.

– 등의 통증 : 팔미 + 소건중 + 시호제

보신탕 「韓方秘錄」

背脊疼 以心病而瘩也 及膀胱之 氣化不足行故 上阻滯 動作痛

470

배척동 이심병이비야 급방광지 기화부족행고 산저체 동작통

척주와 등의 동통이나 심장의 병으로 등이 결리는 것, 그리고 방광의 기화부족으로 기가 상행하는 것이 막혀 흐르지 못하여 움직이면 통증이 오는 것을 치료한다.

> 숙지황40 복령 흠인 의이인20 차전자 택사8 육계1.2

2제를 먹으면 치료된다.

도담강기탕 「韓方秘錄」

背心氷冷 如掌大 此內伏寒痰

배심빙냉 여장대 차내복한담

등 가운데 한 곳이 손바닥 크기로 찬 것은 한담이 속에 있기 때문이다.

> 반하8 남성 귤피 지각 적복령 감초 소자초연4 육계 진피3 당귀 전호 후박2 생강5 대조2 소자1

인삼사폐탕 「韓方秘錄」

治背熱

치배열(등에 열감이 있는 것을 치료한다)

> 황금 치자 박하 지각 연교 행인 상백피 길경 감초 대황2.8

삼합탕 「韓方秘錄」

背心一点痛

배심일점통

등 한 곳이 담이 결려 아픈 것이다.

> 오약순기산 슴이진탕 슴향소산

오약순기산 「韓方秘錄」

一切風疾 先服此 速通氣道 進以風藥

일절풍질 선차복 속통기도 진이풍약

모든 풍질, 저리거나 마비감이 있는 것은 먼저 이약을 먹고 기를 잘 통하게 한 후 풍 치료약이 잘 도달하게 한다.

> 마황 진피 오약6 천궁 백지 백강잠 지각 길경4 건강2 감초1.2 생강3 대조2

이진탕 「韓方秘錄」

通治痰飮 諸痰 或嘔惡心 或頭眩 心悸 或發寒熱 或流注作痛

통치담음 제담 혹구오심 혹두현 심계 혹발한열 혹유주작통

담음의 통치방으로 모든 담에 사용한다. 울렁거리거나 어지럽거나 심장이 두근거리거나 춥거나 열이 나거나 통증이 옮겨 다니는 것을 치료한다.

> 반하8 진피 복령4 감초2 생강3

향소산 「韓方秘錄」

四時傷寒 頭身痛 發熱惡寒 及傷風 傷寒 傷濕 時氣瘟疫

사시상한 두신통 발열오한 급상풍 상한 상습 시기온역

감기로 머리와 몸이 아프고 발열과 오한이 있는 것을 치료한다.

> 향부자 소엽8 창출6 진피 감초2 생강3 총백2

통기방풍탕 「韓方秘錄」

肩背痛 不可忍

견배통 불가인

어깨와 등이 많이 아파 참기 어려운 것이다.

> 황기 승마 시호4 방풍 강활 진피 인삼 감초2 청피1.2 백두구 황백0.4

가미이사탕 「韓方秘錄」

臀尖痛 此陰虛膀胱有熱也 (臀-볼기 둔)

둔첨통 차음허방광지유열야

볼기가 아픈 것은 음이 허하고 방광에 열이 있어 발생한다.

> 사물탕 加지모 황백

담음이 있으면 습이진탕 加택사 전호 목향

통증이 심하면 加유향 몰약

윤하탕 「韓方秘錄」

背脊骨痛 及腎水衰耗也

배척골통 급신수쇠모야

등과 척추가 아픈 것은 신수가 소모되어 약해져 발생한다.

> 황기 숙지황40 백출20 산수유 맥문동16 복령12 오미자4 방풍2 부자0.4~4

온신탕 「韓方秘錄」

脊痛-척통(척추의 통증)

> 숙지황6 우슬 파극 육종용 맥문동 구감초 오미자3.2 복신 건강 두충2

14. 고통(尻痛, 尻-엉덩이 고) 「韓方秘錄」

傷寒內餘則 腰尻痛按 尻爲 足少陰如督脈 所過之處 兼屬闕陰(按-당길 안)

상한내여즉 요고통안 고위 족소음여독맥 소과지처 겸속궐음

상한으로 한사가 내부에 넘치면 허리와 엉덩이가 당기며 아프다. 엉덩이는 족소음에 속하고 독맥의 경로이며 궐음을 겸하고 있다.

– 신허가 심한 사람 : 육미 + 육계 녹용

– 물살이 찐 사람은 습담에 속한다 : 이진탕 습이묘창백산(창출 황백6)

– 어혈로 인하여 아픈 사람은 : 당귀 적작약 목단피 도인 현호색 우방자 아산갑 육계

– 효과가 없으면 : 加지황 부자

473

15. 허리(腰) 「韓方秘錄」

허리는 배꼽을 횡으로 일자로 수평되게 그어서 척추와 만나는 곳이며, 등 쪽으로 내부에는 신장이 양쪽에 위치하고 있으며 몸을 지탱하며 굴신이나 회전을 하는 허리는 신장에 속한 부위로 움직이지 못하는 것은 신장이 피로한 원인이다. 요자신지외후(腰者腎之外候)며 일신소지(一身所持)라 하여, 허리는 신장의 외부를 나타내며, 몸을 지탱하는 곳이다. 모든 허리의 통증은 신허로 나타난다.

1) 신허요통(腎虛腰痛)

은근히 아파서 일어나기가 힘들며 통증은 심하지 않으나 유유(悠悠)한 증상으로 발생원인은 신허로 인하여 발생하는데, 신허를 유발하는 것으로는 음주과다나 입방과다, 구좌구와, 잠을 자지 않는 등의 여러 가지가 있다.

몸의 컨디션이 좋으면 통증의 정도가 약하거나 아프지 않으며, 과로 등으로 컨디션이 나빠지면 더 심하게 아픈 것이 특징이며 진액부족이나 찬 기운이 침범하여 근육이 수축하면 심한 통증을 호소한다.

척추의 통증보다 척추 옆의 갈비뼈가 없는 부위가 아픈 것이다. 맥홍대나 척맥허대의 상태가 오며 육미나 팔미에 녹용 당귀 모과 속단을 넣어 사용하거나 국방안신환을 사용한다. 실제로 약국에서 과립으로 사용할 때는 팔미가오자에 삼칠산을 합하여 사용하거나, 팔미와 쌍화, 시호제, 소건중을 사용하면 효과가 좋다.

2) 담음요통(痰飮腰痛)

담이 등이나 허리로 움직여서 여기저기가 아파지는 것으로 보통 기담이라 하는데 담음이 경락에 침범하여 이동하기 때문이다. 자주 보이는 증상은 아니며 신허와 담음 통증을 잡아주면 된다. 팔미 이진 오약순기 진통제를 쓰며, 궁하탕에 남성 창출 황백을 넣어 사용한다.

3) 좌섬요통(挫閃腰痛)

무거운 것을 들거나 높은 곳에서 떨어져 허리를 삐어서 통증이 오는 증상이다. 대부분 힘들게 노동을 하여 허리부위 근육의 진액이 과도하게 소모되어 발생한다. 신허를 잡고 진액부족을 채우며, 어혈을 제거해야한다. 급히 사용할 때는 소건중 대량요법이 좋고, 육미 쌍화 소건중으로 사용하거나 독활탕을 쓴다.

474

4) 어혈요통(瘀血腰痛)

부딪혔거나 넘어졌거나 떨어졌거나 맞아서 사혈(死血)이 허리부위로 모여 통증이 오는 것으로 낮에는 통증이 약하고 밤이 되면 더 심해진다. 움직이면 송곳으로 찌르는 것 같이 몹시 아프다. 육미, 시호제, 쌍화, 계령이나 도핵승기탕, 또는 오적산에 마황을 빼고 도인 목향 빈랑 회향을 가하여 쓴다.

5) 풍요통(風腰痛)

신장으로 풍사가 침범하여 발생하며 좌측이나 또는 우측 등 일정하지 않게 통증이 오는 증상으로 오적산에 방풍 전충을 가하여 사용한다.

6) 한요통(寒腰痛)

신에 한사가 침범하여 통증이 발생하는 것으로, 움직이기 곤란하고 따뜻한 곳에 있으면 통증이 덜하고 차가운 곳에 가면 심하게 온다. 오적산에 두충 오수유 도인을 가하여 사용하고 통증이 심하면 흑축말 4g을 타서 먹는다.

7) 온요통(溫腰痛)

지대가 낮은 곳에 습기가 많거나, 비와 이슬이 스며드는 곳에 오래 있게 되면 허리가 무겁고 아픈 증상으로 쇠나 얼음처럼 차게 느껴진다. 출부탕으로 치료한다.

8) 습열요통(濕熱腰痛)

기름진 음식을 많이 먹고 활동을 적게 하는 사람이나 장시간 앉아있는 사람에게 발생한다. 날씨가 흐리면 더 아파진다. 이묘창백환을 사용한다.

9) 기요통(氣腰痛)

근심하거나 생각을 많이 하여 비장이 상하여 요통이 발생하거나, 갑자기 화를 내어 간이 상하여 발생하기도 한다. 의지가 가로 막히거나 의욕상실이 되면 기가 체(막혀)하여 요통이 발생하여 오래 서있거나 멀리 걷지를 못하게 된다. 칠기탕에 복령 침향 유향을 소량 가하여 사용한다.

10) 신착증(腎着症)

　　허리아래가 차고 아픈 증세로 허리가 무겁게 느껴지고 물속에 앉아있는 듯한 느낌이 있다. 소변은 순조롭고 음식을 먹는 것도 이상이 없다. 신착탕(영강출감탕)을 쓴다.

가미육미탕 「韓方秘錄」

腎虛腰痛 悠悠痛 而不能擧者

신허요통 유유통 이불능거자

은근히 아픈 것이 오래되었고 제대로 움직이기가 어렵다. 신허요통이다.

> 육미(팔미) 加 당귀 모과 속단 녹용4

국방안신환 「韓方秘錄」

治腎虛腰痛 下元虛冷 小便滑數

치신허요통 하원허냉 소변활삭

신허로 허리가 아픈 것인데 하초가 허하고 냉하여 온다. 소변이 자주 나온다.

> 도인 백질여 파극 육종용 산약 파고지 복령 석곡 비해 백출95 천오포 육계50

꿀로 오자대의 환을 만들어 공복에 50~70환을 술로 먹으면 효과가 좋다.

가미궁하탕 「韓方秘錄」

痰飮腰痛 及腹痛 其痛必 小便不利者也

담음요통 급복통 기통필 소변불리자야

담음요통과 복통을 조리하는데, 통증이 있는 자는 반드시 소변이 불리하다.

> 천궁 반하 적복령4 진피 청피 지각2 백출 구감초0.8 생강5 남성 창출 황백4

독활탕 「韓方秘錄」

勞役擧重 或挫閃墜落 腰痛如折

노역거중 혹좌섬추락 요통여절

힘든 일을 하거나, 무거운 것을 들거나, 추락 등으로 허리를 삐끗하여 끊어지듯 아픈 것을 치료한다.

> 당귀 연교6 강활 독활 방풍 택사 육계4 방기 황백 대황 감초 도인2

물과 술을 반반씩 넣고 달여 먹으면 효과가 좋다.

출부탕 「韓方秘錄」

濕腰痛 冷重

습요통 냉중

습이 허리에 몰려 아픈 것으로 차고 무겁게 느껴진다.

> 백출 부자8 두충초4 생강3

이묘창백산 「韓方秘錄」

濕熱腰痛

습열요통

습열로 인하여 발생한 요통을 치료한다.

> 창출 감침 一日夜 염炒 황백 주침一日夜炒 各40

가루를 물로 환을 만들어 8g씩 3회 복용하거나, 각각20g씩 달여 먹는다.

가미칠기탕 「韓方秘錄」

七情氣鬱 心腹絞痛 七情氣結則 生痰 痰盛則 氣鬱結 心腹絞痛

(絞-꼬다 매다 교)

氣腰痛 失志則氣滯 而腰痛 不能久立遠行

칠정기울 심복교통 칠정기결칙 생담 담성칙 기울결 심복교통

기요통 실지칙기체 이요통 불능구립원행

근심 걱정으로 감정이 상하여 가슴과 배가 꼬이는 듯 아픈 것이다. 칠정으로 기가 뭉치면 담이 발생하고, 담이 많아지면 기가 울결된다. 그래서 심복교통이 발생한다. 기요통은 의지를 상실하면 기가 정체하여 요통이 발생하는 것이다. 그래서 오래 서있거나 멀리 가지를 못한다.

> 반하12 인삼 육계 구감초2.8 생강3 복령 침향 유향2

신착탕(영강출감탕)　「傷寒論」

腎著症　病人飮食如古　腰下冷痛　重如萬錢

신착증　병인음식여고　요하냉통　중여만전

신착증은 하초에 습이 모인 까닭으로 발생하는데 허리 이하가 냉하고 아프다. 허리에 동전 만 냥을 두른 듯 무겁게 느껴진다.

> 백출10 건강 복령6 감초2

이요탕　「韓方秘錄」

腰不能俯者　水濕也(俯—구부릴 부)

요불능부자　수습야

허리를 구부리지 못하는 것은 습이 많아서 생기는 것이다.

> 백출20 산약12 방기8 시호 택사 백개자4 감초2 육계1.2

당귀탕　「韓方秘錄」

腰痛如神

요통여신

> 당귀 홍화 우슬20 위령선2 도인1.5

물로 달여 먹고 황주(정종) 한 잔을 다시 더 복용하면 효과가 좋다.

가미이사탕　「韓方秘錄」

因醉飽入房　濕熱升虛　而入背　腰痛　難以俯仰

인취포입방　습열승허　이입배　요통　난이부앙

술과 음식을 포식하고 입방을 하면 신이 허한 틈을 타고 습열이 등으로 침입하여 허리가 아 픈데 굽히거나 펴지 못한다.

이진탕 습사물탕 加맥아 신곡 갈화초 사인 두충 황백 관계 지각

치습탕　「韓方秘錄」

腰痛如神 脚痛 夢遺 亦神效

요통여신 각통 몽유 역신효

요통에 효과가 좋고, 다리가 아프거나 몽유병이 있는 것도 효과가 좋다.

백출 의이인120 흠인80

水煎服 一劑

달여서 1제를 먹는다.

기구탕(起傴湯-傴:곱사 구)　「韓方秘錄」

大病之後 腰痛如折 久而成爲 傴僂者. 此乃濕氣 入於腎宮 誤服補腎之藥 而成之也

大病之後 腰痛如切者 乃濕熱而 非腎虛也.(僂-곱사등이 루)

대병지후 요통여절 구이성위 구루자. 차내습기 입어신궁 오복보신지약 이성지야

대병지후 요통여절자 내습열이 비신허야.

큰 병을 앓고 난 뒤 허리가 끊어질 듯 아프고 오래 경과하여 구루가 된 사람을 치료한다. 이 원인은 습사가 신으로 들어간 것을 오치하여 보신제로 치료하여 생긴 것이다. 대병 후에 허리가 끊어질 듯 아픈 것은 습열로 인한 것이지 신허가 아니다.

의이인120 백출80 황기40 방풍1.2 부자0.4

물로 달여 먹고 하루 한제를 먹는다. 하루를 먹고 나면 허리가 가벼워지고 이틀을 먹게 되면 허리를 펼 수 있고, 삼일 먹으면 전부 치료된다.

전요탕　「韓方秘錄」

露宿 於星月之下 犯寒濕氣 腰痛不能轉側 此邪入於骨髓之內也

노숙 어성월지하 범한습기 요통불능전측 차사입어골수지내야

이불을 덮지 않고 노숙을 하여 한사와 습사가 침범하여 허리를 돌리지 못한다. 이것은 사기

가 골수 속으로 들어와서 발생한다.

> 백출40 두충 파극20 창출12 육계4 방기 강활2 도인1.5

달여 2제를 먹는다.

천궁육계탕 「韓方秘錄」

臥宿寒濕之地 致血凝腰痛 不能轉側 兩脅縮急作痛 及産後股痛

와숙한습지지 치혈응요통 불능전측 양협축급작통 급산후고통

습기가 많고 추운 곳에서 잠을 자서 혈이 뭉쳐 요통이 발생한 것으로, 허리를 움직일 수 없다. 조금만 움직여도 양 옆구리가 당기고 아프며 산후에 허벅지가 아픈 것도 치료한다.

> 천궁 육계 창출 시호4 강활6 독활2 방풍 방기주세1.2 도인1.5 당귀초 감초4 신곡2

술과 물을 반씩 넣고 달여 식후 2시간 뒤에 따뜻하게 먹는다.

11) 요통의 임상

- 디스크(추간판 탈출증) : 팔미 + 쌍화 + 시호제 + 소건중

- 좌골신경통 : 팔미 + 쌍화탕 + 시호제 + 소경활혈탕

- 요관이통 : 팔미 + 시호제 + 쌍화탕 + 소경활혈탕

- 신허요통 : 팔미 + 쌍화탕 + 시호제 + 소건중

- 골다공증 : 팔미 + 의이인탕 + 쌍화탕 + 시호제 + 당귀수산

- 퇴행성관절염 : 팔미 + 쌍화탕 + 시호제 + 계령 + 콘드로이친제제, 글루코사민

- 통풍, 류마티스 : 팔미 + 시호제 + 쌍화 + 당귀수산 + 황련해독(+ 진통제)

16. 몽매 불면 「方劑에서 사람으로」

숙면을 이루지 못하여 잠이 부족한 것을 불면이라 한다. 잠이 들기가 어렵고 어렵게 잠이 들었다가 금방 깨어나 다시 잠이 들지 않으며 심한 경우에는 양 눈이 밤새 감기지 않는 경우도 있다.

불면의 원인은 신허나 혈허로 인한 것이며, 음이 허하면 허열이 발생하고 이 허열이 머리로 치고 올라와 뇌의 신경을 교란하는 것으로 심신불교의 증상이다. 불면의 증상에는 두 가지 형태가 있는데 신허와 혈허다. 신허로 발생하는 불면은 잠이 들지 않는 입면장애(入

480

眠障碍)인데 잠이 들려고 하면 할수록 각성이 되는 것이다. 밤새 뒤척이며 잠을 자지 못하고 주위에서 나는 작은 소리를 다 듣게 되고 겨우 잠이 들었는데 숙면을 이루지 못하거나 꿈을 많이 꾸어 선잠을 자는 것이 특징이다.

혈허로 오는 불면은 아침이나 오전에는 기운을 차리지 못하고 비몽사몽으로 졸리기도 하며 정신도 명료하지 않다가 오후가 되면 조금씩 정신이 들면서 기운도 살아나 밤새도록 활동을 하거나, 억지로 잠을 자려고 하면 잠이 들지 않는 것이 특징이다. 아침형인간의 반대되는 개념으로 야간형인간이다.

신음(腎陰)이 허하여 심음(心陰)이 부족하게 되면 심양(心陽)이 왕성해져 심신이 안정을 찾지 못하여 입면이 힘들고 잠이 들어도 꿈이 많아 바로 깨어나게 되며, 동계 건망 도한 등의 증상을 수반한다.

과로나 내상으로 심음이 부족하면 심을 자양하지 못하여 심화가 왕성해지고 심화는 하강하지 않고 상승하여 신경을 교란시켜 발생하는 불면은 심신불교(心腎不交)의 현상으로 뒤척임이 많고 꿈이 많아 밤새 뜬 눈으로 지낸 것처럼 된다.

신경을 많이 쓰거나 생각을 많이 하여 심과 비가 허해지면 비기허로 인한 기혈생화의 부족이 되고, 심혈이 부족하여 심신불녕(心神不寧)이 되어 불면이 오기도 한다. 화토불합(火土不合)의 상태이다. 놀라거나 두려움 때문에 담기의 손상으로 결단력이 없어지고 공포감이 남아 잠이 오지 않는 경우도 있다. 고민과 분노로 간의 소설부족으로 간울체가 지속되어 화화(火化)하거나 음주과다로 습열이 내생하여 습열이 화로 변하여 심신을 교란시켜 불안을 발생하여 불면이 오는 것도 있다. 비기가 허한 사람이나 고량후미를 과식하여 습이 내생하여 담이 만들어 지거나, 열사(熱邪)의 내부 침입으로 진액을 말려 담이 발생하고, 담열이 신명을 교란하여 발생하는 경우도 있다.

심화가 항성하여 심신이 불안하여 오는 경우들이 있다. 육미 가미귀비 가미온담 삼황사심 향사평위산 등의 방제를 적절히 배합하여 처치한다. 불면의 기본처방은 육미 삼황사심 가미귀비이며, 소화불량이 있으면 향사평위나 소건중을 합하고 각 증상에 맞는 처방을 배합한다. 생각이 많고 무엇인가 골똘히 마음에 남아있는 것이 있으면 꿈을 꾸게 된다. 건강한 사람은 잠을 자도 꿈을 꾸지 않으며, 음이 성하면 무서운 꿈을 꾸고, 양이 성하면 불이 난 꿈을 꾸게 되며, 음양이 모두 성하면 꿈을 꾸지 않는다. 심담이 허겁(虛怯)하면 잘 놀라고 잠을 자면 꿈이 많지만 꿈의 내용을 알지 못한다. 과로하였거나 많은 생각으로 잠을 이루지 못하고 심담이 허하고 겁이 많고 일이 닥쳤을 때 놀라 심장이 두근거려 잠을 이루지 못하는 것은 익기안신탕, 가미온담탕, 가미귀비탕으로 치료한다.

익기안신탕 「韓方秘錄」

心虛 夜多夢寐 睡臥不寧 恍惚驚悸

심허 야다몽매 수와불녕 황홀경계

심이 허하면 밤에 꿈이 많고, 잠을 자려고 누우면 황홀하거나 잘 놀라 편안치 못하다.

> 당귀 복신4 생지황 맥문동 산조인초 원지 인삼 황기밀구 담남성 죽엽3
> 소초 황련1.6 생강3 대조2

육군자탕 「韓方秘錄」

大病後 虛弱 老人陽衰 不眠

대병후 허약 노인양쇠 불면

대병 후 허약해 졌거나 노인들은 진액부족과 양기가 쇠하여 잠을 자지 못한다.

> 사군자탕 加반하 진피 또는 귀비탕 역묘

산조인탕 「韓方秘錄」「古今名醫方論」

虛煩不眠 及傷寒吐下後 虛煩不睡

허번불면 급상한토하후 허번불수

음이 허하면 허열이 떠서 잠을 이루지 못한다. 감기로 토하고 설사 후에 진액이 부족하여 번조하여 잠을 잘 수 없는 것이다.

> 산조인9 지모 복령 천궁4 감초2 或加석고8

기허로 인해 저장된 영양의 부족과, 과로(정신적, 육체적)로 인한 진액의 소모로 허열이 발생하면 활동하는 낮 시간에는 피곤하지도 않고 활기가 넘치지만 밤이 되면 이 열이 빠져나와 머리로 상승하여 신경을 흥분시켜 잠이 들지 않게 된다. 수면만 놓고 볼 때 불면이지만 잠을 자면서 엄청난 땀을 흘리는 사람도 이 상황과 같은 것이다. 간은 혼(魂)을 간직한다(혼이란 영혼의 양에 속하는 것이고 음은 백(魄)이라 한다). 사람이 누우면 혈은 간으로 돌아온다.

골수에서 생성된 혈은 간에 저장하고 신에서 영양을 얻어 활혈이 되며 낮에는 심장을 통해 전신을 자양하고 잠을 잘 때는 간으로 돌아와 신의 영양으로 활혈이 되거나 파혈이 되어 자기의 생을 마감하고 담즙으로 변하여 간을 소설하는 작용을 하게 된다. 간은 하는 일이 많아 항상 피곤하여 열이 쌓이기 쉬운 장이다. 쌓인 열이 울화가 되면 자기의 길로 열이 흘러 여러 가지 병을 발생시킨다.

소모가 많아 음이 허하고, 과로로 인하여 저장 된 영양의 부족을 초래하면 허열의 발생이 심해지고 신정의 생성과 공급이 약해져 신경이 안정이 되지 않아 번열로 인하여 잠을 자지 못하는 것이다.

이 방은 간의 허를 치료하여 잠이 오게 하는 방으로 불면증에 사용하기 보다는 기면증에 사용하며, 과로로 인한 혈허나 기허로 오는 불면증에는 기혈을 보해주고 음혈을 채워 허열을 제거하면서 치료하는 것이 가장 좋은 치료법이다. 간음을 보하여 기면증을 치료하는 것도 본방에 시호제와 육미를 합하여 사용하면 된다.

안신부수탕 「韓方秘錄」

勤政勞心 痰多睡少 心神不定

근정노심 담다수소 심신부정

열심히 일을 하여 과로로 인해 담이 많아 심신이 안정되지 못하여도 잠이 오지 않는다.

> 당귀 천궁 작약주초 숙지황 익지인 산조인초 산약 원지 용안육4 생강3 대조2

상하양제탕 「韓方秘錄」

晝夜之間 俱不能寐 心甚煩燥 此心腎不交也

주야지간 구불능매 심심번조 차심신불교야

심신이 불교하여 심열이 점점 심해져 번조해지면 낮이나 밤이나 잠을 자지 못한다.

> 인삼 숙지황40 백출20 산수유12 육계 황련2

윤조교심탕 「韓方秘錄」

憂思之後 終日困倦 至夜而雙目不閉 此肝氣之大燥也

우사지후 종일곤권 지야이쌍목불폐 차간기지대조야

근심과 걱정을 한 뒤 몸이 몹시 피곤하고 밤이 되어 양 눈을 감을 수 없는 것은 간혈이 소모되어 간이 조해져서 발생한다.

> 작약 당귀 숙지황 현삼40 시호 창포1.2

간담양익탕　「韓方秘錄」

夜不能寐 鬼崇內侵 睡臥不安 或少睡而 卽便驚醒 此膽氣有怯也

야불능매 귀숭내침 수와불안 혹소수이 즉편경성 차담기유겁야

담에 겁이 많으면 밤잠을 이루지 못하고 ,또는 자다가 놀라서 깨어나 잠을 자지 못한다.

> 작약초 산조인40 원지20

안매탕　「韓方秘錄」

怔忡不眠等症 乃心血少也

정충불면등증 내심혈소야

심혈이 부족하면 정충이 생겨 잠을 자지 못한다.

> 생조인 숙조인20 인삼 맥문 복신 당귀12 단삼8 감초 창포 오미자4

17. 성음(聲音-목소리)　「韓方秘錄」

목소리가 나오는 것은 신장에서부터 나온다. 그래서 신은 목소리의 근본이다. 심장은 성음을 주재하고 폐는 소리의 문이 되는 것이다. 신허로 목소리가 나오지 않으면 인삼평보탕을 쓴다.

중풍으로 혀가 굳어 목소리가 나오지 않는 경우는 소속명탕으로 치료한다. 큰 병을 앓고 난 뒤 말을 못하는 것은 신허로 인하여 신의 기운이 심장의 양과 접속하지 못하여 발생한다. 이때는 신기환을 사용한다.

폐사(폐열)가 심장으로 들어가면 헛소리를 하고, 갑자기 놀라면 사혈과 완담이 심장의 규를 막아 말을 못하게 된다. 이때는 원지산, 거풍정지탕을 쓴다. 목이 쉬는 경우는 인후에 수독이 정체하여 발생하는데 목은 간의 경락이 지나가고, 간의 영역이기 때문에 소시호와 반하후박을 함께 쓴다. 육미를 합해도 좋다.

인삼평보탕 「韓方秘錄」

腎虛聲不出

신허성불출

신이 허하여 목소리가 나오지 않는 것을 치료한다.

> 인삼 천궁 당귀 숙지황 백작약 복령 토사자 오미자 두충 파극 귤홍 반하2.4
> 우슬 백출 파고지 호로파 익지인 구감초1.2 창포0.8 생강3 대조2

소속명탕 「韓方秘錄」

中風失音

중풍실음

> 방풍6 방기 육계 행인 황금 작약 인삼 천궁 마황 감초4 부자2 생강3 대조2 加창포4

신기환=육미지황환 「韓方秘錄」

治腎水不足 腎虛不言 吐瀉及大病後 雖有聲 而不能言 此非失音 及腎㤼也
(㤼-두려워할 겁)

치신수부족 신허불언 토사급대병후 수유성 이불능언 차비실음 급신겁야

신음의 부족을 치료하며, 신허로 말을 못하거나 큰 병을 앓고 난 뒤 비록 소리는 나오되 말을 못하는 것은 실음(失音)이 아니고 신겁이다.

원지산 「韓方秘錄」

因驚 言語顚錯(顚-꼭대기 전, 섞일 착)

인경 언어전착

놀라서 말의 앞뒤가 맞지 않게 하는 것을 치료한다.

> 복신 생지황 작약 천궁 당귀 길경 복령 원지薑製

가루로 하여 每8g을 등심4 대조2를 같이 달여 그 액으로 먹는다.

거풍정지탕　「韓方秘錄」

心虛驚悸 不能言

심허경계 불능언

심장이 약하여 심하게 놀란 뒤 말을 못하는 것이다.

> 방풍 산조인초 인삼 당귀40 원지5 귤홍 창포 남성炮 복령3.2 강활 구감초2 생강3

형소탕(荊蘇湯)　「韓方秘錄」

感寒 卒啞失音 通用

감한 졸아실음 통용

감기로 갑자기 말을 못하는 것에 통용으로 쓴다.

> 형개 자소엽 목통 귤홍 당귀 辣桂(매운 계지) 창포4

인삼형개산　「韓方秘錄」

感冒風寒 言語不出 咽乾鼻涕

감모풍한 언어불출 인건비체

풍한으로 감기에 걸려 발이 나오지 않고 목이 마르며 콧물이 흐르는 것이다.

> 인삼 형개 진피 길경 반하 세신 행인 통초 마황 감초4 생강5

인삼청폐산　「韓方秘錄」

痰嗽 咽乾 聲不出

담수 인건 성불출

위(胃)에 습담이 폐로 올라올 때는 기침을 하고, 가래가 나오고 나면 기침을 멈추는 증상이 담수다. 이로 인해 목이 건조하고 목소리가 나오지 않는 것이다.

> 인삼 청피 패모초6 반하 길경 적복령 상백피 지모 지각 행인 황련4 관동화2.8
> 맥문 지골피 감초 오미자2 생강3

486

죽의맥문동탕 「韓方秘錄」

一切勞瘵 痰嗽 聲啞不出 難治者 服之神效

일체노채 담수 성아불출 난치자 복지신효

노채(폐결핵 등 만성 폐질환)로 가래가 끓고 기침을 하며 목소리가 나오지 않는데 여러 약을 먹어도 낫지 않는 난치 자는 이 약을 복용하면 효과가 좋다.

> 竹衣(대나무의 內피막)4 죽여6 죽력 맥문동8 감초 귤홍2 복령 길경4 행인2 죽엽14片

달인 후에 죽력을 넣고 잘 섞어 복용한다.

마행감석탕 「韓方秘錄」

冬月咳嗽 寒痰結於咽喉 聲不出 卒啞

동월해수 한담결어인후 성불출 졸아

겨울철에 해수로 한담이 인후에 뭉쳐있어 목소리가 나오지 않는 것과 갑자기 말을 못하는 것을 치료한다.

> 석고20 마황8 행인 감초4

18. 소변 「韓方秘錄」

폐의 숙강작용에 의해 방광에 저장되었다가 배출되는 것이 소변이며, 소변이 나오는 곳을 전음(前陰)이라 한다.

1) 소변불리

소변의 정상적인 색깔은 약간 노란빛이 나며 투명한데 소변 빛이 샛노랗거나 붉은 것은 모두 열이 있어서 나타나며, 맑거나 희게 나오는 것은 기가 허하거나 하초가 허냉하여 발생한다. 소변불리(小便不利)가 되는 것은 음허하면 나타나는데, 소변의 배출에 거북한 느낌이 있는 것이다. 이때는 만전목통탕을 쓴다. 소변이 삽(澁-조금씩 나오는 것)한 것은 화가 혈을 소모시켜 하초에 혈이 부족하여 기가 하강하지 못하므로 소변이 적게 만들어지고 배출하는 힘이 약하여 시원하게 나오지 않으며 불쾌하게 느껴진다. 사물탕에 지모 황백을 가하여 쓴다.

2) 소변불통

소변불통의 원인은 기분의 열과 혈분의 열로 구분이 되는데 상초 기분에 열이 있으면 갈증이 나면서 소변불통이 오며, 하초 혈분에 열이 있으면 갈증은 없고 소변불통이 온다. 기분에 열이 있으면 청폐탕을 쓰고, 혈분에 열이 있으면 자신환을 쓴다.

3) 뇨폐=전포

뇨폐(尿閉)의 증상을 전포(轉胞)라 하며 음식을 많이 먹고 소변을 참고 뛰고 달리거나 말을 타거나, 과음 후에 소변을 참고 입방을 하면 아랫배가 아프고 소변이 불통하게 된다. 활석산을 사용하며, 노인의 뇨폐에는 육미에 택사를 배가하여 사용한다. 임신부의 뇨폐는 과식으로 자궁이 방광으로 내려앉아 요도를 눌러 발생한다. 이때는 삼출음이나 삼출귀작탕을 쓴다.

4) 소변불금

소변불금(小便不禁)이라 하여 소변을 참지 못하여 쉴 사이 없이 소변을 보는 것이며, 소변의 색이 붉은 것은 방광에 열이 있어서오며 만전목통탕 팔정산 오령산합해독탕을 쓰며, 소변이 투명한 것은 하초가 허하여 발생한다. 육미에 지모 황백 오미자를 가하여 사용한다.

5) 요붕증

방광의 기가 부족하면 요붕증이 나타나며 하루 백여 번의 소변을 보게 된다. 축천환을 쓴다.

6) 유뇨증

소변을 지리는 것을 말하는데 기허하고 방광포가 냉하여 발생한다. 삼기탕을 쓰며, 소아가 소변을 지리는 것은 방광포가 차거나 천품을 약하게 태어나 양기부족으로 발생한다. 계장산을 쓴다.

7) 방광결석=석림

소변이 잘 나오지 않고 요도가 아프며 하복부가 팽창하고 심하게 아프며 소변에 모래같은 결석이 나온다. 이것을 석림(石淋)이라 하며, 사림(沙痳)도 같은 의미며 활석산이나 치석신단을 쓴다.

8) 열림

소변줄기가 뜨겁고 붉으며 하복이 몹시 아프며 소변이 조금씩 불쾌하게 나오는 것을 열림이라 하며 팔정산으로 다스린다.

9) 기림

소변을 보고난 뒤에 소변이 방울방울 떨어지며 그치지 않는 것을 기림(氣淋)이라 하고 기허로 인해서 발생하며 진침향산을 쓴다.

10) 고림

고름 같은 소변이 나오고 소변줄기가 아픈 것을 고림(膏淋)이라 하며 해금사산을 쓴다.

11) 적백탁

소변이 적백탁으로 나오는 것은 모두 내상 습열로 오는데 쌀뜨물 같고 가루 같으며 죽 같기도 하며 붉은 고름 같은 것이 가라앉는 것이다. 비위의 습열이 방광으로 넘쳐 적백탁이 되는데, 적탁증은 혈허하고 열이 심하면 발생하고 심 소장의 화로 인한 것이다. 적탁(赤濁)에는 청심연자음을 쓰고, 적백탁으로 변하면 수화분청음을 쓴다. 백탁증은 기허하고 열이 없으면 발생하고 신이 허하고 차서 발생한다. 비해분청음을 쓴다

12) 한림=포비증

하복과 방광을 누르면 아프고 소변이 잘 안 나오는 것은 포비증(胕痺症)으로 한림(寒淋)에 속한다. 온신탕을 쓴다. 물을 마시면 바로 소변이 나오는 것은 비장의 정기가 부족하여 폐로 상승을 시키지 못하여 오는 것인데 신정의 부족으로 비기가 약해지고 심화가 떠서 입이 마르고 목이 마르며 음수를 하면 바로 소변으로 나오는 것이다. 보중익기탕을 쓰며 육미를 같이 복용하는 것이 좋다.

만전목통탕 「韓方秘錄」

膀胱有熱 小便難而黃

방광유열 소변난이황

방광의 열로 인해 소변이 노랗고 시원하게 나오지 않는다.

> 활석8 목통 적복령 차전자초 앵맥4 또는 사물탕 加황백 우슬 감초 기모

팔정산　「韓方秘錄」

膀胱積熱 小便癃閉不通(癃—느른할 륭)

방광적열 소변룡폐불통

방광에 열이 쌓여 소변에 힘이 없고 잘 통하지 않는 것이다.

> 대황 목통 앵맥 편축 활석 치자 차전자 감초4 등심4

청폐탕　「韓方秘錄」

渴而小便閉

갈이소변폐

갈증이 있고 소변이 나오지 않는 것이다.

> 저령 통초6 복령 택사 등심 차전자4 편축 목통 앵맥2.8 호박2

자신환　「韓方秘錄」

不渴而小便閉

불갈이소변폐

갈증은 없고 소변이 나오지 않는 것이다.

> 황백 지모竝酒洗焙40 육계2 爲末

지모를 술과 물로 씻은 다음 불에 쬐여 말린 것과 황백, 육계를 물로 오자대의 환을 만들어 공복에 100황씩 먹으면 귀신처럼 소변이 나온다.

우공산　「韓方秘錄」

小便不通 服此如神

소변불통 복차여신

소변이 통하지 않는 것에 이 약을 먹으면 신통하게 나온다.

> 진피 반하 적복령 택사 백출초 목통 조금 치자인초4 승마1.2 감초0.8

약을 복용 후에 심하게 토하게 되는데, 담을 토한 후에 소변이 잘 나온다.

활석산 「韓方秘錄」

胕轉尿閉 强忍小便 或尿急疾走 或飽食忍尿 或飽食走馬 或忍尿入房 使水氣逆傷

氣迫於胕 故屈而不舒 臍下急痛 小便不通也

포전뇨폐 강인소변 혹뇨급질주 혹포식인뇨 혹포식주마 혹인뇨입방 사수기역상

기박어포 고굴이불서 제하급통 소변불통야

전포로 소변이 나오지 않는 것인데, 소변을 오래 참거나, 소변이 보고 싶은데 달리거나, 소변을 참으면서 음식을 많이 먹던가, 음식을 먹고 말을 타던가, 소변을 참고 입방을 하여 수기가 역으로 방광을 상하게 하여 요도를 강하게 압박을 하여 요도가 굽어서 소변을 보고 싶으나 나오지 않고 아픈 것이다.

> 한수석80 활석 차전자 목통40 겨자一합

물 한 말로 달여 오승을 취하여 일승씩 하루 3번 먹으면 즉시 통한다.

삼출음 「韓方秘錄」

婦人轉胕 小便不通

부인전포 소변불통

부인이 전포가 되어 소변이 불통한 것이다.

> 사물탕 加인삼 백출 반하 진피 감초4 생강3 대조2

삼출귀작탕 「韓方秘錄」

孕婦九月 轉胕尿閉 脚腫形瘁 此必飽食氣傷 胎系不能自擧 而下壓膀胱 故閉而不通

잉부구월 전포뇨폐 각종형췌 차필포식기상 태계불능자거 이하압방광 고폐이불통

임신 9개월의 임부가 전포로 뇨폐가 있고 다리가 부우며 형색이 초췌하다. 이 원인은 반드

491

시 배부르게 먹고 기가 상해서 자궁이 내려 앉아 방광을 압박하여 소변이 막혀 나오지 않는 것이다.

> 인삼 백출 당귀 작약 진피 반하 감초4

축천환 「韓方秘錄」

脬氣不足 小便頻數 一日百餘次

포기부족 소변빈삭 일일백여차

방광의 기가 부족하여 소변이 자주 나오는데 하루 100여 차례본다.

> 오약 익지인 等分 爲末 酒煮산약

두 약을 동량으로 하여 가루로 하고, 술로 삶은 산약과 합하여 밀가루로 오자대의 환을 만들어 70환씩 소금물로 먹는다.

삼기탕 「韓方秘錄」

氣虛遺尿

기허유뇨

기가 약하여 소변을 지리는 것을 말한다.

> 인삼 황기밀구 복령 당귀 숙지황 백출 진피4 익지인3.2 승마 육계2 감초1.2 생강3 대조2

노인 加부자 또는 보중익기탕 加산약 오미자(육미를 합해도 된다.)

계장산 「韓方秘錄」

小兒遺尿不禁 多因脬寒 陽氣不足也

소아유뇨불금 다인포한 양기부족야

소아가 소변을 참지 못하고 지리는 것은 방광의 포가 차서 생긴다. 즉 양기부족이다.

> 鷄腸燒 모려 복령 상표초蒸20 육계 용골10

닭의 내장을 불에 쬐어 말린 것과 모려 복령 상표초 찐 것, 육계 용골을 가로 하여 4g씩 쌀죽에 섞어 먹는다.

활석산 「韓方秘錄」

沙石淋 莖中痛 尿不能出 內引小腹 膨脹急痛 尿下沙石 令人悶絶

사석림 경중통 뇨불능출 내인소복 팽창급통 뇨하사석 영인민절

소변이 잘 나오지 않고 요도가 아프며 하복부가 팽창하고 심하게 아프며 소변에 모래 같은 결석이 나온다.

> 활석 석고20 석위 앵맥 목통 葵子(해바라기씨앗)12 위말 매취 8g

총백 두 뿌리, 등심 한 줌, 꿀 한 숟가락을 넣고 끓여 위의 약을 넣고 공복에 먹는다.

치석신단 「韓方秘錄」

沙石淋 乃交感後入水 或入水後交感 皆此病

사석림 내교감후입수 혹입수후교감 개차증

사림이나 석림은 거의가 교감 후 목욕을 하거나, 목욕하면서 교감을 하여 발생한다.

> 흠인320 복령 의이인 차전자 맥문200 숙지황 택사 산약120 골쇄보80 청염40 육계12

가루를 밀환으로 하여 5g씩 아침저녁 물로 복용한다.

진침향산 「韓方秘錄」

氣淋 小便澁滯 常有餘瀝不盡 小腹膨脹

기림 소변삽체 상유여력부진 소복팽창

기림으로 소변이 시원하지 않고 방울방울 떨어져 완전히 배출이 안 되며 소복이 부푼다.

> 규자 적작약30 침향 석위 활석 왕불유행 당귀20 진피 청피 목향 감초10

위말 每8g 공복에 대맥(보리쌀)탕에 섞어 먹는다.

해금사산 「韓方秘錄」

膏淋 尿濁如膏 脬凝如脂 莖中澁痛

고림 뇨탁여고 포응여지 경중삽통

고림은 소변이 기름처럼 탁한 것인데 포에 지방이 응겨 생긴 것이다. 요도가 불편하고 아프다.

해금사 활석40 감초10

爲末 每4g 맥문 등심 달인 물로 먹는다.

청심연자음　「韓方秘錄」

治赤濁 是血虛熱甚

치적탁 시혈허열심

'소갈'에 처방이 있다.

수화분청음　「韓方秘錄」

治赤白濁

치적백탁

적복4 익지인 비해 석창포 저령 차전자 택사 백출 진피 지각 승마2.8 감초2

물과 술을 반씩 넣고 달여 공복에 먹는다.

비해분청음　「韓方秘錄」

小便白濁

소변백탁

석창포 오약 익지인 비해 복령4 감초2 소금一捻(손가락으로 집다)

온신탕　「韓方秘錄」

治膹痞

치포비

적복령 백출 택사 건강포6 空心腹

도적산　「韓方秘錄」

尿如米泔色 不過二服愈

494

뇨여미감색 불과이복유

소변색이 쌀뜨물 같은 것에 적용하며 2번 복용하면 낫는다.

> 목통 활석 황백 적복 생지 치자인 감초초4 지각 백출2

공복에 먹는다.

19. 귀 「韓方秘錄」

귀는 신장의 규(竅)며 신정이 통하는 곳이다. 신장이 정상이면 오음(五音)을 들을 수 있고 정기가 약하면 소리가 들리지 않는다.

1) 이명(耳鳴)

신과 밀접한 관계가 있으며 담음과 간화, 어혈이 복합적으로 작용하여 발생한다. 과로와 방사과다, 허약체질, 만성질환 등으로 신허로 신정이 부족하면 뇌수를 자양하지 못해 허가 발생하여 오는 경우가 있고, 노화와 과로와 생활의 부절제로 소모가 과다해지면 기혈양허가 발생하고 청규(聽竅)를 자양하지 못하여 발생하기도 한다. 꿈이 많고, 심장이 두근거리며, 건망증 등 혈허로 인한 양영의 부족증상을 수반한다. 자신통이탕을 쓴다. 고량후미와 음주과다로 발생하는 이명은 점차로 심해지면서 두통과 어지러움 구역 등을 수반한다. 그리고 갑자기 노하면 간기의 울결이 발생하여 기의 상승과 하강이 실조되어 청규가 통하지 않아 발생하기도 하는데, 성을 내면 더 심해지고 옆구리가 부풀고 가슴이 답답해지는 현상이 생긴다. 육미와 소시호(용담) 쌍화 계령 등을 합하여 사용한다.

2) 이롱(耳聾-난청)

신의 항상성 이상으로 인해 발생하는데 외압의 변화에 인체의 내압을 조절하는 힘이 약해져 소리가 귀로 잘 전달되지 않고 저음에 울림이 심하고 듣기가 어려운 증상이 나타난다. 기압이 떨어진 날 힘들어지는 것도 체압이 외압의 변화에 적절하게 조절이 되지 않기 때문이다. 과립으로 육미 용담사간탕(시호제) 보중 쌍화를 사용한다. 외부에서 풍사나 한사 열사가 폐에 침범하면 화열(化熱)하여 귀로 올라가 규와 경락을 막아서 발생하는데 저음은 듣기가 더 어렵고, 자신이 소리가 잘 들리지 않아 목소리가 커진다. 초기에는 감기의 증상과 비슷하게 발병한다. 궁지산을 쓴다. 격노(激怒)나 스트레스로 간담에 열이 울체하면 간담의 기가 경락을 따라 상역하여 청도를 막아서 생기는 것으로 급속하게 난청이 오고 이명의 소리도 크게 들린다. 간과 신에 음이 허하면 간열이 귀의 청규를 막아 발생하기도 한다. 외상이나 만성병, 비위의 허약, 혈의 소모 등으로 간혈이 부족하면 매미우는 소리의 이명이 발생하고 오후가 되면 더 심해지는 경향이 있다. 신허로 인하여 오는 난청은 소리를 점점 듣기 어려워지고 잠을 자려하면 이명이 심해지는데 음허로 인하여 오심번열이나 사지궐냉과 추운 것을 싫어하는 현상이 나타난다. 이때는 자신통이탕을 쓴다.

심과 신의 교류가 실조되면 허화가 청규를 막는 고로 약한 이명이 있고 잠을 자지 못하면 증상이 더 심해진다. 비위의 기가 허하여 청기가 상승하지 못하면 탁음이 귀 부위를 지나는 경락을 막아 피로감과 소화불량 등의 증상과 동반한다. 양쪽 귀가 웅웅 거리면서 정확하게 들리지 않고 귀가 막힌 느낌을 동반하며 가슴과 배가 답답하며 어지럽고 머리가 무거운 현상이 나타나는 경우도 있다.

정지불서(情志不舒)나 외상으로 기혈이 어체하고 간기울결로 소설부족이 되어 기체와 혈체를 발생하여 돌발적으로 나타나는 것도 있다. 담화(痰火)가 상승하면 양 귀에서 매미우는 소리가 나며 점점 들리지 않게 된다. 통명이기탕이나 부총탕을 쓴다. 좌측 귀가 잘 들리지 않는 것은 분노와 담화로 생기는 것으로 용담탕을 쓰고, 우측 귀가 들리지 않는 것은 입방과도로 허화가 발생하여 생긴다. 자음지황탕을 쓴다. 풍사(風邪)가 귀로 들어가면 귀가 가려워지는데 이를 풍롱(風聾)이라 하며 가미방풍통성산을 쓴다. 세수하거나 물놀이 등으로 물이 귀로 들어가면 귀 속이 붓고 아픈 염증이 생기는데 이를 습롱(濕聾)이라 하고, 서점자탕을 쓴다. 오랫동안 설사를 하거나 만성병을 앓고 난 후 몸이 허한 상태에 풍사가 귀로 침범하면 정기와 싸우면서 이명이 발생하고 눈에 흑화(黑花)가 보인다. 사물탕에 지모 황백 창포 원지를 가하여 쓴다. 수면부족이나 과도한 입방으로 탈정이 되면 귀가 건조해지고 몸이 마르며 얼굴이 검어지는 것으로 노롱(勞聾)이라 한다. 인삼양영탕에 지모 황백을 가하여 사용한다. 귀속으로 풍열이 침범하여 염증이 발생하고 진물이 흘러 귀속에서 건조되어 귀지가 귀 구멍을 막아 갑자기 소리가 들리지 않는 것을 정이(聤耳)라 한다. 병원에서 귀지를 제거하면 된다. 풍열의 침범으로 염증이 발생하여 붓고 아프고 고름이 흐르는 것은 농이(膿耳)라 하며, 만형자산, 온담탕을 쓴다.

3) 이석증

현훈증은 어지러운 증상이며 이런 사람은 생활에 상당히 불편함이 많다. 천천히 뭔가를 붙잡고 일어나야 하고 길을 가다가도 갑자기 어지러워 눈을 감고 앉아 있어야 한다. 따라서 특히 운전을 하는 분들은 위험한 경우가 많다. 보통 어지러우면 빈혈이라고 말하는데 모두 빈혈이 아니다. 빈혈로 오는 어지럼증은 10% 정도뿐이다. 거의 모두가 스트레스로 인한 것이다. 울화, 즉 다른 말로는 화병이 원인이다. 앉았다가 일어날 때(기립성) 어지러운 것과 몹시 피로하면서 어지러운 두 경우가 있다. 기립성은 수독이 많은 것으로 청열하고 항상성을 키워주고 수독을 제거하면 되고, 피로한 경우는 보약을 같이 넣으면 된다. 이석증(耳石症)은 현훈 중 가장 괴로운 것 중의 하나이며, 증상은 보이는 모든 것이 뒤집어져 보이거나 건물이 구불구불 움직이듯이 보이며 땅이 쑥~ 꺼지는 듯한 어지러움이다. 이 증상이 나타나면 보통 쓰러지거나 눈을 뜨지 못하고 누워 있어야 한다. 누워 있어도 몸이 천정에 매달려 있는 듯이 느껴지며, 언제 나타날지 몰라 외출도 혼자서는 못한다. 병원에 가면 이석증이라 하는데 원인은 불명이고 약도 신경안정제 외엔 없다. 머리를 잡고 이리저리 흔들어 돌이 제 위치에 들어가게 하는 것뿐이다. 요행을 바라면서…

달팽이관 내에 융모가 있고 그 위에 돌(石)이 얹혀 있어서 몸의 균형을 잡아주는데 어떤 원인으로 그 돌이 떨어져 나온 것으로, 그 이유를 추정해보면 두 가지로 요약된다. 하나는 담음을 생각할 수 있는데 귓속에 갑자기 담음이 정체하여 이석이 움직이기 좋은 상태의 몸이 만들어진 것과, 신기능의 저하로 인하여 이석이나 달팽이관 내의 압을 일정하게 유지하는 힘이 부족해져 이석이 움직이는 것으로 본다. 오장육부 그리고 모든 기관들이 제 위치를 지키며, 제 일을 하는 그 힘의 원천은 신장의 힘이다. 귀는 신장의 구멍이며 신장의 기능이상은 바로 귀의 이상으로 나타날 수 있는 것이다. 신이 약해지는 원인은 과로나 음주과다, 방사과다, 수면부족, 음식의 부절제 노화 등을 생각 할 수 있고 현대인들은 신허를 일으키기 좋은 식생활 습관을 가지고 있다. 이명이나 이롱의 증상도 신허로 인한 것이며, 이석증은 두통을 동반하고 구역질도 동반된다. 심장이나 위장이나 자궁 등 몸의 기관들이 몸속에서 정해진 위치에서 떨어지지 않고 제 기능을 발휘하는 것이 신장의 힘이며, 오장육부가 제 위치에서 이탈하거나 떨어지는 경우를 하수(下垂)라 한다.(심장하수, 위하수, 자궁하수, 탈장) 이석증은 이석이 제 위치를 지키지 못하고 이탈하여 나타는 증상으로 이석증은 무조건 신장이 나쁘다고 보면 된다.

4) 귀 질환의 임상

이명과 이롱은 대체적으로 신허 + 간화(+ 스트레스) + 어혈 + 허로가 원인이다. 신허에 육미, 간화에 시호제, 어혈에 계령, 허로에 보기, 소건중이다. 소화장애가 있으면 향사평위산을 사용하고, 두통이나 어지러움, 얼굴 상열감이 있으면 삼황사심을 더 추가한다.

이석증은 급하게 사용할 때는 택사탕(택사10 백출5)을 급히 달여 복용하게 하고, 근본적으로 치료를 할 때는 신허를 크게 보하고 보기, 시호제, 삼황사심을 사용한다. 귓속이 가려운 경우는, 곰팡이 균의 감염으로 오는 경우도 있으므로 항진균제를 바르고, 육미, 시호제, 삼황사심, 황기건중을 사용한다.

5) 귀 질환의 방제

통명이기탕 「韓方秘錄」

虛火痰氣鬱於耳中 或閉 或鳴 痰火熾盛 痞滿煩燥

허화염기울어이중 혹폐 혹명 담화직성 비만번조

허화와 담기가 귀 속에 울체되어 소리가 들리지 않거나, 소리가 나는데 담화가 직성하여 답답하고 번조한 현상이 발생한다.

> 패모5 진피4 황련 황금병주침 황백주초 치자초 현삼주세3
> 창출염수초 백출 향부자 건지황 병랑2 천궁1.6 목향1 감초0.8 생강3 죽력5숟갈

부총탕 「韓方秘錄」

痰火上攻 耳鳴蟬聲 漸欲成聾 痰火者 鳴甚

담화상공 이명선성 점욕성롱 담화자 명심

담화가 머리로 올라가 매미우는 소리의 이명이 발생하고, 점차로 소리가 들리지 않게 된다. 담화가 심한 사람은 이명이 더 심하다.

> 반하 적복령 진피 감초 편축 목통 앵맥 황백염초4 생강3

궁지산 「韓方秘錄」

風入耳 虛鳴嘈嘈 又治卒聾

풍입이 허명조조 우치졸롱

풍사가 귀로 침입하면 시끄럽게 조잘되는 듯한 소리가 난다. 본 방은 갑자기 소리가 들리지 않는 경우도 사용한다.

> 천궁6 백지 창출 진피 세신 창포 후박 반하 목통 소엽 계피 감초2.8 생강3 총백2경

498

자신통이탕　「韓方秘錄」

腎虛耳鳴 欲聾 腎虛者微鳴 或夜睡時 如打戰鼓

신허이명 욕롱 신허자미명 혹야수시 여타전고

신허로 이명이 있고 점차 이롱으로 변한다. 신허로 이명이 오는 사람은 잠을 잘 때 마치 전쟁터에서 북을 치는 듯한 소리가 난다.

> 당귀 천궁 작약 건지황주초4 지모 황백주초 황금주초 시호 백지 향부자2.8

용담탕　「韓方秘錄」

急怒 動膽火 致左耳聾

급노 동담화 치좌이롱

갑자기 성을 내면 담화가 귀로 들어가 좌측 귀가 들리지 않게 된다.

> 황련 황금 치자 당귀 진피 담남성4 용담 향부자3.2 현삼2.8 청대 목향2 건강초흑1.2

자음지황탕　「韓方秘錄」

色慾相火 致右耳聾 又治 大病後 耳聾尤妙

색욕상화 치우이롱 우치 대병후 이롱우묘

색욕이 지나치면 상화가 발동되어 우측 귀가 들리지 않게 된다. 또 대병 후에 귀가 먹먹한 것에도 효과가 좋다.

> 숙지황6 산약 산수유 당귀 천궁 작약3.2 목단피 택사 백출 석창포 원지 지모 황백주초2.4

서점자탕　「韓方秘錄」

耳內生腫 紅如櫻桃 極痛

이내생종 홍여앵도 극통

귀 속에 마치 앵두나 복숭아 같은 종기가 발생하여 심하게 아픈 것에 사용한다.

> 연교 편금주초 현산 길경 치자주초 우방자초 용담주초 감초4

水煎服 飮酒一二盃

499

물로 달여 복용하고, 술을 1~2잔 더 마신다.

가미방풍통성산 「韓方秘錄」

因風熱酒熱 耳鳴

인풍열주열 이명

풍열이나 음주로 인한 열로 인하여 귀에서 소리가 나는 것에 응용한다.

> 방풍통성산 加지각 시호 남성 길경 청피 형개주초4

만형자산 「韓方秘錄」

腎經風熱 耳中熱痛 出膿汁 耳鳴

신경풍열 이중열통 출농즙 이명

신 경락에 풍열이 있어 귀속이 열이 나며 아프고, 고름이 나오며 소리가 난다.

> 만형자 적복령 감국 전호 생지황 맥문 상백피 적작약 목통 승마 감초2.8 생강3 대조2

온담탕 「韓方秘錄」

雙耳忽燃腫痛 內流清水 久則變爲 膿血發寒熱 耳內如沸湯之聲 或如蟬鳴
此小陽膽氣不舒 而風邪升之也

쌍이홀연종통 내류청수 구칙변위 농혈발한열 이내여비탕지성 혹여선명

차소양담기불서 이풍사승지야

양쪽 귀가 갑자기 종기가 나고 아프며 귀속에서 맑은 물이 나오는데 오래 경과하면 피고름
이 나오고 한열이 교대한다. 귀속에서 물 끓이는 소리가 나거나 매매울음 소리가 들리기도
하는데 이것은 담기가 퍼지지 못하고 풍사가 귀로 올라 와서 발생한다.

> 작약 당귀 현산40 천화분12 치자초8 창포3.2

익수평화탕 「韓方秘錄」

耳中如刺針 觸而生痛 有聲沸 此腎水之耗也

이중여자침 촉이생통 유성불 차신수지모야

500

귀속을 침으로 찌르는 듯 아프고 만지면 통증이 있으며 물 끓이는 소리가 나는 것은 신음이 소모되어 발생한다.

> 숙지황 생지황 맥문종 현삼40 창포4

발양통음탕 「韓方秘錄」

耳痛之後 耳鳴如故者 此陽虛而風閉也

이통지후 이명여고자 차양허이풍폐야

귀가 아프고 난 뒤 이명이 지속되는 것은 양이 허하여 풍사가 침입하여 발생한다.

> 숙지황20 복령 황기 작약12 인삼 백출 당귀 백개자 형개초흑8 시호4 육계 감초2

2제를 먹으면 치료되므로 3제를 먹을 필요가 없다.

개규탕 「韓方秘錄」

雙耳聾閉 耳不痛 此大病之後 或年老之人有之 乃腎火內閉 而氣塞也(全不聞響)

쌍이롱폐 이불통 차대병지후 혹년로지인유지 내신화내폐 이기색야(전불문향)

양 귀가 통증은 없으나 전혀 들리지 않는 것은 크게 앓고 난 뒤나 노인에게 많이 나타나는 데, 신 허열이 내부를 막아 기가 통하지 않아 발생한다. 전혀 들리지 않는다.

> 산수유200 숙지황80 맥문동40 원지 조인 복신 백자인12 오미자8 석창포4

水煎服 四劑而 耳中必然作響 此欲開聾之兆也

달여 4제를 먹으면 귓속에서 문득 소리가 나는데 이것은 막힌 것이 뚫리는 조짐이다.

양귀탕(兩歸湯) 「韓方秘錄」

忽然耳聞 風雨之聲 如鼓角之鳴 此心火之亢極也(耳鳴)

홀연이문 풍우지성 여고각지명 차심화지항극야(이명)

갑자기 비바람 소리가 나거나 북소리나 나팔소리가 나는 것은 심화가 극성해서 발생한다.

> 맥문동 숙지황40 생조인20 단삼 복신12 황련8

4제를 먹으면 재발되지 않는다.

가미팔미탕 「韓方秘錄」

不交感 而兩耳無恙 一交接婦女 耳中作痛 此腎火之虛也

불교감 이양이무양 일교접부녀 이중작통 차신화지허야

교감(부부관계)이 없으면 양 귀는 아무런 문제가 없는데, 한번 관계를 하면 귀속이 아픈 것은 신의 양기가 허하여 발생한다.

> 숙지황40 산수유 목단피 산약 맥문동20 복령12 택사 육계8 오미자4

가미소요산 「韓方秘錄」

因怒氣發熱 經來時 兩耳出膿 兩太陽穴 作痛 乳房脹悶 寒熱往來

小便不利 臍下滿築 此肝氣之逆 火盛血虧也

인노기발열 경래시 양이출농 양태양혈 작통 유방창민 한열왕래

소변불리 제하만축 차간기지역 화성혈휴야

화가 나서 열을 심하게 받으면 생리 때 양 귀에서 고름이 나오며, 양 관자놀이가 아파지고 유방이 부풀어 아프며 한열이 왕래하는 증상이 나타나는 것이다.

> 작약 당귀40 백출20 복신 목단피12 시호 천화분8 감초 진피 치자초4 지각2

보간신탕 「韓方秘錄」

耳中聞 螞蟻戰鬪之聲 乃腎水耗 又怒傷肝(螞蟻-메뚜기와 개미)

이중문 마의전투지성 내신수모 우노상간

귀속에서 메뚜기와 개미가 싸우는 소리가 나는 것은 신수가 소모되어 부족하거나 화를 내어 간기를 상하여 발생한다.

> 숙지황 산수유120 맥문동40 시호 치자12 백개자8

가미육미탕 「韓方秘錄」

陰虛火動 耳鳴 或耳聾 如神

음허화동 이명 혹이롱 여신

음이 허하여 열이 뜨면 이명이 오거나 이롱이 오는 것에 신효하다.

502

> 육미 加황백 지모 석창포 원지4

총명익기탕 「韓方秘錄」

腎虛耳聾

신허이롱

신이 허하여 발생한 이롱에 유효하다.

> 황기4 인삼 구감초 당귀주세 백출20 귤피 석창포 형개 방풍1.2 시호 승마0.8

20. 머리 「韓方秘錄」

머리는 제양(諸陽)의 합이며 천곡(天谷)이며, 원신(元神), 즉 뇌신경의 집합체이다. 뇌는 골수의 바다며 모든 골수는 뇌에 속해있으며 골정(骨精)의 근원이 되는 것이다. 담음이 있는 사람이 찬물로 머리를 감거나 냉한 곳에 오래 머물러 머리를 차게 하면 뇌로 풍사가 들어가 이목구비와 눈썹이 있는 이마가 마비되어 아프게 되며 음식의 맛을 모르게 되고, 이롱이 오며 눈이 아프게 되는 것을 뇌풍증(腦風症)이라 하는데 소풍산을 쓴다.

1) 현훈

(1) 열훈(熱暈)

화열기가 머리로 치밀어 목이 건조하여 물을 마시거나 무더위로 열기가 머리로 올라가서 발생하며 열훈(熱暈)이라 하며 형황탕을 쓴다.

(2) 풍훈(風暈)

풍에 감촉되어 상풍이 되어 바람을 싫어하고 자한(自汗)이 있거나 원래 두풍(頭風)이 있는 사람이 오기 쉬운 것으로 풍훈(風暈)이라 하며 천궁산, 궁궁산을 쓴다.

(3) 담훈(痰暈)

풍담(風痰)이나 화담(火痰)으로 인해서 구토가 발생하고 머리가 무거워 들지 못하는 것을 담훈(痰暈)이라 하며 청훈화담탕을 쓴다.

(4) 기훈(氣暈)

칠정에 상하여 기가 울체하고 담이 생성되어 심장의 기능을 저해하여 정충과 경계가 생기고 미릉골이 아픈 것은 기훈(氣暈)이라 하며 보허음을 쓴다.

(5) 혈훈(虛暈)

비위의 기가 약하여 음식을 먹으면 항상 체하고 청기의 불승으로 항상 기가 허하거나 실혈의 과다로 혈허가 있으면 생기는 것은 혈훈(虛暈)으로 빈혈과 같은 증상이다. 비위기 허로 인한 두훈과 두통은 같은 원인으로, 두통은 은근히 지속적으로 나타나며 권태감과 무기력하며 과로하여 피로하면 더욱 심해지는 것이다. 보중익기탕을 쓴다.

(6) 습훈(濕暈)

찬비를 맞거나 찬물 속에 오래 있어 습이 침입하면 코가 막히고 목이 잠기며 전신이 무겁고 불안한 것을 습훈(濕暈)이라 하고 궁출탕을 쓴다.

2) 두통

두통은 9종류가 있으며 발생 원인에 따라 구별하면 풍한두통(風寒頭痛), 습열두통(濕熱頭痛), 궐역두통(厥逆頭痛), 담궐두통(痰厥頭痛), 기궐두통(氣厥頭痛), 열궐두통(熱厥頭痛), 습궐두통(濕厥頭痛), 미릉골통(眉稜骨痛), 진두통(眞頭痛)이 있다.

(1) 편두통

좌편두통은 혈허와 풍이 원인이며 사물탕에 이진탕을 합하고, 방풍 형개 세신 만형자 시호 황금을 더하여 사용하며, 우편두통은 어혈과 열담에 의한 것으로 이진탕에 천궁 방풍 백지 형개 박하 승마를 가하여 사용한다.

(2) 진한두통(振寒頭痛)

풍한에 상하여 두통이 생기는 것은 감기증상이고 악한과 발열이 있으며 진한두통(振寒頭痛)이라 하며 갈근탕, 계지탕, 궁신탕을 쓴다.

(3) 궐역두통

두통과 치통이 동반하여 오는 것을 궐역두통이라 하고 강활부자탕을 쓴다.

504

(4) 습궐두통

몸에 습이 많아지면 머리가 무겁고 어지러우면서 아픈 것으로 날씨가 흐리거나 비가 올 때는 더 심해지는데 이는 습궐두통이며 궁출제현탕을 쓴다.

(5) 담궐두통

어지러워 눈을 뜨지 못하고 몸이 무겁고 사지가 냉하며 구토증이 있고 양 볼이 푸르거나 누렇게 되는 것을 담궐두통이라 하며 궁신도담탕이나 반하백출천마탕을 쓴다.

(6) 기궐두통

양쪽 태양혈(관자놀이)이 몹시 아프고 이롱이 있으며 구규가 불리한 것을 기궐두통이라 하고 순기화중탕을 쓴다.

(7) 열궐두통

열궐두통은 번열이 발생하여 날씨가 매우 차도 바람과 서늘한 것을 좋아하고, 서늘해야 두통이 조금 좋아지며 더운 방이나 불 옆에 가면 더욱 아파지는 것이다. 청상사화탕을 쓴다.

(8) 미릉골통

앞이마와 눈썹 부위 뼈 속이 아파 눈을 뜨지 못하고 낮에는 덜하고 밤이 되면 더욱 심해지는 것은 미릉골통이라 하고, 원인은 담으로 인한 것이다. 선기탕을 쓴다.

(9) 진두통

진두통이라 하는 것은 풍부혈에서 니환궁(뒷목 아래에서 아마 눈썹이 있는 곳)까지 아픈 것으로 수족이 냉해지고 푸르게 변한다. 이 증상은 아주 중한 것이므로 병원로 가야한다. 심하지 않으면 구뇌탕을 적용한다.

(10) 뇌풍증

목이나 등과 머리가 몹시 찬 것을 뇌풍증이라 하며 신성산을 쓴다. 억울이나 스트레스 분노 등으로 간기가 울체하여 간혈의 부족이 발생하면 간양이 상항하여 현훈과 두통이 발생하는데 성을 내면 더욱 심해지게 된다. 이때는 간경락을 따라 열이 나타나므로 두통에

505

협통을 수반하거나 이명이 동시에 나타나기도 한다. 시호제와 삼황사심을 적용한다.

3) 머리의 임상

타박이나 장부의 기능실조로 어혈이 발생하면 혈관과 경락에 뭉쳐져 통하지 못하여 만성적인 두통이 일어나고 찌르는 듯한 통증이 일정한 곳에 나타난다. 육미 삼황사심 계령을 쓴다. 숙식으로 오는 두통은 명문화부족으로 비위가 약해져 위내가 허한하여 찬 기운이 상승하여 발생하는데 구토증과 동시에 나타난다. 이때는 오수유탕과 팔미 삼사를 사용한다. 오수유탕 대신 향사평위산과 반하사심을 사용해도 된다. 모든 두통에는 천궁을 사용하며 발생부위에 따라 인경약을 가하여 사용한다. 태양두통에는 방풍, 양명두통에는 백지, 소양두통에는 시호, 태음두통에는 창출, 소음두통은 세신, 궐음두통에는 오수유를 인경약으로 사용한다. 신허로 인하여 발생하는 두통은 허열로 생기며 허혈이 머리로 상승하여 혈관을 확장하여 태양혈이 뛰면서 아파진다. 이때는 육미와 삼황사심을 함께 사용한다. 우리가 접할 수 있는 두통은 편두통이나, 일반적인 두통뿐이다.

만성 두통으로 진통제를 하루 30알 이상 먹는 사람이 간혹 있다. 이런 사람을 살펴보면 몸을 채우는 기혈정의 허가 많다. 이런 사람에게 통치방으로 쓸 수 있는 처방은 육미, 보기, 시호제, 삼황사심탕으로 한두 달 복용시키는데, 청상견통탕을 합하여 사용하면 더 좋다.

4) 머리에 사용하는 방제

소풍산 「韓方秘錄」

諸風上攻 頭目睏暈 鼻塞耳鳴 皮膚痲痹 口舌不和

或耳聾目痛 尾陵上下掣痛 及婦人血風 頭皮腫瘍(掣-당길 체)

제풍상공 두목혼훈 비색이명 피부마비 구설불화

혹이롱목통 미릉상하체통 급부인혈풍 두피종양

풍이 머리에 침입하여 머리와 눈이 맑지 못하고 어지러우며 코가 막히고 이명이 오며 피부가 뻣뻣해지고 혀와 입이 부자연스러워진다. 간혹 이롱과 눈알이 아프고, 미릉골이 아래위로 당기며 아프다. 그리고 부인이 혈열이 있어 두피에 종기가 나거나 가려운 것에도 사용한다.

형개 감초4 인삼 백출 백강잠 천궁 방풍 곽향 선퇴강활2 진피 후박1.2

형황탕 「韓方秘錄」

風熱眩暈 火熱上攻 煩渴引飮 或暑月成眩暈

풍열현훈 화열상공 번갈인음 혹서월성현훈

풍열로 어지러운 것은 화열이 머리로 올라가서 발생하는데 번조하고 갈증이 있어 물을 많이 마신다. 더운 계절에 열기로 어지러운 것에도 사용한다.

> 대황주초 형개 방풍8

천궁산 「韓方秘錄」

傷風眩暈 惡風 自汗

상풍현훈 오풍 자한

풍에 상하여 어지럽고 땀이 나며 바람이 싫은 것에 적용한다.

> 산수유40 산약 감국 인삼 천궁 복신20

爲末 每8g씩 복용

궁궁탕(芎藭湯) 「韓方秘錄」

風眩暈 惡風自汗 又治 頭風眩暈

풍현훈 오풍자한 우치 두풍현훈

풍현훈은 바람이 싫고 땀이 저절로 나며 어지러운 것이다.

> 천궁4 당귀3 강활 선복화 만형자 세신 석고 고본 형개 반하 숙지황 방풍 감초2 생강3

청훈화담탕 「韓方秘錄」

因風痰火痰 眩暈

인풍담화담 현훈

풍담이나 화담으로 발생한 현훈에 사용한다.

> 진피 반하 복령4 지실 백출2.8 천궁 황금 백지 강활 인삼 남성포 방풍2
> 세신 황련 감초1.2 생강3

보허음 「韓方秘錄」

氣暈 七情過傷 氣鬱 生涎痰 塞心竅而眩暈 眉稜骨眼不閉

又治 氣鬱涎盛 面熱怔忡驚悸

기훈 칠정과상 기울 생연담 색심규이현훈 미릉골안불폐

우치 기울연성 면열정충경계

칠정에 상하여 기의 울체가 생기고 가래와 침을 흘리고, 기울이 심규를 막아 어지럽고 미릉골이 아프고 눈을 뜨지 못한다. 기울로 침을 많이 흘리며 얼굴에 열이 오르며 잘 놀라고 심장이 불안한 것도 치료한다.

> 인삼 맥문동 산약4 복신3.2 반하 황기2.8 전호 숙지황2 지각 원지 감초1.2 생강3
> 쌀一撮

궁출탕 「韓方秘錄」

冒雨中濕 頭暈鼻塞 眩暈

모우중습 두훈비색 현훈

비를 맞아 습이 많아져 코가 막히고 어지러운 것에 사용한다.

> 천궁 백출 반하8 구감초2 생강7

궁출제현탕 「韓方秘錄」

感寒濕眩暈 頭極痛

감풍습현훈 두극통

풍과 습에 상하여 두통이 극심한 어지러움에 사용한다.

> 천궁8 백출 부자4 계지 감초2 생강7 대조2

강활부자탕 「韓方秘錄」

厥逆頭痛 大寒入腦 令人腦痛 齒亦痛 名曰腦風

궐역두통 대한입뇌 금인뇌통 치역통 명왈뇌풍

찬 기운이 머리속으로 들어와 머리가 아프고 치아도 아파지는 것은 궐역두통인데, 뇌풍이라 말한다.

508

> 마황 부자 방풍 백지 백강잠초4 황백 강활 창출2.8 황기 승마 감초2

궁신도담탕 「韓方秘錄」

痰厥頭痛-담궐두통

> 반하8 천궁 세신 남성 진피 적복령4 지각 감초2 생강7

반하백출천마탕 「韓方秘錄」

痰厥頭痛 其頭苦痛如裂 身重如山 四肢厥冷 嘔吐眩暈 目不開 如在風雲中

담궐두통 기두고통여열 신중여산 사지궐냉 구토현훈 목불개 여재풍운중

담궐두통은 머리가 쪼개지듯 심하게 아프고 몸이 산처럼 무겁게 느껴지고 사지가 냉하고 구토를 하면서 어지러운 것이다. 마치 구름 속에 있는 듯하여 눈을 뜨지 못한다.

> 반하 진피 맥아초6 백출 신곡초4 창출 인삼 황기 천마 복령 택사2
> 건강1.2 황백주세0.8 생강3

순기화중탕 「韓方秘錄」

氣虛頭痛-기허두통

> 황기밀초6 인삼4 백출 당귀 작약 진피2 승마 시호1.2 만형자 천궁 세신0.8

청상사화탕 「韓方秘錄」

熱厥頭痛-열궐두통

> 시호4 강활3.2 황금 지모2.8 황백 감초 황기2 생지황 황련 고본1.6
> 승마 방풍1.5 만형자 당귀신 창출 세신1.2 형개 천궁 생감초0.8 홍화0.4

궁신탕 「韓方秘錄」

風寒濕在腦 頭痛眩暈 嘔吐

풍한습재뇌 두통현훈 구토

풍한습이 머리 속에 있어 어지럽고 머리가 아프며 구토를 하는 것이다.

509

> 천궁12 세신 백출6 감초4 갱강5

거풍청상탕 「韓方秘錄」

風熱上攻 眉稜骨痛

풍열상공 미릉골통

풍열이 머리로 올라가 미릉골이 아픈 것에 적용한다.

> 황금주초8 강활 방풍 시호 백지4 천궁5 형개3.2 감초2

선기탕 「韓方秘錄」

眉稜骨痛 不可忍

미릉골통 불가인

미릉골의 통증이 아주 심하여 참기 어려운 증상에 사용한다.

> 강활 방풍 반하8 주제편금6 감초4 생강3

빛을 보면 즉시 발병하는 것은 허하여 온다(+ 당귀 작약), 아플 때 눈을 뜨지 못하고 낮에는 덜하고 밤이면 심해지는 것은 실증이다(加총백 갈근 석고), 간경에 담음이 정체하여 주정야극(晝靜夜劇)하면 궁신탕(加반하 귤홍 남성 복령), 통증이 오래되어 두풍이 생기면서 미릉골통이 오는 것은 (加백지 형개 시호), 신수부족으로 자주 미릉골통이 발생하면 거풍청상탕을 쓴다.

신성산 「韓方秘錄」

腦風症 其症項背寒 骨劇冷

뇌풍증 기증항배한 골극통

뇌풍증은 뼈가 아주 냉하여 목덜미와 등이 찬 것이다.

> 마황 세신 갈근半生半炒 곽향

동량으로 하여 가루를 每8g씩 형개박하해조탕으로 먹는다.

선복화탕 「韓方秘錄」

婦人頭痛 特效

부인두통 특효

> 천궁 당귀 강활 선복화 세신 만형자 방풍 석고 고본 형개수 반하 건지황 구감초2.8
> 생강3 대조2

백지산 「韓方秘錄」

一切 偏正頭風 此症 雖盛暑 尚有畏風 痛不可忍

일체 편정두통 차증 수성서 상유외풍 통불가인

더운 여름이라도 바람을 싫어하고 통증을 참기가 어려운 모든 편두통이나 두통에 사용한다.

> 백지100 천궁 천오두半生半熟 천마40

每4g 식후 박하탕으로 복용

한번 복용하면 귀신처럼 잘 듣는다. 다시 재발을 걱정하지 않아도 된다.

택사탕 「傷寒論」

心下有支飮 苦冒眩

심하유지음 고모현

땅이 뒤집어지는 듯한 심한 어지러움에 사용한다.

> 택사10 백출5

지형탕 「韓方秘錄」

偏正頭痛 如神

편정두통 여신

두통 편두통에 효과가 좋다.

> 백지12 형개수6 천마 방풍4

당귀탕 「韓方秘錄」

兩太陽穴頭痛

양태양혈두통

양쪽의 태양혈 두통에 사용한다.

> 건지황주초 작약 천궁 당귀 편금주초4 방풍 시호 만형자 고본1.6

지동탕 「韓方秘錄」

一切頭痛 如神

일체두통 여신

모든 두통에 통용한다.

> 천궁20 만형자 백지 반하 세신 감초4

방풍탕 「韓方秘錄」

風頭症 別無疾痛 而常常搖頭者是也

풍두증 별무질통 이상상요두자시야

풍두증은 다른 특별한 증상이 없고 항상 머리가 흔들리는 것을 말한다.

> 방풍120 천화분 황기밀구 강활 작약20 서각 감초6 蛇皮灸 赤조구등子 마황4

대추의 육으로 오자대의 환을 만들어 50~70환을 박하탕으로 먹는다. 2번 만들어 먹으면 머리 흔드는 것이 없어진다.

구뇌탕 「韓方秘錄」

頭痛連腦 雙目赤紅 如破如裂者 所謂 眞正頭痛

此症 一時爆發法 在不救 蓋邪入腦髓 而不得出也

今傳一奇方 以救世

두통연뇌 쌍목적홍 여파여열자 소위 진정두통

차증 일시폭발법 재불구 개사입뇌수 이부득출야

금전일기방 이구세

진정두통은 사기가 뇌수로 들어가 빠져나가지 못해 일시에 폭발적으로 나타나서 양 눈이 붉게 변하고 머리가 쪼개지듯 깨지듯 아프며 생명이 위급한 증상인데, 전해지는 기방이 하나있어 이 처방이 세상의 인명을 구한다.

> 천궁 당귀40 신이12 만형자8 세신4

1제를 먹으면 통증이 없어진다.

21. 다리(足)

허리부터 발바닥까지의 질병은 모두 신장의 기능과 관련이 많다. 신정이 부족하여 자양하지 못하여 발생하는 것으로 흔히 나타나는 것은 요통, 골다공증, 좌골신경통(디스크), 퇴행성관절염, 종아리통증(역절), 족저근막염(발바닥 통증), 굴신불편, 통풍, 류마티스관절염, 무좀, 발바닥에 땀이 많은 것 등이 대부분이며 족궐과 각기, 위벽, 학슬풍, 탄탄, 다리무력증 등도 있다. 요통에 대한 설명은 먼저 설명하였으므로 여기서는 생략한다.

1) 골다공증

뼈에서 칼슘이 빠져 뼈가 약해지는 것으로 원인을 알면 치료도 쉽다. 뼈에서 칼슘이 빠지는 원인은 무엇일까? 남자보다 여자들이 많고 농촌보다 도시에 사는 사람이, 활동이 많은 사람보다 활동이 적은 빈혈성의 사람에게 많이 발생한다. 이는 혈액의 양이 부족한 것과 뼈에 저항과 자극이 약한 사람에게 주로 오는 것으로 나이가 들어 50대 이후 활동이 부족한 여자에게 많다. 혈액을 만들고 파괴하며 영양의 흡수와 신진대사의 저하 등으로 생혈을 하는데 필요한 모든 인자들이 기능의 저하나 소실 등으로 인해 혈의 부족을 초래한다. 혈액의 생성에 관여하는 인자들은 신정이 골수에 들어가 우리가 섭취한 오곡정미(영양)와 철분을 이용하며, 신장이 약하거나 영양의 소화흡수와 관련된 비위의 기능이 약하면 조혈의 기능이 약하여 혈허의 상태가 발생하고, 몸에서 요구하는 피의 양은 일정하므로 몸이 살아가려면 나가는 피를 못나가게 막고(폐경), 뼈 속에 있는 영양분을 가져와서 피를 만들어 뼈에 영양분이 빠져 골밀도가 약해져서 발생한다. 왜 나이를 먹으면 이 질병이 많아지고 골다공증 현상이 생길까? 뼈를 주관하는 곳이 신장이며 섭취한 영양으로 뼈의 골수에서 피를 만드는데, 나이 50이 넘어가면 신장과 간의 기능이 자연적으로 저하되고 이로 인하여 비위의 기능도 약해져 영양의 흡수도 줄고 노화는 소비하는 영양이 저장의 영양보다 적어지므로 인체의 항상성을 유지하기 힘들어진다. 신허로 뼈가 약해지고 소모가 저장보다 많아지면 영양부족의 상태가 되어 혈은 상대적으로 부족해지고 몸의 요구를 충족하기 위해 뼈에서 영양을 빼내와 보충을 하므로 발생하는 것이다.

치료하는 방법은 팔미로 신기능을 살리고, 시호제와 쌍화탕으로 활혈하고 소경활혈로 어혈을 제거하면서 의이인탕으로 모든 약력을 뼈로 전달하게 하면 된다. 칼슘제나 비타민-D를 먹는 것보다 빈혈약을 함께 복용하는 것이 좋다. 골다공증으로 무릎의 통증이 심한 경우지만 걷는데 지장이 없으며 뼈 속이 아프다는 경우에 팔미와 의이인탕, 오약순기산을 쓴다. 무릎통증으로 걷기가 불편한 경우는 팔미 쌍화 시호제 소경활혈을 사용한다.

2) 좌골신경통(디스크)

허리 병에서 가장 많이 나타나는 증상으로 요통과 좌측 다리가 당기면서 나타나고 주로 야간에 심하며 일정부위에 통증이 오는 것이 특징이다. 이 원인은 신기능 저하와 활혈 부족과 어혈이다. 이병은 수술을 해도 완치가 힘든데 수술로는 위의 원인을 제거하지 못하기 때문이다. 주위에 보면 수술하지 않고 디스크를 고친 예를 자주 볼 수 있는데, 이것은 발생 원인을 제거하였다고 보면 된다. 육미와 소시호, 그리고 쌍화탕에 소경활혈을 사용한다.

3) 퇴행성관절염

주로 무릎관절이 아픈 것으로 젊었을 때 힘든 노동으로 무릎의 연골과 활액이 소모되어 오는 것이다. 주로 노인에게 많은데, 젊었을 때 힘들게 일을 하여 무릎관절이 소모되어 발생한다. TV에 보면 유모차 비슷하게 생긴 보행기를 밀고 다니는 할머니들이 주로 이런 경우다. 몸의 관절은 신장과 간의 영향을 받는데 뼈는 신장이 주관하고 근육과 힘줄은 간이며, 연골과 활액은 간과 신장이 같이 관여한다. 이 질환은 완치는 어렵고 견딜 수 있을만큼 통증을 완화시키는 것은 가능하다. 처방은 좌골신경통과 동일하다.

4) 역절풍

종아리 통증은 역절풍(歷節風)이라고 하는데 심하면 종아리가 마르는 경우도 있다. 통증이 심하게 오는 것은 백호역절이라 하고, 호랑이가 물어뜯는 것과 같다는 표현이다. 이것의 원인도 신장의 영양부족과 활혈의 부족이다. 팔미와 쌍화탕을 기본으로 사용하고 저림이 심하면 오약순기산을 합한다.

5) 족저근막염(발바닥통증)

병 같지도 않은 것을 병원에서는 잘 못 고친다. 하지만 통증은 심하며, 걷기도 불편하다. 검사를 해도 뚜렷한 원인이 나오지 않는다. 발바닥은 신장에서 가장 멀리 떨어져 있는 곳으로 신장의 영양이 도달하기가 좀 어렵다. 신의 영양이 부족하면 발바닥이 화끈거리며 발에 땀도 많이 나오고 이로 인해 무좀도 발생하는데, 발의 땀과 무좀은 뒤에 설명할 것이며 치료는 신의 기능을 좋게 하고 발의 통증을 잡아주면 된다. 팔미와 쌍화, 황련해독 그리고 한방의 진통제를 사용한다.

6) 굴신불편(屈伸不便)

이 증상은 신허요통과 구분하여 생각해야 하는데, 신허요통은 허리뼈 양쪽 뼈가 없는 부위의 통증으로 술을 과다하게 먹었다든지, 과로나 오래 누워있거나 오래 앉아 있어서 발생한다. 이를 다른 말로 유주신이라고도 하는데 신장이 너무 힘들어 힘없이 누워버려 신경을 자극하여 통증이 발생하는 것이다. 신허요통에는 팔미와 쌍화탕에 소건중을 함께 사용한다. 팔미와 삼칠도 좋다. 굴신불편은 허리를 많이 사용하여 굽혔다 펴는데 힘이 들고 아픈 것으로 신장의 기운이 소모되고 활혈부족으로 오는 것이다. 팔미와 쌍화 시호제 계령을 합하여 사용하면 된다.

7) 통풍과 류마티스관절염

이 질환의 특징은 아픈 부위가 빨갛게 되고 통증이 있는 것이다. 통풍은 신허와 활혈부족과 어혈이 원인이며, 류마티스는 간열이 원인이다. 치료도 원인을 제거하면 되는 것으로 2~3개월 정도 걸리는데, 팔미 쌍화 시호제 황련해독을 사용하며, 류마티스는 한방진통제를, 통풍은 소경활혈, 또는 당귀수산을 가하여 사용한다.

8) 무좀

무좀이 있는 사람은 발에 열이 많아 땀이 많거나 냄새가 많이 나고 좀 지저분해 보인다. 신허로 발에 열이 생기고 이 열을 식히기 위해 땀을 분비하는데 그 정도가 심해진 것이다. 어느 부위에 열이 지속적으로 나면 처음에는 가렵고 더 지나면 아프고 결국 헐게 된다. 우리가 화상을 입었을 때나 아토피가 있는 경우를 생각해보면 쉽게 이해가 된다. 팔미에 쌍화, 황련해독, 그리고 열이 심하면 인진호탕, 땀이 많으면 인진오령산을 쓴다. 조갑의 무좀도 같이 사용한다.

9) 요관이통

허리가 빠질 듯이 아픈 경우로, 장시간 앉아있으면서 일을 하거나 하초에 한습이 뭉쳐 발생하는데 김장하고 난 뒤에 허리가 아프다고 하는 경우는 모두 이 상황이다. 아픈 곳을 따뜻하게 하면 통증이 없어진다. 팔미에 이중탕을 합하여 사용한다.

10) 낭습

습으로 하초에 땀이 많이 나는 경우가 있는데 위의 처방에 황련해독과 황기건중을 합하여 사용하면 좋다.

11) 다리무력증

다리에 힘이 없는 경우로 당뇨환자들에게 많이 나타나지만 그렇지 않은 경우도 많다. 위열이 폐를 훈작하면 발생하는데 백호가인삼에 팔미를 사용한다.

12) 족궐(足厥) 「韓方秘錄」

한궐과 열궐의 두 종류가 있다. 궐(厥)이라 하는 것은 기의 역상인데, 수족이 찬 것을 한궐이라 하고, 수족이 뜨거운 것을 열궐이라 한다. 양과 음이 하초에서 소진되면 발생하는데, 양이 하초에서 쇠하면 한궐이 되고, 음이 하초에서 쇠하면 열궐이 된다. 한궐에는 당귀사역탕을 쓰고, 열궐에는 승양산화탕을 쓴다.

13) 각기(脚氣) 「韓方秘錄」

수토불복이나 무로장독(霧露障毒)이 침입하거나 색을 과도하게 사용하여 발생한다. 현대의학에서는 비타민 B_1의 부족이며 요즘은 보기가 어렵다. 몸이 몹시 뜨겁고 두통이 있으며 관절 마디마디와 힘줄이 당기며 아프고, 소변 불리, 가슴 답답, 숨참, 동계와 현훈이 생기고 눈이 침침해지고 복통, 설사, 구역질, 침을 흘리고, 음식의 냄새를 맡기도 싫어하고 허벅지부터 무릎 종아리 복숭아뼈까지 아프거나 저리고 후끈거리며 붓거나 또는 아무 증상도 없이 통증만 있는 경우도 있는데 모두가 각기의 증상이다. 열이 없고 부종도 없고 단지 아프기만 한 것을 건각기(乾脚氣)라하며, 열이 나면서 붓고 아픈 것을 습각기(濕脚氣)라 한다. 관절이 붓는 것은 습열이며, 땀이 많이 나는 것은 풍으로 인한 것이며, 기허가 있으면 마증(痲症-저림)이 생기고, 습열과 사혈이 있으면 목증(木症-뻣뻣함)이 생긴다. 십지(十指)의 마목은 위중에 습담과 사혈이 있어서 발생한다. 비장은 사지를 주관하는데 각기가 심장으로 침범하면 심하가 지속적으로 당기고 땀이 나며 한열이 교차한다. 심신이 황홀하여 헛소리를 하고 구토를 하며 음식을 먹지 않고 잠을 자지 못하는 증상은 위급한 증상이다. 각기증상에는 청열사습탕이나 빈소산, 계명산, 등을 쓴다. 위급한 증상이 있을 때는 목유탕, 오약평기탕을 쓴다.

14) 위벽(痿躄) 「韓方秘錄」

앉은뱅이를 말하며, 하고자 하던 계획이 가로막혀 실망을 하면 심장의 열이 폐로 가서 폐가 뜨거워지고 폐위(肺痿)가 발생하여 다리에 힘이 없어지게 되는 것이다. 가미이묘산이나, 가미사물탕을 쓴다.

15) 학슬풍(鶴膝風) 「韓方秘錄」

다리가 아프고 힘이 없어 걷기도 힘들고, 무릎이 붓고 종아리는 말라 학의 다리처럼 나타나서 학슬풍이라 한다. 굽히고 펴지 못하며 칼로 오려내듯 통증이 심하게 온다. 신이 허하고 습이 많아서 발생한다. 거습환슬탕이나 대방풍탕을 쓴다.

당귀사역탕 「韓方秘錄」

腎移寒於脾 則爲寒厥 寒熱之厥 皆有 腎之精氣 內竭而成

신이한어비 즉위한궐 한열지궐 개유 신지정기 내갈이성

신허로 발생한 찬 기운이 비장으로 가서 생기는데, 한궐이라 한다. 한궐과 열궐은 대개 신의 정기가 고갈되어 발생한다. 본방과 자신환을 같이 쓰면 좋다.

> 당귀 작약8 계지6 세신 목통 감초4 대조2

승양산화탕 「韓方秘錄」

心移熱於腎 則腎之精氣內竭 而成熱厥 滋腎丸 亦妙

심이열어신 즉신지정기내갈 이성열궐 자신환 역묘

심신의 교류가 부족하여 심의 열이 신으로 들어가 신의 정기가 고갈되어 발생하는데 열궐이다. 자신환을 사용해도 된다.

> 승마 갈근 강활 독활 작약 인삼4 시호 감초2.4 방풍2 구감초1.6

청열사습탕 「韓方秘錄」

濕熱脚氣 腫痛諸症

습열각기 종통제증

습열 각기로 붓고 아픈 모든 증상에 사용한다.

> 창출 황백4 자소엽 적작약 모과 택사 목통 방기 병랑 지각 향부자 강활 감초2.8

통증이 있으면 加목향, 붓는 것이 심하면 加대복피, 열이 심하면 加황련 대황

빈소산 「韓方秘錄」

風濕脚氣 腫痛拘攣

풍습각기 종통구련

풍습으로 발생한 각기로 붓고 아프며 당기는 증상이 있다.

> 창출8 향부자 자소엽 진피 모과 병랑 강활 우슬4 감초2 생강3 대조2

승기거습탕 「韓方秘錄」

脚氣神方

각기신방

> 황기40 의이인 작약20 인삼 백출12 반하8 방풍 육계 시호4 진피2

가미패독산 「韓方秘錄」

脚氣 流注脚踝 熱赤腫 寒熱 自汗 (踝－복사뼈 과)

각기 유주각과 열적종 한열 자한

각기가 다리에서 복숭아뼈를 오르내리며 열이 나며 붉게 부으며 한열이 교차하고 땀이 난다.

> 패독산 加인삼 대황 창출4 생강3 박하1

계명산 「韓方秘錄」

脚氣如神

각기여신

> 병랑7개 모과1개 길경 생강20 오수유 자소엽12

목유탕(木萸湯) 「韓方秘錄」

脚氣入腹 喘悶欲死

각기입복 천민욕사

각기의 기운이 배로 올라와 숨이 차고 답답하여 죽을 것 같다.

> 모과 병랑10 오수유6

오약평기탕 「韓方秘錄」

脚氣上攻 昏眩喘促

각기상공 혼현천촉

각기가 위를 공격하여 정신이 혼미하고 어지럽고 숨이 가쁜 것이다.

> 오약4 복신 인삼 백출 천궁 당귀 모과 백지 오미자 자소엽2.8 감초3 생강5 대조2

이묘창백산 「韓方秘錄」

濕熱脚氣 膝痛 或赤腫 脚骨間熱痛 雖一點能令 步履難苦 今人痿躄 百用百效

습열각기 슬통 혹적종 각골간열통 수일점능금 보리난고 금인위벽 백용백효

습열각기로 인하여 무릎이 아프고, 간혹 붉게 붓는 경우도 있다. 다리의 뼈 사이 한곳에 열이 있어 걷기가 매우 어렵다. 이렇게 위벽의 증상이 있는 사람에게 이 약을 사용하면 백발백중이다.

> 창출 泔浸 一日夜 鹽炒 황백 酒浸 一日夜 焦炒 160

창출을 쌀뜨물에 하룻밤을 담궜다가 소금물로 초를 하고, 황백도 술에 하룻밤 담궜다 초를 한 것을 가루로 하여 물로 환을 빚어 8g씩 먹든지, 20g을 달여 먹는다.

가미사물탕 「韓方秘錄」

濕熱 兩脚無力 痿弱

습열 양각무력 위약

습열로 인하여 양 다리에 힘이 없고 저리고 약하다.

> 숙지황8 당귀신 맥문 황백 창출4 작약 천궁 두충2.8 인삼 황련2 지모 우슬1.2 오미자1

거습환습탕 「韓方秘錄」

鶴膝風

학슬풍

> 황기320 의이인160 복령 백출80 방풍20 육계12

정오와 자기 전에 복용한다.

대방풍탕 「韓方秘錄」

鶴膝風 – 학슬풍

> 숙지황6 백출 방풍 당귀 작약 두충 황기4 부자 천궁 우슬 강활 인삼 감초2 생강5 대조2

의이인탕「韓方秘錄」

痿病 兩足之間 骨中寒痛 而不能起床 佝僂之狀 此水濕也 小兒麻痺亦好

경병 양족지간 골중한통 이불능기상 구루지상 차수습야 소아마비역묘

양 다리의 힘줄이 당기고 뼈 속이 차며 아파 일어서지 못하는 것으로 구루병의 증상과 비슷한데, 이것은 수습으로 인한 것이다. 소아마비에도 효과가 좋다.

> 의이인80 복령 우슬 비해40 백출20 흠인 두충12 육계4

22. 모발(毛髮) 「韓方秘錄」

머리카락은 심장에 속하여 위로 나고 화기(火氣)를 상징하는 것이며, 눈썹은 간에 속하며 횡으로 나서 목기(木氣)를 상징하고, 수염은 신에 속하여 아래로 나며 수기(水氣)를 상

징한다. 모발은 피의 여분으로 혈이 충만하면 머리카락이 윤택하고, 과도한 생각이나 궁리로 심혈이 소모되어 혈이 부족하면 허열로 인하여 모발에 영양이 실조되어 윤택하지 못하며 비듬이 많아지며, 많은 근심과 걱정, 생각, 강한 정신적 충격 등으로 간기의 소설이 실조되어 간울이 되면 화화하여 영양을 태워버려 혈에 열이 심해지면 머리카락이 누렇게 변하며, 이 상황이 지속되어 혈패(血敗)가 되면 모발을 자양하지 못하여 조기백발(早期白髮)이된다. 비교적 어린 나이에 머리가 희어지는 것은 선천적으로 간과 신이 허하게 태어났거나, 과도한 성생활로 간혈을 소모하고 신정의 고갈을 초래하여 모발을 자양할 수 없어 발생하는데 점차로 백발이 늘어 완전백발이 되기도 하며 탈모로 진행된다. 신장은 장정하며 신정이 충만하면 수발(鬚髮)이 윤택해지고, 간은 장혈하며 모발(毛髮)은 혈의 여분이므로 혈이충만하면 모발도 건강해진다. 그러므로 간과 신이 부족하면 백발이 된다. 모발이 누렇게 되어 빠지면 남자는 육미를 쓰고, 여자는 사물을 쓴다. 백발을 흑발로 바꾸는 것은 어렵다.

이선단(二仙丹) 「韓方秘錄」

烏鬚 及延年返老

오발 급연년반노

흑발로 변하며 세월이 갈수록 젊어진다.

> 건桑椹(상심-오디)일승 생적하수오600 少加 백과(은행)역묘 爲丸 朝夕呑服 每日20g

환을 만들어 아침저녁으로 20g씩 복용한다.

팔물탕 「韓方秘錄」

虛損之疾 損於肺 皮聚而毛落者

허손지질 손어폐 피취이모락자

소모성 질환을 앓아서 폐가 손상되어 피부가 쪼그라들고 털이 빠진다.

> 사물탕 합사군자탕

육미지황탕 「韓方秘錄」

男年少 頭髮盡脫 服此 不久鬚生 兩月復舊

남년소 두발진탈 복차 불구수생 양월복구

어린 남자가 두발이 모두 빠질 때 이 약을 복용하면 오래되지 않아 털이 나며 두 달이면 예전처럼 된다.

가미사물탕 「韓方秘錄」

氣虛血竭 毛髮乾枯 此血脈不足之症 妊婦 頭髮脫落 宜四物湯

기허혈갈 모발건고 차혈맥부족지증 임부 두발탈락 의사물탕

기허로 혈이 부족되면 모발이 건조하고 푸석해진다. 이것은 맥 중에 혈이 부족하여 발생한다. 임부가 머리가 빠지면 사물탕으로 처치한다.

숙지황16 작약 백하수오12 당귀 천궁4 백과2 상엽1

이선환(二仙丸) 「韓方秘錄」

髮脫落 如神

발탈락 여신

털이 빠지는데 효과가 좋다.

측백엽焙乾(불에 쬐여 말림)320 당귀 全身160 不犯鐵(쇠가 닿지 않게 하여)

밀가루 풀로 오자대의 환을 만들어 따뜻한 술로 50~70환을 먹으면 효과가 좋다.

삼성고(三星膏) 「韓方秘錄」

髭髮脫落 能今再生(髭-콧수염 자)

자발탈락 능금재생

콧수염이 빠지는데 사용한다.

부자 만형자 백자인 各20g

가루로 한 것에 오골계 기름으로 균등하게 찧어 공기가 통하지 않게 봉하여 100일을 두었다가 털이 빠지는 곳에 바르면 3~5일이면 새로운 털이 난다.

황기건중탕 「韓方秘錄」

脈弦 氣弱 皮毛枯稿 四物湯亦妙

맥현 기약 피모고고 사물탕역묘

간의 울과 폐기의 약으로 피부와 털이 마르는 것이다. 사물탕도 효과가 있다.

생수신효고(生鬚神效膏) 「韓方秘錄」

小兒腦疳 及白禿髮不生

소아뇌감 급백독발불생

소아가 뇌감으로 머리숱이 없거나 머리가 빠져 대머리처럼 되어 모발이 생기지 않는 것이다.

> 흑두 거승3합 가자피40

搗羅爲末 淸水拌 納竹筒中以 亂髮塞口 用糖灰內煨

取油貯瓷器中 先以米泔皂莢湯洗頭拭 乾塗之 一日 2次 十日髮生

가루가 될 때 까지 찧어서 물을 섞어 죽통 속에 넣고 머리카락으로 입구를 막고 뜨거운 재속에 넣고 굽는다. 그러면 기름이 나오는데 그것을 도자기로 잘 받아서 바르기 전에, 먼저 뜨물과 조협을 달인 물로 머리를 씻은 다음 말리고, 하루 2번씩 바른다. 이렇게 10일 정도 바르면 털이 난다(바르면 냄새가 고약한데 효과는 잘 모르겠다).

오발방(烏髮方) 「韓方秘錄」

烏髮 十日乃黑

오발 10일내흑

10일 정도 먹으면 까마귀처럼 검어진다.

> 숙지황 적하수오생120 흑지마초40 만년청2편 상엽80 산약120 백과30介 길경12

쇠가 닿지 않게 가루로 만들어 환을 만들어 아침 식후에 40g을 먹는다.

23. 전음(前陰) 「韓方秘錄」

전음은 남녀의 음부를 말하며 종근(宗筋)이 모인 곳이다. 종근은 치골 뼈 아래 위의 곧은 힘줄이다.

음(陰)이 극(極)해지면 반드시 아래에서 위로 치밀어 올리며, 양(陽)이 극(極)해지면 위에서 아래로 밀어 내린다. 여자는 음에 속하고, 음이 극해지면 위로 치밀어 소문(小門)은 오그라들고 유방은 커진다. 남자는 양에 속하며, 양이 극해지면 아래로 늘어져 음경(陰莖)이 커지고 유방은 수축된다. 산증(疝症)은 배꼽아래에서 음부까지의 병으로 모든 힘줄은 간에 속해있으므로 간경의 병이며, 신에는 속하지 않는다. 산증은 7가지가 있는데 한산, 혈산, 수산, 근산, 기산, 호산, 퇴산으로 구분한다.

1) 수산(水疝)

음낭이 붓고 아프고 음한(陰汗)이 나며, 부어오르면 맑게 보이며 가렵고 누르면 물이 흐르고 아래로 누르면 물소리가 난다. 과로로 땀을 흘리고 난 뒤 풍한습의 기운이 음낭 속으로 침범하여 냉하여 갑자기 생기는 것이다.

2) 근산(筋疝)

음경이 붓고 터져서 고름이 나오고 힘줄이 오그라들어 가렵거나 늘어지기도 하며, 하얀 물이 흐른다. 험색(險色)을 해서 생기는 것이다. 용담사간탕으로 치료한다.

3) 혈산(血疝)

양 사타구니에 누런 한울타리 같은 것이 생기는 것으로, 임파선이 커진 것이다. 접하기 어렵다. 이때는 도핵승기탕을 쓴다.

4) 기산(氣疝)

분하고 원통해서 마음이 상하여 발생하는데 음낭이 당기는 것이다. 번총산, 취향음자를 쓴다.

5) 호산(孤疝)

탈장(헤르니아)을 말하며 누르거나 누우면 들어가고 일어서면 나오는 것으로 뻐근한 통증이 있고 말랑말랑하다. 이향산, 가미이진탕을 쓴다.

6) 퇴산(㿉疝)

음낭이 풍선처럼 커져 가렵지만 아프지는 않다. 방광의 열로 발생한다. 산환탕을 쓰며, 부인에게 이 증상이 나타나면 음부가 돌출한다. 귤핵산, 귤핵환을 쓴다.

7) 한산(寒疝)

음낭이 차고 단단해서 돌 같으며 음경이 일어나지 않는다. 습한 곳에서 눕거나, 앉아 있거나, 찬물에 들어가거나, 찬바람을 맞으면 발생한다. 당귀사역탕, 이중탕 난간전을 쓴다.

8) 분돈증

기운이 아랫배에서 위로 치미는 것으로 진기가 허해서 수분이 배설되지 않고 뭉쳐 기운과 상박하면서 발생한다. 분돈탕이나, 이중탕에 가감하여 쓴다.

9) 음낭편축(陰囊偏墜)

한쪽 음낭이 부어서 당기는 것으로 좌측에 발생하는 것은 어혈과 노화로 오며, 우측은 습담과 식적으로 발생한다. 회향안신탕, 가감향령탕을 쓴다.

10) 목신(木腎)

음경이 단단하고 마비가 되어 아프지 않은 것으로 수화교류가 일어나지 않아 신수가 냉하여 온다. 활신환을 쓴다.

11) 음종(陰縱)

남자의 음경에 열이 나고 항상 발기한 상태의 병으로 지속발기증이다. 도과탕을 쓴다. 음부가 냉한 것은 하초에 양허로 인해서 발생하는데, 팔미환을 쓴다.

12) 음위증(陰痿症)

발기부전을 말하며 대부분 험색을 하여 간이 상했거나, 명문화가 쇠하여 발생한다. 환소단을 쓴다.

13) 신장풍(腎臟風)

음낭이 습해서 가렵고 창이 생겨 피부가 벗겨져 양 허벅지로 번져 습진처럼 되고, 이명과 안혼(眼昏)이 생긴다. 활혈구풍탕을 쓴다.

14) 탈음(脫陰)

부인의 음부가 빠지는 것으로 비위의 기허와 간울로 인하여 기운이 하함해서 발생한다.

525

보중익기탕과 용담사간탕을 쓴다.

난간전

寒疝 肝腎陰寒 小腹疼痛

한산 간신음한 소복동통

간신이 냉하여 소복이 아픈 한산증에 사용한다.

> 구기자 당귀12 복령 오약 회향8 육계 목향4

한(寒)이 심하면 加오수유 부자 건강, 허하면 加인삼, 자통이 있으면 加전충말1.2

용담사간탕 「韓方秘錄」

筋疝

근산

청심연자음도 좋다.

> 초용담 시호 택사4 목통 차전자 적복 생지황 당귀 치자 황금 감초2

번총산 「韓方秘錄」

脾胃虛冷 心腹攻刺連 胸脅 膀胱 小腸 腎氣痛

비위허냉 심복공자련 흉협 방광 소장 신기통

비위가 차고 약하여 심복과 흉협 방광 소장 하복을 연이어 찌르듯 아픈 것이다.

> 창출 감초4 삼릉 봉출 복령 청피2.8 사인 정향피 병랑2 현호색 육계 건강1.2 총백1

취향음자 「韓方秘錄」

氣疝

기산

> 유향 침향 백단향 목향 곽향 정향3.2 현호색 강황 오약 길경 계심 감초1.6 생강3 대조2

이향환　「韓方秘錄」

孤疝

호산

> 목향 향부자120 산사80 삼릉 봉출幷醋炒 신곡 강황 남성40 황련 오수유同炒
> 나복자 도인 치자인 귤핵20

爲末 薑浸蒸 餠作丸 白湯下 70환

생강즙으로 쪄서 환을 만들어 70환씩 물로 먹는다.

가미이진탕　「韓方秘錄」

孤疝

호산

> 이진탕 加청피 향부자 창출

산환탕　「韓方秘錄」

㿉疝

퇴산

> 복령 남국화(杜若根) 사삼40 4제유

귤핵산　「韓方秘錄」

㿉疝

퇴산

> 귤핵6 도인 치자인4 천오포 오수유2 초녹용말

가미이중탕

奔豚疝 氣自 臍下上沖心 最急 小腹引痛 如神

분돈산 기자 제하상충심 최급 소복인통 여신

분돈산은 기가 배꼽 근처에서 심장 쪽으로 상충하며, 아랫배가 당기며 아픈 급한 증상이다.

527

이중탕 加육계 적복령 去백출

회향안신탕 「韓方秘錄」

左邊偏墜睾丸 如鷄子大 牽引痛

좌변편축고환 여계자대 견인통

좌편 고환이 늘어져 계란크기만 하고 당기는 통증이 있다.

> 인삼 백출 복령 회향 파고지 병랑 오약 향부자 사인 여지핵(타래붓꽃씨)3.2
> 황백 택사2.4 목향 현호색1.6 승마 감초0.8

가감향령탕 「韓方秘錄」

偏墜氣初期 壯熱憎寒 此方 發表分利藥也 一服而愈

편축기초기 장열증한 차방 발표분리리약야 일복이유

편축의 초기 증상으로 열이 심해 한을 싫어하는데 이 약은 표를 풀어 분리하는 약이다. 한번 복용하면 치료된다.

> 지각 진피 향부자 창출 마황 저령 택사 목통 활석 차전자 삼릉 봉출 천련자 현호색
> 감초2.8 생강3 총백2

활신환 「韓方秘錄」

木腎不痛 因心腎不交 腎水冷也

목신불통 인심신불교 신수냉야

음경이 단단하고 마비가 되어도 아프지 않은 것으로 수화교류가 일어나지 않아 신수가 냉하여 온다.

> 창출염초40 황백주세 지실 활석27 남성포 반하 산사 신곡초 백지20 곤포 오수유12

술과 풀로 환을 만들어 소금물로 70丸씩 먹는다.

도과탕(倒戈湯) 「韓方秘錄」

陽不倒

양불도-지속발기증

> 현삼 맥문120 육계1.2

환소단 「韓方秘錄」

下部 陰痿不起

하부 음위불기 -음위로 인한 발기부전

> 숙지황 구기자60 산약 우슬 원지 산수유 파극 백복령 오미자 창포 육종용 저실
> 두충 회향40

맑은 꿀로 버무려 대추 육으로 환을 만들어 공복에 30~50丸씩 따뜻한 술로 먹는다.

피한단 「韓方秘錄」

睾丸縮入 遇寒天而更痛 此膀胱之寒結也

고환축입 우한천이갱통 차방광지한결야

고환이 오그라들어 찬 기운을 만나면 다시 아픈 것인데 방광에 한이 뭉쳐 발생한다.

> 복령 백출20 육계 귤핵12 감초4 여지핵3개

가루로 하여 달여 4제를 먹으면 치유된다.

강양지신단 「韓方秘錄」

陽倒不擧

양도불거-발기부전

> 황기32 숙지황16 백출8 파극 당귀6 복분자 백자인 맥문2.8

보기승양탕 「韓方秘錄」

産後脫陰

산후탈음

> 인삼 황기 당귀20 백출10 천궁4 반하 승마4

승제탕 「韓方秘錄」

婦人 年久脫陰者

부인 년구탈음자

부인이 오랫동안 탈음이 된 것을 치료한다.

> 황기8 인삼 백출 당귀 숙지황 천궁 육계 감초 승마4

구상탕 「韓方秘錄」

中年不擧 雖婦女 捫弄不擧 是心胞之火氣衰也

중년불거 수부녀 문롱불거 시심포지화기쇠야

중년기에 들어 여자가 만지고 희롱을 해도 발기가 되지 않는 것은 심포의 화기가 약해진 것이다.

> 파극40 산조인초 황기20 육계 당귀12 원지 백자인 토사자8 인삼 복신 양강 부자4

기양지신단 「韓方秘錄」

見色倒戈

견색도과

여자를 보면 시드는 것이다.

> 숙지황 백출320 황기 파극 육종용 맥문동 복분자200 인삼 산수유120 육계80 오미자40

가루를 꿀로 환을 만들어 매일 40g씩 청주로 먹는다.

강양신단 「韓方秘錄」

陽倒不擧

양도불거-발기부전

> 황기1200 숙지황600 백출320 파극 당귀240 육계 복분자 백자인去油 맥문동120

가루를 꿀로 환을 만들어 하루 40g을 먹는다.

화토기제탕   「韓方秘錄」

精少精冷 早漏 此脾胃之 陽氣不旺也

정소정냉 조루 차비위지 양기불왕야

정액량이 적고 차며, 조루가 있는 것은 비위의 양기가 약하여 생긴다.

> 백출 산수유 토사자 파극40 산약20 인삼 육계4

10제를 복용하면 온정(精溫)이 되고 3개월이면 전부 치료된다.

선지탕   「韓方秘錄」

年少時 抑鬱愁悶之事 陰痿不擧 此心火之閉塞也

년소시 억울수민지사 음위불거 차심화지폐색야

청소년기에 억울한 일을 당했거나 근심과 번민의 일(성희롱, 성폭행 등)을 당하여 음위가 되어 발기부전이 온 것은 심화가 막혀서 발생한 것이다.

> 복령 생산조인 산약20 백출 당귀 파극12 창포 감초 원지 시호 인삼4

4제를 복용하면 전부 치료되니 오래 먹을 필요가 없다.

강양탕   「韓方秘錄」

男子無子 見色倒戈

남자무자 견색도과

정자의 부족이 있고, 또는 자식이 없는 사람과, 여색을 보면 시드는 것을 치료한다.

> 숙지황40 백출20 산수유16인삼 구기자12 복신 육계8 육종용 파극 두충 원지4

물로 달여 복용한다. 1제를 복용하면 起하고, 2제를 복용하면 강해지고, 3제를 복용하면 효과가 묘하다.

기양탕   「韓方秘錄」

陰痿 是心氣不足也 此補心生火

음위 시심기부족야 차보심생화

발기부전은 심기의 부족인데, 이 약은 심을 보하여 화를 발생하는 것이다.

> 백출 파극 숙지황40 황기20 산수유12 육계8 인삼 원지 오미자 백자인4

10제 정도 먹으면 치료된다.

보심치신환 「韓方秘錄」

入門倒戈 或精滑夢遊者 心病非腎病也

입문도과 혹정활몽유자 심병비신병야

음문에 들어가면 힘없이 시드는 것과, 정이 쉽게 배출되거나 몽유자는 심화의 부족이지 신허가 아닌 것이다.

> 복령 인삼 복신 숙지황 산수유 당귀 맥문120 원지80 생산조인 백개자40
> 황련 육계 사인20

창포12 가루를 꿀로 환을 만들어 매일 20g을 먹는다. 또는 달여 먹기도 한다.

24. 위증(痿症) 「韓方秘錄」

양다리가 힘이 없어 잘 걷지 못하거나 일어나지 못하는 증상으로 위화가 폐를 훈작하여 발생한다.

생진기위탕 「韓方秘錄」

胃火熏蒸 日沖肺金 遂至痿弱 不能起立

위화훈증 일충폐금 수지위약 불능기립

위의 열이 폐를 훈작하면 위약해져 바로 서지 못한다.

> 맥문동 현삼 숙지황40 감국 금은화20 천문동12 감초8 천화분 패모4

물로 달여 연속하여 4제를 먹는다.

청위생수단 「韓方秘錄」

胃火上沖於心 心中煩悶 怔忡驚悸 久則成痿 兩足無力 不能動履 此胃火之盛也

위화상충어심 심중번민 정충경계 구즉성위 양족무력 불능동리 차위화지성야

위화(胃火)가 상충하여 심장을 침입하면 가슴이 답답하고 잘 놀라고 불안해 지는데, 이것이 오래되면 다리에 힘이 없어진다. 양 다리에 힘이 없어 움직이지 못하는데 이 원인은 위

화가 성해서 발생한다.

> 숙지황80 현삼40 맥문동 감국 사삼20 오미자8

10제를 달여 먹으면 걸을 수 있고, 20제를 먹으면 정충과 경계가 없어지고, 다시 10제를 더 먹으면 가슴이 답답한 것과 위증이 없어지며, 마지막으로 10제를 더 먹으면 치료된다.

25. 편신골통(遍身骨痛) 「韓方秘錄」

사기가 골수에 침범하여 신정의 하강이 부족하면 등(背)에서 부터 시작하여 허리와, 무릎, 양 종아리에 걸쳐 아프지 않은 곳이 없고, 음식은 예전처럼 먹기는 하나 즉, 위장에는 병이 없는데 일어서지를 못한다. 겨우 일어나면 통증이 심하여 참을 수 없고, 잠을 자려고 누우면 아픔을 호소하여 종아리를 두드리고 안마를 해도 골절의 틈(空隙-공극)을 매로 때리는 듯이 통증이 나타났다가 사라지기를 반복하여 참을 수 없게 된다. 병거탕을 쓴다.

상초와 중초에 화울(火鬱)이 되면 편신동통이 발생하는데 허리 이하는 통증이 없다. 가미소요산을 쓴다.

기혈이 휴손하여 응체되어 통하지 않으면 참을 수 없는 무서운 편신동통이 일어나지만, 그렇게 지나가면 통증이 그치고 아프지 않게 된다. 이는 망통탕을 쓴다.

습사가 장부로 들어온 것이 아니고 경락을 타고 외부로 나가면 편신의 피부에 돌덩이 같은 것이 발생하여 아프게 된다.

이 외(磈-돌덩이)의 통증은, 풍습이 골수에 침범한 것과 비교하면 매우 가볍다. 소외지통탕을 쓴다.

병거탕 「韓方秘錄」

一身上下 由背起而至腰膝兩脛 無不作痛 飮食知味 然不能起床席 卽起床席
而痛不可忍

仍復睡臥 呼疼呼痛 必須捶敲按摩 否則其痛 走來走去 骨節空隙之處 作楚而
不可忍矣

일신상하 유배기이지요슬양경 무불작통 음식지미 연불능기상석 즉기상석 이통불가인

잉부수와 호동호통 필수추고안마 부칙기통 주래주거 골절공극지처 작초이불가인의

해석은 위에 있다.

> 황기 현삼40 백출 복령20 감국12 구감초4 강활 방풍2

3제를 먹으면 치료된다. 그 후에 팔미환으로 조리하면 영원히 재발되지 않는다.

가미소요산 「韓方秘錄」

遍身疼痛 至腰以下不痛者

편신동통 지요이하불통자

전신이 모두 아픈데 허리 아래 부분은 아프지 않다.

> 당귀40 작약20 치자초 복령12 시호 백출 강활8 감초 진피4

1제를 먹으면 통증이 없어진다.

망통탕 「韓方秘錄」

遍身疼痛 殆不可忍 然有時止而不痛(殆－위태로울 태)

편신동통 태불가인 연유시지이불통

당귀보혈탕의 변방으로 전신이 아파 참기 어려운데, 조금 지나면 아프지 않다. 이 현상이 반복되는 것이다.

> 황기80 당귀40 천화분12 육계8 현호색 진교4

달여 1제를 먹으면 반드시 땀이 많이 나서 치료가 되고 2제를 먹게 되면 재발하지 않는다.

소외지통탕 「韓方秘錄」

遍身生塊 而痛者

편신생외 이통자

전신에 살이 뭉쳐 아픈 것이다.

> 황기 의이인 복령20 반하 백출 12 인삼8 방풍 강활4 계지2

2제를 먹으면 증세가 가벼워지고 4제를 먹으면 통증이 그치고, 10제를 먹으면 덩어리가 삭는다. 20제면 덩어리 전부가 없어진다.

26. 구좌구와(久坐久臥) 「韓方秘錄」

사람이 건강하게 살아가는 것은 활동을 하며 적절한 운동을 해야 신진대사가 원활하게 일어나 몸이 가볍고 소화가 잘 되어 질병에 노출이 되지 않고 건강하게 되는 것인데 직업적이나 일상생활에 있어서 오래도록 앉아 있거나 누워있게 되면 혈액순환이나 기의 순환에 방해가 되어 혈체(血滯)와 기체(氣滯)가 만들어진다.

오래 앉아있게 되면 혈체로 인하여 근육의 위축이 발생하고, 오래 누워 있으면 근육이 위축되고 골격이 약해진다.

혈체는 간의 기능이 약해지므로 근을 자양하지 못하여 발생하고, 기체는 위장의 기능이 약해져 기육을 자양하지 못하고, 신에서 간과 비위에 정을 많이 공급해야 하므로 신허가 발생하여 뼈가 약해지는 것이다. 변방보혈탕을 쓴다.

변방보혈탕 「韓方秘錄」

治久坐久臥

치구좌구와

> 황기 당귀40 작약8 반하 감초4 진피 방풍2

27. 무좀(수충-水蟲) 「韓方秘錄」

무좀은 더운 여름철에 성해지고 발에 땀이 많이 나거나, 발의 열이 발산되지 못하여 창이 발생한 것인데 이것의 원인은 신이 허하여 비위의 기능이 약해져 비위에 습열이 발생하고 그 습열이 발로 하주하여 발생한다. 습이 오래되면 충이 생기는데 이는 곰팡이를 말하는 것이다. 신허와 위의 기능을 살리고 습열을 제거하고 청열제를 쓴다. 팔미와 향사평위산과 황련해독에, 땀이 많을 때는 인진오령산으로 사용하고, 냄새가 심할 때는 인진호탕을 쓴다.

해습탕 「韓方秘錄」

脚脛 及足指爛瘡

각경 급족지란창

> 의이인80 금은화 복령40 감초 우슬 비해 반하20 육계2

28. 의처 의부증(疑妻 疑夫症) 「韓方秘錄」

의처증이 있거나 의부증이 있는 사람은 신허로 인하여 많이 발생하는데 신경이 예민하고 숙면을 취하지 못하며 소화기능이 좋지 못한 사람과, 신허로 간의 허가 발생하여 간이 조해져 성적결함이 발생한 것이다. 의처증에는 가미사륙탕을 쓰고, 의부증에는 시호절간탕을 쓴다.

가미사륙탕 「韓方秘錄」

疑妻症

의처증

> 숙지황16 산약 산수유 작약 당귀8 산조인 녹단피 택사 복령6 천궁 원지4

시호절간탕 「韓方秘錄」

女子疑夫症 及想男病

여자의부증 급상남병

> 시호8 청피6 적작약 목단피4 지골피 향부자 창출2.8 천궁 신곡2 생지황 연교1.2 감초0.8

29. 비만 「韓方秘錄」

비위가 습하여 발생하는데 비는 기육을 주관하고 비는 습을 싫어하여 습이 기육에 정체하여 발생한다. 습이 성하면 담이 되고, 담이 성하면 열이 되고 열은 풍을 발생한다. 괴병은 거의가 담으로 인한 것이며 갑자기 살이 찌거나 마르는 것은 담음으로 인한 것이다. 이것의 치료는 이진탕위주로 하는데 이진탕은 치담총제라 담음의 성약이다.

536

보기화담탕 「韓方秘錄」

治肥滿症 肥人多 氣虛多痰

치비만증 비인다 기허다담

미만인 사람은 기가 허하고 담이 많다.

> 인삼40 의이인20 복령 반하 신곡12 진피 감초4

보중치비탕 「韓方秘錄」

> 반하8 인삼 백출 찰출 진피 복령 의이인4 맥문 목통 당귀2.8 산사 신곡 맥아
> 사인 황금2 후박 승마1.2

보기거습탕 「韓方秘錄」

> 의이인20 인삼 복령 반하12 신곡 진피 감초4

화신탕 「韓方秘錄」

瘦人多火

수인다화

마른 사람은 화가 많다.

> 현삼40 맥문 천문 생지황 숙지황 작약12 목단피8 산수유 백개자4 오미자 감초2

가미보중익기탕 「韓方秘錄」

수인(瘦人-마른 사람)에게 사용하는 처방이다.

> 황기12 금은화 석곡8 두충 우슬 모과 인삼 백출 감초4 당귀 진피2 시호 승마1.2

제7장

한 약 의 임 상 과 응 용

부인병

婦人病

제 7 장

부인병(婦人病)

부인들에게 나타나는 질환으로 생리통, 냉대하, 불임, 월경의 이상, 외음부 소양증 등이다. 출산이나 태아에 관한 것은 우리의 영역이 아니므로 설명을 하지 않는다. 불임의 원인을 알고 그 치료를 하는 것과 임신하여 나타나는 입덧이나 유산의 징후를 예방하는 것, 산후조리에 관한 것만 기술한다.

하늘과 땅의 정기(精氣)가 화(和)하여 만물이 되고 남자의 정기는 혼(魂-정신)이 되고, 여자의 정혈(精血)은 백(魄-육체)이 된다. 사람은 풍화토수의 기가 화합하여 인간이 되는 것으로 근골과 기육은 토에 속하고, 정혈진액은 모두 수에 속하며, 호흡은 화에 속하며, 생명활동은 모두 풍에 속한다. 여자는 남자보다 고치기 어렵고 여자보다 어린이를 고치기가 더 어렵다. 남녀의 화합으로 수태가 되고, 수태된 아기는 자궁에서 영양을 공급받아 성장하여 10여 개월 후에 태어난다. 여자가 아기를 가지는 것은 먼저 생리가 고른지 그렇지 않은지에 따라 결정되며 부인이 수태가 힘든 것은 생리가 빠르거나 느리거나 양이 많거나 적거나 경전통이나 경후통 등의 생리통이 있거나 없거나 색깔이 검거나 자주 빛이거나 묽거나 진하거나 하여 고르지 못하면 임신이 어려운 것이다. 남자의 양기가 허약하여 정이 냉하거나 부족해도 임신이 어렵다.

1. 자궁의 문제

자궁은 포문(胞門)이나 관원(關元), 혈해(血海)라고도 한다. 또 자궁을 혈실(血室)이라 하여 혈액이 있는 곳이며 영위가 정지되는 곳이며, 경맥이 모여 남자의 경우는 정기가 운행하여 쌓이지 않고 채워지지 않으며, 여자의 경우는 정혈이 정지하여 쌓이고 채워지면 넘치는 것으로 월경이 되는 것이다. 간의 장혈이 원활하면 임충맥은 활발해지고, 장혈의 부족은 임충맥에 활혈된 피를 공급하지 못하게 된다. 혈의 순환은 간과 심장의 순환이 있고, 간과 자궁의 순환이 있다. 간과 자궁의 순환부전은 간한(肝寒)이라 하며, 이런 상태가 되면 임충맥의 허한을 유발한다. 임충맥의 허는 자궁으로 영양의 공급이 부족하게 되고 이로 인해 포저(胞阻)가 발생한다. 신허나 과로로 인하여 소모가 과다하면 간의 장혈이 충분하지 못하여 활혈 부족의 상태가 되면 오는 것이다. 자궁하수는 신허와 비위의 허약으로 인한 중기하함으로 인하여 발생한다. 육미 중보 소건중 궁귀교애를 사용한다. 자궁의 염증은 간열이 자궁으로 침범하여 염증이 발생하며 시호제 배탁 궁귀교애를 쓴다. 자궁물혹은 자궁 내에 염증과 수분의 편재로 본다. 시호제 오령 배탁 궁귀교애를 쓰고, 자궁근종은 자궁의 염증과 어혈이 있으면 발생하는데 시호제 배탁 계령 궁귀교애를 쓰는데 + 삼칠산하면 더 좋다.

1) 포조(胞阻)

婦人漏下者 有半産後 因續下血 都不絶者 有姙娠下血者

假令姙娠 腹中痛 爲胞阻也 婦人陷經漏下 黑不解

부인루하자 유반산후 인속하혈 도부절자 유임신하혈자

가령임신 복중통 위포조야 부인합경루하 흑불해

궁귀교애탕의 포조에 대한 설명이다.

누하(漏下)란 조금씩 하혈을 하는 것을 말하며 대량으로 하혈하는 것은 혈붕(血崩)이라 한다. 반산(半産)은 유산을 말하고 자연유산이든 인공유산이든 모두 해당이 되며 출산도 포함된다. 유반산후의 의미는 출산을 했거나 유산을 하여 자궁에 허의 상태가 만들어졌다는 의미며, 허하면 열이 발생하거나 연급(攣急)이 발생하고, 열은 혈관을 확장하여 출혈을 일으킨다. 련급은 하복의 통증을 일으킨다. 반산 후에 자궁에 허가 발생된 상태이므로 자궁의 연급과 출혈이 나타나는 것인데 이 상태가 포조(胞阻)라 한다.

자궁출혈의 원인은 세 가지 경우가 있는데, 자궁이 허약하여 루하가 생기기 쉬운 사람이 열사가 침범하여 발생하는 경우와, 출산이나 유산 후에 자궁이 허한 상태에서 정기가 회복되기 어려워 발생하는 경우, 임신 중에 발생하는 것이 있다. 모든 경우가 자궁의 허로 인하여 열이 발생되어 나타나는 것이다. 억울 스트레스 과로 등으로 간의 열이 혈실로 침범하면 혈관의 확장으로 출혈이 되거나 자궁의 기능을 위축시켜 조기폐경이 발생한다. 함경(陷經)은 자궁경락의 결함(缺陷)을 나타내며 함경루하는 경락의 이상으로 루하가 생기는 것을 말한다. 포조(胞阻)가 있을 때는 궁귀교애탕, 황련해독을 사용한다.

궁귀교애탕 「傷寒論」

金匱曰 師曰 婦人漏下者 有半産後 因續下血

都不絶者 有姙娠下血者 假令姙娠 腹中痛

爲胞阻也 婦人陷經漏下 黑不解 芎歸膠艾湯主之

금궤왈 사왈 부인루하자 유반산후 인속하혈

도부절자 유임신하혈자 가령임신 복중통

위포조야 부인함경루하 흑불해 궁귀교애탕주지

천궁 아교 감초4 애엽 당귀6 작약 건지황8

사물탕에 아교와 감초를 합하여 보혈과 자궁으로 혈류의 기능을 좋게 하는 처방이다. 본방은 유산이 확실한 하혈에 과립으로 일일 75g 사용한다. 약을 복용하면 출혈이 더 심해지는 경우가 있는데 자궁 내에 남아있던 어혈이 빠지는 것이므로 당황하지 말고 계속 복용하면 치유가 된다. 유산이 아닌데 하혈하는 것은 자궁으로 열사가 침범하여 발생하는 것으로 본방과 황련해독을 10일 정도 복용하며, 그래도 그치지 않는 경우는 병원 진료를 받아 봐야한다.

온경탕 「傷寒論」

金匱曰 問曰 婦人年五十所 病下利 數十日不止 暮則發熱

少腹裏急 腹滿 手掌煩熱 口脣乾燥 何也

師曰 此病屬帶下 何以故 曾經半産 瘀血在小腹不去

何以知之 其症口脣乾燥 故知之 溫經湯主之

婦人小腹寒 久不受胎 主之 兼取崩中去血 或月水來過多 及至期不來 主之

금궤왈 문왈 부인년오십소 병하리 수십일부지 모칙발열

소복이급 복만 수장번열 구순건조 하야

사왈 차병속대하 하이고 증경반산 어혈재소복불거

하이지지 기증구순건조 고지지 온경탕주지

부인소복한 구불수태 주지 겸취붕중거혈 혹월수래과다 급지기불래 주지

여자의 나이가 오십 즈음 되었는데 하혈이 수십 일간 그치지 않고 해가 질 무렵이면 열이 나고 아랫배가 당기고 아프며 배가 빵빵하게 가스 찬 듯하고 손바닥이 화끈거리고 입술이 마르는 것은 왜 그렇습니까?

그 병은 대하라 하는데, 유산이나 생리불순 등으로 하복(자궁)에 어혈이 남아 있어서 생깁니다. 입술의 건조함 정도로 알 수 있습니다.

오수유3 당귀 천궁 작약 인삼 계지 아교 목단피 생강 감초4 반하8 맥문동10

여자가 오십 즈음에 해질 무렵에 열이 나고 아랫배가 아프고 차며 배가 부른 듯 하며 손바닥에 열이 나고 입술이 잘 마르는 것은 간과 하복의 혈액이 제대로 순환이 되지 않아 포조가 발생하여 임맥의 허한으로 오는 것이다.

간과 하복의 순환부전을 간한이라 한다. 이런 상태를 포조라 하며 자궁에 어혈이 있어 발생한다. 임맥의 허로 혈이 공급되지 않으면 구순건조가 발생하는데 그 상태를 보고 판단을 한다. 하복이 냉하여 임신이 되지 않는 사람도 본방으로 치료하며, 혈붕으로 인하여 자궁 내에 혈이 부족하여 생리 때가 되어도 나오지 않는 사람, 음허로 혈관을 수렴하기 힘들어 생리량이 너무 많은 사람도 본방으로 치료한다.

본방의 응용은 불임에 사용하고, 경전통이나 임경통에 사용하는데 자궁의 허와 한 응, 어혈의 문제로 생리통의 원인 중 95% 이상이다. 육미 온경 안중산 계령을 쓰면 된다.

2) 대하 「韓方秘錄」

자궁은 비위와 경락으로 연결되어 있다. 비위가 허약하여 담음이 발생하면 담음이 경락을 타고 자궁으로 흘러 들어가는 경우가 있으며 이런 상황이면 물 같은 대하가 흐르게 된다. 출산이나 과로 억울 등으로 인하여 몸이 허하게 되면 외사의 침범에 대한 저항력이 약해지고 간에 소설부족의 현상이 일어나 열이 울체하게 되면 간화가 발생하고 간의 경락은 생식기나 하복으로 통하기 때문에 자궁으로 열이 침범하게 된다.

비위가 허한(虛寒)하여 담음이 하주(下注)하여 자궁으로 흐르고 여기에 간화(肝火)가 작용하면 염증으로 변하여 오색의 대하로 변하게 된다. 간장이 상하여 오는 것은 푸른색의 대하며, 비장이 상하여 오는 것은 누런색의 대하며, 신장이 상하여 오는 것은 검은색의 대하가 흐른다. 오색은 오장에 상응하여 흐르는데 오장이 허하면 오색이 섞여 흐르며 모두

혈의 병이다. 대하는 일반적으로 통증은 없고 반드시 입맛이 없어진다.

물 같은 대하에는 위령탕과 궁귀교애를 사용하고, 오색대하에는 위령탕에 시호제 또는 용담사간탕에 배농산급탕, 그리고 인경약으로 궁귀교애탕을 사용한다.

오줌소태 즉 방광염은 간화가 방광으로 침범하여 방광에 염증이 발생한 것으로 용담사간탕, 또는 시호제에 배농산급탕을 사용한다. 하복의 임맥에 열이 침범하면 열이 대맥을 거쳐 대 소장으로 빠지는데, 백색의 냉이 흐르면 백대하, 붉은 냉이 흐르면 적대라 한다.

적대하는 열이 소장으로 침범한 것이며, 백대하는 열이 대장으로 들어간 것으로 그 근본 원인은 모두 위장의 습이 경락으로 넘쳐 적백대하가 만들어 진다.

이를 대하열결이라 한다. 백대하가 오랫동안 그치지 않고 허리이하가 얼음처럼 차고 얼굴이 창백하고 눈이 푸르며 몸이 마르는 것은 상중하 삼양의 진기가 모두 허하여 발생한다.

적백대하가 있으면 하복에 통증이 있고 냉이 심하게 나오게 되며, 대하는 혈의 병이므로 지속적으로 흐르게 되면 혈해(血海)가 마르게 되어 건강에 심각한 손상을 주게 된다.

(1) 대하의 임상

– 물 같은 대하 : 위령탕 + 궁귀교애
– 오색대하 : 위령 + 궁귀교애 시호제 배탁을 사용한다.

가미오적산 「韓方秘錄」

오색대하

오적산 去마황 加형개

가미궁귀탕 「韓方秘錄」

적백대하 여신

천궁 당귀20 숙지황 작약 아교8 방풍 홍화 관계2

3) 한입혈실(寒入血室)

월경이 나오지 않고 배꼽 부위가 산증같이 아픈 것은 찬 기운이 자궁으로 들어가 혈과 응결되어 움직이지 않아서 통증이 발생한다. 도인승기탕을 쓴다.

도인(핵)승기탕   「傷寒論」

治血結胸中 手不可近 或中焦蓄血 寒熱 胸滿, 漱水不欲咽, 喜忘, 昏迷, 如狂者.
此方治敗血留經, 通月事

치혈결흉중 수불가근 혹중초축혈 한열 흉만 수수불욕인 희망 혼미 여광자
차방치패혈유경 통월사

혈이 뭉쳐 가슴에 있어 손을 가까이 댈 수도 없고 혹 중초에 혈이 쌓이면 한열과 흉만, 건망증, 입이 건조하여 입을 약간 축이기만 하고 삼키지 않으며, 정신이 혼미하고 마치 미친 사람같이 되는 것을 치료한다. 차방은 어혈이 경락에 머물러 있는 것을 생리를 통하게 하여 치료한다.

> 도인6 대황8 망초 계지 감초4

계지도인탕   「韓方秘錄」

寒入血室 月水不通 繞臍寒疝痛 此由寒氣 客於血室 血凝不行 所以作痛

한입혈실 월수불통 요제한산통 차유한기 객어혈실 혈응불행 소이작통 (繞–얽힐 요)

찬 기운이 자궁으로 들어가 생리가 통하지 않고 찬 기운이 배꼽 주변에 뭉쳐 산통처럼 통증이 온다. 자궁으로 들어온 이 찬 기운은 혈이 뭉쳐 돌지 못하게 하여 통증을 일으키는 것이다.

> 계지 적작약 건지황8 구감초4 도인3 생강3 대조2

4) 열입혈실(熱入血室)

부인이 생리를 하면서 감기에 걸려 열이 나고 생리가 끊어져 낮에는 편안하지만 밤이 되면 헛소리를 하면서 헛것이 보인다고 하는 증상은 열이 자궁으로 들어간 것이다. 시호파어탕을 쓴다.

시호파어탕   「韓方秘錄」

傷寒 熱入血室 經水適來適斷 晝則明了 夜則讝語 如見鬼狀

상한 열입혈실 경수적래적단 주즉명료 야즉섬어 여견괴상

열이 자궁으로 들어가 생리는 제때 오고 제때 멈추지만, 낮에는 명료하고 밤이 되면 귀신이 보인다고 헛소리를 한다.

> 시호8 황금 반하 적작약 당귀 생지황4 도인 오령지 감초2

조경탕 「韓方秘錄」

열입혈실

> 시호 생지황6 적작약 당귀 황금4 반하 인삼 천궁 감초2 생강3 대조2

5) 자궁암(子宮癌)

자궁은 혈실로 혈이 모여 있는 곳이다. 자궁암의 발생은 간과 비장이 허해져 발생한다. 혈을 주관하는 곳은 간과 비장으로 간은 장혈하고 비는 통혈의 작용이 있는데, 사상비(思傷脾)요, 노상간(怒傷肝)으로 인하여 간과 비가 쇠약해지면 발생한다. 비장은 온해야 정상적으로 작용하는데 항생제의 복용이나 생냉한 음식의 섭취, 생활의 부절제 등으로 기운이 약해져 냉해지면 음식물을 소화하지 못하고 영양의 부족으로 조혈이 부족되어 자궁으로 충분한 영양을 공급하지 못하고, 화나 억울이나 스트레스 과로 등으로 간의 기능이 좋지 못하여 간열이 자궁으로 침범하면 그 기능에 이상이 발생하여 자궁근종, 자궁암이 된다. 자궁근종은 시호제 배탁 궁귀교애 계령 등을 쓴다.

고본지붕탕 「韓方秘錄」

婦人血崩 眩暈及虛火也 小婦血崩 子宮癌 炎症

부인혈붕 현훈급허화야 소부혈붕 자궁암 염증

부인이 혈붕이 있어서 허열로 어지러운 것이나, 어린 여자의 혈붕, 자궁암, 자궁염에도 효과가 있다.

> 숙지황 백출40 황기 인삼12 당귀20 건강炒黑8

10제를 먹으면 치유된다.

가미당귀보혈탕　「韓方秘錄」

老人血崩 是不慎房違之故也 三十以後之人(違-어길 위)

노인혈붕 시불신방위지고야 삼십이후지인

노인의 혈붕은 방사에 신중을 기하지 못하여 발생하는 경우가 많다. 40세 이후의 여인들은 혈이 부족하고 신이 쇠약하여 자궁이 약해질 시기다. 절제되지 못한 성관계는 혈붕을 일으키기 쉽다.

황기 당귀40 삼칠근12 상엽4
---

2. 生理의 문제

여인의 고통은 한 달에 한 번 찾아온다. 이 아픔이 심할 때는 숨도 제대로 쉬지 못한다. 온 방안을 굴러다니는 경우도 있고 온 동네가 이 여인의 비명소리로 그날이라는 것을 안다. 요즘은 이렇게 심한 통증을 호소하는 사람은 드물다. 몸이 날씬하고 (이는 영양의 부실), 얼굴이 하얗고 추위를 타며(이것은 빈혈과 냉함이고), 눈이 반짝이며 주위가 검게 화장한 듯하고(어혈이 많다는 것이고), 신경질적이고 잘 토라지며 (화가 많은 것), 입술에 줄이 많고 검은 듯 붉고 볼이 불그스름하다.(자궁이 냉한 것) 이런 경우에 전부 해당돼야 되는 것은 아니고 한 두 개만 해당되더라도 생리통이 발생한다. 생리이상의 증상은 경전통, 경후통, 임경통이 있고, 생리가 빨라짐, 또는 늦어짐, 조기폐경, 덩어리 혈의 생리, 분홍색의 생리, 그리고 오락가락(빨라졌다가 늦어지고, 건너뛰는 것)하는 것이 있다

자궁의 이상으로는 자궁근종, 자궁수종(물혹), 대하, 자궁염증, 음부종창(허는 것), 소양증, 그리고 우울증, 갱년기장애, 히스테리, 불감증, 몽교, 방광염 등이 있다.

경전통(생리시작 전)과 임경통(생리와 동시에)이 있는데 빈혈과 어혈, 냉해서 오는 것이다. 생리통의 80%이상이 이 경우다. 경후통(생리 끝나고 아픈 것)은 빈혈이다. 약을 사용해 보면 보통 1달이면 치료되는 경우가 많고 3개월을 넘기는 경우는 드물다. 여자들은 몸이 차면 좋지 않다. 항상 특히 아랫배 쪽은 따뜻하게 하는 것이 좋다. 아가씨들의 배꼽티는 생리통의 시작이다. 따뜻한 마음과 따뜻한 몸을 유지하면 최상이다.

여자가 이칠세(14세)가 되면 천규(天癸)가 닿아 임맥이 통하여 태충맥이 성하게 되면 생리를 시작하며 임신이 가능하다. 남자에 있어서는 정수(精水)가 생길 시기다. 여자가 이십 세가 되어도 생리가 없는 것은 몹시 허약하여 위험한 상태이며, 생명을 유지하더라도 평생을 병으로 고생하게 된다. 생리의 문제에 있어서는 생리불순과 생리통, 경단(經斷), 혈

붕이 있다. 여자에게 있어 소복은 자궁이 있고 생리와 임신, 그리고 출산에 관여하는 곳이다. 이곳으로 한이 침범하면 소복의 혈은 응체되고 어혈이 만들어져 음혈의 부족이 만들어진다. 음혈의 부족은 연급이 일어나게 하고, 한은 수인(收引)하는 관계로 당기게 되며, 어혈 또한 통증을 유발한다. 그나마 생리 때가 되어 음혈이 빠져나가면 생리통으로 나타나는 것이다. 생리통이나 생리전증후군은 이와 같이 허와 어혈과 한의 세 가지 문제인데 이 원인으로 발생하는 것이 생리통의 대부분이다. 이렇게 되면 자궁의 기능은 힘을 잃게 되어 불임의 원인이 될 수 있다. 혈허 즉 빈혈이 있어도 생리통이 발생하는데 이 통증의 특징은 생리를 하고 난 뒤에 통증이 오는 것이다. 이 원인도 허와 한, 어혈이 있어 오며 현재의 몸 상태도 혈이 부족한 상태에서 생리로 혈이 빠져 나가버려 더 심한 허를 유발하기 때문에 경후통으로 나타난다. 생리가 시작되기 전에 배가 아픈 것(경전통)은 혈적(血積)으로 인한 것이며, 생리가 나오려고 할 때 몹시 아픈 것(임경통)은 기혈이 실해서 그런 것이다. 때가 지나도 나오지 않는 과경(過經)은 혈이 허하고 냉하여 오는 것으로 통경사물탕을 쓰고, 제 때보다 빨리 나오는 조경(早經)은 기혈이 모두 열한 것과, 혈허와 열이 있어 오는 것이다. 청경사물탕을 쓴다. 생리 빛이 자색이 나타나는 것은 풍 또는 열이며 검은 색으로 나타는 것은 열이 심한 것이다. 담백색으로 나타나는 것은 기혈이 모두 허한 소치이며, 생리에 덩어리가 보이고 색의 변화는 없는 것은 기체의 현상이며, 덩어리지고 자흑색이면 혈열증이다. 생리 빛이 거무스레하거나 누른빛이 나는 것은 습담이 많아서 생기는 것으로, 이진탕에 창출 방풍 진교를 가하여 사용한다. 흑두즙(黑豆汁) 같은 생리엔 사물탕에 황련 황금을 가하여 사용한다.

생리량이 전보다 양이 줄어드는 것은 설사를 했거나 땀을 많이 흘렸거나 소변이 많이 나와 진액이 부족하여 발생한다. 양이 전보다 많아지는 것은 고생을 했거나 고단한 일이 있었거나 대변보기가 힘들거나 땀이 나지 않으면 나타난다. 이처럼 생리가 청 탁 흑 적 담 성괴 다 소 선후 하거나 한 달에 두 번이나 두 달에 한 번씩 하는 것을 모두 월경불순이라 하고 이런 상태라면 임신이 어렵게 된다. 조경산으로 조리한다. 생리가 막혀 흐르지 않는 것은 위가 약하거나 몸이 수척하여 기혈이 부족하고, 진액이 부족하면 오는 것인데 이것을 혈고(血枯)라 하며 위의 열결(熱結)로 인한 것이다. 젊은 여인이 피를 많이 흘렸거나 술에 취하여 방사를 하여 기운이 소모되어 생리가 나오지 않는 것도 혈고라 한다. 생리가 끊기는 것은 하초에 열이 뭉쳐 대소변이 불통하고 속을 썩여 심화로 인하여 간혈이 부족되어 혈해가 마르게 되어 오는 것이다. 미혼의 여자가 경폐가 되는 것은 사려과다로 인하여 비가 상하여 영양의 흡수부족으로 음혈이 부족하면 오는 것이다. 습담이 응겨 생리가 끊어지는 경우가 있는데 이때는 도담탕을 쓰고, 산후에 피를 많이 흘려 생리가 없는 경우는 십전대보탕을 쓴다. 갑자기 심한 하혈하는 것을 혈붕이라 하며, 때가 아닌데 출혈이 끊이지 낳는 것을 루혈(漏血)이라 한다. 혈붕이나 혈루는 모두 비위가 허손하함하여 통혈(統血)이 되지 않고 기운이 올라오지 못하며, 신장과 심화가 서로 합쳐져 습열이 아래로 쏠리게 되면 생리가 그치지 않고 자색과 흑색을 띠어 악취가 심하게 난다. 비위가 허함(虛陷)하면 백대하가 되고 허리가 아프다. 하복이 아프면 기혈을 보하는 약을 써서 비위를 조리해 주고 심화를 내려줘야 한다. 붕루(崩漏)가 과다하여 혼모불성(昏暮不省)이 되면 귀비탕에 지유 방풍 승마 인삼을 배가하여 쓰거나, 전생활혈탕, 생지금련탕을 쓴다.

1) 생리이상의 임상

– 경전통, 임경통은 혈허와 어혈, 그리고 한(寒)이 원인이다.

　급히 사용할 때는 소시호 + 소건중을 쓰며,

　장복은 팔미 온경 계령 (안중산)을 쓴다.

– 경후통은 빈혈로 인한 것이다.

　팔미 가미귀비 안중 귀기건중

– 생리불순

　팔미 궁귀교애 황련해독

– 조기폐경은 열의 자궁침입이다.

　팔미 궁귀교애 오적산(또는 황련해독)

– 혈괴생리

　팔미 궁귀교애 소시호 계령

– 생리가 늦어진다; 한의 자궁침입이다.

　팔미 소시호 가미귀비 온경

– 늦어지거나 빨라지거나 한다.

　팔미 소시호 온경 가미귀비

2) 생리이상의 방제

청열조혈탕　「韓方秘錄」

　經水將來 腹中陣痛 乃氣血具虛也

　경수장래 복중진통 내기혈구허야

생리가 시작될 때 배 전체가 아픈 것은 기와 혈이 모두 허하여 발생한다.

> 당귀 천궁 작약 건지황 황련 향부자 도인 홍화 봉출 현호색 목단피l2.8

통경사물탕 「韓方秘錄」

經水過期 不行者 乃血虛有寒也

경수과기 불행자 내기허유한야

생리가 때가 지나도 나오지 않는 것은 혈이 부족하고 자궁이 차서 오는 것이다.

> 당귀6 숙지황 작약 향부자 봉출 소목4 목통3.2 천궁 육계 감초2 홍화1.2 도인2

청경사물탕 「韓方秘錄」

經水不及 期而來者 乃血虛有熱也

경수불급 기이래자 내혈허유열야

때가 되어도 생리가 나오지 않는 것은 혈허하고 열이 있어서 발생한다. 생리불순이나 조기 폐경에도 사용한다.

> 당귀6 건지황 조금 향부자4 작약 황련 3.2 천궁 아교 황백 지모2 애엽 감초1.2

가미사물탕 「韓方秘錄」

사물탕에 각 증상 별로 가감한다.

- 색이 자색은 풍으로 오며 열로 본다 – 加방풍 백지 형개
- 검게 나오는 것은 열이 심한 것이다 – 加황금 황련 향부자
- 검은 콩을 갈아 놓은 듯한 것은 열이다 – 加황금 황련
- 색이 희박하면 허하여 오는 것이다
  – 加인삼 백출 복령 황기 향부자4 구감초2 생강3 대조2
- 누런색은 허약하여 온다– 加오약 현호색 소회향3.2
- 혈괴가 나오고 색은 정상인 것은 기체로 인한 것이다 – 加향부자 현호색 지각 진피
- 자흑색의 덩어리피는 혈열로 인한 것이다 – 加황금 황련 향부자

- 생리하기 전에 아픈 것은 혈이 쌓인 것이다
  – 加현호 고련근 봉출 향부자 도인 홍화 황련

가미궁귀탕　「韓方秘錄」

적백대하 여신

> 천궁 당귀20 숙지황 작약 아교8 방풍 홍화 관계2

가감팔물탕　「韓方秘錄」

經後腹痛　乃虛中有熱也

경후복통　내허중유열야

생리가 끝나고 배가 아픈 것은 혈이 허하고 열이 있어 발생한다.

> 복령 당귀 천궁 작약 생지황4 구감초 목향2 청피2.8 생강3 대조2

후조탕　「韓方秘錄」

經後作痛　是腎氣之涸也(涸-얼어붙을 고)

경후작통　시신기지고야

생리가 끝나고 아프기 시작하는 것은 신의 기가 전혀 작동되지 못한 것에 사용한다.

> 산약20 아교 형개 작약 당귀 산수유12 파극 감초4

조경산　「韓方秘錄」

經水不調　月水或前　或後　或多　或少　或逾月不至　或一月再至　皆不調也
(逾-지날 유)

경수부조　월수혹전　혹후　혹다　혹소　혹유월부지　혹일월재지　개부조야

생리불순은 빨라지거나 늦어지거나 많거나 적거나 때가 지나거나 한 달에 두 번하는 것이다.

> 맥문8 당귀6 인삼 반하 작약 천궁 목단피4 아교 구감초3 오수유 육계2 생강3

전생활혈탕 「韓方秘錄」

> 작약 승마4 방풍 강활 독활 시호 당귀신 갈근 감초2.8 고본 천궁2 생지황 숙지황1.6
> 만형자 세신1.2 홍화0.4

승양조경탕 「韓方秘錄」

内傷 中氣下陷 暴崩漏不止

내상 중기하함 폭붕루주비

내상으로 인하여 중기의 상승이 부족하여 진액의 부족이 발생하면 심한 붕루가 생겨 그치지
않는다.

> 시호 강활 창출 황기4 당귀 방풍 승마 고본 감초2.8 만형자2 독활1.2 空心服

가미귀비탕 「韓方秘錄」

혈붕여신

> 가미귀비탕에 승마를 배가하고 加지유 형개 방풍 인삼

개옹탕 「韓方秘錄」

經閉通經 如神

경폐통경 여신

생리가 이유없이 끊긴 것을 통하게 하는 효과 좋은 약이다.

> 당귀미 홍화 울금12 시호 우슬 천화분8 도인2 대황 향부자 현호색4

한 제를 먹으면 통한다.

3. 임신의 문제

남녀구별법은 절대적인 것은 아니며 궁금해 하는 임부들의 의문을 조금 해소해 줄 수
있다. 양의 수인 1 3 5 7 9와, 음의 수인 2 4 6 8 0을 가지고 가늠해 볼 수 있다. 남여의 나이
가 홀수인 때는 + (양)이고, 짝수일 때는 - (음)로 보며, 임신된 월이 홀수 달이면 + (양), 짝
수 달이면 - (음)으로 하여 3가지를 곱하여 +이면 아들이고, -이면 딸로 판정한다.

예로 남자 나이가 31세, 여자 나이가 26세며 임신된 달이 4월이면 + (1), − (6), − (4)의 조합이 만들어지고 모두 곱하면 + 24로 남자일 확률이 높다. 모든 숫자는 음력이든 양력이든 상관없는데 단지 동일한 것으로 해야 한다. 결과의 숫자는 의미가 없고 + 인지 − 인지가 중요한 것이다.

1) 입덧

임신하고 60일 가량 지나면 음식냄새에 민감하여 냄새를 맡으면 구토증이 생기거나 울렁거려 먹지를 못하고 어지럽고 신 것을 좋아하며 눕기를 좋아한다. 이것을 입덧 또는 오조(惡阻)라한다.

이 현상은 자궁의 경락이 위와 연결이 되어 있어 음식이 위로 들어와 소화를 시키면 위가 움직이는 대로 자궁도 같이 움직이게 되어 태아가 불안한 상태가 되므로 이를 보호하기 위하여 음식을 토해 내려고 하는 현상이다. 임신을 하게 되면 간에서 자궁으로 피를 많이 보내야 하므로 간의 허를 발생하므로 간의 허를 수렴하는 것은 신맛이므로 신 음식이 당기게 된다. 임신오조의 약으로는 삼령백출을 사용하거나 순간익기탕을 쓴다. 임신중독증에는 당귀작약산을 쓴다.

순간익기탕　「韓方秘錄」

임신오조

인삼 당귀 소자 신곡 복령4 숙지황20 작약 맥문동 백출12 진피 사인2

백출산　「韓方秘錄」

姙娠養胎(임신양태)

수습이 많아 낙태하기 쉬운 사람의 낙태 방지약이다.

백출 천궁4 촉초3 모려2

위의 비율로 산을 만들어 일회 2g씩 4회 복용한다.

2) 태루증(胎漏症), 태동증(胎動症)

모두 하혈이 되어 유산의 우려가 있는 현상이다. 태동은 배가 아픈 것이며, 태루증은 배

554

가 아프지 않은 것으로 궁귀교애탕이나 소건중탕 교애사물탕을 쓴다.

교애사물탕 「韓方秘錄」

태루복통

> 숙지황 당귀 천궁 작약 아교 조금 백출 사인 애엽 향부자4 유미일촬

3) 반산

낙태가 되는 것으로 그 원인은 기혈이 허하여 자궁으로 영양을 공급하지 못하면 발생한다. 심한 노동이나 몹시 성을 내어도 내에서 열이 발생하여 열이 혈을 소모시켜 태아를 상하게 하여 유산이 되기 쉽다.

대부분의 낙태원인은 임신 중에 부부관계를 자주하여 발생한다. 분노로 인하여 내화(內火)가 발동하여 유산기운이 있으면 소건중탕, 당귀산을 쓴다. 유산의 기운이 있으면 태루나 태동의 증에 맞춰 약을 사용한다.

당귀산 「傷寒論」

婦人姙娠 宜常服 當歸散主之

姙娠常服則易産 胎無苦疾 産後百病悉主之

부인임신 의상복 당귀산주지

부인상복즉이산 태무고질 산후백병실주야

신경이 날카롭고 火를 잘 내며 마른 사람의 낙태방지약이다. 임부가 상복을 하게되면 출산이 쉬워지고 태아도 아무런 병이 발생하지 않게 된다. 산후에 오는 모든 병에도 사용한다.

> 당귀 황금 작약 천궁8 백출4

위의 비율로 산을 만들어 일회 4g씩 하루 2번 복용한다.

4) 임신 중 감기

임신 중 상한에 노출되어 감기가 들었을 때는 신중하게 약을 투여해야 한다. 가능하면 약을 주지 않는 것이 후일에 일어날 만일의 사태를 방지하는 것이 된다. 산후에 온 것이라면 보혈위주로 약을 쓰고 소시호탕을 주어 화해시킨다.

5) 잉부불어(孕婦不語)

임부가 말을 못하는 것으로 심화가 폐에 침범하여 발생한다. 심화를 내려 폐를 맑게 하면 되며 자연히 말을 하며, 약을 쓰지 않아도 출산을 하고나면 저절로 말을 하게 된다. 심화를 내리는 처방으로는 사물탕에 대황 망초를 넣어 달이고, 먹을 때 꿀을 조금 타서 차게 천천히 복용한다.

6) 아침통(兒枕痛)

산후에 훗배가 아픈 것을 말한다. 실소산을 쓰거나 당귀건중탕을 쓴다.

실소산　「古今名醫方論」

治産後 心腹絞痛欲死 或血迷心竅 不省人事

치산후 심복교통욕사 혹혈미심규 불성인사

출산 후에 배가 쥐어짜듯 아파서 죽을 것만 같은 것과, 혹 혈이 심규에서 헤매어 인사불성인 경우를 치료한다.

오령지 포황等分

12g씩 달여 3번 먹는다.

독성산　「古今名醫方論」

산사육80g

동변과 물을 합하여 달이고 설탕을 넣어 녹인 다음 복용한다.

산후에 오로가 빠지지 않아 배가 아픈 것을 치료하는 방제이다. 심주혈이요 비통혈이며, 간장혈이라 산후에 어혈이 자궁에 정체되어 3경(심 비 간)에 모두 병이 오면 심복동통이 일어나고 오한발열과 신명이 맑지 못하여 어지럽고 흉격에 열이 뭉쳐 근심걱정이 많아 마음이 괴롭게 된다. 이런 사람은 한이 자궁에 응체되어 없어지지 않아서 오는데 기가 막혀 흐르지 못하고 오로가 머물러 있어 아랫배가 아프고 근심이 많아 죽고 싶은 증상이 생기는데 파혈과 행혈을 하는 오령지가 간으로 들어가 행혈하게 하며, 포황은 파혈한다. 독성산은 산사 한 가지를 진하게 다려 설탕을 녹여 동변과 함께 복용한다. 산사의 효능은 음식을 소화하고 건비하는 것뿐만 아니라 어혈이 쌓여 오랫동안 정체하여 발생하는 부인병에 어혈을 부수어 하복이 아픈 증상을 제거한다. 다시 사탕을 더하면 비로 들어가 오로를 몰아내고 중을 따뜻하게 하여 더 이상 비를 상하지 않게 하며, 동변은 기를 상하지 않으면서 양하(凉下)하게 한다.

당귀건중탕   「傷寒論」

婦人産後 虛羸不足 腹中刺痛不止 吸吸少氣 或苦少腹中急攣 痛引腰背 不能
飮食
産後一月 日得服 4~5劑爲善 今人强壯

부인산후 허리부족 복중자통부지 흡흡소기 혹고소복중급련 통인요배 불능음식

산후일월 일득복 4~5제위선 금인강장

산후에 허하고 말라 배가 찌르듯 아픈 것이 멈추지 않아 숨을 들이쉬기가 어렵고 아랫배가 아프고 당기고 경련이 일어나고 등 까지 통증이 발생하며, 음식을 먹을 수 없게 된다. 출산 1개월까지 하루에 4~5첩을 먹게 되면 건강하게 된다.

> 당귀8 계지 생강 대조6 작약12 감초4

7) 중상(重傷)

산후에 피가 계속하여 나오는 것으로 아랫배가 부르고 아프면 간이 나빠진 것이다. 병원에서 조리를 해야 한다.

4. 불임(不姙)의 문제

결혼을 하고 임신을 해서 떡두꺼비 같은 아기를 낳아 행복하게 사는 것이 부모님들한테 드리는 효도의 한 방편이고 가정을 원만하게 구성하여 건전한 결혼생활을 영위토록 해주는 첫 요건인데, 사회가 발전하고 여성들의 활동영역이 넓어지고 집안일 외에 사회적 업무에 시달려 신경이 예민해지고 스트레스가 심해져 몸은 점점 약해지니 생리불순과 생리통, 대하, 자궁염증이 많이 발생한다. 여기서 그치지 않고 직장을 다니다보니 결혼 적령기가 훨씬 지난 뒤 혼인을 하여 아기를 받아들일 몸이 못되는 것이다. 임신 적령기는 21세부터 28세로 여겨지며 35세까지는 모든 출산을 끝내야 한다고 생각하는데 요즘 보면 35세가 넘어도 미혼인 사람이 많다. 세태가 이러니 임신하기 어려워지고 출산율은 점점 떨어지고 사회적 문제가 되었다.

임신, 즉 아기를 가진다는 것은 내 몸의 반을 나눠줘야 하는 것이다. 나 혼자 먹고 살기도 힘든데 반을 떼어주면 둘 다 힘들어져 몸에서 받아들이지를 않는다.

그리고 다른 경우는 씨앗이 싹이 트지 않는 경우를 말하는 것으로 사막에다 파종하는 것과 얼음 속, 물 속, 불 속, 자갈밭 등에 파종하는 경우다. 사막이란 여자의 몸이 너무 말라 영양이 부족하여 불임이 되는 것이고, 얼음 속이란 몸이 너무 냉한 것이고, 물속은 몸에 습이 많은 즉 물살이 많은 사람이고, 불 속은 열이 많은 사람이며, 자갈밭이란 어혈이 많은 경우를 말한다. 여자는 이상이 없으나 남자에게 원인이 있는 것은 정자의 생성량이 적거나 정자 운동성이 약한 것으로 약을 1~2년을 먹어야 한다. 그리고 마지막으로 첫째를 낳고 둘째를 가지려 해도 임신이 안 되는 경우도 있다. 이것은 자궁이 너무 소모된 상태가 원인이다. 불임의 치료는 쉬운 것 같아도 매우 어려운 것이다. 어떤 이는 한 달 먹고 생기는 경우도 있고 2~3달 혹은 더 길게 먹어도 안 되는 것도 있다. 통상 불임은 6개월 정도 시간을 갖고 약을 먹어야 하는데 약을 먹다가 임신이 되어도 약을 계속 먹는 게 좋다. 어렵게 생긴 아기는 쉽게 손을 놓는 버릇이 있다.

1) 불임의 임상

맥 상태가 부홍대면 보기혈정탕을 쓴다. 「韓方秘錄」

> 당귀320 백출 숙지황 작약 황기 200 산수유160 인삼 복령 맥문 오미자120
> 신곡40 사인 진피20 구기자 하수오 녹용80

90포로 만들어 1일 3회 1개월 복용한다. 약 복용 중에 임신이 되어도 계속 복용한다.

2) 남성불임

육미를 장복하거나 또는 천하제일방을 복용한다.

3) 불임의 방제

온포산 「韓方秘錄」

婦人 下身氷冷 交感之時不感 有溫熱之氣 是胞胎之寒也 又不感症亦好

부인 하신빙냉 교감지시불감 유온열지기 시포태지한야 우불감증역호

부인이 하초가 어름처럼 냉하여 교감시 느낄 수 없는 것은, 온열의 기운이 있어도 자궁이 차서 오는 것이다. 그리고 불감증에도 효과가 좋다.

> 백출토초 파극염수초40 두충 토사자 산약 감인12 육계 파고지8 인삼4 부자1.2

연속 1개월 복용하면 자궁이 따뜻해진다.

– 과립; 팔미오자 온경 계령 (상황에 따라 보기를 가한다.)

청경사물탕 「韓方秘錄」

經水不及期而來者 乃血虛有熱也

경수불급기이래자 내혈허유열야

때가 되어도 생리가 없는 것은 혈이 부족하고 열이 있어서 온다.

> 당귀6 건지황 황금 향부자4 작약 황련3.2 천궁 아요 황백 지모 애엽 감초1.2

– 과립; 팔미오자 황련해독 궁귀교애 (시호증이 심하면 시호제를 쓴다.)

가미보중익기탕 「韓方秘錄」

婦人肥滿 痰涎甚多 不能受孕 是濕盛之故也

부인비만 담연심다 불능수잉 시습성지고야

> 백출40 복령20 인삼 당귀 황기 반하12 시호 감초4 진피2 승마1.6

연속하여 20첩을 먹으면 수습이 줄어들어 자궁이 좋아져 임신이 잘 된다.

– 어혈이 심하여 오는 불임은 좌하복의 연급을 확인하고

　온경 + 계령 + 당작 + 삼칠1.5 + 당귀건중

양음종옥탕 「韓方秘錄」

婦人 有瘦身軀 久不受孕 一交男子 臥病終朝 是氣血之虛故也

부인 유수신구 구불수잉 일교남자 와병종조 시기혈지허고야

부인이 몸이 파리하고 수척하면 오랫동안 임신이 되지 않는 것이다. 남자와 관계를 하면 하루 종일 누워있어야 하는데, 이는 기혈이 허하여 오는 것이다.

> 숙지황 당귀 작약 산수유20 산약12 목단피 복령 두충8 감국 우슬4

조경종옥탕 「韓方秘錄」

婦人無子 多因 七情所傷以致 經水不調

부인무자 다인 칠정소상이치 경수부조

부인이 아기가 생기지 않는 원인 중에는 칠정에 상하여 오는 경우가 많다. 신경을 많이 써서 오는 생리불순에도 효과가 좋다.

> 숙지황 향부자초4.5 당귀신주세 오수유 천궁3 작약 복령 진피 현호색2.4
> 목단피2.4 생강3 (몸이 냉하면 加건강 육계 애엽1.5)

1일 1첩을 달여 2회 복용하며, 생리시작과 동시에 1개월간 복용한다.

5. 산후의 문제

1) 산후의 조리

임신 3개월째부터 당귀작약산을 3g씩 일 3번 복용하면 임신중독증이 예방되고 아기가 작게 태어나 건강하게 잘 자란다. 30대 이후의 초산자는 필히 먹는 것이 좋다. 인삼을 가루로 하여 함께 복용하면 더 좋다. 출산 10여일 전부터 소시호탕을 복용하면 태열예방과 소아황달을 방지할 수 있다.

산후 복통이나 수술 후 복통, 산후조리의 목적으로 약을 쓸 때는 당귀건중탕을 복용한다. 산후에 부종이 있으면 당귀작약산과 함께 복용한다. 임신 전에 임신오조의 방지와 회임이 잘 되기 위한 약은 팔미 온경을 합하여 사용한다.

당귀작약산료 「傷寒論」

婦人懷妊 腹中㽲痛 婦人腹中諸疾痛 當歸芍藥散主之

부인회임 복중교통 부인복중제질통 당귀작약산주지

> 당귀 천궁 백출6 작약12 복령 택사8

임신 중 복부가 간헐적으로 아픈 것은 혈허와 기허로 비에 습이 울적하고 간화가 승하여 태반 중에 기혈이 저체되어 움직이지 않는 것이 원인이다. 본방은 간과 비를 조화시켜 기혈을 통하게 하고 영기와 위기를 조절하고 비를 튼튼히 한다. 사물탕에 오령산이 합해진 것으로 볼 수 있어 근육에 수분의 정체를 푸는 것으로 보면 이해가 쉽다. 근육이 말랑말랑하고 멍이 잘 드는 사람의 생리불순이나 대하에 사용한다. 출산 후에 어지러운 것은 기혈이 많이 소모되어 몸이 허해져 발생하는데 심하면 정신을 잃고 기절하여 말을 못한다. 이를 산후혈훈이라 하는데, 출산 시 하혈을 많이 하여 피가 부족하여 오는 혈훈은 당귀보혈탕을 쓰고, 하혈이 뭉쳐 빠지지 못하고 오로가 심하로 올라가면 가슴이 답답하고 어지럽고 입을 악물고 말을 못하며 민절(悶絕)하여 사람을 알아보지 못할 때는 투명산을 쓴다.

당귀보혈탕 「韓方秘錄」

> 황기80 당귀40 육계2

투명산(套命散) 「韓方秘錄」

産後血暈因下血尠少 乃惡露上搶於心下 滿急 神昏譫語 口禁不知人
(尠-적을 선, 搶-닿을 창)

산후혈훈인하혈선소 내오로상창어심하 만급 신혼섬어 구금부지인

산후에 어지러워지는 것은 하혈로 인하여 피가 줄어들어 오며, 오로가 심하에 닿으면 부풀고 아프며 정신이 혼미하여 헛소리를 하고 입을 다물고 사람을 알아보지 못한다.

> 몰약 혈갈 等分

爲末 매8g을 동변과 술을 반씩 하여 전복하면 효과가 좋다.

산후에 입과 코가 검어지고 코피가 나는 것은 위절폐패(胃絕肺敗-위기(胃氣)가 없어지고 폐가 나빠진 것)이며 산후뉵혈이라 한다. 서각지황탕으르 쓴다.

서각지황탕 「古今名醫方論」

主治吐衄便血 婦人血崩 赤淋
주치토뉵변혈 부인혈붕 적림

음허로 허열이 발생하고 허열이 혈관을 확장하여 위로는 피를 토하거나 코피가 나고 대변에 혈이 나오고 자궁으로 열이 뻗쳐 오는 부인의 혈붕과 혈뇨를 치료한다.

> 생서각 생지황 백작약 목단피

진액이 부족하여 양을 함양하지 못해 고양(孤陽)이 되어 열이 나고 그 열이 혈관을 확

장하거나 열이 혈맥으로 들어가 혈이 망행하여 발생하는 제 출혈증을 잡는 처방이다. 대체적으로 서늘한 약을 사용하면서 진액을 보충하여 열을 내려 출혈을 치료한다. 음과 양은 분리하여 생각할 수 없고, 음이 있어야 양이 살고, 양이 있어야 음을 생성할 수 있으니 기는 양이요 혈은 음이다. 양은 음이 충만하면 안정이 되고, 양이 성하면 음이 손상을 입게 된다. 음의 모자람이 없으면 양(陽)은 음(陰)속에 포함되어 안정이 된다. 만약 음허가 발생하면 양은 반드시 빠져 나온다.

이것이 고양이며 빠져나온 양은 반드시 열로 나타난다. 그래서 음이 부족하고 양이 유여하게 되면 반드시 화화(火化)된다. 만약 화가 혈실(자궁)에 들어가게 되면 혈은 경락을 제대로 운행할 수 없어 망행하게 된다. 즉 역상하는 기를 따라 상초로 망행하면 입과 코로 출혈이 오고, 하초로 쏠리게 되면 대변과 소변으로 출혈하게 된다. 비록 열이 경락에 있고 장부에 있는 것으로 나누어 보더라도 대개 심장은 주혈이라 하여 혈행을 주제하고, 간은 장혈이라 하여 화혈과 파혈을 주제하는 관계로 혈의 망행은 심과 간이 열을 받은 소치이다.

심은 영혈(혈행)의 주라 심화가 왕성하면 혈은 안정을 잃어버리게 된다. 그래서 서늘한 약을 사용하여 심화를 내려준다. 간은 장혈의 장기로 간화가 왕성하면 혈을 지키고 보호할 수 없다. 이 방은 청화지제라고 열을 내려주는 처방 같지만 사실은 자음지제로 음을 보하면서 열을 내려주는 처방이다.

실혈하면 음허하게 되고 음허하면 기가 약해진다. 고로 음부족자는 당연히 음을 보하여 진액이 충만하게 되면 기도 상하지 않고 살아나게 할 수 있다. 만약 고한(苦寒)한 약으로 기를 사하게 되면 일단은 열이 내리고 치료된 듯 보이지만 음허를 더 심한 상태로 만들어 양이 강한 자는 화화되어 더욱 괴롭게 되고, 양기가 이미 쇠한 자는 음도 역시 허한 상태로 몸 전체가 허극한 상태로 빠지게 된다. 이렇게 하면 음허로 발생한 허열을 잡는 것은 점점 더 어렵게 된다. 음의 부족으로 양기가 성할 때 음을 채워 양을 조절하는 것이 바른 이치다. 음을 채우는 처방에는 여러 가지가 있지만 특히 신음을 채우는 것은 육미, 열을 내려주는 것은 황련해독, 음이 허하다면 모든 진액의 부족이므로 백호탕도 생각해보고, 진액을 가장 빨리 채우는 소건중탕도 잊어서는 안 되며, 혈실의 문제라면 사물이나 궁귀교애, 간화도 기억하여 잘 사용하면 음허로 오는 제 출혈을 치료할 수 있다.

2) 산후천수(産後喘嗽)

산후에 갑자기 기침이 나오며 숨이 차는 것은 피를 많이 흘려 폐허로 폐조가 일어나 천

562

만증이 생긴 것으로 고양절음(孤陽絶陰)의 현상이다. 육미와 자감초 소건중 맥문동탕을 쓰거나 소삼소음을 쓴다.

소삼소음 「韓方秘錄」

產後 敗血入肺 面黑 發喘欲死

산후패혈입폐 면흑 발천욕사

산후에 오로의 피가 폐로 유입되면 얼굴이 검어지고 숨이 차서 죽을 것 같다.

> 소목80

물 2그릇을 부어 1그릇이 될떄까지 달여 인삼말8g을 섞어 복용한다.

3) 산후해수

출산 후에 해수가 있는 것으로 오로가 폐로 들어가면 발생한다. 소청룡탕과 소시호을 쓰거나 이모산, 선복화탕을 쓴다.

4) 산후해역

출산 후에 횡격막이 줄어들고 기도가 좁아져 숨쉬기가 어려운 것으로 숨을 들여 마실 때 소리가 난다. 계강탕을 쓴다.

선복화탕 「韓方秘錄」

產後 感冒風寒 咳喘痰盛

산후 감모풍한 해천담성

산후에 감기에 걸려 기침하고 숨이 차며 가래가 많은 것을 치료한다.

> 선복화 적작약 형개 반하 오미자 마황 적복령 행인 전호 감초4 생강3 대조2

이모산 「韓方秘錄」

產後 惡露 流入肺經 咳嗽

산후 오로 유입폐경 해수

> 지모 패모 복령 인삼4 도인 행인8

계강탕 「韓方秘錄」

産後 咳逆不止 欲死

산후에 기침이 심하여 죽을 것 같은 증상에 사용한다.

> 육계20 강즙3

같이 달여 따뜻하게 먹는다.

구탈활모탕 「韓方秘錄」

産後 喘促

산후 천촉

출산 후에 숨이 가쁘고 힘없는 기침을 하는 것이다.

> 인삼40 맥문동 숙지황20 구기자 산수유10 아교 형개초4 육계2

5) 산후불어(産後不語)

출산 후에 말을 못하는 것이다. 오로나 패혈이 심장으로 들어가 심기가 막혀 혀가 뻣뻣해지기 때문이다. 칠진산을 쓴다.

칠진산 「韓方秘錄」

産後不語 因敗血入心 心氣閉塞 舌强不語

산후불어 인패혈입심 심기폐색 설강불어

> 인삼 생지황 석고 창포 천궁8 세신 방풍4

가루로 하여 박하탕으로 먹는다.

6) 산후탈음, 탈항

출산 시 힘을 많이 주어 발생한다. 탈음에는 당귀황기음, 탈항에는 가미팔물탕을 쓴다.

564

당귀황기음 「韓方秘錄」

産後 脫陰 用力太過所致

산후 탈음 용력태과소치

산후에 탈음이 되는 것은 힘을 너무 많이 써서 오는 것이다.

> 황기주초12 인삼 당귀 승마8 감초4

하루 3번 먹는다.

가미팔물탕 「韓方秘錄」

産後 腸出不收

산후 장출불수

산후에 항문이 빠진 것을 치료한다.

> 사물탕 + 사군자탕 加방풍 승마 황기주초

7) 산후두통

열이 나면서 두통과 신체통이 오는 것인데 감기로 인한 것이 아니고 혈이 허하여 오는 경우와 패혈로 인한 것이다. 사물탕에 시호를 가하여 복용한다.

8) 산후심복통(産後心腹痛)

어혈로 인한 것이며 실소산을 쓰고, 출산 후에 구토가 나고 오심이 생겨 먹지를 못하는 것은 패혈(오로)이 비위로 들어가서 발생한다. 화비음, 가미육군자탕, 저성탕을 쓴다.

실소산 「古今名醫方論」

産後 心腹絞痛 欲死 或血迷心竅 不省人事(絞–묶을 교)

산후 심복교통 욕사 혹혈미심규 불성인사

산후에 심복이 묶는 듯 아파서 죽을 것 같은 것을 치료한다.

> 오령지 포황 등분

화비음 「韓方秘錄」

산후 구토

진피 반하 백출 복령 사인 곽향 인삼 신곡 당귀 감초4 생강5

가미육군자탕 「韓方秘錄」

복령 인삼 감초 진피 백출 반하4 지실 산사2 강황1.2 생강3

저성탕 「韓方秘錄」

産後 嘔逆惡心 不能飮食

산후 구역오심 불능음식

산후에 구역질이나 울렁거림으로 음식을 먹지 못하는 것을 치료한다.

적작약 반하 택란엽 인삼 진피6 감초2 생강7

9) 욕로(蓐勞)

출산 후에 기혈이 회복되지 않았는데 신경을 쓰게 하고 속을 썩이거나 과로를 하게 하면 방사태과로 기침을 하고 머리가 아프고 눈이 흐리고 아프며 왕래한열과 도한이 나고 음식의 소화가 안 되며 심하면 생명이 위태로운 것을 말한다. 숙건지황탕을 쓴다.

숙건지황탕 「韓方秘錄」

産後 氣血未復 而有房事 勞損下血 頭目沈重 甚則乃死境

산후 기혈미복 이유방사 노손하혈 두목침중 심즉내가경

숙지황6 당귀 蟹爪微炒(게껍질) 녹각 아교 곤포4 복룡간3 포황 복령 작약2 계심 감초2 죽여4

10) 유월불산(逾月不産)

해산 달이 되었는데 출산을 못하는 경우로 기혈이 부족하여 복중에 태아에게 충분한 영양이 공급되지 않아 성숙이 느려진 관계로 발생한다. 팔물탕에 녹각 아교를 넣어 달여 먹으면 곧 해산하게 된다.

11) 독음무양 독양무음(獨陰無陽 獨陽無陰)

독음무양은 과부나 여승이 음욕을 채우지 못하면 한열이 왕래하고 얼굴이 붉고 가슴이 답답하고 땀을 흘리며, 오전은 피로하여 힘을 쓰지 못하며 밝은 곳을 싫어하고 사람의 목소리도 듣기 싫어하며 오후에는 머리가 아프고 배가 아프며 몸살처럼 앓게 되는 것이며 생리 때는 더욱 심하게 된다. 시호억간탕이나 청신양영탕을 쓰고, 독양무음은 홀아비나 여자가 없이 홀로 지내는 남자에게 나타나는 것으로 정신이 혼미하거나 열이 달아오른다. 청신억화탕을 쓴다.

시호억간탕　「韓方秘錄」

獨陰無陽 面赤 心煩 惡風 自汗 寒熱往來

독음무양 면적 심번 오풍 자한 왕래한열

> 시호8 청피6 작약 목단피4 지골피 향부자 치자 창출2.8 천궁 신곡초2 생지황 연교1.2 감초0.8

청신양영탕　「韓方秘錄」

獨陰無陽 每日午前 神氣昏憒 怕見明處 惡聞人聲 至午後 眩昏腹痛 月事時尤劇

독음무양 매일오후 신기혼궤 파견명처 오문인성 지오후 현혼복통 월사시우십

> 당귀 천궁 숙지황 작약5 인삼 복신 진피 시호 강활 향부자 감초4

청신억화탕　「韓方秘錄」

男子 獨陽無陰

남자 독양무음

> 단삼 당귀신 용안육 복신 맥문동 산약 황련 목단피 적작약 생지황 목통4
> 시호 황금 감초2 불면이 있으면 加산조인 원지 창포

자음지보탕　「韓方秘錄」

婦人 諸虛百損 五勞七傷 經脈不調 寒熱羸瘦

부인 제허백손 오로칠상 경맥부조 한열리수

부인이 아주 허약하여 오장육부가 모두 허하다. 그래서 생리가 불순하고 살이 찌지 않고 파리해 지는 모든 증상에 사용한다. 허약한 부인의 보약이다.

> 당귀 백출4 복령 진피 지모 향부자 지골피 맥문동 작약주초3.2 시호 박하 감초2 생강3

삼합탕　「韓方秘錄」

婦人虛勞　百藥針灸　皆不效

부인허로 백약침구 개불효

부인이 허약한데 어떤 약이나 침이나 뜸으로도 효과가 없는 경우에 사용한다.

> 사군자탕 + 사물탕 + 소시호탕

12) 장조증

히스테리증상으로 몸이 허약한 사람이 심혈이 허하여 기분이 안정되지 않고 초조하거나 혼란스러워 편안하지 않은 것으로 슬퍼서 울기도 하고, 좋아서 웃기도하는 것이 귀신이 들린 것처럼 보인다. 다른 사람을 물기도하고 때리기도 하는 증상으로 하품과 기지개의 변형으로 보고 감맥대조탕을 쓴다. 아이가 엎어져 있으면 성교의 행동을 하는 것도 이 증이다.

감맥대조탕　「傷寒論」

婦人藏燥　喜悲傷欲哭　象如神靈所作　數欠伸

부인장조 희비상욕곡 상여신령소작 삭흠신

> 감초6 소맥28 대조5

13) 유즙불통

출산 후에 젖이 나오지 않는 것으로 기혈이 너무 성하여 젖 구멍이 막혀 나오지 않는 경우와 기혈이 너무 허하여 나오지 않는 경우가 있는데, 기혈이 성한 경우는 통간생유탕, 기혈이 허한 경우는 통유단, 통초탕을 쓴다.

통간생유탕   「韓方秘錄」

産後 丈夫之嫌 或公姑之啐遂 而兩乳脹滿作痛 乳汁不通 此肝氣之鬱結也

(啐-꾸짖을 줴)

산후 장부지혐 혹공고지췌수 이양유창만작통 유즙불통 차간기지울결야

출산 후에 남편이 미워하거나 시어머니의 꾸짖는 소리에 놀라거나 하면 양 유방이 창만하고 아프며 젖이 나오지 않는다. 이는 간기의 울결로 인한 것이다.

> 숙지황40 작약초초 당귀주세 백출토초 맥문동20 통초 시호 원지4 감초1.2

달여 1제를 먹으면 통한다.

통유단=생유단   「韓方秘錄」

産後數日 絶無點滴之乳 此氣血之涸也

산후수월 절무점적지유 차기혈지고야

산후 젖이 나오지 않거나 몇 방울만 나오는 것은 기혈이 말라서 온다.

> 당귀주세80 황기40 맥문동20 인삼4 목통 길경1.2 저재去爪(족발)2개

달여 2제를 먹으면 젖이 샘처럼 용솟음친다.

통초탕   「韓方秘錄」

유즙불통

> 길경8 앵맥 시호 천화분4 통초2.8 목통 청피 백지 적작약 연교 감초2

약을 먹고 젖을 문지른다.

6. 유방의 문제

1) 유읍

출산 전에 젖이 나오는 것을 유읍(乳泣)이라 하며 아기를 낳아도 잘 기르지 못한다. 보약으로 그치게 해야 한다. 그리고 산후에 저절로 젖이 흐르는 것은 허하여 발생하는데 역시 보약으로 치료한다.

가미사물탕 「韓方秘錄」

치유읍

사물탕에 맥아말4g을 섞어 먹으면 바로 그친다.

2) 취유(吹乳)

아기가 젖을 물고 자게 되면 아기의 더운 입김이 젖 속으로 들어가 몽우리가 생기는 것으로 취내(吹嬭)라고도 한다. 아기를 낳기 전에 젖 몽우리가 생기는 것을 내취내라 하고, 출산 후에 몽우리가 생기는 것을 외취내라 하는데 두 증상 모두 지패산을 쓴다.

지패산 「韓方秘錄」

유방결핵

> 백지 패모 천궁 당귀 승마 시호

4g을 가루로 하여 술과 섞어 자주 먹는다.

청간해울탕 「韓方秘錄」

유방결핵

> 당귀 백출4 패모 적복령 작약 숙지황 치자2.8 인삼 시호 목단피 진피 천궁 감초2

3) 투유(妬乳)

아기가 젖을 잘 빨지 못하거나 또는 아기의 입김 때문에 젖이 나오지 않아 기혈이 상박하면 유방에 종기가 생기는데 통증이 심하다. 가미궁귀탕, 가미지패탕을 쓴다.

가미궁귀탕 「韓方秘錄」

吹嬭 妬乳 乳癰未結卽散 已結卽潰 痛者卽不痛 如神

취내 투유 유옹미결즉산 이결즉궤 통자즉불통 여신

취내나 투유로 젖에 몽우리가 생겼을 때 본 약을 먹으면 유옹이 아직 생기지 않은 것은 그냥 흩어지고, 이미 만들어진 것은 무너지며, 통증은 즉시 없어진다.

> 금은화20 천궁 당귀16 백지4

물과 술을 반반씩 하여 달여 초기에 3첩을 먹는다.

가미지패탕 「韓方秘錄」

乳癰硬作痛

유옹경작통

유옹이 딱딱하고 통증이 있을 때 사용한다.

> 백지 패모 천화분 금은화 조각자 아산갑 당귀미 과루인 감초4

물과 술을 합하여 달인다.

청피전 「韓方秘錄」

乳腫(유종)

> 청피 석고 감초 과루인8 금은화 포공영 조각자 당귀4 몰약2

물과 술을 합하여 달인다.

4) 유암(乳岩) 「韓方秘錄」

이 증상은 젖 안에 돌덩이와 같은 덩어리가 생겨 아프거나 가렵지도 않은 것이 5-7년이 경과하면 점차 밖으로 검붉게 붓고 속에서는 점차 삭아서 凹의 형상이 되는 것으로 유암(바위유방)이라 하며, 유방암은 아니다. 한의서에는 절대 수술을 하면 안 되며 수술을 하면 사람이 죽게 된다고 한다. 이 병은 근심걱정과 분노가 쌓여 생기거나, 몇 년 전에 유옹이나 유종이 생겨 치료가 되었으나 부부가 성생활을 삼가지않아 전에 앓던 유종이 변하여 생긴다. 무수한 구멍이 생기고 결국에는 벌집같이 살이 밖으로 향해 생겨나 죽을 때 까지 낫지 않는다. 이것은 기혈이 몹시 허하여 발생하고 화암탕으로 치료한다.

화암탕

> 백출80 황기 당귀 인동슬40 복령 서근 백개자12

10제를 먹으면 치료된다.

5) 여성양 유방 「韓方秘錄」

남자의 유방이 갑자기 종기처럼 부어 부인의 유방처럼 커졌는데 만지면 통증이 극심하여 죽을 것만 같다. 창독이 아니고 담독(痰毒)으로 발생한다. 소담탕으로 담을 없애야 치료가 된다.

소담탕

男子 女性樣乳房

남자 여성양유방

금은화 포공영40 천화분 백개자20 작약 통초초 치자 복령12 시호8 목통4

7. 부인병의 임상

– 화장이 받지 않는다 : 육미 + 온경 + 황련해독

– 기미 주근깨 간반 : 육미 + 온경 + 계령

– 불임 : 팔미 + 보기정 + 온경 + 계령, 또는 보기혈정탕

– 손이 냉하다 : 팔미 + 온경 + 이중탕

– 정맥류 : 팔미 + 당사오 + 계령(+ 필요시 보기(補氣))

– 진한 대하(냄새와 가려움) : 팔미 + 위령 + 궁귀교애탕 + 인진호탕

– 물 같은 대하 : 팔미 + 위령탕 + 궁귀교애탕

– 오색 대하 : 팔미 + 위령 + 궁귀교애 + 시호제

– 갱년기 증상 : 팔미 + 시호제 + 황련해독 + 쌍화탕

– 다리에 힘이 없고 붓는다 : 팔미 + 위령탕 + 인진호탕 + 오령산

– 전신부종 : 팔미 + 월비 + 향사평위 + 오령산

– 외음부 소양증 : 인진호탕 + 황련해독 + 궁귀교애탕

– 자궁하수 : 팔미 + 보기 + 소건중 + 궁귀교애탕

– 결혼 전 보약 : 육미 + 온경탕 (+ 필요시 시호제)

– 임신 오저 : 삼령백출산

– 산후조리 : 당귀건중탕

– 유산방지 : 소건중탕5g

– 경후통 : 육미 + 가미귀비 + 안중산 + 궁귀교애탕

– 자궁염증(물혹, 근종) : 팔미 + 시호제 + 배탁 + 궁귀(물혹은 + 오령산, 근종은 + 계령)

– 뇨실금 : 팔미 + 시호제 + 당귀작약산

– 방광염 : 시호제 + 배탁 + 용담사간탕

– 유방종(유방 내에 단단한 덩어리) : 팔미 + 시호제 + 배탁 + 구어혈제

제8장

한 약 의 임 상 과 응 용

소아질환

小兒疾患

소아질환(小兒疾患)

　아픈 사람을 상담하면서 가장 답답한 경우가 무엇이라 생각하는지 궁금하다. 본인의 경우는 두세 가지가 있다고 말하고 싶다. 자기의 아픈 증상을 장황하게 넋두리하듯 설명을 한 뒤 어떡해야 합니까 하여 그 증상에 맞는 약을 주면 '이건 안 먹어봐서 못 먹겠어요.'라고 하는 사람이다. 안 해봐서 못하겠다, 처음이라 새로운 것은 못 받아들이겠다, 참으로 어이없는 경우가 아닐 수 없다. 발전의 가능성을 모두 배제한 행동이다. 물론 약을 먹기가 싫다는 것을 그런 식으로 표현하고 있는 것은 알지만 상담자의 입장에서는 말문이 막혀버린다. 갑자기 머리속에서 찬바람이 횡~ 지나간다. 세상은 하루가 다르게 변화하고 새로운 정보가 쏟아져 나오는데 처음 접하는 세상을 어떻게 살아가려는지… 이런 사람 만나면 할 말이 없다. 그리고 '어디가 어떻게 아픈데 약을 처방해주세요.'라고 하여 여러 상황을 질문하고 그 사람의 몸에 맞는 약을 주었는데 요리조리 뒤져 보다가 '이것 말고 ×××으로 주세요.'라고 하는 사람이다. 처음부터 자기가 사려고 생각하고 온 약을 사먹는 것이다. 옹고집 중의 옹고집이다. 정말 손톱, 아니 바늘 끝도 안 들어갈 고집불통인 사람도 있다. 이런 사람은 대머리가 될 확률이 높다고 하는데 정말인지 모르지만… 답답하다. 또 하나는 자기의 아픈 곳을 표현 못하는 사람이다. 바보가 아니라 외국인이거나 어린 아이들이다. 외국인은 그리 많지 않으니 아기들이 문제다. 아기들은 자기의 감정을 행동 즉 웃음이나 울음으로만 표현하며 배부르고 기분 좋으면 웃고, 아프고 괴롭고 배고프면 울고 칭얼거린다. 아기가 계속해서 울고 잘 놀지 않으면 엄마는 걱정이 많이 생기게 된다. 특히 요즘 젊은 엄마들, 육아에 완전 초보인 엄마들은 아주 당황한다. 그래서 의지하는 곳은 병원이며, 무조건 맹신하는 수준을 넘어 절대자처럼 모신다. 그래서 조금만 열이 나도 병원으로 들쳐 업고 달려간다. 그런데 희한하게 아기들은 한 달에 한번 씩 열이 나고 아프다. 엄마들은 진이 빠진다. 얘가 왜 자꾸 아프지? 어디가 이상한가? 하여 그 어린 것을 온갖 검사를 다 해 본다. 결과는 이상 무, 내지는 심장에 잡음이 나네, 황달기가 있네, 빈혈이 있네, 저체중이네, 과체중이네… 검사의 소견상 아무 원인을 밝혀내지 못하면 그 의사는 돌팔이가 되고 손님을 잃어버리는 결과가 오니 어떤 흠집이라도 내려고 안간힘을 쓰게 된다. 이 검사상의 소견들은 아이들이 자라면서 누구나가 생길 수 있고 잠시 나타났다가 성장하면서 자연스레 없어지는 것들이다. 우리 부모님들은 말씀하셨다. 애들은 아프면서 크는 것이다, 한번 아프고 나면 약아진다 하여 약도 잘 먹이지 않고 우리들을 키웠고 그렇게 자란 우리들은 성인이 되어서도 잘 아프지 않게 되었다. 지금 초보 엄마들도 대부분은 그렇게 자랐을 것이고, 아기들은 태어나면서 한 달에 한번 열이 나면서 아프다. 이건 자연의 섭리이며 인간에게만 나타나는 현상이다. 인간으로 태어나서 인간답게 사람구실하며 살아가려면 거쳐야 할 필수과정이다. 그러나 요즘 똑똑한(?) 엄마들과 의사들은 왜 이렇게 아파야하는지 모른다. 아기들의 병은 감기 아니면 배탈이 전부며 36개월 이하의 아기는 하나 더 변증이라는 것이 있고, 변증이라는 것은 사람으로 만들어진 육신을, 열로써 인간으로 빚어내는 과정이다. 도자기를 만들듯 제대로 구워져야 좋은 물건이 된다. 몸을 굽는데 32일에 한번 씩 불을 때며 열이 펄펄 난다 심하면 경기도 한다. 내 아이가 지금 열이 펄펄 끓고 있으면 엄마의 마음도 열이 난다. 병원가서 얼음찜질하고 항생제 주사 맞고 링거 맞고 하여 겨우 열을 내려 집으로 돌아온다. 아기는 녹초가 되고, 엄마도 떡이 되고 생활비도 뭉턱 날아가고… 강제로 열을 내리면 몸이 나은 줄 알지만 이건 큰 오산이 되는 줄은 모른다.

　　하나하나 짚어가며 설명하면 소아의 병은 감기와 배탈, 변증이 전부다. 이것을 구별하는 방법은 간단하다. 변증을 하거나 감기에 걸리거나 체하면 모두 열이 나는데, 감기에 걸려 열이 날 때는 손등이 따뜻하고, 배탈로 열이 날 때는 손바닥이 따뜻하다. 이건 상대적인 것이며 그 당시 손등과 손바닥을 비교했을 때를 말한다. 양쪽 모두가 따뜻하면 감기와 체가 함께 온 것이다. 그런데 이 변증이라는 것은 열은 펄펄 나지만 손바닥만으로 구별하기가 어려운 상태며, 이때는 귀와 엉덩이를 만져 보아야 한다. 귀와 엉덩이가 차면 변증이고, 여기도 뜨거우면 감기나 배탈이 되는 것이다. 변증을 할 때는 절대로 열을 급하게 내려 주면 안 된다. 한 번씩 열이 나면서 오장육부와 신경을 여물게 하는 것이므로 이때에 열이 없어지면 해당 장부가 영글지 못하게 되어 커서 어른이 되면 변증을 제대로 못한 장부는 약

578

하게 된다. 요즘 아이들이 덩치는 크지만 병의 저항력은 예전보다 약하다는 통계가 나오는데 이 원인은 바로 변증을 못하게 막은 엄마나 의사들의 공로다.

아기가 아플 때 당황하지 말고 침착하게 움직여야 한다. 엄마가 무서워하면 아기는 더 무서워지는 법이다. 먼저 손을 만져본다. 다음은 귀와 엉덩이를 만져본다. 손등이 뜨거우면 해열제 등의 감기약을 먹이고, 손바닥이 손등보다 더 뜨거우면 소화제 시럽을 먹이고, 열은 많이 나는데 귀와 엉덩이가 차면 해열제를 이용해서 조금만 내려주어야 한다. 이때는 해열제를 먹어도 열이 잘 떨어지지 않는 특징이 있다. 항생제 주사나 해열제 주사는 설익은 인간으로 만드는 작업이다.

1. 변증 「韓方秘錄」

아기가 세상에 태어나면 변증이라는 과정을 거쳐 완전한 사람이 된다. 변증이라는 것은 음양수화가 혈기를 쪄서 혈체를 이루고 오장육부가 영글고 칠정이 생기게 되는 것이다. 출생 후 32일에 한번 씩 변증이 끝나면 성정이 전보다 달라지는데 오장육부와 의지가 영글어 가기 때문이다.

처음 태어나서 32일에 일변을 하면 신장이 태아 시 모습만 만들어져 나온 것이 영글고, 64일 안에 이변일증을 하면 방광이 영글고, 96일 안에 삼변을 하는 데 심장이 영글고, 128일에 사변이증을 하며 소장이 영근다. 160일에는 오변을 마치게 되는데 간장이 영글고, 192일에 육변삼증을 하는데 담이 영글고, 224일에는 칠변을 하게 되는데 폐가 영글고, 256일에는 팔변사증을 마치면서 대장이 영글고, 288일에는 구증을 마치면서 비가 영글고, 320일이 되면 십변오증을 하면서 위가 영글게 된다

아기들이 감기와 배탈이 잘 나는 원인도 폐와 위가 제일 나중에 변증을 하기 때문이다. 심포와 삼초는 형용이 없는 관계로 변증을 하지 않는다. 십변오증을 마친 뒤에 치아가 생기고 말을 하게 되며 기뻐하고 화를 내며, 오장육부가 제대로 작동하게 된다.

십변오증이 끝나면 삼대증계를 시작한다. 삼대증계는 십변오증이 끝나고 64일인 384일부터 시작된다. 384일에 일대증계가 끝나면 수족경락이 생겨 피를 받아 비로소 아기가 걷게 된다. 다시 64일이지나 448일이 되면 이대증계가 지나 말을 하고 의지가 생겨 전보다 더 약아지고, 다시 64일이 지나 512일이 되면 삼대증계가 끝나며, 마지막으로 한번 64일이 지나 586일이 되면 완전한 인간으로 되어 사람구실을 하게 된다. 변증을 할 때 나타나는 증상은 귀가 차고 엉덩이가 차며 윗입술 중간에 흰 물거품이 생기며 모양이 생선 눈알 같다. 증상이 약하면 열이 나면서 땀이 조금 나고 경기하는 것 같으며 5일 정도 지나면 풀

린다. 중한 증상은 몸이 몹시 뜨겁고 토하기도 하며 땀이 나며 많이 울고 갈증이 난다. 증상은 감기와 비슷하나 7일 정도면 풀린다. 장(臟)이 변증할 때는 조금 가볍고, 부(腑)가 변증할 때는 증상이 심하게 나타난다. 변증을 할 때 함부로 약을 써서 열을 내리면 변증이 완전히 되지 않고 넘어가 제대로 영글지 못하여 성인되면 그 장부가 약해진다.

아기가 옷과 이불이 얇아 몸이 차게 되어 우는 증상은 배가 아파하는 것이다. 소아가 젖을 먹으려고 젖꼭지를 입에 대면 울고 몸과 이마가 뜨거우면 입병이 있어서 그렇다.

2. 감질(疳疾)

몸이 마르고 파리하며 피가 부족한 증상이다. 감질에는 다섯 종류가 있고, 감질은 모두 오장이 부실한 것이며, 12세 이하는 감질이라 하고 그 이상은 로(勞-허로)라고 한다. 원인은 밥이나 고기를 너무 빨리 먹거나, 감기 후에 장시간 토하거나 설사를 하여 비위가 약해졌기 때문이다. 기운과 혈이 부족하여 체증이 생기고 열이 나며 가래가 끓고 오장이 허하게 된다. 또한 피부가 노랗게 되고 마르며 귀나 코가 헐고 전신에 부스럼이 생기며 진흙이나 숯이나 생쌀을 먹고, 시고 짠 것을 잘 먹으며 소화가 불량하고 설사를 잘 한다. 위를 보하고 체를 내려 줘야 한다.

3. 오연증(五軟症)

소아의 오연증은 선천부족으로 체질이 약하거나 토사를 오래하여 발생하는 것으로 항연(項軟), 수연(手軟), 각연(脚軟), 신연(身軟), 구연(口軟)의 5종류가 있다. 소아의 머리뼈가 붙지 않는 것을 해로라 하고 이것은 신기가 부족한 것이다. 신은 골수를 주재하고 뇌는 수해가 되는데 신기가 부족하면 뇌수가 부족하게 되어 머리뼈가 붙지 않는 것이다. 아기가 영양이 부실하여 비위가 약해져 신정의 부족으로 허열이 머리로 상충(相沖)하면 정수리가 돌출하는데 찬 기운이 위로 올라가면 단단하고, 열이 올라가면 유연한 것이다. 반대로 신문갱함이라 하여 정수리가 쑥 들어간 것으로 장부에 열이 있어 물을 자주 먹고 설사를 하게 되면 기혈이 약해져 뇌수가 채워지지 않아 나타난다. 소아의 어지(語遲)는 오연 중에 구연인 것인데, 심신이 부족하여 신기가 혀에 통하지 못하여 생기는 증상이다. 행지(行遲)는 각연증(脚軟症)인데 기혈이 부족하여 골수를 채우지 못하여 생기거나, 간신이 허해서 생긴다. 간주근이며 신주골이라 힘줄이 약해서 생기는 것이다. 소아의 행지(行遲), 치지(齒遲), 어지(語遲), 해로(解顱), 발지(髮遲) 등은 모두 천품이 약하여 발생한다. 육미에 녹용을 넣어 먹는다.

4. 체신(滯頤)

침을 흘리는 것으로 비위가 허냉하여 진액을 제어하지 못하여 흘리는 경우, 위가 열해서 침을 흘리는 경우 두 가지이다. 허냉한 침은 맑고 차며, 열한 것은 끈적하고 따뜻하다. 허냉한 것은 이중탕을 쓰고, 열한 것은 오령산을 쓴다.

견우병   「韓方秘錄」

小兒夜啼

소아야제(아기가 밤에 울고 낮에 자는 현상이다)

흑축말을 물로 떡(납작한 동그랑땡)을 만들어 배꼽위에 붙이고 하루 밤을 지내면 낫는다.

청위양비탕   「韓方秘錄」

小兒受喫泥土 乃脾虛胃熱所致

소아수끽니토 내비허위열소치

소아가 흙을 좋아하며 주워 먹는 것은 비가 허하고 위가 열이 있어 그렇다.

> 석고4 진피 백출 적복령 감초0.8

물로 달여 수시로 먹는다.

녹용사승환   「韓方秘錄」

小兒五軟(소아오연)

> 육종용 우슬 모과 토사자 숙지황 녹용 승마 두충 오미자

모두 같은 양으로 하여 가루로 한 다음 꿀로 오자대의 환을 만들어 따뜻한 술(?)이나 미음으로 30~50환을 먹는다.

5. 천연두, 두창

마마라고 한다. 예방접종으로 요즘은 보기 어렵다. 증상은 감기와 비슷하며 눈꺼풀과 입술이 붉으며 머리와 온몸이 아프고 한열이 왕래한다. 재채기, 기지개, 가래, 기침도 있고 설사를 하고 땀을 흘리지만 증상은 일정하지 않다. 천연두는 반드시 귀가 차고 엉덩이가 차며 귀 뒤에 붉은 맥이 나타나고 가슴사이에 좁쌀 같은 것이 생겨 이것으로 판단을 한다

581

(변증과 유사하므로 유의해야 한다).

감기와 천연두를 분간하기 힘들 때 승마갈근탕을 쓴다.

6. 마진(痲疹)

홍역인데 오장육부의 열이 폐로 올라와 내상 증상이 감기나 천연두와 비슷한 외증이지만 내증이 다르다. 처음 3일간 열이 나고, 약 3일정도 발진이 되었다가 서서히 3일간 들어가 없어지는데 총 일주일가량 걸린다. 홍역이 처음 발생할 때는 상한과 비슷하지만 얼굴이 붉고 가운데 손가락이 차디찬 것이 특징이다. 홍역은 처음부터 끝까지 서늘한 승마갈근탕에 총백 자소엽을 넣어 쓰는 것이 원칙이다. 소아는 육미와 소시호탕, 소건중탕의 합으로 하면 질환을 많이 호전시킨다.

7. 소아의 임상

– 야뇨증 : 육미 + 소건중 + 소시호탕

– 다동증 : 육미 + 소시호 + 소건중

– 키 크는 약 : 육미 + 보기 + 시호제 + 소건중

– 이갈이(성인도 통용) : 백호가인삼 + 시호제

– 틱, 근육경련(눈꺼풀, 입술경련, 기타 틱 증상)-성인도 통용 : 육미 + 시호제 + 쌍화탕 + 소건중(+ 피로가 심하면 보기)

– 천식 : 육미 + 맥문동 + 소청룡 + 황기건중(+ 피로하면 보기)

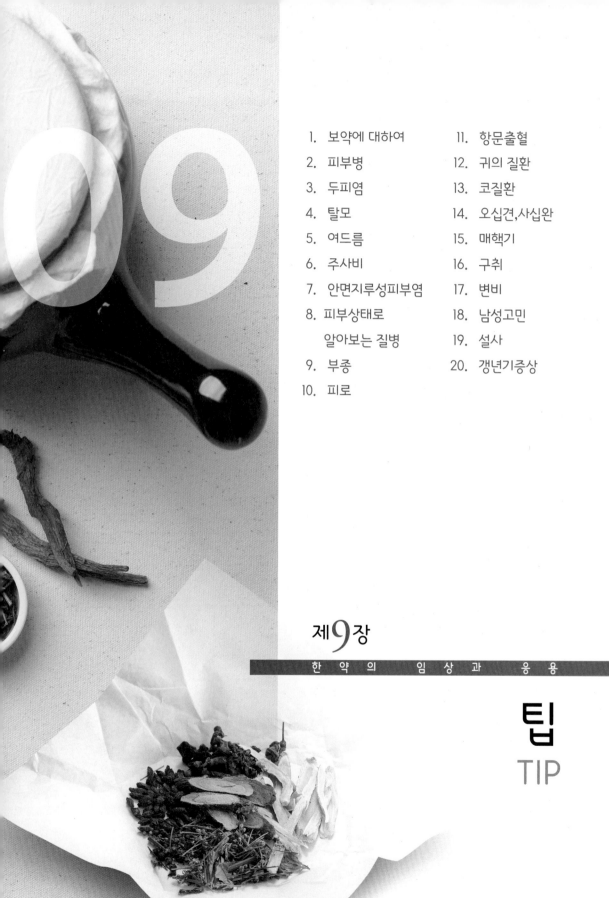

09

제9장

한 약 의 임 상 과 응 용

팁
TIP

제9장

팁(TIP)

여기에 올린 내용은 인터넷 사이트의 건강상담 코너에 올렸던 것들이다. 중복이 되더라도 한 번 읽어 보기 바란다.

1. 보약에 대하여

남녘으로부터 꽃소식이 들려오니 봄은 봄인가 봅니다. 마음도 설레고 나들이도 가고 싶고.. 그래요 참 좋은 계절이죠. 하지만 이 좋은 계절에 무기력해진다는 사람이 많은데요. 흔히 봄을 탄다고 말하지요. 왜 그럴까요? 오늘은 이 증상과 보약에 대해서 말씀드리겠습니다. 봄은 오행상 목에 해당이 되며 우리 신체는 간에 해당이 됩니다. 봄이 오면 간은 항진이 되며 항진이 되면 열이 쌓이게 되고 그 열은 위장을 침범하여 위장의 기능을 저하시킵니다. 위장이 약하여 영양의 흡수가 불량해지면 우리 신체는 필요한 에너지를 충분히 공급받지 못하여 많이 피로해지며, 위가 소화를 시키려면 많은 혈액이 위(胃)로 쏠리게 되어 다른 부위는 상대적으로 혈허의 증상이 오므로 식후에 졸리거나 기운이 쭉 빠지게 되는 것입니다. 간 기능이 약한 사람은 그 정도가 더 심하게 올 수 있습니다. 봄이나 가을에 기운이 없고 맥을 못추면 사람들은 보약을 먹어야 되겠다고 생각합니다. 그리고 가을을 타는 사람은 폐가 약해서 오는 것입니다. 가을은 금(金)에 속하며 오장은 폐에 속합니다. 폐는 우울한 느낌이나 슬픔의 감정을 가지고 있는데 폐기능이 약해지면 활동력이 떨어지면서 우울하거나 슬픈 감정이 튀어나오게 됩니다. 폐질환을 앓고 있는 사람은 가을에 스스로 목숨을 끊는 경우가 많은 것이 이런 원인으로 그렇습니다. 간 기능이 약하고 폐가 약하면 봄을 타고 가을을 타게 되는데 보약을 생각하시는 모든 분들은 십전대보탕에 녹용 좋은 것을 넣고 달여 먹으면 기운이 날 것처럼 생각하지만 절대로 그렇지 않습니다. 그리고 겨울방학이 끝나고 새 학기가 시작되면서 새로 학교에 입학하는 부모님들이 체력도 튼튼해지고 공부도 잘하길 바라는 욕심으로 총명탕에 보약(십전대보탕)을 겸해서 같이 해주는 경우도 있습니다. 하지만 총명탕은 절대로 총명해지지 않습니다. 보약이라 하면 양기를 보태주는 것으로, 양기는 사람이 활동하는 에너지입니다. 양기를 보해야 하는 사람은 방안에서 구들찜질만 사람입니다. 외부로 나가서 활동하기 싫어하며 움직이는 자체를 싫어하여 방안에서 뒹굴뒹굴하며 하루 종일 티비 채널만 돌리는 사람입니다. 이런 사람에게 양기를 보태주면 밖으로 나가서 상자라도 주우려고 할 겁니다. 누워있으면 나가고 싶으니까요. 에너지가 넘쳐 활동은 잘 하는데 집에 와서 쉬면 녹초가 되는 분이나, 일할 때는 전혀 피로하지 않은데 쉬면 땅으로 꺼지듯 맥을 못추는 사람은 십전대보탕은 사약이나 마찬가지가 됩니다. 쉽게 말하면 불난 집에 기름을 붓고 부채질을 하는 꼴이 되는 것입니다. 더 심하게 표현하자면 이런 분들에게 양기를 보하는 보약을 해드리면 당신 보기 싫으니까 낮이나 밤이나 싸돌아다니면서 돈이나 벌어 와라 하는 것과 같아요. 좋은 마음으로 해줬다면 정성은 갸륵하지만 약을 먹은 사람은 머리에 김이 오르게 되며 미쳐 날뛰기 일보 직전까지 갈 수 있습니다. 우리 남편 힘내라고, 우리 아이 튼튼하게 공부 잘 하라고 해준 것이 남편을 더 힘들게 하고 아이들을 문제아로 만드는데 일조를 한 꼴이 됩니다. 그럼 어떤 약을 먹어야 체력도 보강이 되고 힘이 생기는지 궁금하시죠? 요즘 사람들은 양기가 부족하여 피로한 사람은 거의 없습니다. 그러니 보양하는 보약보다는 몸을 채워주는 보음(補陰)제가 필요한 것입니다. 쉬이 피로해지고 지구력이 약하고 짜증을 잘 내는 사람은 속에서 받쳐주는 힘이 부족한 것입니다. 속에서 받쳐주는 힘이 음이며 영양이고 진액입니다. 그 세 가지는 정(精), 혈(血), 기(氣)입니다. 이 세 가지를 충족해 주면 차분해지며 쉽게 흥분하지 않고 두뇌의 회전도 잘되고 뒷심이 강해집니다. 기혈정을 보해주는 한약에는 모두가 좋아하는 녹용도 들어갑니다. 물론 가격이 비싸지므로 넣지않아도 무관합니다. 그리고 녹용에 대해서 한 말씀을 더 드리자면 분골, 상대, 중대, 하대, 녹각 등으로 녹용의 질을 구분합니다. 어느 녹용이든 그 성분은 우리 몸에 들어오면 신장을 보하여 정을 많이 만들게 합니다. 그러나 한약재와 녹용을 같이 넣고 3시간 정도만 삶는 것은 약초인 다른 약들은 그 유효성분이 추출되지만 녹용은 목욕만 한 것과 동일합니다. 따라서 그 좋은 녹용의 주성분을 아주 조금만 흡수할 수 있습니다. 녹용이 제대로 흡수되려면 중탕으로 압을 높여 거의 하루정도를 달여야 하고 그렇게 달인 녹용은 껍질만 남고 모두 녹아 없어집니다. 이런 녹용을 드셔야 바르게 녹용을

586

드시는 것이 됩니다. 녹용을 넣고 한약을 3시간 정도 달이고 찌꺼기를 보면 녹용은 그냥 목욕만 했을 뿐입니다. 그리고 또 한 가지 어릴 때 녹용을 먹이면 애들이 튼튼하게 잘 자라지만 너무 일찍 먹이면 머리가 좀 둔해질 우려가 있습니다. 적어도 뇌신경이 모두 발달한 뒤 4세 이상부터 먹게 하는 것이 좋아요. 태어나서 오래 살지 못하고 일찍 죽으면 우리 엄마들은 그 놈 용도 한 재 먹였는데..하며 슬퍼했습니다. 가난하고 배고프던 시절의 얘기구요. 좋다고 아무 때나 함부로 먹는 것은 치명적인 오류를 범할 수 있음을 아시고 잘 분별하여 보약을 드시기 바랍니다. 기혈정을 보하는 약은 달여 먹는 것도 있고, 이걸 싫어하는 분들은 환으로 만들어 드실 수도 있습니다.

2. 피부병(皮膚病)-지루성 피부염

몸에 열이 발생하는 원인을 대별하면 태양병에서 외사의 침범에 대항하여 발생하는 저항열과 음허로 인한 진액부족으로 발생하는 허열이 있다. 몸에서 열이 나는 것은 감기 아니면 음허로 생긴다. 위장의 열도 위내의 진액이 허한 것이며, 간의 열도 간혈(음)의 부족으로 오며, 심장의 열은 생명유지의 기본적인 열이지만 심에 영양의 공급이 줄면 더 심한 열이 난다. 신의 열도 신허 즉 신정의 부족으로 인한 것이다. 폐의 열은 감기로 인한 것으로 저항열이다. 음이 허하여 발생하는 허열은 양을 가두어 두지 못해 고양이 되고, 이 열은 외부로 나와 표에 머문다. 음허로 나는 열은 세 가지로 구분하는데, 비위의 허로 인해 청기의 생성이 부족하여 음허(陰虛)가 만들어져 발생하는 것, 신허로 인한 신음(腎陰)의 부족으로 나는 것, 간혈의 부족으로 발생하는 것인데, 청기의 부족은 보중익탕으로 비위의 기능을 살려 영양의 생성이 좋게 하면 없어지며, 신허로 인한 것은 육미를 사용하여 신정을 채우면 장수제화하여 평온해 지고, 간의 혈허는 지골피음이나 사물류를 사용하여 혈을 보충하면 청열이 된다. 한(汗), 혈(血), 정(精) 등 체액의 총칭을 진액이라 하며, 섭취한 음식의 수곡정미가 장부의 작용으로 생성된다.

땀을 많이 흘리는 것은 표의 진액부족이 발생하고 설사는 이부의 진액부족을 초래한다. 한출(汗出)과 설사(泄瀉)는 전신의 진액부족이 오며, 뱃속이 당기고 근육의 경련을 유발한다. 위열의 발생 기전을 살펴보면, 위는 진액을 주제하며 과도한 운동이나 노동은 위의 진액을 소모하여 발생하는 것, 한사가 위부로 들어가면 양명에서 저항이 강력해져 발생하는 기분의 열과, 소화가 되지 못하여 위내에 숙식이 머물러 부숙(腐熟)하면 습과 열이 발생하는 습열의 두 가지 유형이 있다. 위를 뜨겁게 하는 음식(매운 음식, 술, 꿀, 옻닭 등)이나 약제(인삼, 홍삼, 부자 등)를 먹어도 위(胃)의 열을 더 심하게 한다.

양명의 열은 대열(大熱)로 진액부족이 되고, 진액을 보충하고 열을 내리기 위해 갈증으로 냉수를 많이 마시며, 표에 열을 끄기 위해 대한(大汗)이 나고, 열로 인한 맥홍대를 가져온다. 대열(大熱), 갈등(渴症), 대한(大汗), 맥홍대(脈洪大)를 양명의 4대증이라 한다. 열만 표로 나오는 것은 기분(氣分)의 열이고, 백호탕으로 처리하며, 습열(濕熱)로 오는 열은 인진호탕으로 처리한다. 양명의 열이 심한 사람은 겨울철에도 냉수를 즐기며, 몸이 더워 이불을 덮지 못하고, 항상 서늘한 장소나 음식을 즐기게 된다. 구불인(口不仁)은 음식의 맛을 모르며 저작운동에 이상이오며 입술의 선이 단정하지 못하고 입의 좌우 균형이 다르거나 일그러져 보인다. 이를 갈거나 얼굴에 때가 낀 듯한 거뭇거뭇하게 보인다. 음식 알러지나 옻닭 먹고 가려운 것, 약을 먹고 알러지가 발생하는 것, 심한 구취현상들도 위의 습열로 인한 열월이다.

양명에 열이 많으면 음식이 그냥 삭아지는 소곡선기가 발생하고 아무리 먹어도 배가 고픈현상이 일어나며 현대의 당뇨병과 같은 증상이 발생한다. 음허열은 발생한 장부에 따라 경로도 다르고 증상도 다르게 나타난다. 간의 열은 간의 경락을 따라 머리 목의 측면 눈 어깨 가슴 근 건 연골 대퇴 종아리 발목 발등 발가락 등 온몸의 측면으로 빠지며 염, 옹, 종을 일으킨다. 류마티스나 통풍 역시 간의 열로 인한 것이므로 이들의 치료도 간의 열을 청열하여 치료한다. 신의 열은 신의 길인 뼈나 허리 관절 발바닥 귀 무릎으로 열이 빠지며, 비위의 열은 기육, 입, 눈꺼풀, 손바닥으로 빠지면서 수포를 만들거나 불면이 생긴다.

백호탕은 삼양(태양, 소양, 양명)의 합병으로 배가 부르고 몸이 무겁고 구불인하고 얼굴에 때가 낀 듯 하고 헛소리를 하며 소변을 지리고 땀이 저절로 나는 것은 것을 치료한다. 또한 양명병으로 땀이 나고 갈증으로 물을 마시려하고 맥이 홍대하면서 부활하며 오한은 없고 반대로 오열(惡熱)하는 것 역시 백호탕으로 치료한다. 양명병의 3대 증상은 맥홍대, 대한, 대갈인데 맥이 홍대하고 갈증이 있는 증상은 많지만 대한의 증상은 의외로 나타나지 않는 경우가 많다. 땀은 열을 식히기 위해 피부로 나오는 수분으로 땀 이외에 피부 어느 한부분에 진물이 지속해서 나오는 것도 땀으로 생각한다. 그리고 위의 증상은 느끼지 못하더라도 양명의 경락을 따라 열이 외월(外越)하는 경우에도 백호탕을 적용한다. 불면증이라든지 치통, 삼차신경통, 이를 가는 것, 감기로 인한 고열, 인후통, 코막힘 등의 증상도 석고를 사용할 수 있는 증상이다. 장위(腸胃)에 열이 차서 땀으로 진액의 손실을 초래하여 갈증을 느끼는데 뜨거운 것은 절대로 좋아하지 않고 시원하거나 얼음을 띄운 물을 좋아한다. 그리고 한 겨울에도 냉수를 먹어야하고 잠을 잘 때도 배를 덮고 잘 수 없고, 손발은 차더라도 찬 것을 마시거나, 찬 것을 만지는 것이 좋다고 하면 이것도 석고증이다. 구불인

(口不仁)이라는 내용이 나오는데, 입으로 할 수 있는 모든 것이 부자유스럽다는 뜻으로 말을 제대로 못하거나 발음이 불명확하고, 뜨겁고 차고 아프고 가려운 것을 느끼지 못하고 맵고 짜고 시고 달고 하는 오미(五味)도 가려내지를 못한다는 의미이다. 이 증상도 백호탕을 적용할 수 있다. 사(邪)가 양명으로 들어오면 열을 싫어하고 열이 외로 넘쳐 땀이 많이 난다. 사열(邪熱)이 진액을 말려 갈증이 생기고 물을 마시려 한다. 뜨거운 열이 비위를 조하게 만든다. 백호가인삼탕은 백호탕과 같은데 인삼 일미만 더 가하여 위를 정상화시켜 진액을 많이 생성하게 하여 위열도 끄고 폐의 열도 끄게 하는 방제이다. 배오한(背惡寒)이 나타나는 것은 소음병으로 표의 양기가 없어서 오는 것과, 양명의 내열이 폐를 훈증하여 땀이 나고 표의 양기가 날아가 나타나는 것이 있다. 소음병은 물을 마시려 하지 않지만 백호증은 갈증이 있는 것으로 구별하면 된다. 그러나 항상 오한증이 나타나는 것은 아니다. 땀이 나면서 악한하고 몸에 열이 있으며 갈증이 없는 것은 상풍(傷風), 즉 감기다. 땀이 나며 오한하고 갈증이 있는 자는 더위 먹은 것이다. 두 증이 비슷하나 갈증의 유무로 구별이 된다. 상한과 상풍은 모두 등(背)에 미오한이 있고 때때로 오풍이 있는데, 계지탕이나 마황탕을 사용하며, 때때로 오풍하면서 갈증이 있으면 백호인삼탕으로 치료한다. 폐가 상하면 표기가 허해지고 표허칙(表虛則) 표부족(表不足)이라 땀이 나면서 몸에 열이 있고 오한이 난다. 갈증이 함께 나타나면 백호가인삼탕증이며, 갈증이 없으면 계지탕증이다. 비위의 열을 끄면서 진액을 생성시켜 폐로 상승시켜 폐의 열도 함께 식혀주는 아주 많이 사용되는 처방이다.

인진호탕은 양명병인데 열이 나면서 몸에는 땀이 없고 단지 머리에서만 땀이 나며 소변이 잘 나오지 않고 갈증이 심해 물로 된 것을 마시고자 한다. 이것은 어열(瘀熱)이 이에 있는 것으로 반드시 황달이 오게 되며, 배가 조금 부른 것 같은 자는 인진호탕으로 주지한다. 곡달이라 하는 병은 추웠다 더웠다하며 음식을 먹지 못하고 억지로 먹게 되면 어지러워지고 가슴이 불안한 것이 오래되면 황달이 발생하는데, 이것을 곡달이라 한다.위장에 뭉쳐진 습과 열이 외로 빠져나와 발산되지 못해 황달이나 가려움증 알레르기를 일으키는 것을 청열하여 치료하는 방으로서 비교적 자주 사용되는 처방이다. 황달로 인하여 우리에게 찾아오는 경우는 드물지만 알레르기, 가려움증은 자주 접하게 된다. 음식을 먹고 알레르기를 일으킨 (소위 식중독으로) 사람이나 만성적인 음식알레르기로 찾아오는 경우가 많다. 태양병이나 양명병은 모두 황달을 일으킬 수 있는 조건을 가지고 있다. 이부에 열이 있어 외부로 빠져나오면 그 열을 식히기 위해 땀이 나야 하는데 단지 머리에서만 땀이 나고 기타 부위는 땀이 전혀 나지 않게 되면 속의 열이 모두 외부로 빠지지 못하여 이부에 남게 되고,

소변마저 잘 나가지 못하면 열은 더욱 빠지기 어렵게 된다. 그래서 습열이 기육에 정체되어 황달이나 가려움증을 일으키게 된다. 이런 현상이 일어났을 때 삼양의 열을 식혀야 하는 것이다. 태양병이나 양명병으로 오는 황달의 치료법은 다른데, 태양병으로 이부에 열이 위중에 정체 위의 습을 훈증하여 황달이 온 것으로 소변 줄기가 뜨겁게 느껴지는 증상이 있고, 발산하여 표의 습은 발산하고 위중의 습은 하강하게 하여 소변으로 빠지게 하면 된다. 마황연초적소두탕으로 서늘하게 발산하면 된다. 심흉은 태양과 양명의 위치며 태양병으로 열이 나며 황달이 발생한 것으로 마황연초두탕과 비교하면 조금 더 이부로 들어온 상태며 피부에 땀이 배어 나와 축축하며, 인진호탕보다 심한 황달은 아니고 변비나 복만 소변불리의 증상이 없는 경증의 황달에는 치자백피탕으로 화를 식히는 방법으로 하며, 장(腸)과 위(胃)는 양명의 위치며, 양명의 습열로 온 황달은 장위(腸胃)의 열과 습을 사(瀉)하는 법으로 해야 하는데, 본방으로 몰아내는 방법이다. 양명의 열은 기육과 치아 눈꺼풀로 빠진다. 이런 이치로 보아 그 부위의 염증이나 통증은 모두 양명의 열로 보고 본방을 사용하거나 다른 약을 합하여 신통한 효과를 얻을 수 있다.

인진오령산은 위장의 습열이 표로 빠지는데, 열보다 습이 더 심한 경우에 사용한다. 손바닥에 땀이 줄줄 나거나 두피의 진물이 많이 나오는 것, 겨드랑이 땀이 많을 때 사용한다. 승마황련환은 심한 구취에 사용한다. 황금주세80 황련 청피 승마20 감초12 백단향8을 생강즙으로 쪄서 탄자대로 환을 만들어 식후에 1일 3번 씹어서 복용한다. 양명의 위(胃)는 다기다혈(多氣多血)하고, 양양(兩陽)이 합쳐져 열이 성하게 되고 이때에 사(邪)가 들어오면 병은 항상 실증을 나타낸다. 만약 갈증이 심하고 설태(舌苔)와, 번조한 증상이 나타나는 것은 기분(氣分)이 상한 것으로, 열이 위(胃)를 뜨겁게 하여 진액이 말라 버려 발생된다. 백호탕으로 주지한다. 만약 고량후미를 많이 먹거나 굽거나 불에 태운 음식을 많이 먹어 위에 열이 옹체되면 경락을 타고 열이 올라간다. 습열(濕熱)이 통하지 않으면 이것은 혈분(血分)이 상한 것이다. 인후가 답답하고 이와 잇몸이 붓고 아픈 등의 증상을 치료해준다. 치아가 아픈 것은 양명 위(胃)의 열이 치아로 빠져나오기 때문이며, 이를 치료하는 것은 위에 진액을 채워 열을 끄고 발산시키면 된다.

얼굴의 질환(여드름, 안면지루성 피부염, 건선) 안면에 나타나는 피부질환은 좀 복잡하다. 특히 지루성 안면 피부염은 병원에서는 거의 손을 놓고 있는 실정이며 많은 환자들이 고통에 시달리고 있지만 정작 제대로 된 치료법을 아는 곳은 별로 없다. 얼굴은 민감한 곳이며 나를 타인에게 나타내는 중요한 부분이다. 그래서 얼굴은 매일 같이 세수를 하고 머리를 다듬고 화장을 하고 단정하고 아름답게 꾸민다. 얼굴에 트러블이 있거나 붉게 달아오르고 뾰루지나 여드름이 생기면 신경이 많이 쓰이고 심중의 변화도 일어나게 된다. 창피해서 외부로 나가고 싶거나 누구를 만나고 싶은 생각도 없어지고 의기소침해 진다. 얼굴에 나타나는 질환으로는 여드름, 코끝이 붉어지는 것, 지루성피부염이 대부분이다.

먼저 여드름에 대하여 설명을 드리자면, 안면은 눈썹을 경계로 그 위쪽은 신장에 속하며 안(顏)이라 하고, 그 이하는 위장에 속하며 면(面)이라 하고, 습하여 안면(顏面)이라 한다 단, 코 부위는 폐에 속한다. 눈 아래 부위 즉 하안검(다크서클이 나타나는 곳)과 입술주위는 임맥(任脈)의 통로로 자궁과 연결되어 어혈이 있거나 자궁기능에 이상이 있으면 그 부위가 검게 변하게 되고 입술이 마르고 화장이 잘 받지 않게 된다. 그리고 얼굴의 트러블이 생겨 여드름이 생기고 곪게 되며 흉터가 남는다. 지루성과 구별이 되는 것은 얼굴이 많이 붉지 않으며 많이 조금 가렵기도 하며 가끔 얼굴이 확 달아오르는 경우가 있다. 여드름은 남녀가 좀 다른데 공통적인 것은 모두가 간의 열이며 그 열로 인해 화농(化膿-염증)이 되는 것이다. 여자의 경우는 자궁이 냉하거나 어혈이 있으면 더 심해지며 어혈이 심한 경우는 여드름이 까맣게 변하고 냉하고 수독이 많으면 흰색으로 나타난다. 이 여드름은 간 기능이 왕성해지고 스트레스나 과로, 잠을 자지 않으면서 공부에 심혈을 쏟는 청소년기에 많이 나타난다. 청소년기에는 호르몬의 변화나 활동이 많아 간에 열이 많아져서 오는 것이지만, 나이를 먹고도 나는 것은 자궁이 좋지 못한 여자들이나 열이 심한 남자들에게 나타나기도 한다. 여드름의 치료는 간에 열이 쌓인 것은 풀어주고, 간에 열이 생기는 몸의 상태를 잡아주고 염증을 없애주는 약을 먹게 되면 치료가 되고, 여자들의 경우는 자궁의 기능 살려줘야 한다. 육미와 소시호 배탁 그리고 온경탕 등을 사용한다. 청춘의 심벌이라는 여드름은 이렇게 조리를 하면 좋아지니 큰 걱정은 없다.

이제 마음의 갈등과 고민과 대인관계에 가장 큰 영향을 주는 질환이 안면 지루성피부염이나, 코끝이 붉은 것으로 생각되는데, 먼저 코끝이 붉어지는 것을 통상 딸기코 내지는 주사비라 하는데 한의학에서는 두 가지로 나누어 치료한다. 병원에서도 그냥 주사라고 하지만 술을 많이 마시는 사람에게 온 것을 주사비라 하고, 술은 먹지 않았는데 온 것을 폐풍창이라 한다. 병명에 관계없이 그곳이 붉어지는 것은 열(熱)이며, 처음에 말한 대로 코는 폐에 속하여 있고 폐에 열이 차면 발생한다. 이 증상이 오래되고 열이 심하면 뾰루지가 생기고 곪기도 하며 점차 코 옆의 얼굴까지 붉게 변하기도 한다. 치료는 폐에 열을 내려주는 것으로 치료하는데 비교적 쉽게 치료가 된다.(통상 3개월 정도) 주사비에는 청혈사물탕을 쓰고, 폐풍창에는 승마탕을 쓴다.

가장 말도 많고 약도 많고 불만도 많은 것이 안면지루성피부염이다. 이 증상은 이 질환을 갖고 있는 사람들의 마음처럼 좀 복잡한데 하나하나 풀어보면, 안면지루성은 주로 얼굴(面)에 많이 나타난다. 그 곳은 위장에 속하고 위장에 열이 쌓이면 그 열은 위의 경락을 타고 열이 빠지는데, 위장이 주관하는 곳은 얼굴, 사지, 살(肌肉),치아, 입으로 전신이다. 발생한 열은 머물려 하지 않고 외부로 빠지려고 하고, 피부로 나온 열은 머무는 특징이 있다. 쉽게 설명을 드리면 음식을 먹고 알러지(두드러기)가 발생하면 발적이 되고 가려워지는 부위가 온몸으로 나타나는데, 음식 알러지의 원인은 특정음식이 위속에서 열을 발생시켜 발생한다. 위는 진액을 주제하고 대장은 혈을 주제한다. 위는 소화기관의 총칭(위 비 소장)이며 대장은 수분의 흡수와 분변의 배설작용을 한다. 위는 내부와 외부로 나누어 보는데, 위의 외부는 기분이라 하고, 이곳에 열이 발생하는 원인은 과로나 육체적으로 힘든 일을 하여 진액이 고갈되면 나타나고 주로 치통이나 잇몸염증, 입에서 단내가 나는 것으로 나타난다. 간혹 이 열이 폐를 훈작하면 다리에 힘이 없는 경우도 발생한다. 열이 심하게 되면 기분열성이라 하여 변비가 나타난다. 그리고 위의 내부에 열이 발생하는 것은 음식으로 오는데, 섭취한 음식이 위에 오래 머물면서 부숙되어 습과 열을 발생한다. 그렇게 되면 위는 뜨거워지고 이 열은 경락을 통하여 외부로 빠져나가 겉에서 머물게 된다. 열과 습이 어느 쪽으로 빠지느냐에 따라 병의 발생부위도 다르게 나타나는데 입으로 나오면 입에서 심한 냄새가 나며, 치아로 빠지면 이빨이 누렇게 변한다. 더 위쪽으로 올라가면 얼굴로 나타나 얼굴이 따가워지고 붉어지고 가려워진다. 열이 더 지속적으로 올라오면 창(瘡)이 발생하는데 뾰루지나 여드름처럼 돋기도 하고 좁쌀 같은 형태로도 나타난다. 처음에는 좁은 부위가 불규칙한 붉은 반점으로 나타나다가 점점 확대되어 얼굴 전체가 지루성으로 바뀌게 된다. 열의 특징은 처음에는 가렵고 따가운 것에서 더 심해지면 아파지고 결국에는 헐게 되어 진물이 흐르고 가피가 형성되는 것이다. 불 옆에 오래 있으면 나타나는 증상들이 우리 피부에 그대로 나타나는 것이다. 습열이 발생되는 원인인 음식이 들어와서 소화되지 않고 오래 머무는 이유는 무엇일까? 위장에 관여하는 몸의 장기는 신장과 간이 아주 밀접하게 연결되어 있다. 위장이 움직이고 소화를 시키는 힘은 신장의 기운이 있어야 원활하게 작동이 되며, 신장이 약하면 위가 무기력해져 음식이 내려가지 못하고 정체가 되는 것이다. 그리고 간의 작용은 위의 기능을 조절하는 것인데 간에 열이 쌓여 위장을 조절하는 힘이 부족하면 이 또한 음식의 위내정체를 유발한다.(봉장과 소설의 작용이 어긋나 있는 것이다.) 간과 신장의 기능이 나빠지는 원인은 스트레스, 음주과다, 흡연, 수면부족, 오래 눕거나 앉아 있는 것, 과로, 사려과다(많은 생각) 등이 있고, 위에 음식이 오래 머무는 것들로는 닭고기, 면으로 된 음식, 술, 생선 등이며, 위를 뜨겁게 하는 음식으로는 마늘, 양파, 후추, 파, 그리고 인삼제품, 옻닭 등이 있고, 인스턴트 음식은 지루성 피부염에 가장 나쁜 음식인데 그 이유는 그런 음식들은 식품을 오래 부패되지 않게 첨가제(방부제)를 넣게 되고, 첨가제를 중화 해독할 때는 몸속의 칼슘을 많이 소비하게 된다. 칼슘이 많이 빠지면 뼈가 약해지고, 뼈가 약해지면 신장은 뼈를 강화시키기 위해 많은 신정을 소모하여 신장이 약해져 위장에 힘을 줄 수 없게 된다. 신장이 약해지면 신경이 예민해지고, 겁도 많아지고, 의심도 많아지며 심화(心火), 즉 심장의 열을 제어하지 못하게 되어 열은 위(上)로 상승하여 지루성을 더 악화시킨다. 안면 지루성이 있는 사람들은 신경이 매우 예민하고 신경질적이며 잘 믿기도 하지만 인내력이 부족하여 쉽게 포기하고 의심도 많이 하기도 한다. 이 현상들은 모두 신장이 약해서 오는 것이다. 과식을 하거나 스트레스를 받거나 위에 말한 음식들을 먹게 되면 더 심해지는 경향은 이러한 이유로 발생하는 것이다. 위(胃)에서 생성된 습열이 발바닥으로 빠지면 무좀과 발 냄새가 심해지고, 손바닥으로 빠지면 손에 땀이 많이 나거나 물집이 잡히고, 주부습진도 발생한다. 얼굴 이외의 피부로 빠지면 은진(癮疹), 담마진(蕁麻疹)으로 나타나는 것이다. 병원에서는 면역력 부족질환으로 말하는 경우가 있고, 자율신경 실조현상으로 말하는 경우가 많은데 우리 몸의 면역력이나 자율신경은 간과 신장에서 조절한다는 것을 모르고 있다. 안면지루성 치료나 아토피 치료는 지금까지 말한 대로 각각의 원인을 제거하면 된다. 아무리 증상이 복잡하고 많더라도 그 원인이 되는 것은 3~4가지뿐이다. 잎이 무성하고 큰 나무를 죽이는 가장 간단한 방법은 뿌리를 잘라 버리는 것이다. 팔미와 향사평위산 인진호탕 황련해독으로 투여한다. 습이 많은 경우는 인진오령으로 한다. 얼굴이 붉고 몸에 열이 많은 사람이 변비가 있으면 방풍통성으로 체내의 열을 쳐내는 것도 효과가 빠르다. 변비가 없으면 방풍통성산에 망초를 빼고 청열제를 더하여 가미쌍해산으로 처방하면 내부의 열을 잘 내릴 수 있다.

지루성피부염은 습열로 인한 것이며, 또 다른 피부질환으로 건선 내지 아토피가 있는데 이 증상은 위장의 습열과 다른 것이다. 주로 노인이나 허약한 사람에게 많이 나타나며 혈허로 인한 피부자양부족이다. 혈허가 오는 원인은 신정의 부족이나 위장기능의 저하로 인한 영양의 흡수불량, 간 기능의 저하이다. 혈허로 오는 피부질환은 음이 허하면 허열이 발생하고 열은 피부로 빠지며, 빠진 열은 겉에 머물면서 가려움이 수반되고 피부를 조하게 만들어 긁으면 흰 가루가 일어나고 긁은 자국이 빨갛게 나타나며 심하게 긁으면 피가 난다. 봄이나 여름에는 땀이 나서 건조함이 덜해 가려움이 없고, 가을이나 겨울철 건조할 때 더욱 심하게 나타난다. 추운데 있다가 갑자기 따뜻한 곳에 들어가면 가려워지기도 한다. 혈허로 발생하는 건선은 주로 경계가 뚜렷하게 나타나며 원형의 형태로 나타난다. 신을 보하고 청열을 하며 간화가 있을 때는 시호제를 합하여 사용한다. 위장이 약하면 소중을 합한다. 육미 당귀음자 황련해독 시호제가 주약이다. 이 약을 먹으면 더 심하게 가려워질 수 있다. 건선이나 비듬에 사용하는 거풍환기환을 추가해도 좋다. 삼선탕은 전신에 가려움이 발생하여 긁으면 처음엔 침으로 찌르는 듯 아프며, 잠시 괜찮다가 다시 가려워 지는데 칼로 베듯 하며, 이것도 잠시 쉬었다가 다시 더 가려워지는데 칼로 도려내는 듯한 통증이 오며 반드시 피가 흐른다. 피부가 변하여 굳어지면 가려움이 멈추나 다시 또 가려워진다. 이 증상은 寃魂索命之報 때문이다. 혈허로 오는 건선, 노인성 소양증에 사용한다. 거풍환기환은 백설풍, 자백전풍, 완선, 습열 피부염 등 모든 피부염에 사용하고 가려움증이 심하고 오랫동안 끊이지 않는 사람이나, 치료 후에 다시 재발한 자에게 사용한다. 금해야할 음식; 우육(牛肉), 화주(火酒), 계무(鷄鶩-닭과 앵무새 즉 날짐승고기), 양, 어성물 등(魚腥物-생선류)이다. 이 처방은 혈허성으로 오는 건조성피부염, 아토피에 응용한다.

구완탕은 좌우 수족이나 가슴이나 등, 얼굴, 머리에 악창이 생겨 세월이 지나도 치료되지 않고 심한 냄새가 나며 아무리 약을 써도 낫지 않는 것은 기혈이 불화하여 생긴 것이다. 두 제를 먹으면 헐은 곳에 반드시 종이 생기지만 약효가 없다고 약을 끊으면 안 된다. 약을 먹고 발종이 되는 것은 약력이 기혈을 돋워서 창과 서로 다투기 때문이다. 연복하면 치료가 되는데 두 제를 더 먹게 되면 가렵거나 아픈 것이 없어지고, 다시 두 제를 더 먹게 되면 다시는 재발되지 않는 신효한 약이다. 이 약은 습열형, 지루성 피부염에 사용한다. 처방을 잘 살펴보면 당귀보혈탕과 육미, 시호제, 발산약으로 구성되어 있다. 과립으로 하려면, 팔미 + 보중익기 + 자감초 + 시호제 + 황련해독으로 바꿔도 된다.

소라탕은 피부에 병이 생겨 피부가 두꺼워지고 헐고 출혈이 있고 아프거나 가렵기도 하고 건조하기도 하고 진물이 나기도 하며, 벌레 같기도 하나 벌레는 아닌 것이다. 이것은 기혈이 약하여 피부를 자양하는 힘이 약하여 발생한 것이다. 색택증 즉 공피증에 효과가 좋다. 네 제를 먹으면 피부가 윤택해지고 다시 네 제를 먹으면 건조한 것이 없어진다. 연속하여 이십 제를 먹으면 모두 낫게 된다. 과립으로는 팔미와 보중 + 자감초 + 황기건중 + 배탁을 사용해도 될 것 같다.

방풍통성산은 모든 풍열을 조리하는 것으로 중풍으로 갑자기 말을 못한다든지 벙어리가 되든지 하여 말을 못하는 것과, 찬 기운을 받아 두풍이 생기거나 파상풍이 생긴 것 등과, 풍으로 인하여 생기는 소아경풍, 열이 체내에 뭉쳐진 것, 상한으로 온 역려(유행성 병)로 사고능력의 저하와, 풍열로 발생한 창진, 머리 비듬, 코와 얼굴이 적자색으로 변하는 주사, 풍자, 두드러기, 폐풍창, 대풍창 등을 치료하며, 화가 울체하여 배가 불러지고 번갈과 숨참,

번민, 삽통을 조리하며, 열이 극심하여 풍이 발생하여 혀가 굳고 입을 열지 못하고 근육이 경련을 일키는 것, 크고 작은 창종, 악창, 열이 뭉쳐 대소변의 배출이 어려운 것을 치료한다. 술로 인한 열독도 풀 수 있다. 본방은 풍열조 3증을 능히 치료할 수 있다. 근심과 걱정이 끊이지 않아 비가 상하여 음식을 먹을 수 없고 영양의 흡수가 불량하고 신허가 발생하면 활혈에 문제가 생겨 얼굴색이 검어지고 윤기가 없어진다. 입술주위가 더 심해지는데 음양이 상역하여 발생한다. 기미에 사용하는데 화순탕이다. 창이탕은 백전풍(白癜風=어루러기), 백박(白駁)에 사용한다. 연교탕은 두면(頭面) 곡취창(穀嘴瘡) 속명 분자(俗名 粉刺=여드름)에 쓴다.

3. 두피염

두피에 생기는 질환은 크게 세 가지로 나눠지는데 하나는 비듬이며, 지루성피부염, 그리고 탈모다. 이 세 경우는 모두 가려움을 수반하고 두피에 뾰루지 같은 것이 생기고 심하면 헐면서 비듬이 생기고 진물이 나오게 된다. 이때 나오는 비듬은 가루 같은 것이 아니고 두껍고 크게 떨어지며 두피에 붙어 있는 비듬을 떼어내면 그 속에 끈적한 진물이 나온다. 보기에도 좋지 않을 뿐더러 대인관계에도 많은 지장을 줄 수 있다. 누구나 비듬은 생기게 되어 있다. 두피에 새로운 살이 생기면서 오래된 표피는 떨어지는 것이 비듬으로 오랫동안 목욕을 하지 않으면 때가 나오는 것과 같다고 보면 된다. 이런 비듬은 병적인 것은 아니며 청결하게 유지만 하면 된다. 병적인 비듬은 지루성피부염과 원인이 같으며 탈모는 차이가 있다.

먼저 비듬과 지루성피부염에 대하여 알아보면, 피부에 나는 모든 염증(뾰루지)은 열이다. 두피도 마찬가지로 머리 쪽으로 열이 집중되면 이 열을 식히기 위해 몸에서는 땀을 분비하게 되고, 이런 현상이 지속이 되면 가려워지면서 피부가 부풀어 오른다. 더 지속되면 부풀어 오른 피부는 헐면서 진물이 나고 딱지가 지면서 비듬이 발생하는 것이다. 이 원인은 위로 직성하는 열을 아래로 내려주지 못해서 오는 것으로 위로 올라오는 열을 아래로 돌려주는 몸의 기능에 이상이 생긴 것이다. 이 현상을 심신불교(心腎不交)라 하는데 심장의 열은 신장의 영양이 상승하여야 내려오는 법인데 신장이 허하여 신정의 생성이 부족하고 머리로 상승하는 양이 적기 때문에 발생하며, 또 한 가지 중요한 현상은 생성된 신정이 이유 없이 소모된다는 것이다. 더 쉽게 말을 하자면 항아리에 물을 채우는 데는 채우는 것도 중요하지만 밑이 깨져 새나가지 못하게 하는 것이 더 중요한 것과 같다. 음(영양)은 양(陽)을 포함하는 힘이 있는데 이것이 부足하면 열이 위로 뻗어 나간다. 모든 두피의 질환은 이 현상이 주된 원인이다. 열이 두피에 계속 올라오면 두피는 영양이 말라버려 건조해져서 각질이 일어나고 지속적으로 열이 올라오면 가렵고, 따갑고, 종래에는 헐게 되어 두피염이 발생하는 것이다. 그리고 두피에 흐르는 혈액이 열로 인하여 영양이 말라버리면 모근에 영양을 공급하지 못하기 때문에 모근이 힘을 잃어 머리카락이 그냥 빠져 버린다. 머리를 감을 때 세면대에 머리카락이 많이 빠지는 경우는 이런 현상이다. 이런 현상이 있는 사람들의 증상은 신경이 예민하고 겁도 많고 귀도 얇아 쉽게 믿기도 하고 의심이 많아 잘 믿으려 하지 않는 경우도 있다. 그리고 배꼽아래에 심(줄기)이 있는 것처럼 딱딱한 연필 같은 것이 만져지기도 하고 그 부위가 맥박이 뛰듯 촉지된다. 소화가 덜된 대편이 나올 수 있고 음두(귀두)가 차게 느껴지고 어지럽기도 하며 아침에 일어나기가 무척 힘이 드는 경우가 많다. 성관계하는 꿈을 꾼다든지 몽정을 하기도 하며 아주 잘 놀라는 경향이 있다. 자그마한 자극에도 크게 화를 내고 모든 게 귀찮게 느껴지는 경우도 있다. 그래서 자기 스스로 성질이 못됐다고 생각하는 경우가 많다. 이것은 몸이 외부의 자극에 대해 내 몸이 저항을 못하기 때문에 생기는 병적 현상이다. 치료는 이런 원인들을 없애면 되는 것으로 위로 올라온 열은 발산시켜 서늘하게 하는 것으로 삼황사심, 올라오는 열을 아래로 내려가게 하는 것으로 팔미를 사용하고 영양의 자연소모를 막는 것으로 계모, 정체된 열을 발산하고 가려움을 제거하는 것으로 당귀음자를 쓴다.

4. 탈모

다음으로 탈모는 발락이라고 하며 혈행에 문제가 발생한 것이다. 탈모 역시 원인은 열이며 여기에 영양의 부족이라 생각하면 된다. 스트레스를 많이 받으면 원형탈모가 발생하고, 음허로 인한 허열로 오는 것은 발락이라 하여 힘없이 머리카락이 빠져 머리숱이 많이 줄어든 경우다. 유전적인 대머리는 치료가 어렵고, 후천적으로 과로나 스트레스 등으로 몸의 상태가 항상성이 깨져 발생하는 탈모를 치료하는 것이다. 탈모의 원인을 더 쉽게 표현하자면 가뭄이 들어 논에 물이 말라 벼가 모두 죽는 것과 같은 것이다. 탈모가 많은 사람 역시 가렵고 비듬이 많으며 머리 감을 때 세면대에 까맣게 머리가 빠지는 것을 볼 수 있다. 치료방법은 열을 아래로 돌려주면서 모근에 영양을 공급해주면 된다.

치료기간은 보통 2~3개월 잡으며, 두피염의 처방에 당귀음자 대신 당귀수산으로 혈행을 좋게 하면 된다. 소건중을 합해도 좋다. 머리카락이 잘 나게 하고 빠지지 않게 하는 방법은 두피 부위로 흐르는 혈에 영양을 충분히 공급하고 혈행이 좋게 하면서 두피에 정체된 열과 올라오는 열을 식혀주면서 수화교류가 잘 일어나게 하면 된다. 양약의 발모촉진제를 같이 도포를 하면 더 좋다. 이 역시 2~3개월 치료한다.

안면에 나타나는 피부질환은 좀 복잡하다. 특히 안면지루성 피부염은 병원에서는 거의 손을 놓고 있는 실정이며 많은 환자들이 고통에 시달리고 있지만 정작 제대로 된 치료법을 아는 곳은 별로 없다. 얼굴은 민감한 곳이며 나를 타인에게 나타내는 중요한 부분이다. 그래서 얼굴은 매일 같이 세수를 하고 머리를 다듬고 화장을 하고 단정하고 아름답게 꾸민다. 얼굴에 트러블이 있거나 붉게 달아오르고 뾰루지나 여드름이 생기면 신경이 많이 쓰이고 심중의 변화도 일어나게 된다. 창피해서 외부로 나가고 싶거나 누구를 만나고 싶은 생각도 없어지고 의기소침해 진다. 얼굴에 나타나는 질환으로는 여드름, 코끝이 붉어지는 것, 지루성피부염이 대부분이다.

5. 여드름

안면은 눈썹을 경계로 그 위쪽은 신장에 속하며 안(顔)이라 하고, 그 이하는 위장에 속하며 면(面)이라 하고, 合하여 안면이라 한다 .단, 코 부위는 폐에 속한다. 눈 아래 부위 즉 하안검과 (다크서클이 나타나는 곳) 입술주위는 임맥의 통로로 자궁과 연결되어 어혈이 있거나 자궁기능에 이상이 있으면 그 부위가 검게 변하게 되고 입술이 마르고 화장이 잘 받지 않게 된다. 그리고 얼굴의 트러블이 생겨 여드름이 생기고 곪게 되며 흉터가 남는다. 지루성과 구별이 되는 것은 얼굴이 많이 붉지 않으며 많이 조금 가렵기도 하며 가끔 얼굴이 확 달아오르는 경우가 있다. 여드름은 남녀가 좀 다른데 공통적인 것은 모두가 간의 열이며 그 열로 인해 화농(염증)이 되는 것이다. 여자의 경우는 자궁이 냉하거나 어혈이 있으면 더 심해지며 어혈이 심한 경우는 여드름이 까맣게 변하고 냉한 경우는 흰색으로 나타난다. 이 여드름은 간 기능이 왕성해지고 스트레스나 과로, 잠을 자지 않으면서 공부에 심혈을 쏟는 청소년기에 많이 나타난다. 청소년기에는 호르몬의 변화나 활동이 많아 간에 열이 많아져서 오는 것이지만 나이를 먹고도 나는 것은 자궁이 좋지 못한 여자들이나 열이 심한 남자들에게 나타나기도 한다. 여드름의 치료는 간에 열이 쌓인 것은 풀어주고, 간에 열이 생기는 몸의 상태를 잡아주고 염증을 없애주는 약을 먹게 되면 치료가 되고, 여자들의 경우는 자궁의 기능 살려줘야 한다. 육미와 소시호 배탁 그리고 온경탕 등을 사용한다. 청춘의 심벌이라는 여드름은 이렇게 조리를 하면 좋아지니 큰 걱정은 없다.

6. 주사비

이제 마음의 갈등과 고민과 대인관계에 가장 큰 영향을 주는 질환이 안면 지루성피부염이나 주사비로 생각되는데 먼저 코끝이 붉어지는 것을 통상 딸기코 내지는 주사비라 하는데, 한의학에서는 두 가지로 나누어 치료한다. 병원에서도 그냥 주사라고 하지만 술을 많이 마시는 사람에게 온 것을 주사비라 하고, 술은 먹지 않았는데 온 것을 폐풍창이라 한다. 병명에 관계없이 그곳이 붉어지는 것은 열(熱)이며 처음에 말한 대로 코는 폐에 속하여 있고 폐에 열이 차면 발생한다. 이 증상이 오래되고 열이 심하면 뾰류지가 생기고 곪기도 하며 점차 코 옆의 얼굴까지 붉게 변하기도 한다. 치료는 폐에 열을 내려주는 것으로 치료하는데 비교적 쉽게 치료가 된다. 주사비에는 청혈사물탕을 쓰고, 폐풍창에는 승마탕을 쓴다.

7. 안면지루성피부염

가장 말도 많고 약도 많고 불만도 많은 것이 안면지루성피부염이다. 이 증상은 이 질환을 갖고 있는 사람들의 마음처럼 좀 복잡한데 하나하나 풀어보면 안면지루성은 주로 얼굴(面)에 많이 나타난다. 그곳은 위장에 속하고 위장에 열이 쌓이면 그 열은 위의 경락을 타고 열이 빠지는데 위장이 주관하는 곳은 얼굴, 사지, 살(肌肉),치아, 입으로 전신이다. 발생한 열은 머물려 하지 않고 외부로 빠지려고 하고, 피부로 나온 열은 머무는 특징이 있다. 쉽게 설명을 드리면 음식을 먹고 알러지(두드러기)가 발생하면 붉게 발적이 되고 가려워지는 부위가 온몸으로 나타나는데 음식 알러지의 원인은 특정음식이 위속에서 열을 발생시켜 발생한다. 위는 진액을 주제하고 대장은 혈을 주제한다. 위는 소화기관의 총칭(위 비 소장)이며, 대장은 수분의 흡수와 분변의 배설작용을 한다. 위는 내부와 외부로 나누어 보는데, 위의 내부는 기분이라 하고, 이곳에 열이 발생하는 원인은 과로나 육체적으로 힘든 일을 하여 진액이 고갈되면 나타나고 주로 치통이나 잇몸염증, 입에서 단내가 나는 것으로 나타난다. 간혹 이 열이 폐를 훈작하면 다리에 힘이 없는 경우도 발생한다. 열이 심하게 되면 기분열성이라 하여 변비가 나타난다. 그리고 위의 외부에 열이 발생하는 것은 음식으로 오는데, 섭취한 음식이 위에 오래 머물면서 부숙되어 습과 열을 발생한다. 그렇게 되면 위는 뜨거워지고 이 열은 경락을 통하여 외부로 빠져나가 겉에서 머물게 된다. 열과 습이 어느 쪽으로 빠지느냐에 따라 병의 발생부위도 다르게 나타나는데 입으로 나오면 입에서 심한 냄새가 나며, 치아로 빠지면 이빨이 누렇게 변한다. 더 위쪽으로 올라가면 얼굴로 나타나 얼굴이 따가워지고 붉어지고 가려워진다. 열이 더 지속적으로 올라오면 창(瘡)이 발생하는데 뾰루지나 여드름처럼 돋기도 하고 좁쌀 같은 형태로도 나타난다. 처음에는 좁은 부위가 불규칙한 붉은 반점으로 나타나다가 점점 확대되어 얼굴 전체가 지루성으로 바뀌게

598

된다. 열의 특징은 처음에는 가렵고 따가운 것에서 더 심해지면 아파지고 결국에는 헐게 되어 진물이 흐르고 가피가 형성되는 것이다. 불 옆에 있으면 나타나는 증상들이 우리 피부에 그대로 나타나는 것이다.

습열이 발생되는 원인인 음식이 들어와서 소화되지 않고 오래 머무는 이유는 무엇일까? 위장에 관여하는 몸의 장기는 신장과 간이 아주 밀접하게 연결되어 있다. 위장이 움직이고 소화를 시키는 힘은 신장의 기운이 있어야 원활하게 작동이 되며, 신장이 약하면 위가 무기력해져 음식이 내려가지 못하고 정체가 되는 것이다. 그리고 간의 작용은 위의 기능을 조절하는 것인데 간에 열이 쌓여 위장을 조절하는 힘이 부족하면 이 또한 음식의 위내정체를 유발한다. 간과 신장의 기능이 나빠지는 원인은 스트레스, 음주과다, 흡연, 수면부족, 오래 눕거나 앉아 있는 것, 과로, 사려과다(많은 생각) 등이 있고, 위에 음식이 오래 머무는 것들로는 닭고기, 면으로 된 음식, 술, 생선 등이며, 위를 뜨겁게 하는 음식으로는 마늘, 양파, 후추, 파, 그리고 인삼제품, 옻닭 등이 있고, 인스턴트 음식은 지루성 피부염에 가장 나쁜 음식인데 그 이유는 그런 음식들은 식품을 오래 부패되지 않게 첨가제(방부제)를 넣게 되고, 첨가제는 몸속의 칼슘을 많이 소비하게 하는 성분으로 칼슘이 많이 빠지면 뼈가 약해지고, 뼈가 약해지면 신장은 뼈를 강화시키기 위해 많은 신정을 소모하여 신장이 약해져 위장에 힘을 줄 수 없게 된다. 신장이 약해지면 신경이 예민해지고, 겁도 많아지고, 의심도 많아지며 심화(心火) 즉 심장의 열을 제어하지 못하게 되어 열은 위(上)로 상승하여 지루성을 더 악화시킨다. 안면 지루성이 있는 사람들은 신경이 매우 예민하고 신경질적이며 잘 믿기도 하지만 지구력이 부족하여 쉽게 포기하고 의심을 많이 하기도 한다. 이 현상들은 모두 신장이 약해서 오는 것이다. 과식을 하거나 스트레스를 받거나 위에 말한 음식들을 먹게 되면 더 심해지는 경향은 이러한 이유로 발생하는 것이다. 위(胃)에서 생성된 습열이 발바닥으로 빠지면 무좀과 발 냄새가 심해지고, 손바닥으로 빠지면 손에 땀이 많이 나거나 물집이 잡히고, 주부습진도 발생한다. 얼굴 이외의 피부로 빠지면 은진이나 담마진으로 나타나는 것이다. 병원에서는 면역력 부족질환으로 말하는 경우가 있고, 자율신경 실조현상으로 말하는 경우가 많은데 우리 몸의 면역력이나 자율신경은 간과 신장에서 조절한다는 것을 모르고 있다. 안면지루성 치료나 아토피 치료는 지금까지 말한 대로 각각의 원인을 제거하면 된다. 아무리 증상이 복잡하고 많더라도 그 원인이 되는 것은 3~4 가지뿐이다. 잎이 무성하고 큰 나무를 죽이는 가장 간단한 방법은 뿌리를 잘라 버리는 것이다. 팔미와 향사평위산 인진호탕 황련해독으로 투여한다. 습이 많은 경우는 인진오령으로 한다. 지루성피부염은 습열로 인한 것이며, 또 다른 피부질환으로 건선 내지 아토피가 있는데 이 증상은 위장의 습열과 다른 것이다. 주로 노인이나 허약한 사람에게 많이 나타나며 혈허로 인한 피부자양부족이다. 혈허가 오는 원인은 신정의 부족이나 위장기능의 저하로 인한 영양의 흡수불량, 간 기능의 저하이다. 혈허로 오는 피부질환은 음이 허하면 허열이 발생하고 열은 피부로 빠지며, 빠진 열은 머물면서 가려움이 수반되고 피부를 조하게 만들어 긁으면 흰 가루가 일어나고 긁은 자국이 빨갛게 나타나며 심하게 긁으면 피가 난다. 봄이나 여름에는 땀이 나서 건조함이 덜해 가려움이 없고, 가을이나 겨울철 건조할 때 더욱 심하게 나타난다. 추운데 있다가 갑자기 따뜻한 곳에 들어가면 가려워지기도 한다. 혈허로 발생하는 건선은 주로 경계가 뚜렷하게 나타나며 원형의 형태로 나타난다. 신을 보하고 청열을 하며 간화가 있을 때는 시호제를 합하여 사용한다. 위장이 약하면 소건중이나 황기건중을 합한다. 육미 당귀음자 황련해독 시호제가 주약이다. 이 약을 먹으면 더 심하게 가려워진다.

양독 온독 열독으로 반점이 발생하는데, 상한으로 반점이 생기는 것을 양독이라 하고, 봄에 따뜻할 때 발생하는 것을 온독, 더운 여름에 나타나는 것을 열독이라 한다. 피부로 솟는 것이 없고 붉은 색점이 나타나는 것을 반이라 하고, 피부로 돌기하여 도톨한 것이 있는 것을 진이라 하는데, 모두 심화가 폐로 들어가 열로 인해서 발생한다. 피모 사이에 가볍게 나타나는 반은 붉은 비단무늬 같으며, 심하면 화상을 입은 것처럼 경계가 나타나고, 나타났다 곧 사라지고 다시 나타난다. 화반탕(백호가인삼탕)을 적용한다.

8. 피부상태로 알아보는 질병

혈색이 없고 창백해지는 것은 양기가 부족하여 오는 것이다. 위장이 약하거나 빈혈이 있거나 몸이 냉하여 발생한다. 그리고 양이 부족하면 몸을 따뜻하게 하는 기가 부족해지고 영양의 소화흡수가 줄어들어 피부를 윤택하게 유지할 수 없으므로 기운도 없고 쉬이 피로하게 된다. 양기부족으로 혈액순환이 원활하지 않아 얼굴에 혈액이 줄어들면 얼굴이 창백해지고 광택이 없어진다. 얼굴이 검고 푸르스름하면 간이 좋지 않은 것으로 생각해야 한다. 간의 색은 푸른색이다. 간은 피를 자양하고 근육과 인대와 조갑을 건강하게 해준다. 얼굴색이 약간 푸르스름하면서 검어질 경우, 간이 피로에 지쳐서 가운의 순환이 안 되고 기가 한 곳에 뭉친 상태이며 간염이나 중추신경 질환 등의 질병을 의심해 볼 수 있다. 또 어혈로 월경불순이 있을 수 있다. 얼굴이 누렇게 변하면 당뇨병이나, 위장질환이 있는 것으로 본다. 위장의 색은 노란색이며 위장의 문제가 있으면 얼굴이 누렇게 변한다. 비장의 기능이 약해지면 당뇨로 발전하게 된다. 얼굴색이 누렇게 뜬 것은 소화에 필수적인 담즙 배설에 문제가 생긴 것으로 담즙이 피부로 넘쳐 나타나는 것이다. 혹은 비기가 약해져 기혈을 생산하지 못해 피부에 자양분을 전하지 못할 때도 누렇게 된다. 당뇨병, 위장질환이 나타날 수 있다.

얼굴이 갑자기 검어졌다면 신우염, 방광염, 부인과 질병을 의심해 봐야한다. 검은색은 신장의 색이며 신장이 약해지면 얼굴이 검게 보인다. 얼굴이 갑자기 검어진다면 신장의 양기가 떨어졌다는 것으로, 이런 사람들은 신우염, 방광염, 부인과 질환에 걸릴 확률이 높으므로 정기적인 건강 검진이 필요하다.

얼굴이 지나치게 붉다면 고혈압, 류머티스, 지루성 피부염을 생각해야 한다. 붉은색은 심장을 나타내며 열성 질은 모두 심장의 열이 치성하여 온다. 양 볼이 지나치게 벌겋게 달아오른 것은 심장의 활동이 지나치게 왕성하다는 증거로, 이런 사람들은 다혈질의 고혈압, 심장 질환, 류머티스 질환 안면지루성피부염 등을 의심해 볼 수 있다.

얼굴이 붓는 경우는 폐의 기능이상이나 신장질환, 고혈압을 검사해야 한다. 얼굴이나 몸이 붓는 원인은 폐 기능 저하, 소화기 장애, 신허로 붓는 경우가 있다. 위장의 기능이 저하되면 수분의 흡수, 배출이 원활하지 못하고 신장 기능이 떨어져도 불필요한 수분을 배설할 수 없다. 이때 몸이 붓거나 퍽퍽한 느낌이 드는 것이다.

갑자기 눈 밑이 거무스름해진 것은 가에서 활혈이 일어나지 않아 어혈이 생겨 발생한다. 혈액순환이 원활하지 못하면 생리통, 월경불순 등을 일으키고 어혈이 생겨 피부 트러블이 일어나게 된다. 눈 아래가 거무스름하게 보인다면 어혈이 생겼다는 단적인 증거이다. 어혈을 없애고 피를 깨끗하게 하려면 스트레스를 피하고 상추, 홍화차, 검은콩 달인 물을 먹으면 효과를 볼 수 있고 과로하지 말고 분노도 잘 삭혀야 한다.

뾰루지가 볼에 나면 위장 장애나 간의 문제이다. 볼에 트러블이 생기는 것은 위장 건강에 이상이 생겼다는 신호이며, 얼굴을 지나가는 경락은 임맥과 위경이므로 간이나 위가 나쁘면 뾰루지가 생긴다. 신경성 위장 장애를 치료하거나 위를 튼튼하게 해서 소화력을 높이면 사라진다. 뾰루지가 이마에 나면 신장이 나빠졌다고 생각하면 된다. 신장이 나빠지면 이마에 즉각 피부 반응이 생기고 검게 변하거나 붉어진다. 변비나 설사가 반복되는 등 장기능이 약한 사람은 신장이 약하여 생기므로 거의 이마쪽 피부에 문제가 많다.

뾰루지가 입 주변에 나면 자궁이나 방광을 의심한다. 입 주변에 뭔가 많이 난다면 자궁 계통의 열이 입 위로 올라와 생기는 것으로, 특히 인중이 탁하고 어두운 색을 나타내면 자궁 질환을 의심할 수도 있다. 그 색이 집중되어 점처럼 나타나면 자궁의 종양이 있는지를 의심해야 한다.

기미가 생겼을 경우는 자궁이 냉하고 혈액순환이 안 되는 것이다. 기미는 흔히 햇볕에 오래 노출되었을 때 멜라닌 색소의 반응으로 생기는 것으로 알고 있다. 하지만 한방에서는 혈액순환이 좋지 않거나 변비, 신장이 약할 때와 자궁이 냉할 때 기미가 잘 생긴다고 본다. 소화기 계통이 좋지 않은 경우에도 잘 생긴다.

입술 색이 변했다면 색에 따라 질병이 다르다. 입술이 누렇다면 소화기의 병, 검은 빛을 띠면 어혈 때문이다. 핏기 없는 입술은 기가 허한 것이거나 빈혈이며, 지나치게 붉으면 호흡기 질병이나 심열을 의심해 볼 수 있다. 입술이 퍼렇게 변하면 폐와 심장에 질환이 있을 수 있다. 심장이나 폐에 문제가 있을 때에도 혈액 속 산소가 줄어들어 입술이 보랏빛이 된다.

9. 부종

'다같이 밥먹고 술먹고 즐겁게 놀았는데, 아침에 일어나니 나만 얼굴이 보름달이 되어 있네? 같이 놀던 순자, 영자, 말자는 아무렇지도 않은데… 나는 물만 먹어도 얼굴이 부으니 어떡하면 좋지?' 이렇게 생각하는 사람들이 많다. 특히 여자들은 붓는 부위도 다르게 나타나는 경우가 많다. 자기 전에 라면 한 그릇 먹고 아침에 일어나면 누구나 조금은 부종이 생길 수는 있다. 하지만 이런 경우는 병으로 볼 수 없다. 부종은 얼굴과 손발에 부기가 있어야 확인할 수 있는데 손이나 발을 꾹 눌렀다가 놓으면 손자국이 한참동안 남아있는 것으로 확인할 수 있다. 붓는 부위별로 기능이 좋지 못한 장기가 있다.

얼굴이 주로 붓는 경우는 폐가 약한 것이며, 손이 붓는 경우는 위장이 좋지 못한 것이고 발이 붓는 것은 신장과 연관이 된다. 앞의 세 경우가 다 오는 사람도 있고, 두 군데만 오는 사람도 있다. 해당 부위가 어느 곳인가에 따라 그 부위가 좋지 못하다고 생각하면 된다. 부종이 생기면 누구나 신장을 먼저 생각하는데 조금 차이가 있다. 우리 몸에 물을 조절하는 기관은 폐, 위장, 신장이다. 폐는 호흡으로 수분을 내보내거나 방광으로 물을 내려주는 기능이 있고 위장은 물을 생성 흡수하여 폐로 올려주는 기능을 가지고 있으며, 신장은 수분을 방광에 저장했다가 배설하거나, 물이 부족하면 재흡수하여 전신에 공급을 하는 기능이 있다. 급성으로 온 얼굴 부종은 약을 한 번만 복용하여도 빠지며 만성적이며 고질적인 부종은 오래 걸린다. 전신부종이 있으면서 살이 되는 사람들은 부종을 치료하면 다이어트도 가능하다. 어쨌든 치료는 위의 세 가지 장기를 정상으로 가동하게 만들면서 정체되어 있는 물을 빨리 뽑아내는 약을 사용한다. 어느 여자 분이 몸은 날씬한데 살 좀 빼달라고 너무 졸라서 전신부종에 사용하는 약으로 2개월가량 주었더니 아주 핼쑥한 모습이 되는 것을 보았다. 허나 물을 너무 많이 빼내버리면 혈액이 끈적해져 순환에 장애가 오기 쉬우므로 조심을 해야한다. 부종을 음식으로 조절하는 방법은 싱겁게 먹고 단(甘) 음식을 많이 먹지 말고 섬유질이 많고 소화가 잘 되는 음식을 먹는 것이다.

10. 피로

　인간은 태어나면서부터 끊임없이 영양을 섭취해야 한다. 왜 그렇게 해야 하는지 그 이유를 모르는 사람은 없을 것이다. 하루를 굶어도 아무렇지도 않은 사람이 있고 한 끼라도 굶거나 식사할 시간이 조금만 지나도 손이 떨리고 안절부절 못하는 사람이 있다. 당뇨가 있거나 다른 소모성 질환을 가진 사람이 아닌 것을 제외해도 음식을 충분히 섭취해도 항상 피로를 호소하는 사람이 많다. 마르거나 뚱뚱하거나 체격에 관계없이 맥을 추지 못한다. 약국에 피로 때문에 약을 먹으러 오는 사람이 많다. 피로가 오는 원인은 여러 가지이나 하나하나 풀어 보겠다.

　인체가 건강하고 건전하게 생활을 영위할 수 있게 하는 기본적인 것을 한방에서는 기, 혈, 정 3가지로 생각한다. 끊임없이 음식을 섭취하는 것도 이것을 정상적으로 유지하려 하기 때문이다. 기혈정이 충만하면 몸의 항상성(저항력)이 강해져 어떤 질병이 오는 것도 막아낼 수 있고 병이 걸린 상태라면 빨리 회복이 가능하다. 이것이 어떤 원인으로 부족해지면 병의 발생 기초가 된다. 기를 주관하는 곳은 폐이며 혈을 주관하는 곳은 간, 정을 주관하는 곳은 신장이다. 어느 것 하나 중요하지 않은 것은 없지만 몸이 나빠지기 시작하면 이 모두가 같이 손상이 온다. 임상에서 실제로 살펴보면 맥에 힘이 들어있는 것 같지만 속이 비어있는 경우와 맥이 왔다 갔다 하거나 한 번 쉬는 맥(부정맥), 이 두 경우가 많다. 피로를 가장 많이 느끼는 사람은 후자이며 전자는 일을 할 때나 활동 시에 전혀 피로를 못 느끼고 행동에 힘이 넘치는 경우가 있는데 이는 허열로 인한 것이다. 이런 사람은 쉽게 말해 일 중독자이다. 일하지 않으면 움쩍할 기운이 없고 하루 종일 누워있어야 한다. 그리고 여기저기 떠돌아다니며 음식을 규칙적으로 먹지 못하여 체격이 뚱뚱하면서 설사를 잘하고 가래도 많고 피로를 호소하는 사장님 타입의 사람도 있다. 요즘엔 이런 사람들이 많다. 사업상 이 지방, 저 지방, 이 나라, 저 나라 등으로 떠돌면서 음식이나 물이 맞지 않아 배탈이나 설사 등이 잘 오지만 고량후미 등의 섭취로 몸은 뚱뚱하며 몹시 피로를 호소한다. 그리고 아침에 일어나기가 무척이나 어렵고(싫고) 머리카락이 많이 빠지며 정력의 저하(남자)나, 몽교(여자)등이 나타나면서 피로한 사람도 있다. 이상의 네 경우가 피로의 대부분이라 해도 과언은 아니다. 잘 먹고 잘 자더라도 몸의 오장육부가 서로 어긋나면 병은 아무도 몰래 숨어들어온다. 항상 주의 또 주의하여 몸을 잘 살피길 바란다. 이의 치료는 약을 먹으면 10일 이내로 효과를 보지만 몸을 완전히 채우고 치료가 되려면 2-3개월이 소요된다. 피로가 심한 사람은 땀을 내면서 운동을 하는 것은 금물이다. 운동하지 마시고 적당히 걷는 것만 하는 것이 좋다.

11. 항문출혈

아무런 이유 없이 그냥 항문에서 피가 나오는 것인데 그 정도가 심한 사람은 가스가 방출될 때도 출혈이 된다. 변기에 앉기만 해도 푹-하고 혈변이 나올 수도 있고 변에 묻어서 나오기도 하고 휴지에 묻어 나오기도 한다. 기왕력으로 나오다 안 나오다 하는 경우도 있다. 그래도 통증은 전혀 없다.

치질이나 치루, 대장용종 등 다른 어떤 질병이 없는데도 배변을 할 때 마다 발생한다. 누구나 대변을 볼 때 피가 나오면 걱정이 먼저 앞서게 된다. 혹시나 이것이 하는, 그래서 병원에 가서 내시경이니 조직검사니 다 해 본다. 그래도 원인은 나오지 않는다. 한방적으로 원인을 살펴보면 이 출혈은 항문부근의 직장에서 나오는 것인데 항문 주위의 모세혈관이 어떤 원인으로 확장이 되어있는 것이다. 그럼 왜 그쪽의 혈관이 확장이 되었을까? 신체의 어느 부위에 혈관이 확장되는 것은 그곳에 열이 많다는 것이다. 코피라든가 자궁출혈, 장출혈, 안저출혈(눈의 출혈)등 모두가 열이다. 항문도 마찬가지로 그 어떤 원인으로 항문 쪽에 열이 많이 난다는 것이다. 장 부위를 뜨겁게 하는 약이나 음식으로 오는 경우도 있다. 특히 옻닭을 먹거나 인삼제품을 오래 먹거나, 매운 고추를 먹었을 때 심해진다. 치료는 이 원인을 제거하는 약을 먹는 것으로 주로 괴화사물탕을 탕약으로 1주일 정도 먹으면 치료된다. 과립으로는 소건중에 황련해독을 합하여 사용한다. 음식을 조심하면서…

12. 귀의 질환

귀에 나타나는 병은 삼출성 중이염, 염증성중이염, 귀의 통증, 이명, 이롱, 현훈, 이석증 등이 있다. 여기서는 염증 쪽으로만 하고 나머지는 다음에 설명해 본다.

1) 귀의 통증

외관상으로 전혀 염증이나 진물이 없는데 송곳으로 찌르는 듯한 통증이 이따금씩 나타나는 것이다. 통증이 올 때는 고개가 흔들릴 정도로 심하게 아프다. 모든 통증의 원인은 두 가지가 있는데, 불통즉통 즉 기나 혈이 통하지 못하여 열이 발생하여 오는 통증으로 급성이고, 불영즉통이라 하여 영양부족으로 오는 통증은 만성적으로 오는 것이 있다. 감기나 과로로 인하여 급작하게 나타나는 경우가 많은데 병을 앓으면서 뭔가가 통하지 못하여 생긴다. 치료는 발생한 열을 식혀주고(청열), 통하게 하면 된다.

2) 삼출성 중이염

현대 의학적으로는 이해도 못하고 원인도 모른다. 그러니 쓸 약도 없고 고치지도 못한다. 감기에 걸리기만 하면 귀에서 진물이 나오는데 아프지도 않다. 특히 어린이들이 많은데 귀에서 물이 나오면 부모는 걱정이 태산같다. 이 애가 귀가 잘못되어 귀머거리가 되는 것 아닌가 하고. 그래서 감기기운만 있으면 병원으로 달려간다. 검사를 다 해봐도 균은 나오지 않는다. 그러니 의사는 답답하다. 균이 있어야 염증입니다 하며 항생제를 듬뿍 처방할 것인데 균이 검출되지 않으니 염증이라 할 수도 없고, 그냥 돌려보내자니 아깝고… 그래도 처방을 한다. 일단 염증이니까 아주 역가가 높은 항생제를… 그렇게 해서 며칠 약을 먹다보면 그냥 낫는다. 하지만 또 감기가 오면 또 재발한다. 왜 이럴까?

이 귀에서 나오는 진물은 진액인데, 몸에 필요한 물이거나 하수 처리되어야 할 물이다. 몸의 기능 중에 물을 관리하는 장기는 어디인가? 폐, 위장, 신장이다.

폐를 보면, 호흡으로 물을 조절하고 방광으로 물을 내려 보내는 작용을 한다. 그리고 위장은 물을 흡수하여 폐로 보내주기도 하고 신장으로 내려 보내기도 한다. 신장은 말 그대로 소변을 내보내는 작용을 한다. 감기에 걸렸다는 것은 폐에 병이 침범한 것이다. 폐가 병에 걸렸으니 물을 내려 보내는 힘이 약해진다. 그러니 못 내려 간 물은 얼굴부위로 올라간다. 얼굴이 잘 붓는 사람이나 코가 뒤로 넘어가는 사람이나 귀에서 진물이 나오는 경우나 원인은 한 가지다. 폐가 제 할 일을 못하는 것이다. 그리고 항생제는 위장 장애가 심해지고 신기능을 더 떨어뜨린다. 위장이 물을 제대로 조절하지 못하니 폐로 물은 더 많이 쏠리게 되고 신기능이 약하니 소변을 만드는 힘도 폐와 위를 정상적으로 움직이게 하는 힘도 약해진다. 폐, 위, 신의 삼박자가 제대로 돌지 못하는데, 이 것을 더욱 악화시키는 것이 항생제다. 치료는 간단하다. 폐와 위와 신장을 정상적으로 움직이게 하면 끝이다. 육미와 월비탕, 오령산을 사용한다.

3) 염증성 중이염

이것은 삼출성 중이염에 균이 침범한 것이다. 검사를 하면 균이 나온다. 통증도 유발된다. 진물의 색도 진하고 냄새도 나고, 심하면 멀리서도 그 냄새가 느껴진다. 삼출성과 같은 원인에 스트레스를 받게 되면 발생하는데, 이것은 항생제를 투여해야 한다. 그 다음에 면역을 높여주는 약을 좀 길게 먹으면 좋다. 귀에 물이 들어가면 염증이 발생하는 경우도 있다. 물이 깨끗하지 못해 감염이 된 경우도 있고 물이 들어갔다고 면봉으로 닦고 후비고 하여 생기기도 한다. 귀 속은 가급적 건들지 않는 것이 좋다. 특히나 세수만 하면 귀에 물이 들어간다는 사람도 있다. 이는 너무 청결하게 하려고 귀를 너무 판 것이 원인이다. 귀의 점막에는 항상 기름기가 분비되어 물을 밀어내는 작용이 있어 잘 들어가지 않는다. 하지만 자주 닦아내면 기름기가 없어져 쉽게 들어간다. 이럴 때는 베이비오일을 귓속에다 발라 주면 방지가 된다. 아프지도 않고 불편한 증상들이 이명, 이롱, 현훈, 이석증이다 이명은 귀 속에서 이상한 소리가 나는 것이고, 이롱은 귀가 먹먹하여 정확히 들리지 않는 현상이며, 현훈은 어지러운 것이다.

4) 이명(耳鳴)

귓속에서 소리가 나는 것으로 소나기 오는 소리, 귀뚜라미 우는 소리, 갈대가 흔들리는 소리, 피아노 소리 등등 나타나는 소리의 종류도 다양하다. 어릴 때부터 소리가 나는 것을 느끼며 사는 선천적인 이명도 있고, 갑작스레 나타나는 경우도 있다. 선천적인 것은 고치기 어렵고 급성인 경우는 치료 가능하다. 외부에 소리가 나는 것은 다 듣지만 고요한 곳에 가면 귓속 소리가 더 크게 들린다. 이것의 원인은 과로와 스트레스, 어혈로 병원의 치료로도 잘 고쳐지지 않으며 만성적으로 이행하기도 한다. 몸의 항상성을 좋게 하고 울화를 풀어주며 어혈을 제거하고 기혈을 조화시켜 줘야 한다. 3개월 이상 치료해야 한다.

5) 이롱(耳聾)

한마디로 귀가 먼 것인데, 소리가 잘 들리지 않거나 웅웅거리며 명확하게 들리지 않는 것이다. 이 원인은 체력의 저하 즉 허약해서 온다. 체력이 떨어지면 자기 몸의 압(壓)이 변화가 오며 떨어지거나 높아진 체압을 정상으로 회복하는 힘이 약하여 외부의 압력과 동일하게 빨리 적응을 못한다. 엘리베이터를 타고 쑥~ 올라가면 귀가 먹먹해지는 것과 동일하다. 건강한 사람은 이럴 때 침을 꼴깍 삼키면 정상으로 되지만 허약한 사람은 늦다. 이 늦음이 오래 되면 이롱이 되는 것이다.

6) 현훈

어지러움으로 이런 사람은 생활에 상당히 불편함이 많다 천천히 뭔가를 붙잡고 일어나야 하고 길을 가다가도 갑자기 어지러워 눈을 감고 앉아 있어야 하고 특히나 운전을 하는 분들은 위험한 경우가 많다. 보통 어지러우면 빈혈이라고 말하는데, 모두다 빈혈이 아니다. 빈혈로 오는 것은 10%정도며 거의 모두가 스트레스다. 앉았다가 일어날 때(기립성) 어지러운 것과 몹시 피로하면서 어지러운 두 경우가 있는데, 기립성은 수독이 많은 것으로 청열하고 항상성을 키워주며 수독을 제거하면 되고 피로한 경우는 보약을 먹으면 된다.

7) 이석증(耳石症)

가장 괴로운 것 중의 하나로 보이는 모든 것이 뒤집어져 보이거나 건물이 구불구불 움직이듯 보이며 땅이 쑥~ 꺼지는 듯한 어지러움이다. 이 증상이 나타나면 보통 쓰러지거나 눈을 뜨지 못하고 누워 있어야한다. 누워 있어도 몸이 천정에 매달려 있는 듯이 느껴진다. 언제 나타날지 몰라 외출도 혼자서는 못하고, 병원에 가면 이석증이라 하는데 원인은 모른다. 약도 없으며, 머리를 잡고 이리저리 흔들어 돌이 제 위치에 들어가게 하는 것뿐이다. 달팽이관 내에 융모가 있고 그 위에 돌(石)이 얹혀 있어서 몸의 균형을 잡아주는데 어떤 원인으로 그 돌맹이가 떨어져 나온 것이다. 오장육부 그리고 모든 기관들이 제 위치를 지키며, 제 일을 하는 그 힘의 원천은 신장의 힘으로, 심장이나 위장이나 자궁이나 몸속에서 정해진 위치에서 떨어지지 않고 제 기능을 발휘하는 것이 이런 것이다. 오장육부가 제 위치에서 떨어지는 경우를 하수(下垂)라 한다.(심장하수, 위하수, 자궁하수, 탈장) 어쨌든 이석증은 무조건 신장이 나쁘다고 보면 되고, 신을 보하는 약 중에 가장 고가의 약을 먹어야 한다.

13. 코질환

코는 일 년 중 어느 때나 문제가 된다. 콧물, 코막힘, 재채기, 냄새를 못 맡는 것, 그리고 냄새가 나는 것, 아기들부터 노인에 이르기까지 남녀노소 누구나 이 콧병에서 자유로울 사람은 별로 없다.

코의 전반적인 내용을 살펴보면 코는 폐의 竅(구멍 규)라 하며 코로 神氣(호흡=산소)가 들고 나며 폐의 기운이 코로 통하므로 폐가 조화로우면 코는 능히 냄새와 향을 맡을 수 있다. 코에서 맑은 콧물이 흐르는 것은 폐가 차서(冷) 생기며 진한 콧물이 흐르는 것은 폐에 열이 차서 온다. 맑은 콧물이 세월이 갈수록 심해지면 이는 비염이며, 진한 콧물이 흐르는데 고름 같고 뇌수(허여스럼 함)같고 비린내가 나는 것(축농증)이 십 년 정도 경과하면 죽게 된다고 의서에 씌어 있다. 이 병을 얻게 되는 원인은 비염이 있는 사람이 치료하지 않은 상태에서 스트레스 음주 과로 등으로 간에 무리가 와서 약해져 이런 독소들을 해독하지 못하기 때문이다. 간에 독소가 쌓이면 열이 생기고 이 열이 코 속으로 침범하면 축농증이 된다. 비염이나 축농증 모두 면역력의 저하가 원인이다.

1) 비염(알러지성 비염)

요즘은 비염이 많이 발생한다. 특히 꽃피는 봄이나, 계절이 바뀔 때나, 낮과 밤의 온도차가 심할 때 주로 발생하는데 콧물과 재치기, 눈물, 눈과 코의 가려움, 코막힘 등등 얼굴에 물기가 줄줄 흐른다. 이 알러지성 비염은 폐가 냉해서 오는 것이다. 알러지 비염으로 콧물이 날 때 콧물은 차다. 이 증상이 좀 오래되면 따뜻하게 느껴지며 점점 진해진다. 폐가 냉하여 찬 기운이 폐로 들어오면 폐에서 자동으로 이 찬 기운을 내 보내려고 재치기가 나게 하고 폐가 냉하여 폐 속에 물이 많이 고여 있는 것이 재치기와 함께 얼굴로 치밀어 오르게 되어 발생한다. 몸의 저항력이 약하여 외부에서 들어오는 찬 기운을 이겨내지 못하므로 저항력(=면역력)을 키워주고 폐가 냉하니 폐를 따뜻하게 만들고 물이 얼굴로 쏠리는 것을 방광으로 내려 보내면 끝이다.

2) 축농증

비염이 오래되어 간열이 침범하면 발생한다. 이의 치료도 저항력을 키워주고 염증(열)을 제거하면 된다.

3) 코막힘

폐의 열과 위장의 열이 같이 코로 올라오면 코가 꽉 막힌다. 숨을 쉬지 못하고 입으로 쉬며 항상 코맹맹이 소리를 한다. 치료도 이 두 원인을 제거하는 쪽으로 하며 면역력을 키워주면 좋다.

14, 오십견, 사십완

나이가 오십에 가까워지면 나타나기 쉬운 통증 중의 하나가 어깨 결림이다. 흔히들 오십견이라 하는데 꼭 오십이 되야 나타나는 것은 아니고 더 젊은 나이에 오기도 한다. 팔을 뒤로 돌리거나 고개를 마음대로 돌리기가 어렵고 고개를 숙여도 목덜미가 아픈 경우도 있다. 그 통증의 정도는 사람마다 다른데 심한 사람은 근육이 찢어지는 듯 아프다고도 한다. 목의 통증은 목 디스크로 4 번째와 5 번째 손가락이 저린 수가 많다. 장시간 앉아서 머리를 숙이고 일을 하는 사람이나 목에 무리한 힘이 가해져서 뼈가 눌려져 생긴다. 이와 유사한 것 중에 척추통증이 있으며 고개를 숙이거나 등을 구부릴 때 당기는 듯한 통증이 심하게 나타나는 것이다. 또 다른 증상으로는 팔꿈치의 통증(흔히들 테니스 엘보라 한다), 손목의 통증, 손가락 통증 등도 있다. 여기에 나타난 모든 증상들은 그 원인이 비슷하다. 관절을 연결하는 것이 인대고 주위에 근육이 붙어 있어 뼈끼리 분리 되지 않게 해준다. 뼈와 뼈 사이에는 디스크와 활액이 있고 근육과 인대에 손상이 오면 이런 증상들이 생긴다. 그리고 몸에서 만든 영양의 공급이 부족해지면 목디스크나 척추통증이 발현된다. 근육과 인대에 힘을 주고 튼튼하게 해주는 장기는 간이며 뼈를 건강하게 유지시켜주는 곳은 신장이다. 간과 신장의 조화로 디스크와 활액을 건강하게 유지시킨다. 치료는 통증이 나타나는 증상별 부위별로 약을 다르게 사용하며 치료의 대강은 간과 신의 기능을 살려 주는 것이다.

15. 매핵기

매핵기(梅核氣)라 함은 목에 매화 씨 같은 것이 걸려 있는 느낌으로 뱉어도 나오지 않고 삼켜도 삼켜지지 않는 것을 말한다. 사람마다 나타나는 증상은 다른데 목 전체에 솜뭉치가 가득 들어있는 느낌도 있고 가느다란 실이 걸려 있는 느낌도 있으며 목구멍에 깁스를 한 것 같다는 말을 하는 사람도 있다. 어떤 경우든 목 속의 이물감, 간질간질한 느낌이 있다. 이 증상은 근심과 걱정이 많고 생각이 많은 내성적인 경우에 많이 나타난다. 억지로 켁켁거려 뱉어 내려고 하면 작고 찐득한 노란 덩어리가 튀어나오는 경우도 있다. 그것의 냄새를 맡아보면 고약하고 역겹다. 항상 헛기침을 잘하며 가래 뱉는 소리로 주위 사람들에게 불쾌함을 주기도 한다. 증상이 좋아졌다 심해졌다를 반복하기도 하며 치료를 해보면 잘 낫지 않는다. 사칠탕(=반하후박탕)을 주로 주는데 이것만 가지고는 치료가 어렵다. 왜 그런가 하면, 사칠탕은 위장의 문제로 올라오는 습(가래)을 제거하고 뭉쳐진 기를 풀리게 하는 성분(理氣)으로 구성 되어있기 때문이다. 약을 복용할 때는 조금 좋아지는 것 같다 다시 나타난다. 매핵기의 주원인은 폐조(肺燥)에 있는데 폐조는 폐가 건조한 것을 말한다. 습을 제거하고 이기하는 약을 먹는 것은 감기에 소화제를 먹는 것과 같은 것이다. 결국 이런 방법으로는 이 증상을 처치할 수 없는 것이다. 폐조가 오는 것은 과로나 사려과다(쓸데없는 생각)근심, 날 밤새는 것 등으로 폐에 진액이 말라 버렸기 때문이다. 폐에 수분(영양)을 충분히 채워주면 이 증상을 잡을 수 있다. 걱정하던 일이 순조롭게 잘 풀리면 스스로 없어질 때도 있다.

16. 구취

입에서 나는 냄새가 구취이며 대체적으로 향기롭지 못한 경우를 말한다. 자신이 구취가 있다고 알고 있는 사람은 말을 할 때나 마주 보고 있을 때는 멀리 떨어져 있거나 손으로 입을 가리는 수가 많다. 본인의 입에서 냄새가 나는 것을 모르는 사람은 타인에게 많은 불쾌감을 준다. 몸의 상태, 먹은 음식, 질병의 종류에 따라 냄새도 달라지며 양치질을 안하거나 잇몸 염증, 입병 등이 있으면 구취가 발생한다. 이런 경우는 이를 닦고 염증을 제거하면 없어지겠지만 아주 골치 아픈 경우는 이도 닦고 염증도 없는데 본인도 타인도 느끼는 냄새가 있다는 것이다. 음식을 조금이라도 먹으면 양치를 하거나 가글, 구취제거 스프레이 등을 아무리 해도 그 지독한 냄새는 가시지를 않는다. 술을 먹거나 마늘을 먹게 되면 완전 독가스가 된다. 물론 평소에 입 냄새가 없던 사람도 술이나 마늘 양파 부추 등을 먹고 난 뒤에는 그 음식의 냄새가 난다. 일시적으로 나는 것이야 별 문제 아니지만 고질적인 것은 본인도 가족도 주변 사람들도 모두 괴롭다. 그럼 이 불쾌한 냄새의 원인은 뭘까? 결론부터 말하자면 뱃속에서 올라오는 것이다. 음식을 먹으면 먼저 위에 모여서 소화가 잘 되도록 소화액과 음식이 뒤섞이고, 그런 뒤에 장으로 내려 보내는데 나가라고 위(胃)의 분문(아래 문)을 활짝 열어놔도 안 나가고 버티는 놈이 있다(이것을 숙식이라 한다). 그놈이 문제를 일으키기 시작한다. 남아 있었으면 그냥 그대로 있으면 좋을 텐데 이것이 변해서 조화를 부린다. 따뜻한 위속에서 소화액과 범벅이 된 것이 시간이 지나면서 물이되기도 하고 썩기도 한다(부패). 그러면서 열을 낸다. 여기서 물과 열로 문제가 되는 경우는 음식알러지, 아토피, 누런 치아 등으로 나타나고, 부패한 것과 열로 인해 나타나는 문제는 입 냄새로 나타난다. 구취는 이것이 전부다. 좀 오래 걸리는 것은 아토피나 알러지인데, 치료를 하려면 항간에서는 체질을 바꿔줘야 치료가 된다는 등등의 말을 많이 한다. 발생 원인을 살펴보면 체질과는 전혀 무관하다. 특히 사상의학이니, 팔상의학이니, 오운육기니 이러이러한 체질적으로 병을 고치려 하는 사람은 더 많은 공부가 필요하다고 생각한다. 체질을 보는 경우는 병을 짐작하거나 예측할 수 있는 한 방편이지 이 체질에는 이 병이라는 생각은 버려야 한다.

17. 변비

나가야 할 것이 나가지 못하면 답답하고 번조해진다. 비워져야 할 것이 꽉 차있는 것을 실증이라 하고 위에 음식이 내려가지 않고 차있으면 소화불량이고 담에 담즙이 나가지 못하면 황달이 온다. 또한 장에서 변이 나가지 못하면 변비이다. 간에 독소가 빠지지 않으면 화병이 되고 방광에 소변이 잘 나가지 않으면 부종이 된다. 병 같지 않으면서 사람을 힘들게 하는 것이 변비인데 지금부터 이것에 대해 설명을 하겠다. 변비가 있는 사람은 욕심이 많다라는 말이 있지만 취하기만 하고 사하지를 못해서 하는말 같다. 어쨌든 장에서 변이

610

장시간 머물러 있으면 딱딱하게 굳어 매끄럽게 빠지지 않는다. 변의 상태는 보편적으로 단단하며 굵은 구형으로 나오는 경우가 많고 어떤 이는 토변(토끼똥) 같거나 또 가늘고 무른 변이나 며칠에 한 번씩 보는 일도 있다. 배변의 횟수는 1일에 1번이 정상이지만 2일이나 3일에 보더라도 시원하게 배출이 되면 변비라고 할 수는 없다. 섭취하는 음식의 양이 적거나 변을 굳어버리게 하는 음식이나 약을 먹어도 나타난다. 어른들 말씀에 똥구멍 찢어지게 가난했다라는 말이 있는데 이것은 옛날에 먹을 것이 없어 소나무 껍질을 벗겨 식사를 하면 변이 항문 근처에서 빠지지를 않아서 막대기나 숟가락 등으로 파내거나 힘을 과다하게 주어 억지로 볼 일을 보아 항문이 찢어지게 되어 나온 말이다. 약이나 특정 음식으로 생긴 일시적인 배변곤란은 그 원인 물질을 삼가면 자연 치유가 된다. 그러나 먹긴 잘 먹는데 당최 나갈려고 하지 않는 것을 변비라 한다.

나가지 못한 변들은 장내에서 독소를 발생시켜 어혈이 만들어지고 얼굴에 뾰루지나 눈가에 노랗게 좁쌀 같은 지방종을 생기게 한다. 또한 얼굴이 거므스레 해지고 화장도 잘 받지 않는다. 고운 얼굴을 유지하는 첫 번째는 변비를 없애는 것이다. 변비치료의 기본은 간을 먼저 치료하는 것이다. 간을 통하게 하려면 장을 통하게 해야 하고 장을 통하게 하려면 간을 통하게 해야 한다는 법칙이 있다. 간은 청열, 해독, 유간, 소설 네 가지의 기능이 있으며 변비는 이 소설(疎泄)이 잘 되지 않아 장이 막혀버린 것이다. 학교 다닐 때 실험시간에 피펫에 물을 담으려 할 때 윗구멍을 막고 있으면 물이 빠지지 않다가 손을 들어 구멍을 열어주면 물이 아래로 쏙 빠지는 이 원리가 우리 몸 속에서 일어나고 있다고 보면 된다. 간의 기능이 떨어지면 열이 생기고 이 간의 열은 주로 갈비뼈 아래와 명치쪽(횡격막)에 쌓이므로 입에서부터 항문까지의 통로 중에서 열이 명치부위에 막혀 있다고 생각하면 된다. 이때 시중에 나오는 변비약이나 장청소 약의 복용은 근본적인 치료방법이 되지 못한다. 오히려 장을 무력하게 만들어 더욱 힘들게 만드는 경우가 있다. 빨리 변을 빼내려 할 때 한두 번 먹는 것은 무방하나 장기간을 복용하는 것은 좋지 않다. 치료방법은, 막고 있는 열을 없애주고 장에 힘을 주며, 어혈을 제거하는 것이다.

18. 남성고민

평소 건강함과 강인함을 요구받는 남성. 하지만 현대사회의 치열한 생존경쟁에서 오는 압박과 스트레스, 음주와 흡연 등은 남성의 열정뿐만 아니라 건강까지도 녹슬게 만든다. 또한 중년의 나이로 접어들수록 남성들은 쉽게 피곤해지고 의욕도 줄어들고 건강에 적신호가 켜질 뿐만 아니라 남성으로서의 자신감도 낮아지게 된다. 특히 발기부전은 남성의 대표적인 고민 중 하나인데, 이전에는 중년이나 노년에 접어들면서 생기는 것이라고 여기는 경우가 많았지만, 최근에는 20~30대의 젊은 남성에게도 발기부전이 나타나면서 걱정이 커지고 있다. 때문에 평소 자신의 건강을 점검하고 관리하여 미리 발기부전을 예방하는 것이 중요하다. 생활 속에서 발기부전을 일으키는 중요한 요인은 바로 음주와 흡연이다. 음주 자체만으로도 일시적으로 발기 장애를 겪을 수 있으며 지나친 음주는 남성호르몬을 분해하고 뇌의 기능을 떨어뜨린다. 또한, 담배 속에 있는 타르와 니코틴은 정상적인 발기가 일어나게 하는 음경해면체로 혈액이 충분하게 흘러가는 것을 막고 음경의 혈관을 수축시킨다.

이처럼 술과 담배는 건강뿐만 아니라 성생활에서 문제를 일으키므로 남성 건강을 위해서는 금연과 금주가 필수적이다. 발기부전 예방을 위해서는 과식을 피하고 건강한 식습관을 유지하는 것이 중요하다. 서구화된 식습관으로 인해 발생할 수 있는 당뇨, 고지혈증, 비만 등의 성인병은 발기부전의 원인이 되며 기존의 발기부전 상태에도 심각한 영향을 미치기 때문이다. 이를 위해서는 인스턴트음식이나 육류, 기름기가 많은 음식 섭취는 줄이고 저지방, 고단백 음식과 함께 과일과 채소, 견과류 등을 같이 먹는 것이 좋다. 하체의 건강은 발기부전 예방과도 직결되는데, 가벼운 조깅이나 축구, 수영 등의 운동을 규칙적으로 하면 뇌하수체를 자극하여 남성호르몬의 원활한 분비를 돕는다. 또한 직장생활로 인해 오랫동안 의자에 앉아 있는 것은 남성의 전립선에 무리를 줄 뿐만 아니라 발기부전을 일으킬 수 있다. 때문에 가능하면 자주 일어나 가벼운 스트레칭을해 주어 하체의 혈액순환을 도와주는 것이 좋다. 만약 발기부전이 발생했을 때에는 진단과 증상에 따라 약물복용, 호르몬주사, 수술, 정신상담 등의 치료방법을 이용하게 된다.

그 중 먹는 발기부전 치료제는 비아**, 누리**, 팔* 등이 많이 사용되고 있다. 발기부전 환자의 대부분은 병원 가기를 꺼려 개인적인 지식 습득으로 문제를 해결하려고 한다. 하지만 발기부전은 원인이 다양한 만큼 전문적인 치료를 받는 것이 중요하므로 가까운 병원을 방문하여 전문의와 상담 후 자신에게 맞는 치료방법을 선택하는 것이 중요하다. 한방적으로 발기부전은 활혈이 되지 못하여 오는 것으로 생각한다. 병원의 검사결과 이상이 없는 경우는 피를 깨끗이 하고 신기능을 높여 음경해면체로 들어가는 혈액이 충분하도록 몸을 만들어 주어야 한다.

19. 설사(泄瀉)

장시간 여행을 하거나 운전을 하거나 행사에 참여할 때 가장 고통스러운 것이 뱃속의 불편함이 아닐까 한다. 몸에서는 식은땀이 흐르고 초조해지고 마음이 불안해진다. 항문을 아무리 조이고 조여도 향기롭지 못한 것이 나오면 거의 초죽음이 된다. 설사는 생냉(生冷)한 음식의 과식으로 위와 장이 냉해져 오는 경우와, 고량후미의 과식이나 자극이 심한 음식을 먹어 위장의 과부하를 주어 청탁의 분별이 일어나지 않아 청기가 하강하여 발생한다. 신의 명문화 부족으로 칠충문을 조절하는 봉장의 힘이 약해져 오는 설사는 만성설사와 식후설사, 오경설이 있고, 간화와 명문의 부족이 동시에 대장에 작용하여 개합의 균형이 깨지고, 간화로 인해 통증이 왕래(往來)하며, 설사가 나는 경우와, 변비가 지속되는 경우, 변비와 설사가 교대하는 증상이 나타나는데 이 증상은 과민성대장증상이다.

설사의 종류는 많고 증상도 다양하지만 그 원인은 비위와 간과 신장이 거의 전부다. 이 세 장부만 잘 조리해줘도 장의 기능은 원활해진다. 여기서 요즘에 문제가 되는 것은, 정보의 홍수시대에 사는 현대인들이 누구나 자신이 의사라고 생각하는 것이다. 어디가 나쁘면 무얼 먹어라 어디에는 뭐가 좋다는 식으로 누구나 박사인 척을 한다. 하지만 이 것은 손톱 밑에 가시 든 것은 알아도 심장에 쉬 쓰는 것은 모른다는 것과 같다. 일례로 유산균에 대해서 말씀 드리자면, 위에 좋은 유산균, 간에 좋은 유산균, 장에 좋은 유산균 등등 그것만 먹으면 모든 것을 다 고칠 수 있는 듯이 말한다. 이런 단편적인 지식이 요즘 사람들을 다 반똑똑이로 만들어 버린다. 결론부터 말하면 유산균은 장기간 먹는 것이 아니다. 외부에서 들어온 균은 잠시 우리 몸속에 번식을 하다가 사멸한다. 그래서 매일매일 보충을 해야 한다. 잠시 동안은 외부 유산균은 내 몸속에서 살면서 정상발효를 일으켜 변을 좋게하고 장을 편안하게 합하지만 외부(外部)에서 들어온 균은 내 몸의 균까지 번식을 방해하여 약하게 만든다. 그래서 주인은 점점 힘이 약해지고, 손님이 집안에 들끓게 되면 주인은 지치고 결국 손을 놓게 된다. 주인이 없는 집에 손님은 주인처럼 집을 지키지 못한다. 집이 허술하니 좀도둑이 들어오고 도둑들은 나중엔 집을 차지해 버린다. 이 현상이 균교대 현상으로 장이 아주 망가지는 것이다. 몇 개월 유산균을 먹고 찾아오는 사람들 중에는 후회를 많이 하는 사람이 있다. 장이 좋지 못할 때 며칠 먹고 속이 편안해지면 더 먹지 말기를 권해야 한다. 주인은 비바람이 몰아치거나 벽이 허물어지거나 홍수가 나도 수리하고 집을 지키려 하는 힘이 있다. 손님과 도둑은 불편하거나 이익이 없으면 그냥 떠나버린다. 주인에게 잘 살 수 있는 환경을 만들어 주는 것이 장을 좋게 하는 최고의 방법이다.

20. 갱년기장애

간과 담(쓸개)은 서로 음과 양으로 연결되어 있다. 간의 양(열)이 많아지면 담에도 열이 많이 쌓이게 된다. 양은 열에 속하고 음(영양, 혈)을 소모시킨다. 그리하여 간의 음혈이 줄어들고 허화가 왕성해져서 불안해지거나 흥분, 불면의 상태가 나타나며, 열이 날 때는 파도가 밀려오는 것처럼 느껴지고 또 올랐다 내렸다하기도 하고 입이 잘 마르고, 쓰고 생리가 불순해지고(없어지기도 하고), 두통, 어지러움, 입병, 가슴답답, 밥 먹기가 싫어지고 유방이 부풀거나 단단해지면서 아파지는 증상이 나타난다. 특히 유방에 단단한 덩어리가 촉지 되어서 많은 걱정을 하는 경우가 있는데 이는 간열이 유방으로 침범하여 가슴 조직을 단단하게 만들어 생기는 것이다. 조직 검사상 이상이 없으면 간열을 풀어주면 풀리게 된다. 이것을 유방결핵이라 한다.

여자의 몸은 7배수로 변화하며(남자는 8배수), 5배수부터 몸이 늙기 시작한다. 즉 35세 부터 소화기가 약해지면서 간의 기능, 신장 기능의 순서로 쇠약해진다(남자는 40세부터 위와 같은 순서로). 2배수부터 남여의 구별이 시작되어 자식을 가질 수 있는 몸으로 변한다. 7배수가 되면 남자나 여자나 자기 본래의 기능은 전부 소실될 수 있다는 말이다. 요즘은 영양의 섭취가 좋고 의약이 발달되어 더 늦어지는 수도 있지만 대체적으로 그렇다는 말이다. 여자 나이 49세가 되면 몸에서 혈이나 정이나 영양을 만드는 모든 기능이 나빠져 음혈이 부족하게되고, 이로 인해 열이 발생이 되는데 음의 대표적인 게 혈이고 혈을 주관하는 곳이 간이니 간의 음혈부족으로 오는 증상이 주로 나타난다(처음에 설명한 증상들이다). 음혈이 부족한 것에 신경증상이 합해져 증상이 나타나며 보통 갱년기 증상이라 한다. 신경증상이 더 심해지면 히스테리로 변할 수도 있다. 이런 사람은 웃다가 울다가, 좋았다 나빠졌다 하는 감정의 변화가 자주 나타난다. 간의 열은 오락가락하는 현상이 특징이고 이에 수반하여 감정까지도 그렇게 바뀐다. 이즈음에 생리가 끊어지는 것은 더 이상 몸의 혈을 소모하면 생명에 지장에 있으므로 몸이 알아서 출혈을 막아버려 오는 것이며 이와 같이 발생하기 쉬운 것이 골다공증이며 영양의 흡수가 불량해져 혈을 만드는 요소가 줄어들어 뼈에서 그 물질을 가져다(뺏어와) 피를 만들므로 뼈가 약해지는 것이다. 갱년기증상을 치료하려면 간혈을 보하면서 열을 내리고 비위와 신장의 기능을 높여 줘야 한다. 히스테리 증상이 있는 사람은 뇌에 영양을 공급하는 약을 더 추가한다. 3개월 정도 치료가 필요하다. 건강한 노후를 영위하려면 피(혈)가 충만하게 하면 된다. 적당한 운동과 충분한 영양섭취로 건강한 생활을 누리길 바란다.

제 10장

한 약 의 임 상 과 응 용

맺음말

제10장
맺음말

방제를 잘 살펴보면 거의 모든 경우가 어떤 특별한 상태를 유지하며 구성되어 있다.

특별한 구성이란 한 질병의 상태를 치료를 위한 몸의 상태를 최적의 상태로 만들어 병을 이겨나가게 한다는 것이다. 질병이란 몸의 상태가 어느 한 쪽으로 치우쳐 있는 것인데, 이 치우침이란 물(水), 열(熱), 압(壓)이다. 세 가지 중 어느 하나의 부족이나 넘침은 병으로 발생되는데 이런 불균형을 맞추어 주는 것이 효과가 뛰어난 방제의 구성이다. 그리고 좋은 효과를 내기 위해서는 방제보다 그 병을 보는 방법이 우선이다. 정확한 병의 분석으로 가장 적절한 방제의 사용은 병을 치료하는 최선의 방법이다.

병을 보는 눈을 발전시키는 것은 많은 자기 계발이 필요하며 하루 이틀 만에 눈이 뜨이는 것은 아니므로 열정을 가지고 끊임없이 노력하는 방법밖에 없다.

1.압(壓)

정상적인 압은 오장육부의 기능을 원활하게 움직이게 하고 체형을 유지하며 병에 대한 저항력과 혈액이나 기의 순환, 체력을 유지시키는 기능이다. 압이 강하면 부풀어 오르고 열이 나며 통증이 나타나고 뜨겁거나 따뜻한 것의 접촉도 싫어하며 만지는 것을 좋아하지 않게 된다.

압이 약하면 만져주는 것을 좋아하고 기능이나 형상이 줄어들고 차게 된다. 이 상태가 지속되면 열로 변하여 압이 강한 증상으로 나타나지만 눌러주고 따뜻하게 하는 것을 원하게 된다.

몸의 구성은 강(腔)과 강(腔)으로 맞대어 있고, 막(膜)으로 구분되어 있다. 강과 강을 연결시켜주는 것은 경락과 혈관이다. 막의 소통은 간의 기능이며, 막의 봉합은 신(腎)의 힘이다. 인체를 구성하는 세포나 장기는 모두 강과 막으로 이루어져 있고, 이 강막은 소통과 봉합의 작용으로 유지되며 각 강(腔)의 생명이 영위된다.

압이 높으면 반드시 열이 나며 창통(脹痛)이 일어난다. 열을 내리면 압도 내려간다. 열을 내리는 방법은 사화(瀉火)를 하거나, 통하게 하면 된다. 역으로 생각하면 통하지 않으면 압이 높아지고, 압이 높아지면 열도 발생한다. 발한은 땀을 통하게 하여 열을 내리는 방법이며, 간의 열은 막을 열어 혈이 통하게 하여 내리는 방법이다. 위장에 압이 높은 것은 숙변이 원인이 되거나 위의 진액이 부족하여 오는 것인데, 숙변이 원인인 것은 변을 통하게 하고 진액의 부족으로 온 것은 직접 열을 내리는 석고제를 투여하여 끈다. 이상의 경우는 양병으로 압이 높아져 생긴 열을 제거하는 것이며, 반대로 음병은 냉해져 압이 줄어든 상태이므로 열을 가하여 압을 높여 줘야 하는 것이다.

현대의 병은 대부분 압의 높음으로 인하여 발생하는 것이다. 각자의 생활환경이 막히고 넘쳐 열이 발생되어 압이 높아 오는 것이니 방제의 투약은 통하고 빠지게 하여 적당한 압을 유지 하게 하는 것이 좋다. 넘침도 부족함도 모두 병이며, 적당한 것이 최고의 건강 유지법이다.

하나의 세포든 조직이든 장부든 아래 그림처럼 강(腔)속에 자신의 역할을 할 수 있는 구성조직이 있으며, 막(幕)으로 둘러쌓아 그 강(腔)을 보호하고 작은 혈(穴)이 있어 다른 강(腔)과 상호 협조하면서 자기들이 구성한 생명체의 생명을 이어가게 한다.

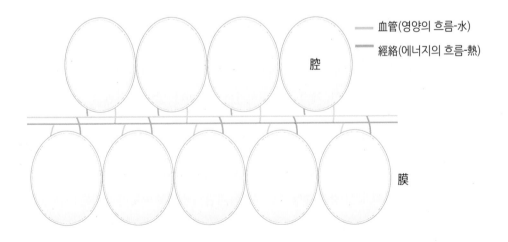

血管(영양의 흐름-水)
經絡(에너지의 흐름-熱)
腔
膜

2. 수(水)

인체의 수(水)라 함은 액으로 된 모든 것을 나타낸다. 혈액, 땀, 타액, 눈물, 영양, 소변, 정(精) 등 모든 진액을 말한다. 진은 맑고 묽은 것이며, 액은 진하고 끈끈한 것을 나타낸다.

수(水)는 잘 흐르며 머물지 말아야 한다. 괴병은 수병이라는 말처럼 물의 흐름이 좋지 못하여 발생하는 것은 무수히 많다. 물의 흐름도 압의 이상을 만들 수 있고, 압의 이상으로 수의 흐름이 나빠질 수 있다. 물이 정체하여 압이 높아지면 열이 나며 습이 스며 나온다. 압을 내리거나 열을 조절하거나 이수를 하여 풀어야 한다.

물의 정체나 부족은 압과도 밀접한 관계에 있다.

3. 열(熱)

체온을 유지하고 오장에 힘을 나게 하고 병에 대한 저항력이 생기게 하는 것으로, 수(水)와 함께 작용하여 모든 것을 변하게 만드는 작용을 한다. 조화나 변화나 이런 상태에서 저런 상태로 바뀌게 되는 것은 모두 이 두 가지의 작용이다.

수곡이 영양화되는 것, 영양이 에너지로 변하는 것, 습이 소변으로 변하는 것 등 모든 변함은 수화의 작용이며, 신수와 심화의 교류가 잘 일어나야 하는 것이다. 수화의 교류에 보이지 않게 작용하는 것은 압이다.

모든 신진대사나 기혈청의 작용은 수와 열을 조절하여 압을 일정하게 유지하고자 하는 힘이며 생명을 영위하는 근본인 것이다.

4. 결론

더 많은 연구가 필요한 경우이지만 어떤 질병에 하나하나 대입하여 이 경우를 대입하여 풀어보면 의외로 병의 해석이 쉬워진다. 기본 지식이 바탕이 되어야 이해가 되는 경우도 많지만 병을 보는 새로운 눈이 되는 것이다.

사상의학이든 오운육기, 상한론 등도 병을 보는 눈을 계발 발전시켜 하나의 학문으로 완성되었고, 후대에 많은 사람들의 고통을 들어준 것이다.

누구는 한 가지 일에 몰두하다 보면 그 속에서 자기만의 새로운 눈이 생겨나고 더 발전시켜 큰 학문의 한 획을 긋게 될 수 있을 것이다.

현재는 초보적 단계라 속속들이 모든 것을 밝혀 문서화하기는 좀 버거운 면이 있다. 하지만 다시금 모든 경우를 모두 풀어 볼 것이다. 이 글을 보시는 분들도 시도를 해보는 것이 어떨지 권유를 한다.

자신만의 눈을 만들고 발전시켜 고통에서 신음하는 많은 사람들을 해방시켜 주기를 간절히 바라는 바이다. 부단히 자기계발에 힘쓰고 많은 사람들에게 좋은 일을 하는 것이 우리가 이 업을 종사하면서 할 수 있는 가장 빛나는 일이 아닐까 생각한다.

방제 색인

한약의 임상과 응용

첫째판 1쇄 인쇄 2016년 1월 5일
첫째판 1쇄 발행 2016년 1월 10일

지 은 이 성영제
발 행 인 장주연
출 판 기 획 변연주
내 지 디 자 인 심현정
표 지 디 자 인 전선아
일 러 스 트 문승호
발 행 처 군자출판사
　　　　　　등록 제4-139호(1991.6.24)
　　　　　　본사 (110-717) 서울시 종로구 창경궁로 117(인의동 112-1) 동원회관 BD 6층
　　　　　　전화 (02)762-9194/9197　　　　　팩스 (02)764-0209
　　　　　　홈페이지 | www.koonja.co.kr

ISBN 978-89-6278-458-9

정가 150,000원